Peter Hoffmann, geb. 1930 in Dresden, studierte in Tübingen, Zürich, an der Northwestern University (Illinois, USA) und in München. 1961–1965 war er Dozent an der University of Maryland, 1965 Assistant Professor, seit 1968 Associate Professor of History an der University of Northern Iowa. Seit 1970 ist Peter Hoffmann Ordinarius für Deutsche Geschichte an der McGill University in Montreal (Kanada).

Peter Hoffmann

Die Sicherheit des Diktators

Hitlers Leibwachen, Schutzmaßnahmen,
Residenzen, Hauptquartiere

R. Piper & Co. Verlag
München Zürich

Karten und Skizzen gezeichnet von Jutta Winter

ISBN 3-492-02120-4
© R. Piper & Co. Verlag, München 1975
Gesetzt aus der Linotype Trump-Mediäval
Gesamtherstellung: Graphische Werkstätten Kösel, Kempten
Printed in Germany

Inhaltsverzeichnis

Abkürzungen

BA	Bundesarchiv (Koblenz)
BA – MA	Bundesarchiv – Militärarchiv (Freiburg i. Br.)
FBB	Führer-Begleit-Bataillon
FFA	Führer-Flak-Abteilung
FHQ	Führer-Hauptquartier
FLNA	Führer-Luft-Nachrichten-Abteilung
FNA	Führer-Nachrichten-Abteilung
Flak	Fliegerabwehrkanone
IfZ	Institut für Zeitgeschichte (München)
KTB	Kriegstagebuch
LSSAH	Leibstandarte SS »Adolf Hitler«
NA	National Archives (Washington)
OKH	Oberkommando des Heeres
OKW	Oberkommando der Wehrmacht
OSS	Office of Strategic Services
OT	Organisation Todt
Pak	Panzerabwehrkanone
RSD	Reichssicherheitsdienst
RAF	Royal Air Force
RSHA	Reichssicherheitshauptamt
SA	Sturmabteilung
SS	Schutzstaffel
StA	Staatsarchiv
VfZ	Vierteljahrshefte für Zeitgeschichte
WFSt	Wehrmachtführungsstab

Vorwort

Die vorliegende Studie entstand aus der Beschäftigung mit den Umsturzversuchen der deutschen Opposition gegen Adolf Hitler. Dabei ist immer
wieder die Frage hervorgetreten, ob der Diktator so gut geschützt gewesen
sei, daß Attentate fast aussichtslos waren oder bestimmte Attentatmetho-
den nicht in Betracht kamen, oder ob der Schutz doch nicht so lückenlos
gewesen sei, wie oft versichert wurde. Die Aktenbestände des »Reichssicherheitsdienstes« (Führerschutzkommando) in Berlin sind bei dem Luftangriff des 29. April 1944 vollständig zerstört worden, und am Ende des
Krieges wurden auch die Bestände, die sich inzwischen wieder angesam-
melt hatten, vernichtet, ebenso wie die Akten des SS-Begleitkommandos
»Der Führer« *. Doch kam im Lauf der Jahre so viel an anderen Stellen
erhalten gebliebenes und zum Teil rekonstruiertes Geheimmaterial zum
Problem des persönlichen Schutzes des Diktators zusammen, daß nun eine
zusammenhängende Darstellung möglich geworden ist.

An dieser Stelle danke ich den vielen Archiv- und Bibliotheksbeamten,
die mir stets freundlichst beim Sammeln des Materials behilflich waren,
insbesondere den Damen und Herren im Bundesarchiv in Koblenz, im
Bundesarchiv–Militärarchiv in Freiburg i. Br., im Politischen Archiv des
Auswärtigen Amts in Bonn, in der Rechtsabteilung des Eidgenössischen
Politischen Departements, im Institut für Zeitgeschichte in München, in
der Württembergischen Landesbibliothek in Stuttgart, im Institut für Zei-
tungsforschung in Dortmund, Herrn Richard Bauer im Berlin Document
Center in Berlin, Herrn Robert Wolfe und Herrn George Wagner in den
National Archives in Washington, Mrs. Agnes F. Peterson in der Hoover
Institution in Stanford, Californien, sowie den Damen und Herren der
McLennan Library der McGill University. Dem Social Science Research
Grants Committee der McGill University und dem Canada Council in
Ottawa habe ich für finanzielle Unterstützung meiner Arbeit zu danken.

---

* Parteikanzleikorrespondenz Mai 1944 betr. Krim. Rat. F. Schmidt (Berlin Document Center), Auskünfte von Krim. Dir. a. D. F. Schmidt u. O. Günsche.

Mein Dank gilt auch den vielen Herren, die entgegenkommenderweise aus unmittelbarer Kenntnis der Dinge Auskünfte gegeben haben. Herrn Dr. R. Raiber in Wilmington, Delaware, bin ich für die Durchsicht des Manuskripts, für viele wertvolle Hinweise und für seine Mithilfe bei der Aufnahme des Führerhauptquartiers »Wolfschanze« besonders dankbar, ferner Herrn Dr. Werner Maser, Herrn Prof. Charles Burdick, Herrn Prof. Lawrence D. Stokes, Herrn David Irving, Herrn Ministerialrat a. D. Fritz Tobias und Herrn Philip Palmer für die Mitteilung wichtiger Einzelpunkte. Besonderer Dank gebührt Fräulein Eve Rosenhaft, die sich um die Herstellung und Revision des Manuskripts sowie der Anmerkungen große Verdienste erworben hat.

McGill University, Montreal 1974   P. H.

I. Gegenstand, Sinn und Zweck
der Untersuchung

Das Leben Adolf Hitlers war während seiner Laufbahn als politischer und militärischer Führer in ständiger Gefahr. Er ist nicht müde geworden, sich mit dieser Gefahr und der Frage, wie ihr zu begegnen sei, zu beschäftigen. Zugleich nahm er durch sein eigenes Verhalten Gefahren in Kauf, ja, er schien sie oft zu suchen. Angesichts der vielen Anläufe zur Ermordung des Diktators ist also die Frage von Bedeutung, wie leicht oder wie schwierig es gewesen sei, ihn zu töten. War es leicht oder schwierig, an ihn heranzukommen? Waren die Sicherheitsvorkehrungen gut oder schlecht? Welchen Anteil nahm Hitler selbst an ihnen, wie beurteilte er sie? Welche der vielen Attentatversuche sind an Sicherheitsvorkehrungen gescheitert, welche führten aus anderen Gründen nicht zum Ziel? Diese Fragen gewinnen durch Hitlers eigentümliches Verhalten und durch Widersprüche in den Bemühungen um seine persönliche Sicherheit eine merkwürdige Komplexität. Darüber hinaus vermittelt ihre Untersuchung Einblicke in die Denkweise und Psychologie des Diktators, die zum Verständnis der katastrophalen Persönlichkeit und ihrer Auswirkungen beitragen können.

Im Ersten Weltkrieg stand der Soldat Adolf Hitler vier Jahre lang an der Front und kehrte mit hohen Tapferkeitsauszeichnungen zurück. In der »Kampfzeit« seiner Partei, 1919 bis 1933, geriet er zahllose Male in Lebensgefahr – auf der Straße, in Versammlungen, auf Reisen. 1922 stürmte er in einer Versammlung auf die Tribüne und griff den Redner tätlich an, obwohl er die Mehrzahl der Versammlungsteilnehmer als feindlich gesinnt ansehen mußte; Hitler mußte drei Monate ins Gefängnis. Am 22. August 1939 drohte er in seiner berüchtigten Ansprache vor Generalen, denjenigen persönlich die Treppe hinunterzustoßen und ihn vor den Augen der Photographen mit Füßen zu treten, der ihm mit Kompromissen zur Vermeidung des beschlossenen Krieges kommen wolle. Als Parteiredner, als Führer einer auf Gewalttätigkeit festgelegten politischen Partei, später als militärischer Führer hat Hitler persönliche Gefahr nicht gescheut, jedenfalls auch dann nicht gemieden, wenn er es gekonnt hätte [1]. Aber trotz Beweisen der Furchtlosigkeit beschäftigte sich Hitler in mor-

bider Weise mit der Gefahr seiner Ermordung wie mit seiner angegriffe-
nen Gesundheit, zumal seit 1938. Er besorgte, sein Ende könnte herbei-
kommen, ehe er seine »Mission« erfüllt hätte: »Ich kann aber jederzeit
von einem Verbrecher, von einem Idioten beseitigt werden«, sagte er in
seiner Rede vom 22. August 1939 [2]. Gleichwohl zeigte er sich noch in den
ersten drei Kriegsjahren aufrecht im offenen Wagen stehend der Menge
und machte Frontbesuche mit mäßigem Begleitschutz. Am Ende des Krieges ließ er sein eigenes Hauptquartier zu einem Teil der Front werden.
Zwar hatte er da mit seinem Leben abgeschlossen, doch war er voll Furcht,
er könnte lebend gefangen werden, ging also wieder ein unnötiges Risiko
ein [3].

Persönliche Gefahr gehört überall zum Berufsrisiko des Politikers. Das
Deutschland der zwanziger Jahre bildete keine Ausnahme von dieser Regel, im Gegenteil, die turbulenten Zustände nach dem Ersten Weltkrieg,
die unerfüllbaren Friedensbedingungen und Reparationsforderungen, die
Inflation, die ruinierte Wirtschaft, die Hunderttausende demobilisierter
Soldaten, die Aufstände und Freikorpskämpfe sorgten für eine Atmosphäre,
in der politische Mordtaten gediehen – in einzelnen Fällen mit Sanktion
und Unterstützung offizieller Stellen. In den Jahren 1919 bis 1921 gescha-
hen in Deutschland 376 politische Morde. Die KPD-Führer Rosa Luxemburg und Karl Liebknecht wurden nach dem Aufstand vom Januar 1919
in militärischem Gewahrsam und anscheinend auf Befehl der kommandierenden Offiziere ermordet. Die politische Linke war besonders Ziel-
scheibe der politischen Gewalttat, wie auch die Ermordung Kurt Eisners
und die blutige Unterdrückung des nachfolgenden Münchner Aufstandes
durch das Freikorps Epp zeigt [4]. Freilich war sie selbst mit Gewalttaten auf
die politische Bühne getreten. Überdies wurden Kommunisten und Sozialisten der Schuld am Ausgang des Krieges bezichtigt, weil sie für Waf-
fenruhe und soziale Umwälzung agitiert hatten. Aber auch die Politiker
der Mitte und sogar der Rechten wurden nicht verschont, wenn sie etwa,
um das Vaterland vor der Besetzung durch den Feind zu bewahren, den
von Ludendorff und Hindenburg ultimativ geforderten Waffenstillstand
aushandelten oder Erfüllungspolitik betrieben (um nachzuweisen, daß
die Reparationsforderungen nicht erfüllbar und also zu revidieren waren).
Matthias Erzberger, Zentrumführer, Mitverfasser der Friedensresolution
des Reichstages von 1917, Chef der deutschen Waffenstillstandskommission 1918 und Befürworter der Annahme des Versailler Vertrages in der
Nationalversammlung 1919, wurde nach mehreren Anschlägen Opfer
eines Attentats. Bei einem Überfall wurden Schüsse auf sein Arbeitszimmer im Finanzministerium abgefeuert, und eine Handgranate verwüstete

den für sein Schlafzimmer gehaltenen Raum; einem andern Attentat, in Berlin-Moabit, entging Erzberger leicht verwundet. Schließlich, am 26. August 1921, wurde er beim Spaziergang im Schwarzwald von Mitgliedern der unter dem Einfluß von Kapitän Ehrhardt stehenden Organisation Consul, von Leutnant zur See Karl Tillessen und Leutnant Heinrich Schulz, ermordet[5]. Am 4. Juni 1922 wurde ein Attentatversuch gegen den früheren Reichskanzler Scheidemann verübt. Am 24. Juni 1922 wurde Reichsaußenminister Walther Rathenau, der geniale Organisator der deutschen Kriegswirtschaft im Ersten Weltkrieg, von Leutnant Hermann Fischer und Oberleutnant zur See Erwin Kern, ebenfalls Mitgliedern der O. C., auf dem Weg zum Auswärtigen Amt von einem neben dem seinen haltenden Auto aus erschossen. Andererseits hatten auch die Rechtsextremen, zumal die Nationalsozialisten Verluste durch Gewalttaten zu verzeichnen. 1920–1933 zählten sie 228 gefallene Kämpfer der Bewegung[6].

War schon die Atmosphäre voll ungünstiger Vorzeichen, so trugen die Nationalsozialisten selbst wesentlich zu ihrer eigenen Gefährdung bei. Der Mann, der sich »König von München« nennen ließ und eine Partei führte, die Gewalttat und Terror auf ihre Fahnen und in ihr grundlegendes Buch »Mein Kampf« geschrieben hatte, mußte schon deshalb mit handgreiflichen Reaktionen der Gegner rechnen. Vor Mordanschlägen von links aber schützte Hitler nicht zuletzt die von ihm so sehr bekämpfte sozialistische und kommunistische Ideologie, welche die Notwendigkeit der kollektiven Massenaktion betonte und individuelle politische Mordtaten als Anarchismus verurteilte, der im Gegensatz zur Kollektivaktion keinen verändernden Einfluß auf die wirtschaftlichen und gesellschaftlichen Zustände haben könnte.

Hier seien nun einige Thesen zur Durchdringung der Materie aufgestellt, die im Laufe des Berichts erhellt und erhärtet werden sollen.

(1) Adolf Hitler war Ziel einer ungewöhnlichen Anzahl von Attentaten und Attentatversuchen. Es hätte jedoch wenig Sinn, die bekanntgewordenen Attentate auf Reichskanzler, Reichspräsidenten, Reichsminister oder Parteiführer zu zählen und quantitativ zu vergleichen. Faktoren wie wirtschaftliche Notstände, Krieg, Verfolgung von Bevölkerungsgruppen, vorausgegangene Gewalttaten, politischer Fanatismus, Kreuzzugsstimmungen usw. spielen eine in ihrem Einfluß auf Attentäter nicht meßbare Rolle. Es gibt auch keine Möglichkeit, nicht bekanntgewordene Versuche mitzuzählen oder in der Gesamtbeurteilung zu berücksichtigen. Folglich könnte man aus einer großen Zahl bekanntgewordener Versuche auf gute Sicherheitsmaßnahmen schließen, durch die Anschläge an den Tag gekommen seien, oder auch auf schlechte, da die Maßnahmen nicht genügt

haben, die Attentäter zu entmutigen. Ebenso unsicher wäre der umge-
kehrte Schluß von wenigen bekanntgewordenen Versuchen auf gute Vorkehrungen. Fest steht jedoch – und das soll im Folgenden gezeigt werden –,
daß die für Hitler aufgewandten Sicherheitsmaßnahmen an Umfang alles
unter seinen Vorgängern Dagewesene in den Schatten stellten. Im Vergleich zum Aufwand an Sicherheitsmaßnahmen war die Zahl der Attentatversuche außerordentlich hoch.

(2) Im Lauf der Jahre wurden die Sicherheitsvorkehrungen zum Schutze
Hitlers ständig intensiviert und ausgedehnt, aber nicht unbedingt in ihrer
Effektivität verbessert.

(3) Zur Verhinderung von Unfällen – im Gegensatz zu Anschlägen –
wurden weder besonders umfangreiche noch besonders ungenügende Vorkehrungen getroffen.

(4) Obwohl Hitler selbst starken Anteil an den Vorkehrungen für seine
persönliche Sicherheit nahm, war sein Verhalten widerspruchsvoll. Er
ging oft unnötige und leichtvermeidbare Risiken ein, die psychologisch,
aber nicht durch äußere Umstände erklärbar sind.

(5) Hitler selbst durchbrach häufig die Regeln der Sicherheit und setzte
oft die zu seinem persönlichen Schutz angeordneten Maßnahmen außer
Kraft.

(6) Ein großer Teil der Sicherheitsmaßnahmen führte durch Begleiter-
scheinungen – wie Eifersucht zwischen Sicherheitsorganen, Mangel an
gegenseitiger Information, Vielfalt der beteiligten Sicherheitsorgane, Zahl
und Unkontrollierbarkeit der erforderlichen Arbeitskräfte – zur Verringerung der Sicherheit statt zu ihrer Erhöhung. Fast jede Intensivierung der
Sicherheitsmaßnahmen führte zugleich zur Beeinträchtigung ihrer Wirksamkeit.

(7) Die Analyse der angeordneten und ausgeführten Sicherheitsmaßnahmen führt zur Erkenntnis von Grenzen, jenseits deren die Sicherheit
nicht weiter erhöht werden kann und also Risiken eingegangen werden
müssen. Soll die persönliche Sicherheit des Machthabers über ein gewisses
Maß hinaus erhöht werden, so führt das zu einer so völligen Isolierung
des Geschützten von allen denen, die er für seine Herrscherrolle braucht
– Volk, Mitarbeiter –, daß er seine Effektivität verliert und Opfer der
Manipulationen seines engsten Kreises (»Palastwache«) wird.

II. Vor 1933

Im Sommer 1921 zwang Adolf Hitler seine Partei durch ein Ultimatum, ihn zu ihrem alleinigen Führer zu machen. Damit setzte er sich zugleich mehr als bisher Angriffen auf sein Leben aus, vor allem als Führer der aggressivsten und gewalttätigsten Partei der Weimarer Epoche. Es gehörte einiges dazu, zu solcher Notorietät zu gelangen wie die NSDAP, gab es doch zahlreiche militärische und paramilitärische Organisationen, die zur Atmosphäre der Gewalt beitrugen, indem sie an Deutschlands Grenzen wie im Innern kommunistische und sozialistische Revolutionäre oder ententefreundliche Separatisten bekämpften, indem sie gewissermaßen den Krieg weiterführten, sei es in Schlesien oder später im Ruhrgebiet, und indem sie zahlreiche Fememorde begingen. Aber auch die Nationalsozialisten schrieben die »brutale Gewalt« auf ihre Fahnen und scheuten sich nicht, sie anzuwenden. Hitler hat sie an vielen Stellen in »Mein Kampf« gepriesen, propagiert und mit dem »Terror des Marxismus« bzw. einfacher der »Gegner« begründet [1]. Merkwürdig ist sein Argument, »das Recht der Anwendung selbst brutalster Waffen ist stets gebunden an das Vorhandensein eines fanatischen Glaubens an die Notwendigkeit des Sieges einer umwälzenden neuen Ordnung auf dieser Erde« und der »Mangel einer großen neugestaltenden Idee bedeutet zu allen Zeiten eine Beschränkung der Kampfkraft«; denn damit erkannte Hitler nicht nur das »Recht« der »Marxisten« zum Terror an, sondern er forderte zur Rechtfertigung der Gewalt im allgemeinen eine zündende Ideologie – nicht umgekehrt die Anwendung des Terrors, um einer vorher als richtig erkannten Idee zum Sieg zu verhelfen. Gewalt und Terror waren ebenso fundamentale Elemente der nationalsozialistischen Ideologie wie etwa der Lebensraumgedanke oder der Antisemitismus.

1920 begannen die Nationalsozialisten, aus ihren Versammlungen alle Diskussionsredner hinauszuwerfen, die unliebsame Gesichtspunkte vorbringen oder durch ständige Störung die Versammlung sprengen wollten. Am 4. November 1921 kam es im Münchner »Hofbräuhaus« zu einer regelrechten Saalschlacht, die als Feuertaufe der »Ordnertruppe« der NSDAP

in die Geschichte der Partei eingegangen ist. Hitler sprach hier in einer
von Hermann Esser geleiteten Versammlung, die stark von Gegnern aus
dem sozialistischen Lager besucht war, die unentwegt Bier bestellten und
die leeren Krüge unter den Bänken und Tischen sammelten. Die Nationalsozialisten hatten – anscheinend wegen organisatorischer Schwierigkeiten – an diesem Tage nur eine kleine, etwa fünfzig Mann starke Schutztruppe im Saal, und der erwartete und aus gleichgültigem Anlaß begonnene Kampf war bitter und blutig. Folgt man Hitlers eigener Darstellung,
so endete er mit dem Sieg der zahlenmäßig weit unterlegenen Ordnertruppe. Es wurden Schüsse auf Hitler abgefeuert, und das zwanzig Minuten
andauernde Ringen scheint schließlich von der Polizei beendet worden
zu sein[2]. Weitere große Zusammenstöße folgten, so im Sommer 1922 in
München und im Herbst 1922 beim »Deutschen Tag« in Coburg. Der
Münchner Kampf ging aus einer Massendemonstration gegen das nach
der Ermordung Walther Rathenaus erlassene Gesetz zum Schutz der Republik hervor; auf dem Königsplatz lieferte die SA (über die unten näher
zu berichten sein wird) kommunistischen und sozialdemokratischen Demonstranten eine erfolgreiche Schlacht um das »Recht auf die Straße«.
Wenige Wochen später wurde Hitler »mit einigen anderen« zu einer völkischen Zusammenkunft, dem »Deutschen Tag«, nach Coburg eingeladen;
aber natürlich war es von seinem Standpunkt aus sinnlos, an so einer
Veranstaltung bescheiden mit einer kleinen Gruppe teilzunehmen und
hier und da Hände zu schütteln. Er wollte die Gelegenheit zu einer massi-
ven Demonstration der Macht und Unaufhaltsamkeit seiner »Bewegung«
im notorisch »roten« Coburg nützen. So wurde ein Sonderzug der Reichsbahn zum Transport von Tausenden von SA-Männern nach Coburg eingesetzt; die Anweisungen der Veranstalter, nicht in geschlossener Ordnung
in die Stadt einzumarschieren, die Fahnen nicht zu entrollen und die
Musik nicht spielen zu lassen, wurden ignoriert. Als das noch nicht genügte, um einen Straßenkampf zu provozieren, marschierte man eben
noch einmal, es kam zur »Schlacht«, und bald beherrschte die SA die
Straße. Als am nächsten Abend die Eisenbahner den Sonderzug für die
Rückfahrt nach München nicht bedienen wollten, drohte Hitler, er werde
Geiseln aus den Reihen der Sozialisten und Gewerkschaftsfunktionäre
nehmen und den Zug von der SA bedienen lassen; darauf gaben die Eisenbahner nach[3].

Hitler schätzte diesen Sieg und seine Bedeutung hoch ein. Er wollte den
sozialistischen und gewerkschaftlichen Organisationen ihren traditionel-
len Demonstrationsraum streitig machen, und er wollte zeigen, daß nicht
nur die Linken die Massen organisieren und bewegen konnten, sondern

auch die Rechten, die Nationalen und die Völkischen, die für sich in Anspruch nahmen, die wahren Interessen des Vaterlandes gegen die als Kompromißler, als Erfüllungspolitiker, als Verräter und überhaupt als international gebunden verschrienen Linken zu vertreten. Schließlich lag den Nationalsozialisten auch an dem Nachweis, daß die bestehenden Regierungsgewalten ohnmächtig, von den »nationalen Kräften« des Volkes nicht unterstützt und anerkannt, somit ohne legitime Autorität seien, während die Nationalsozialisten die Kraft der Zukunft darstellten. Die Republik der Novemberverräter mußte durch ein neues, drittes Reich ersetzt werden, dessen Vorhut die NSDAP und ihre SA waren. Aus dem Gesagten geht schon hervor, daß die SA weit mehr war als eine bessere Leibwache.

Besondere Beachtung verdient die enge Verbindung der NSDAP mit der Reichswehr in den ersten Jahres des Bestehens der Partei. Hitler beutete nach Kräften die Tatsache seiner vierjährigen Fronterfahrung aus, pochte auf die Gemeinsamkeit des »Fronterlebnisses«, spannte für seine Zwecke das verbreitete Zusammengehörigkeitsgefühl der Frontsoldaten ein, benützte überall militärische Terminologie (Sturmabteilung, Stoßtrupp, Kraftfahrer-Korps, Stabschef) und bezeichnete ehemalige Soldaten als den Grundstock der Bewegung. Die Mitwirkung von Angehörigen des alten und des neuen Heeres war aber durchaus nicht auf die Teilnahme aktiver oder demobilisierter Soldaten an Parteiversammlungen beschränkt, die Partei wurde auch von Stellen in der bayerischen Reichswehrführung gefördert [4].

Hitler selbst kam direkt aus der Reichswehr und in ihrem Auftrag in die Partei. Im Herbst 1919 wurde er von seinem Vorgesetzten in der Abteilung Ib/P für Nachrichtendienst und Propaganda im Gruppenkommando in München, Hauptmann i. G. Karl Mayr, beauftragt, sich mit der Deutschen Arbeiter-Partei zu befassen und über sie zu berichten. Auch Hermann Esser, bald prominenter Nationalsozialist, arbeitete für Hauptmann Mayr, und Gottfried Feder, der Verfasser des im Februar 1920 verkündeten »offiziellen Programms« der NSDAP, war einer der Redner, die Mayrs Nachrichtendienstler und Agitatoren ideologisch schulten. Professor Karl Alexander von Müller, ein Schulfreund von Mayr, gehörte ebenfalls zu den Instrukteuren, das heißt, Mayr schickte seine Schützlinge in Müllers Vorlesungen, und dieser machte Mayr bald auf Hitlers ungewöhnliches Rednertalent aufmerksam. Am 10. September 1919 wurde Hitler von Hauptmann Mayr aufgefordert, eine Anfrage aus Ulm betreffend die »Judenfrage« schriftlich zu beantworten. Hitlers früheste bekannte Äußerung zu diesem Thema gipfelte in der Forderung nach »Entfernung der Juden

überhaupt«. Das Schriftstück wurde von Mayr gutgeheißen und dem An-
frager zugeschickt. Als Hitler endlich am 31. März 1920 aus der Reichswehr austrat, besaß er schon führenden Einfluß in der ehemaligen DAP,
die sich am 24. Februar 1920 in NSDAP umbenannt und ihr neues Programm verkündet hatte. Schon in den Monaten vor seinem Austritt aus
der Reichswehr war Hitler der am häufigsten auftretende Redner der Partei
geworden.

Mehr noch als Hauptmann Mayr hatte Hauptmann Röhm bestimmen-
den Einfluß auf die frühe Entwicklung der Partei. Er stammte aus einer
Familie königlicher Beamter, wuchs in München auf, besuchte das huma-
nistische Gymnasium und trat 1906 in das Infanterie-Regiment 10 (»Regiment König«) ein. Im Ersten Weltkrieg diente er mit Auszeichnung und
nahm am Sturm auf Thiaumont (Verdun) teil, nach dem Krieg blieb er in
der Armee und bemühte sich, soldatische Anschauungen und Tugenden
überall zur Geltung zu bringen [5]. Als er sich im Stabe von General Ritter
von Epp, dem Kommandeur (seit Juli 1919) der bayerischen Reichswehr-
schützenbrigade, immer mehr mit politischen Fragen zu befassen hatte,
versagte er den politischen Gegnern sowenig seinen Respekt wie den militärischen, sofern sie nur männliche, kämpferische Eigenschaften zeigten.
Röhms Sorge um das Wohl der arbeitenden Klassen und um die Berücksichtigung der sozialistischen Komponente im Programm der NSDAP
scheint echt gewesen zu sein. Er zeigte auch Verständnis für Hauptmann
Mayrs späteren Übertritt zur Sozialdemokratie.

Im Januar 1920 schon trat Röhm in die DAP ein, als die Partei noch
nicht einmal hundertfünfzig Mitglieder zählte. 1928 berichtete er darüber in seinen Erinnerungen »Die Geschichte eines Hochverräters«: »Ich
fehlte fast bei keiner Versammlung und konnte zu jeder irgendeinen
Freund, hauptsächlich aus dem Kreise der Reichswehr, der Partei zufüh-
ren. So konnten auch wir Mitstreiter von der Reichswehr viele Bausteine
zu dem Aufstieg der jungen Bewegung legen.« [6] Die Beteiligung von
Reichswehrangehörigen an politischen Parteien war damals noch nicht
verboten. So organisierte und versorgte oder protegierte Röhm jahrelang
– bis zum Marsch zur Feldherrnhalle 1923 – paramilitärische und halb-
militärische Truppen zur Förderung der nationalistischen Revolution und
arbeitete dabei zusammen mit Adolf Hitler, Oberstleutnant Kriebel und
General Ludendorff. Während der ganzen Zeit war Röhm aktiver Offizier,
lange Zeit als Personaloffizier und Adjutant beim Infanterieführer VII,
General von Epp. Sein Büro war im Gebäude des ehemaligen bayerischen
Kriegsministeriums, nun Wehrkreiskommando, an der Ludwigstraße neben der Staatsbibliothek. Von hier aus verteilte und verwaltete er geheime

Waffenlager, und am 9. November 1923 hielt er die wichtige Kommandozentrale vierundzwanzig Stunden lang zur Unterstützung des Putsches
besetzt. In der paramilitärischen Truppe, mit der Röhm das Kriegsministerium gegen eine regelrechte Belagerung durch Reichswehrtruppen hielt,
der »Reichskriegsflagge«, war Heinrich Himmler der Fahnenträger. Auf
einem am Putschtag aufgenommenen Photo ist er mit der Fahne hinter
einem Stacheldrahthindernis auf der Ludwigstraße zu sehen [7].

Auch nach dem Putsch und dem Prozeß gegen die Aufrührer widmete
Röhm seine Energie und sein Organisationstalent der völkischen Bewegung im Auftrage Hitlers, solange dieser noch in Landsberg festsaß, und
in den letzten zwei Jahren vor Hitlers Ernennung zum Reichskanzler als
Stabschef der SA.

Die erste organisierte Versammlungsschutztruppe der NSDAP entstand
im Frühjahr 1920, zugleich mit dem Beginn der Versammlungstätigkeit
im großen Stil und unabhängig von der SA (Sturmabteilung), der viel
größeren und bekannteren Parteiarmee. Die Schutztruppe, damals Ordnertruppe oder auch Saalschutz genannt, wurde die »Mutter der SS«, wie es in
parteioffiziellen Darstellungen heißt [8]. Ihr erster Führer war Emil Maurice,
zugleich einer von Hitlers persönlichen Leibwächtern und sein Fahrer. Er
gehörte seit 1919 der DAP (1920 NSDAP) mit der Mitgliedsnummer 594
an (die Zählung begann mit 501); nach der Neugründung der Partei 1925
erhielt er die Nummer 39 und 1926 in der SS die Nummer 2. Der gelernte
Uhrmacher war im Ersten Weltkrieg Fliegerabwehrkanonier und gehörte
vom 1. Januar 1919 bis in das Jahr 1921 dem Freikorps »Oberland« an.
1922 nahm er am »Tag von Coburg« teil und am 9. November 1923 am
Marsch zur Feldherrnhalle; so wurde er Träger des Coburger Ehrenzei-
chens, des Goldenen Parteiabzeichens und des Blutordens des 9. November 1923. Sein Nachfolger wurde Julius Schreck, nach der Neugründung
Parteigenosse Nummer 53, der die Gruppe nur kurze Zeit führte, aber bis
zu seinem Tod 1936 als Fahrer in Hitlers Diensten blieb und heute noch
unter den Überlebenden der Bewegung mit besonderer Achtung genannt
wird. Nach seinem Tod sagte Himmler, er sei »der erste SS-Mann Adolf
Hitlers« gewesen. Weiter gehörten zu der Gruppe Ulrich Graf (Freibank-
metzger), Christian Weber (Pferdehändler, dann Rausschmeißer), Max
Amann (im Ersten Weltkrieg Hitlers Feldwebel) und Rudolf Heß (wissen-
schaftlicher Assistent bei Prof. Karl Haushofer, Offizier des Weltkrieges). Auch andere Angehörige der Gruppe waren ehemalige Soldaten, alle
waren jung und kräftig, und sie lebten nach dem Grundsatz, daß Terror
nur durch Terror zu brechen und Angriff die beste Verteidigung sei. Hitler
selbst hatte schon früh in seiner Laufbahn die Wirksamkeit des Brachial-

arguments kennengelernt, als er – nach seinem eigenen Bericht – in seinen Wiener Lehrjahren (etwa 1909–1912) als Antwort auf seine politischen
Belehrungen und Agitationsversuche kurzerhand von einer Baustelle
geworfen worden war[9]. Im Sommer 1920 nahm der Saalschutz feste Formen an. Im Frühjahr 1921 gab es schon Untergruppen unter dem Namen
Turn- und Sportabteilungen; Hitler nennt sie – offenbar übertreibend –
Hundertschaften[10]. Trotz des organisatorischen Zusammenhangs dienten
Saalschutz (Ordnertruppe) und Sturmabteilung (SA) immer sehr verschiedenen Zwecken.

Als eigentlichen Gründungstag der SA bezeichnet Hitler den 3. August
1921, also kurz nach seiner ersten »Machtergreifung« innerhalb der Partei
am 29. Juli 1921, als er unter der Drohung seines Austritts die alleinige
Führungsgewalt erzwungen hatte. Kapitän Ehrhardt, der Führer eines der
vielen Freikorps, der »Brigade Ehrhardt«, beteiligte sich an der Gründung
der SA als Geburtshelfer, indem er einer Anzahl seiner Offiziere befahl,
bei der Organisation und beim Aufbau des Verbandes Hilfe zu leisten[11].
Die Gründung einer SA (»Sturmabteilung«) war damals nichts Ungewöhnliches; auch die SPD verfügte über eine ähnliche Truppe, sogar unter derselben Bezeichnung, SA[12]. Besonders merkwürdig aber war das Zusam-
mentreffen des von den Ententemächten gesetzten Datums (28. Juni 1921)
für die Auflösung der irregulären Milizen und Freikorps, der Einwohner-
wehren und ähnlicher halbmilitärischer oder kryptomilitärischer Formationen mit der Gründung der SA der NSDAP und dem sprunghaften Anstieg ihrer Mitgliederzahlen. In Röhms Erinnerungen stellt sich der Vorgang stark vereinfacht so dar: »Mein besonderes Interesse galt der Sturmabteilung der N.S.D.A.P., für die Kapitän Ehrhardt auf Wunsch Hitlers
Offiziere seiner Brigade als Organisationsleiter zur Verfügung gestellt
hatte. Der prächtige Leutnant Klintzsch war der Organisator und Führer
der kampfgewillten Sturmtruppe, die in manchen Versammlungskämpfen
ihren Mut und ihre Kraft zu zeigen Gelegenheit hatte. Kapitän Ehrhardt
hatte nach Auflösung seiner Brigade sein Hauptquartier in München aufgeschlagen ... Der Brigade Ehrhardt, ebenso wie später der Organisation C
(Consul), gehörte in München ein großer Teil der akademischen Jugend
an; auch in den anderen Universitätsstädten hatte Ehrhardt starke Gefolg-
schaft. Zweifellos war die O. C., was militärische Zucht betraf, damals
einer der besten Wehrverbände.«[13] In die SA kamen aus dieser Richtung
auch die Mörder von Matthias Erzberger, Schulz und Tillessen, zugleich
Mitglieder der O. C., sowie Kapitänleutnant von Killinger. Es kam sogar
vor, daß für NSDAP-Versammlungen im Jahre 1921 Angehörige einer
Minenwerferkompanie der Reichswehr als Saalschutz entsandt wurden.

Diese ebenso wie die Mitglieder der Brigade Ehrhardt oder der O. C. in der SA betrachteten sich aber weiterhin als ihren Stammorganisationen bzw. Kapitän Ehrhardt unterstellt, während sie Hitler für politische Zwecke zeitweise zur Verfügung standen. Manche dieser abkommandierten Soldaten und Freischärler scheinen sogar mehr zum Zwecke der Nachrichtensammlung in die SA eingetreten zu sein. Jedenfalls sahen Ehrhardt und seine Offiziere die »politischen Aufgaben« als den militärischen Zwecken untergeordnet an [14]. Klintzsch und andere Offiziere aus der Brigade Ehrhardt bezogen weiterhin ihr Gehalt von Ehrhardt, während sie in der SA dienten. Einige von ihnen traten im Mai 1923 in die Organisation Ehrhardts zurück, andere blieben in der SA. Kurzum, die SA entstand unter militärischen Vorzeichen, als Ausweichorganisation und mit direkter Unterstützung und Beteiligung von Reichswehrstellen, ihre Funktion als Versammlungs- und Leibwache trat im Verhältnis zur Gesamtzahl der SA weit zurück. Die Tarnung der SA als Teil einer politischen Partei war Männern wie Röhm und Ehrhardt damals genehm, aber eben nur als Tarnung. Hitler dagegen sah die Rolle der SA anders herum, als dem politischen Zweck und seiner politischen Führung untergeordnet. Daraus ergaben sich immer wieder Konflikte bis hin zum 30. Juni 1934.

Aus dem Gesagten ist leicht zu ersehen, daß die SA zu vielen für Hitler unkontrollierbaren Einflüssen unterworfen war, als daß sie oder selbst ein Teil von ihr als persönliche Schutzgarde auf die Dauer geeignet gewesen wäre. Jedoch war Hitlers Leibwächtertruppe immer mehr oder weniger organisatorisch mit der SA verbunden. Die Feuertaufe des 4. November 1921 im Münchner »Hofbräuhaus« ist schon erwähnt worden; Emil Maurice und Rudolf Heß gehörten damals zur Leibwache (Ordnertruppe) und trugen erhebliche Verletzungen davon. Meistens waren auch Graf, Christian Weber, Amann und Klintzsch um Hitler. In Darstellungen von seiten der Nationalsozialisten wird behauptet, daß seit jener Saalschlacht vom 4. November 1921 bis hin zum 9. November 1923 keine der Versammlungen der NSDAP mehr gesprengt worden sei. Aber es waren doch noch viele Kämpfe zu bestehen, so im Jahre 1922 bei einer Massendemonstration auf dem Münchner Königsplatz oder beim Coburger »Deutschen Tag« [15]. Jedesmal waren um Hitler und am Kampfe auch die Mitglieder der besonderen Eliteschutztruppe beteiligt.

Beim ersten Kampf, am 4. November 1921 im »Hofbräuhaus«, hatte Hitler ein später noch oft angewandtes Ritual der Verpflichtung eingeführt. Er sagte den Schutztrupplern, sie hätten nun ihre bedingungslose Loyalität zu beweisen; sie dürften den Saal nicht verlassen, bis die Schlacht gewonnen sei oder sie selbst tot hinausgetragen würden; er, der Führer,

werde bis zum letzten im Saal bleiben und sei überzeugt, daß sie es alle
ebenso halten würden; wenn er jedoch einen Feigling sehe, werde er ihm
eigenhändig die Hakenkreuzarmbinde (damals ihre einzige Uniform) ab-
reißen. Später wurde die Verpflichtungszeremonie für die Leibwache und
für ihre erweiterte Organisation, die SS, mit den Erinnerungsstätten und
den Reliquien des mißlungenen Putsches von 1923 verbunden, mit der
Feldherrnhalle in München, mit der »Blutfahne«, die damals den Marschierern vorangetragen worden war und auf der mehrere der Opfer ihr
Blut vergossen hatten, und mit den Sarkophagen der Gefallenen. Die
»Blutfahne« wurde der SS 1926 auf dem ersten Reichsparteitag der NSDAP
in Weimar feierlich zu treuen Händen übergeben und in den späteren
Jahren immer wieder bei Fahnenweihen und Vereidigungen benützt[16].

Im März 1923 wurde der ehemalige Fliegerhauptmann, zeitweilige
Kommandeur des Geschwaders Richthofen und Träger des Pour le mérite,
Hauptmann Hermann Göring, zum »Kommandeur der SA« ernannt. Zugleich entstand anstelle des bisherigen Saalschutzes bzw. der bisherigen
Leibwache eine besondere Eliteorganisation unter der Bezeichnung »Stabswache«. Ihre Mitglieder trugen zur mehr oder minder einheitlichen SA-
Uniform schwarze Mützen mit Totenschädel und gekreuzten Knochen
sowie Hakenkreuzarmbinden mit schwarzem Rand. Im Mai 1923 wurden
die etwa zwanzig Eliteschläger als »Stoßtrupp Hitler« von Leutnant a. D.
Joseph Berchtold und von Hitlers späterem Fahrer Julius Schreck organisiert. Ihr Stammlokal war das Münchner »Torbräu« am Isartor[17].

Bald wuchs der »Stoßtrupp Hitler« auf etwa hundert Mann an. Bei einer
Erinnerungszusammenkunft am 9. November 1933 trugen sich sechzig
Ehemalige in die Anwesenheitsliste ein, geführt von Hitler, seinen Persönlichen Adjutanten Oberleutnant Wilhelm Brückner und Julius Schaub,
ferner dem ehemaligen Führer des Freikorps Oberland Dr. Weber (Nachfolger von Joseph »Beppo« Römer), Christian Weber, Oberstleutnant Kriebel (1923 Führer der im »Kampfbund« zusammengefaßten Vaterländischen Kampfverbände), Graf, Berchtold, dem Parteirichter Walter Buch
und dem Hausintendanten Hitlers, Hans Kallenbach. Dr. Weber und
Kriebel nahmen als prominente Marschierer des 9. November 1923 an
dieser und auch an den noch folgenden Zusammenkünften teil[18].

Am 8. November 1923 hatte der Stoßtrupp Hitler den Münchner »Bürgerbräukeller« am Rosenheimer Platz überfallartig besetzt, wo der bayerische Regierungschef, Staatskommissar Dr. von Kahr, mit seinen Anhängern sowie mit dem Kommandeur der Landespolizei Oberst Seißer und
dem damaligen Kommandeur des bayerischen Reichswehrkontingents,
General von Lossow, zusammengetroffen war. Hitler hatte den Saal mit

einigen seiner Stoßtrupp-Getreuen betreten, darunter seinem späteren Auslandspressechef Hanfstaengl, dem Parteidenker und späteren Minister für die besetzten Ostgebiete Alfred Rosenberg, ferner Amann, Graf und Heß. Graf trug eine Maschinenpistole, andere Stoßtruppmitglieder bauten an den Eingängen Maschinengewehre auf, während Hitler mit Rosenberg und anderen mit gezückten Pistolen zum Rednerpult vordrang, worauf Hitler auf einen Tisch sprang und den berühmten Schuß an die Decke feuerte. Während Hitler in einem Nebenzimmer Kahr, Lossow und Seißer zum Mitmachen »überredete«, war Graf mit seiner Maschinenpistole auch dabei. Am folgenden Tag bildete der Stoßtrupp Hitler eine der drei Seite an Seite marschierenden Marschkolonnen beim Marsch vom »Bürgerbräukeller« zur Feldherrnhalle, geführt von Hitler, links neben dem von Brückner geführten SA-Regiment München und dem von Dr. Weber geführten Bund »Oberland«[19].

Es ist nicht zu bezweifeln, daß die Führer des Putsches und des Marsches besonders schutzbedürftig waren und daß sie sich in eine Situation begaben, in der persönliche Sicherheit nahezu unmöglich war. Der Marsch war eine Mischung von halbfriedlicher Demonstration und Aufruhr. Die Marschierer waren bewaffnet, aber an ihrer Spitze – also leicht auszuschalten – marschierten die Führer des Putsches, vor sich nur ein paar Fahnenträger und Leibwächter mit gezogenen Pistolen. Immerhin marschierten sie auf eine Konfrontation mit schwerbewaffneter Landespolizei zu. Die plausible Erklärung für solch widersprüchliches Verhalten wäre die Absicht der Demonstranten, zwar keinen Bürgerkrieg zu entfesseln, aber durch eine machtvoll wirkende Demonstration die Bevölkerung auf ihre Seite zu bringen und die bestehenden Regierungsgewalten in kopflose Panik zu versetzen[20]. Nachdem Kahr, Lossow und Seißer sich noch in der Nacht von den anderen Putschisten wieder losgesagt hatten, also die ursprünglich beabsichtigte Form des Putsches mit Hilfe der Regierung nicht mehr praktikabel war, konnte der Marsch zur Feldherrnhalle nur ein verzweifelter Versuch sein, das Rad der Entwicklung doch noch in die von den Putschisten gewünschte Richtung zu drehen.

Als nun die Demonstranten vom Marienplatz her durch die Weinstraße, Perusastraße und Residenzstraße zur Feldherrnhalle am Odeonsplatz kamen – nach einer unblutigen Begegnung mit der Landespolizei an der Ludwigsbrücke –, wurden sie gegen ihre Erwartung mit gut gezieltem Gewehrfeuer empfangen. Es gab Rufe wie »Nicht schießen, Exzellenz Ludendorff kommt«, aber das half nichts mehr wie noch eine halbe Stunde vorher an der Ludwigsbrücke. Ludendorff ging aufrecht durch die Schützenlinie der Landespolizei hindurch und wurde einige Minuten später verhaftet. Vielleicht ist auf Ludendorff nicht gezielt worden, das läßt sich nicht mehr feststellen. Auf Hitler ist aber ganz sicher gezielt worden. Dr. von Scheubner-Richter, der neben ihm ging, wurde tödlich getroffen und riß anscheinend Hitler mit sich zu Boden. Ulrich Graf warf sich im selben Augenblick vor Hitler und fing eine Handvoll Kugeln auf, die für Hitler hätten tödlich sein können und die Graf schwer verletzten [21]. Hitler entkam im Getümmel, wurde aber ein paar Tage später verhaftet.

In einem großen Prozeß im Frühjahr 1924 wurde Hitler mit anderen Beteiligten zu fünf Jahren Festungshaft verurteilt, jedoch schon am 20. Dezember 1924 entlassen. Er hatte in Bayern und in Preußen Redeverbot, nicht dagegen in Thüringen und im »roten« Sachsen (wo die SPD regierte). Die Bewegung war zerschlagen und Ludendorff war verbittert, nicht zuletzt über seinen Freispruch, den er als »Schande« gegenüber seinen Kameraden empfand. Aber Hitler gelang es, nach seiner Entlassung einen neuen Anfang zu machen, als die befürchteten Vorwürfe über den mißlungenen Putsch ausblieben.

Am 27. Februar 1925 kam es zur Neugründung der NSDAP. Die SA wurde schon am 26. Februar 1925 neu gegründet, und zwar zunächst unter Führung Röhms, der die Reste der vaterländischen Verbände in Hitlers Auftrag neu organisiert hatte. Aber bald zeigte sich, daß sich die grundsätzlich verschiedenen Auffassungen Hitlers und Röhms über die Rolle der SA nicht vereinbaren ließen, und so trat Röhm (wie auch Brückner) mit dem 1. Mai 1925 von der Führung der SA zurück [22]. Mehr als ein Jahr lang gab es keine feste zentrale Führung der SA, sondern lediglich ein loses Vasallenverhältnis zwischen Hitler und den Gauleitern, die die regionalen SA-Verbände mehr oder minder kontrollierten. Seit etwa Juli 1926 war Hauptmann a. D. Franz Pfeffer von Salomon als nächster Kommandeur der SA im Gespräch. Pfeffer war ehemaliger Freikorpsführer und jetzt Gauleiter im Gau Ruhr. Am 1. November 1926 übernahm er das Kommando über die SA als »OSAF« (Oberster SA-Führer) [23]. Indem Hitler Pfeffer weitgehende Vollmachten gab für Aufnahme, Ausschluß, Beförderung, Bestrafung und sonstige disziplinarische Maßnahmen und der SA allein die Ausführung der von der politischen Führung jeweils zu erteilenden Aufträge übertrug, schloß er wieder einen Kompromiß mit den militärischen Strömungen in der SA. Zwar wurde versucht, die militärischen Komponenten zurückzudrängen und die politische Kontrolle zu intensivieren – so wurden Ausdrücke wie Schar, Trupp, Sturm und Standarte eingeführt anstelle militärischer Bezeichnungen wie Kompanie und Zug, und die Parteimitgliedschaft wurde zur Bedingung für die SA-Mitgliedschaft gemacht –; man wollte auch die Regierungen bzw. die Entente-

Mächte nicht zu Interventionen und Verboten provozieren, aber mit wachsenden Mitgliederzahlen wuchsen die Schwierigkeiten.

1927 gab es etwa 10 000 SA-Männer, 1929 über 30 000, und 1930 waren es etwa 60 000[24]. Nach 1933 wurde auf der NSDAP-Mitgliedschaft als Bedingung für den Eintritt in die SA nicht mehr bestanden, aber auch vorher hatte es Ausnahmen gegeben. Selbst der OSAF-Ost (seit 1927), der die gesamte SA östlich der Elbe kommandierte, Hauptmann Walther Stennes, führte ein Jahr lang dieses Kommando, ehe er auf Klagen »seitens der politischen Abteilung der Partei« hin in die NSDAP eintrat. Überhaupt gewannen ehemalige Offiziere wieder starken Einfluß in der SA, und Pfeffer bildete die Truppe mehr für den Nahkampf aus als für politische, auf psychologisch-propagandistische Wirkung berechnete Tätigkeit. Doch war es gerade dies, was Hitler wollte und brauchte: marschieren, demonstrieren, Plakate kleben, Handzettel verteilen, Wähler werben, überall einen strammen Eindruck hinterlassen und das Gefühl verbreiten, daß hier eine disziplinierte und entschlossene, handlungsfähige Mannschaft zur Übernahme einer Ordnung schaffenden Regierungsgewalt bereitstand. Harte Auseinandersetzungen mit den Gegnern waren auch wichtig, aber sie durften nicht zur Hauptsache werden. Die Macht sollte nicht durch Putsch, nicht durch Bürgerkrieg oder bewaffneten Staatsstreich errungen werden, sondern »legal«, nur dann war die Reichswehr zu gewinnen, also durfte eine Konfrontation mit Polizei- und Reichswehrtruppen gar nicht in Frage kommen. Pfeffer hatte dagegen den Plan, die SA zum Kern eines zukünftigen größeren deutschen Heeres zu machen, schließlich mußte er jedoch einsehen, daß seine Vorstellungen für Hitler nicht annehmbar waren[25].

Im Juli und August 1930, nachdem Reichstagswahlen für den September ausgeschrieben waren, erreichten die Spannungen zwischen Hitler und Pfeffer einen Höhepunkt, als Hitler Pfeffers Forderung nach Reichstagssitzen für SA-Führer zurückwies. Am 12. August erklärte Pfeffer seinen Rücktritt und verließ am 29. August seinen Posten. Zugleich beschwerten sich viele Gauleiter über die Unabhängigkeit und Unbotmäßigkeit der SA-Formationen und ihrer Führer, während es andererseits SA-Führer wie Stennes auch nicht leicht hatten, wenn sie in ihrem ausgedehnten SA-Bereich mit nicht weniger als fünf Gauleitern zurechtkommen mußten. Dazu kamen finanzielle Schwierigkeiten, die Verelendung vieler arbeitsloser SA-Leute und ihre Verbitterung über den Lebensstil der oberen Führer einschließlich Hitlers, von dem erzählt wurde, er habe sich in München für mehrere Millionen Mark ein Palais angeschafft. Schließlich war das Gefühl weit verbreitet, die SA mit ihren radikalen sozialen und wirt-

schaftlichen Forderungen und Zielsetzungen bringe Hitler in Verlegenheit
bei dem Versuch, salon- und regierungsfähig zu werden, und Hitler wolle
sich von der SA distanzieren, nachdem doch gerade sie ihn so weit gebracht hatte. Stennes sah sich eines Tages – im August 1930 – von den
ihm unterstellten SA-Führern mit einer Liste von Forderungen konfrontiert, in der unter anderem verlangt wurde, daß ein bestimmter Anteil des
Parteieinkommens aus Mitgliederbeiträgen für die SA bereitgestellt werde,
daß die SA vollständig von der politischen Parteiorganisation getrennt
werde, daß die Gauleiter in Zukunft um die Dienste von SA-Einheiten
nachsuchen müßten, nicht diese befehlen dürften und daß den Gauleitern
jede direkte Disziplinargewalt über einzelne SA-Männer entzogen werde.
Im Jahre 1925 hatte Röhm sich von Hitler getrennt, als ihm bzw. der SA-
Führung das Mitspracherecht in politischen Entscheidungen verweigert
wurde; jetzt wurde verlangt, die SA der politischen Kontrolle durch die
Parteiführung zu entziehen. Beides war für Hitler gleich unannehmbar,
also traten die SA-Formationen östlich der Elbe einschließlich derer in Berlin unter Stennes' Führung in den Streik und lähmten den für die Partei
so wichtigen Wahlkampf [26]. Die ostdeutsche SS stand damals ebenfalls
unter Stennes' Befehl, und so befahl er am 29. August die Ablösung der
SS-Wachen – insbesondere in Goebbels' Parteihauptquartier – durch die
SA. Die SS verbarrikadierte sich im Innern des Hauses; zur festgesetzten
Zeit rannte die SA die Türen ein und schlug die SS-Leute zusammen.

Hitler befand sich in München und eilte – von Goebbels alarmiert –
sofort nach Berlin. Er sprach zuerst zu den SA-Männern und dann zu den
rebellierenden Führern. Diese bezichtigten ihn des Verrats an der SA.
Einer von ihnen, ein ehemaliger Feldwebel von riesenhafter Gestalt,
packte Hitler an der Krawatte und beutelte ihn zum Entsetzen von Rudolf
Heß, der es nicht verhindern konnte. Schließlich nahm Hitler einen Teil
der SA-Forderungen an und verkündete, er werde mit Wirkung vom
2. September selbst die Oberste SA-Führung übernehmen; er nannte sich
fortan Partei- und Oberster SA-Führer und führte damit nicht nur die SA
unmittelbar, sondern auch die SS [27]. Die tägliche Routinearbeit legte er
zunächst in die Hände von Pfeffers Stabschef, Otto Wagener, und bat
telegraphisch Röhm, der in Bolivien war, zurückzukommen und als Chef
des Stabes der SA (Januar bis Juni 1934: Stabschef SA) die Führung wieder
zu übernehmen. Stennes wurde in seiner Stellung belassen, die Gefahr
des Abfalls der ganzen ostdeutschen SA war zu groß angesichts des An-
sehens, das ihr Führer genoß. Röhm kam im November 1930 aus Bolivien
zurück und trat seinen Dienst am 5. Januar 1931 an.

Die Gründe für die Berufung Röhms sind schwer durchschaubar. Hitler mußte ja gewußt haben, daß Röhm kein bequemer Untergebener sein würde und daß seine Auffassungen vom Primat des revolutionären Soldaten gegenüber dem Politiker sich nicht geändert hatten. Röhms notorische homosexuelle Veranlagung mag er als Garantie für Botmäßigkeit angesehen haben, was wieder gut zu seinen Führungsmethoden passen würde. Röhm hatte in seinen 1928 veröffentlichten Erinnerungen recht unverblümt über seine Veranlagung berichtet, aber homosexuelles Verhalten konnte damals noch schwer bestraft werden, und es existierten (teilweise als Flugschrift veröffentlichte) eindeutige Briefe von Röhm, die ihn kompromittierten. Als Hitler Anfang 1931 mit dem Problem konfrontiert wurde, erklärte er in einem Erlaß vom 3. Februar, die SA sei keine Erziehungsanstalt für höhere Töchter, sondern ein Verband rauher Kämpfer, in dem die Pflichterfüllung einzig und allein entscheidend sei [28]. Röhm andererseits umgab sich nicht nur, ähnlich wie Pfeffer, immer mehr mit ehemaligen Offizieren, sondern auch mit Homosexuellen und schwächte damit seine Autorität durch die Kritik, die sein Verhalten in der Öffentlichkeit und auch in der Partei hervorrief. Für Hitler war aber die straffe Führung der SA in seinem Sinne zunächst wichtiger.

Auch die Stellung und Führung der SS mußten neu geregelt werden. Etwa zu derselben Zeit, als die NSDAP im Februar 1925 neu gegründet wurde, hatte Julius Schreck auch Hitlers Leibwache, genannt »Stabswache«, neu aufgestellt. Sie zählte acht Mann und wurde bald in »Schutzstaffel« (SS) umbenannt – »offiziell« am 9. November 1925. Schreck führte diese SS und war zugleich Nachfolger von Maurice als Hitlers Fahrer. Die kleine Truppe im Lande verteilter Staffeln bestand Ende Dezember 1925 aus etwa hundert Mann [29]. Vom 15. April 1926 bis März 1927 führte Joseph Berchtold die SS und residierte in einem Zentralbüro in der Schellingstraße 50 in München. Im November 1926 wurde er von OSAF Pfeffer von Salomon als »Reichsführer SS« bestätigt. Der OSAF erklärte in einem grundlegenden Befehl vom 4. November 1926 die SS zu einer neben der SA bestehenden unabhängigen Organisation, die jedoch dem OSAF unterstellt blieb [30]. Zur Erweiterung der Organisation hatte Schreck am 21. September 1925 einen Rundbrief an alle Partei-Ortsgruppen ausgesandt mit dem Ersuchen, in allen Ortsgruppen Schutzstaffeln zu bilden. Im November 1926 bestimmte Pfeffer ihre Stärke mit »ein Führer und zehn Mann«, verbot aber ausdrücklich die Aufstellung von Schutzstaffeln an Orten, wo die SA noch nicht stark vertreten war. Berchtold war auf die Dauer über die untergeordnete und unbedeutende Rolle der SS nicht glücklich und trat zurück. Sein Nachfolger von März 1927 bis Dezember 1928 war Erhard Heiden.

Die SS-Männer fühlten sich oft wie Botenjungen der SA behandelt, sie mußten Zeitungen und Abonnements verkaufen, neue Parteimitglieder werben, Plakate kleben. Aber durch ihre kleine Zahl, durch ihre besonderen Schutzaufgaben, durch strengere Aufnahmebedingungen und durch straffe Disziplin wurden sie die Elitetruppe der Partei. Die SS-Männer erschienen zu allen »Sprechabenden« der Ortsgruppe, sprachen nie in der Diskussion, rauchten während der Versammlung nicht und verließen nie den Raum, ehe sie beendet war. Sie waren schlagkräftig und zeichneten sich bei »Sonderaufgaben« aus; dabei trugen sie zu ihren SA-Uniformen schwarze Mützen mit Totenschädel und gekreuzten Knochen. Sie machten also einen furchterregenden finsteren Eindruck, und darauf war auch alles berechnet [31].

Am 6. Januar 1929 wurde Heinrich Himmler, seit 1927 stellvertretender SS-Führer, zum Reichsführer SS ernannt. Himmlers Laufbahn in der »Bewegung« hatte in der »Reichskriegsflagge« unter Hauptmann i. G. Röhm begonnen; am 9. November 1923 war Himmler als Fahnenträger vor dem Münchner Kriegsministerium (Wehrkreiskommando) ins Licht der Öffentlichkeit getreten. Seit Juli 1924 war er bei dem Landshuter Apotheker, SA-Führer und Oberleutnant d. R. Gregor Strasser als Gehilfe, Propagandist und Sekretär tätig gewesen. Strasser führte nach dem Putsch eine der von der völkischen Bewegung übriggebliebenen Splittergruppen, vereinigte sie dann mit der wiedergegründeten NSDAP und wurde 1925 Gauleiter von Niederbayern. Himmler war unermüdlich für Strasser tätig, fuhr mit dem Motorrad überall hin, holte sich dabei eine dauernde Beeinträchtigung seiner Gesundheit, aber sein Aufstieg in der Parteihierarchie wurde unaufhaltsam, nachdem Strasser im September 1926 Reichsorganisationsleiter der Partei und Himmler sein Stellvertreter geworden war. Beide residierten nun in der Zentrale in München, wohin Strasser auch die Gauleitung von Niederbayern verlegte. Fünf Jahre später war Himmler als Reichsführer SS wieder Röhm unterstellt [32]. Eine solche Karriere, aufgebaut auf der Verbindung mit zwei der bedeutendsten Führer innerhalb der Partei, die zugleich die gefährlichsten Rivalen Hitlers waren und die dieser 1934 ermorden ließ, gibt immerhin zu denken, doch hat sich in Himmlers Herkunft und Jugend kein Vorbote späterer Größe noch auch ein Anzeichen für die Entwicklung zum Schreibtisch-Massenmörder entdecken lassen.

Himmlers Vater, Gymnasiallehrer und Tutor des Prinzen Heinrich von Wittelsbach, bestimmte seinen 1900 geborenen Sohn für die Offizierslaufbahn, doch konnte der körperlich schwache Brillenträger nur durch Protektion gerade noch vor dem Ende des Weltkrieges in das Heer aufge-

nommen werden; es gelang ihm nicht mehr, an die Front zu kommen[33].
Er erhielt später von der Reichswehr die Erlaubnis, sich Fähnrich zu nennen. Nach dem Krieg beendete er 1922 seine Ausbildung als Diplomland-
wirt. Aber Soldatentum, Kolonisation im Osten, Dienst für einen großen Mann und eine große Sache beherrschten mehr und mehr sein Denken. Schwäche und fanatische Glaubensfähigkeit verbanden sich in ihm
zu gefährlicher Mischung. Hitler schätzte solche Ergebenheit und erklärte
im Januar 1942: »In Himmler sehe ich unseren Ignaz von Loyola.«[34]

Als Hitler im September 1930 die Oberste SA-Führung übernahm, begann Himmler sofort, die Trennung der SS von der SA einzuleiten. Am
7. November 1930 erklärte er die SS zuständig vor allem und zuerst für
den Polizeidienst innerhalb der Partei. Hitler bestätigte im Dezember, daß
kein SA-Führer der SS Befehle zu erteilen habe noch auch umgekehrt.
Aber neun Tage nach dem Dienstantritt Röhms, am 14. Januar 1931,
wurde der Reichsführer SS dem Chef des Stabes der SA unterstellt. Viele
SA-Männer waren mit dem Massenbetrieb der SA unzufrieden und wechselten zur SS über, und viele wurden trotz Verbot abgeworben. Noch im
Januar 1929 gab es nur 280 SS-Männer, im Dezember des Jahres waren es
schon 1000, im Dezember 1930 2727 und 10 000 im Oktober 1931[35]. Freilich gab es auch Gründe für die Schaffung und Erweiterung einer schlag-
kräftigen Parteipolizei.

Zu den schwersten Krisen der Partei gehörte die Stennes-Revolte im
August 1930. Das Debut der Parteipolizei war zum Debakel geraten, obgleich die Berliner SS von dem tüchtigen vormaligen städtischen Müll-
abfuhringenieur Kurt Daluege geführt wurde. Die schwarze Garde wurde
von der braunen verhauen, und Goebbels' Büromobiliar blieb auf der
Strecke. Man brauchte offensichtlich einen geheimen Nachrichtendienst,
um sich gegen solche unangenehmen Überraschungen künftig zu sichern.
Sogar die SS selbst mußte überwacht werden, je mehr ihre Zahl anstieg.
So wurde am 25. Februar 1931 ein Sicherheitsdienst (SD) der SS gebildet,
zuerst Ic-Dienst genannt und mit der Aufgabe des besonderen Schutzes
der Führer der Partei betraut. Der SD unterstand wie die SS Himmler, so
daß dieser wenigstens der Form nach Kommandeur aller Leibwächter
Hitlers war[36]. Es blieb aber bei der mehr formalen Befehlsgewalt, Heydrich
und der SD hatten nach 1933 nur mittelbar mit Hitlers persönlicher Sicherheit zu tun.

Trotz solcher Vorsichtsmaßnahmen wurde eine zweite Stennes-Revolte
noch gefährlicher als die erste, obwohl es der Sicherheitsdienst Hitler ermöglichte, diesmal die Initiative zu ergreifen. Als Röhm aus Bolivien
zurückgekommen war, hatte Stennes ihn vor der Treulosigkeit, Prinzipien-

losigkeit und Inkompetenz Hitlers gewarnt, aber Röhm hatte ausweichend geantwortet und begonnen, Stennes' Machtbereich aufzuteilen, während er die Stärke der SS-Einheiten im selben Gebiet erhöhte [37]. Eines Morgens, am 1. April 1931, las Stennes in der Zeitung, daß er als SA-Organisationsleiter in die Zentrale nach München versetzt sei. Innerhalb weniger Stunden prasselten die Telegramme der ostdeutschen SA-Führer auf den Tisch im Braunen Haus in München, in denen von Hitler sofortiger Widerruf verlangt wurde; Stennes weigerte sich ebenfalls, dem Versetzungsbefehl Folge zu leisten. Solcher Widerstand von einem Mann, dem schon 1929 15 000 SA-Männer im Osten und in Berlin treu ergeben waren, stellte eine wirkliche Gefahr dar. In Berlin wiederholten sich teilweise die Vorgänge vom August 1930. Die Parteibüros und die Druckerei des NS-Blattes »Der Angriff« wurden von Stennes-Leuten besetzt, und Hitler mußte die Berliner Polizei zu Hilfe rufen, um die Okkupanten wieder loszuwerden.

Da Stennes auch auf wiederholten Befehl Hitlers den Gehorsam verweigerte, wurde er aus der Partei und aus der SA ausgeschlossen, samt allen seinen Anhängern. Nach ein paar Wochen ging den SA-Rebellen das Geld aus, und so gelang es, die meisten von Stennes zu trennen, aber viele kehrten der SA und der NSDAP den Rücken und folgten Stennes. Dieser gründete am 30. April 1931 eine »Nationalsozialistische Kampfbewegung Deutschlands«, worauf Hitler ihn wegen des Urheberrechts an dem Ausdruck »nationalsozialistisch« verklagte, besonders wegen der irreführenden Voranstellung, und gewann. Stennes seinerseits verklagte Hitler wegen eines verleumderischen Artikels im »Völkischen Beobachter« und gewann ebenfalls, wenigstens in den ersten beiden Instanzen. Am 3. Juni 1931 schloß er seine Organisation mit Otto Strassers »Kampfgemeinschaft Revolutionärer Nationalsozialisten« zusammen, trennte sich bereits am 11. September 1931 wieder von Strasser, gründete Arbeitsdienstlager und sah sich nach anderen Verbündeten um. Aber die Freikorpsveteranen wollten nicht, die Zentrumspartei wollte nicht, und der Verband Nationaldeutscher Juden wollte auch nicht. Hie und da lebten Stennes-Leute und Nationalsozialisten friedlich nebeneinander, aber nicht in Berlin, wo sie sich gegenseitig viele Kämpfe lieferten und sich beide mit den Kommunisten herumschlugen. Im Sommer 1932 verhandelte Röhm mit Stennes über neue Zusammenarbeit, er wollte dessen Organisation heimlich finanzieren. Stennes lehnte ab, weil er eine Falle vermutete, meint jedoch heute, es sei vielleicht damals ein Fehler gewesen. Im März 1933 wurde Stennes' Wohnungseinrichtung von SS-Leuten zertrümmert und er selbst in »Schutzhaft« genommen. Frau Stennes setzte sich sofort mit Göring in Verbindung, selbst der Päpstliche Nuntius, der Erzbischof von Köln und

General Ludendorff verwendeten sich für Stennes. Schließlich hatte er es
Göring und dessen Gestapo-Chef Diels zu verdanken, daß man ihn frei-
ließ, aus Deutschland und vom europäischen Kontinent verbannte und
über die holländische Grenze abschob. Er ging nach England, von da nach
China und trat in den Stab von Generalissimo Tschiang Kai-schek ein, wo
er sich mit der Leibwache und dem Sicherheitsdienst zu befassen hatte
und die Lufttransportabteilung des Hauptquartiers leitete [38].

Hitler schrieb seinen Sieg über Stennes 1931 der Wachsamkeit der SS zu,
vielleicht wider bessere Einsicht, war sich aber klar, daß er sich besser
gegen Gefolgsleute schützen mußte, die er mit diesen oder jenen Verspre-
chungen an sich gebunden hatte, ohne daß er sein Wort einlösen konnte
oder wollte. An den Berliner SS-Führer Daluege schrieb er nach der Stennes-Revolte: »SS-Mann, Deine Ehre heißt Treue.« [39] Das war natürlich
nicht genug, vor allem mußte der Nachrichtendienst ausgebaut werden.
Im April 1931 wurde Reinhard Heydrich wegen schimpflichen Verhaltens
aus der Marine entlassen. Am 14. Juni entwickelte er Himmler seine Gedanken über einen Gegenspionagedienst innerhalb der SS und wurde am
29. Juli zum Leiter des Ic-Dienstes, des späteren SD, ernannt [40].

Es gab auch abgesehen von innerparteilichem Zwist Gründe genug für
Hitler, gegen Anschläge auf der Hut zu sein. Oft kam er in gefährliche
Lagen, teils im normalen Lauf seiner politischen Tätigkeit, teils aus
Leichtsinn.

Während des pro-monarchischen Putsches des Generallandschaftsdi-
rektors Kapp, der 1917 mit Großadmiral Tirpitz die Vaterlandspartei
gegründet hatte, war Hitler im Frühjahr 1920 nach Berlin geflogen, um
sich irgendwie einzuschalten. Das Flugzeug mußte in Jüterbog landen
und war sofort von einer feindseligen Menge mit roten Armbinden umringt. Da Hitler zwei Ausweise mitgebracht hatte, einen für die »Weißen«
und einen für die »Roten«, konnte getankt und der Flug fortgesetzt werden, aber zur Teilnahme am Putsch wurde es zu spät [41]. Andere brenzlige
Situationen gab es 1923 in Thüringen und einmal in Leipzig, als auf Hitlers Auto geschossen wurde. Am 15. März 1932 wurde auf den Zug geschossen, in dem Hitler mit Goebbels und Frick von München nach
Weimar fuhr; im Juli 1932 geriet Hitler mit dem Auto bei Stralsund in
einen Hinterhalt; am 30. Juli 1932 wurde in Nürnberg ein Attentatversuch auf Hitler unternommen. Die Gefahrenmomente mehrten sich, als
Hitler im Jahre 1932 in mehreren Wahlkampagnen – zwei Präsidenten-
und zwei Reichstagswahlen, dazu örtlichen und regionalen Wahlen – ein
von der Lufthansa gemietetes Flugzeug benützte, um an einem Tag in drei
oder mehr Städten Reden halten zu können, da ihm der Rundfunk nicht

zur Verfügung stand. Sepp Dietrich mußte immer mit einer Gruppe von
SS-Leuten in einer kleineren Maschine vorausfliegen, um Sicherheitsmaß-
nahmen zu veranlassen oder zu überprüfen und Ankunft und Abreise
gegen Störungen zu sichern[42]. Hitler ließ sich überdies von Getreuen wie
Schaub, Schreck, Brückner, Dr. Dietrich, Hanfstaengl, Kempka, Gesche,
Gildisch und anderen begleiten.

Am 5. Juli 1930 kaufte Hitler für die zentralen Parteibüros in München
das repräsentative Barlow-Palais in der Briennerstraße 45, zwischen Königsplatz und Karolinenplatz, nur wenige Minuten von der Feldherrnhalle
entfernt. Das 1828 erbaute Palais war im 19. Jahrhundert u. a. Residenz der
Italienischen Gesandtschaft gewesen. Es kostete eineinhalb Millionen
Reichsmark, die durch eine obligatorische Sonderumlage von den Partei-
mitgliedern aufgebracht werden mußten[43]. Dadurch wurde die Sache sehr
bekannt, und die Kritik war laut und unangenehm. Viele fragten, wozu
denn eine Arbeiterpartei ein Palais brauche, aber Hitler kümmerte sich
nicht darum, und im Januar 1931 konnte die Partei in ihr neues Haus
einziehen. Seit spätestens September 1931 bestanden spezielle Sicherheits-
und Wachvorschriften für das Braune Haus. Detaillierte Vorschriften
wurden unter dem 25. Januar 1932 durch Röhm erlassen[44]. Sie betonten
die Notwendigkeit der Verteidigung des Hauses gegen marxistisch-kom-
munistische Angriffe und gegen Übergriffe der Polizei, wie es in dem
Befehl hieß; die Parteiführung gebärdete sich schon als zukünftige Regierung. Himmler als Reichsführer SS war mit der Ausführung der Vorschriften beauftragt. Der Sicherheitsdienst bestand aus dreimal zwanzig SS-
und SA-Männern plus Reserve. Eine Dienstschicht bestand aus vierzehn
Mann mit drei Führern. SS und SA taten dabei nicht gemeinsam Dienst,
sondern Wachkommandos der SS und der SA wechselten sich alle drei
Tage ab. Die Wachmänner wurden nach der Länge ihrer Dienstzeit in der
SS oder SA und nach finanzieller Bedürftigkeit ausgesucht, Arbeitslose
wurden bevorzugt. Die ersten Kommandos wurden nach Listen berufen,
die vom Führer der SA-Untergruppe München-Oberbayern, SA-Oberfüh-
rer Wilhelm Helfer, und vom Kommandeur der SS-Standarte 1 München,
Sepp Dietrich, zusammengestellt waren. Änderungen mußten vom Reichsführer SS persönlich genehmigt werden, und es war ausdrücklich verboten, ohne Erlaubnis von Röhm oder Himmler Wachleute aus SA- oder
SS-Einheiten außerhalb Münchens heranzuziehen.

Die komplizierten Wachvorschriften gehen teilweise aus der Skizze
hervor. Acht bis zehn Wachleute waren ständig im Gebäude in einer
Wachstube, so daß sie bei auftretenden »Schwierigkeiten« sogleich eingreifen konnten. Wenigstens sechs bewachten die Eingänge und den Park

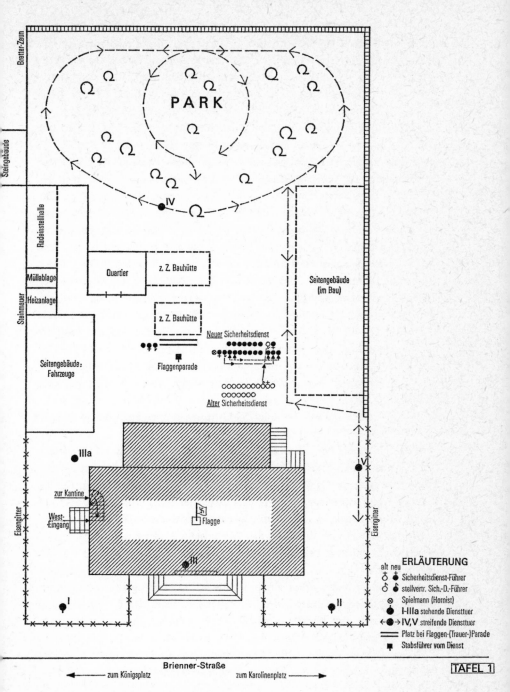

Sicherheitsdienst-Skizze Braunes Haus
München 1932 *

* Qu. Seite 320

hinter dem Haus. Bei Nacht patrouillierten zwei Mann im Park. Die Wachen waren angewiesen, auf auffällig herumstehende oder das Gebäude beobachtende Personen zu achten, aber auch auf solche, die dies unauffällig taten. Sie sollten weiter Ansammlungen verhindern oder, wenn nötig, zerstreuen, auch solche von Partei-, SA- oder SS-Mitgliedern, und zwar auch außerhalb des Zaunes, also auf dem öffentlichen Gehweg. Die Stennes-Revolte war noch frisch in der Erinnerung und linke Feinde sollten nicht zu leichtes Spiel haben, wenn sie sich etwa in SA-Verkleidung anschlichen; schließlich sah es auch unordentlich aus, wenn immerzu Gruppen herumstanden, die Partei wollte einen wohlanständigen Eindruck machen. Zum Besuch der Kantine genügte der Mitgliedsausweis einer der Parteiformationen, für das übrige Gebäude war ein besonderer Ausweis erforderlich. Angestellte hatten Ausweise, mit denen sie während der Bürostunden das Haus betreten oder verlassen konnten, höhere Funktionäre und Angestellte, die außerhalb der gewöhnlichen Dienststunden im Gebäude sein mußten, erhielten besondere rote Ausweise, während die Angehörigen des Stabes der Obersten SA-Führung und der Reichsführung SS gelbe Ausweise hatten, die jederzeit zum Eintritt berechtigten. Die Wachen mußten jeden Eintretenden kontrollieren, zugleich auf die umstehenden Gebäude achten, und in der Nachtzeit, von 20 bis 6 Uhr, mußte der stellvertretende Wachführer in den umliegenden Straßen patrouillieren.

Alle Wachen hatten SA- oder SS-Uniform zu tragen, und zwar ohne daß Uhrketten, Taschentücher und dergleichen sichtbar waren. Ferner durften sie nichts bei sich führen, was als Waffe angesehen werden konnte – außer Scheintodpistolen –, da die Privatarmeen der verschiedenen Parteien, auch der NSDAP, ständig vom Verbot bedroht waren. Der SA zum Beispiel wurden 1930, 1931 und 1932 vielerorts Uniformverbote auferlegt. Man trug dann »Verbotsuniformen«, etwa weiße »Freiheitshemden« statt der verbotenen braunen, das Koppelschloß mit einem Taschentuch umknotet, und als Parteiabzeichen einen Bierflaschenring aus Gummi über den obersten Knopf des offenen Hemdes gestülpt[45]. Zum Wachdienst mußte bei Uniformverbot ein ordentlicher Zivilanzug getragen werden. Es war verboten: während des Wachdienstes zu schlafen, Gespräche zu führen, außer zur kürzestmöglichen Auskunfterteilung, zu rauchen, zu essen, zu trinken oder Passanten, Parteigenossen oder Funktionäre um Zigaretten, Getränke oder Geld zu bitten. Gegen Angriffe sollten die Wachen sich wehren und sofort die Sicherheitszentrale im Braunen Haus telefonisch verständigen.

Sämtliche hier skizzierten Sicherheitsvorkehrungen waren freilich wertlos, wenn etwa ein Mordanschlag gegen einen der Führer der Partei im Braunen Haus selbst ausgeheckt wurde. Ein solcher Fall trug sich im März 1932 zu, als der Oberste Parteirichter, Major a. D. Walter Buch – Martin Bormanns Schwiegervater –, Röhm ermorden lassen wollte, um die SA-Führung von der homosexuellen Clique zu befreien[46]. Ein Kommando wurde aufgestellt und am 14. März 1932 instruiert, Röhm und mehrere Angehörige seines engeren Stabes zu ermorden, darunter Karl Leonhardt Graf Du Moulin-Eckart in Zimmer 50 des Braunen Hauses, der für den Nachrichtendienst der SA verantwortlich war. Gewissensbisse des Mörders, nicht Sicherheitsvorkehrungen retteten für diesmal die SA-Führer. Einer der Beauftragten stand vor dem Braunen Haus, ging plötzlich – einem Impuls folgend – hinein und berichtete Du Moulin-Eckart alles, was er von dem Anschlag wußte. Inzwischen hatte Buch seinerseits Verdacht geschöpft und wollte den verräterischen Attentäter ermorden lassen. Drei Schüsse wurden auf ihn abgefeuert und verfehlten ihn; jetzt erst wurde Himmler auf die merkwürdigen Vorgänge aufmerksam, die auch in die Presse drangen. Es war Zeit, die Geschichte schleunigst unter den Teppich zu kehren: Himmler sprach mit Buch und legte die Sache bei, wie man sagte. Röhm aber, der sich im Hinblick auf die wiederholten Angriffe wegen seiner homosexuellen Freunde mit einer besonderen Leibwache umgeben hatte, versuchte bei seinem alten Kameraden, Hauptmann i. G. Mayr, der inzwischen in Magdeburg die sozialdemokratische paramilitärische Organisation, das »Reichsbanner« leitete, Belastungsmaterial gegen einen SA-Führer aufzutreiben, den er fälschlich als Drahtzieher des Mordplanes verdächtigte, freilich ohne Erfolg. Zwei der anderen ausersehenen Opfer, Graf Du Moulin-Eckart und Graf Spreti, brachten immerhin im Oktober 1932 einen Zwischenträger zwischen Buch und dem als Mörder Gedungenen vor Gericht, der darauf wegen Anstiftung zum Mord zu sechs Monaten Gefängnis verurteilt wurde[47]. Buchs Karriere in der Partei scheint durch diese Mordplanaffäre nicht gelitten zu haben.

Auch gegen die im Wachbefehl genannten Übergriffe der Polizei konnten die Wachen des Braunen Hauses bis Januar 1933 nichts ausrichten. Beim SA-Verbot am 13. April 1932 wurde das Haus von Grüner Polizei durchsucht und über Nacht besetzt gehalten, und am 4. Juli 1932 – nach dem Uniformverbot – verlangte die Münchner Polizeidirektion die Einziehung der uniformierten Wachposten. Die Reichsleitung der NSDAP lehnte das Ansinnen ab mit dem Hinweis, die Posten stünden auf privatem Grund und Boden. Es kam zu einer Vereinbarung, wonach die Posten von den Straßeneingängen an die Seiteneingänge zurückgezogen werden sollten. Gleichwohl erschien ein Kommando der Kriminalpolizei und versuchte, die Posten wegzulocken, um sie dann zu verhaften, was in einem Fall gelang. Am Nachmittag des gleichen Tages erschien wiederum Grüne Polizei mit Karabinern und Maschinengewehren, besetzte die neben dem Braunen Haus liegenden Gebäude (Töring-Palais und das Haus des britischen Generalkonsuls) und drang über die Zäune in das Braune Haus ein, hielt es über Nacht und bis zum folgenden Mittag besetzt und verhaftete alle Wachen sowie alle in Uniform angetroffenen Angestellten [48].

III. Hitler Regierungschef

Mit seiner Ernennung zum Reichskanzler am 30. Januar 1933 erwarb Hitler das Recht auf besonderen Schutz durch die zuständigen Organe des Staates und zugleich auch zusätzliche Gefahrenquellen.

Der Schutz des deutschen Regierungschefs war nach dem Ersten Weltkrieg nur unvollkommen geregelt. Man ordnete einfach ein paar Polizisten ab, die sich vor der Reichskanzlei aufzuhalten hatten. Nach dem Mord an Außenminister Walther Rathenau am 24. Juni 1922 wurden neue Richtlinien aufgestellt, jedoch erst im September 1923 erlassen. Die Verantwortung für den Schutz der Reichskanzlei wurde einer besonderen Gruppe der Kriminalpolizei in der Abteilung I A des Berliner Polizeipräsidiums übertragen, die dem Minister des Innern und dem Chef der Reichskanzlei direkt unterstellt wurde, unter Ausschluß jeder anderen Befehlsgewalt auch höherer Polizeistellen. Die Beamten mußten im Garten, auf den Straßen um die Reichskanzlei und im Gebäude selbst ständig Patrouille gehen. Ein Beamter mußte den Kanzler auf allen Ausgängen und Ausfahrten begleiten. Er wurde angewiesen, auf Autofahrten neben dem Fahrer zu sitzen und alle entgegenkommenden Fahrzeuge und Passanten genau zu beobachten, und er mußte bestimmen, ob im Falle der Gefahr gehalten oder die Geschwindigkeit erhöht werden sollte. Das war keine leichte Aufgabe, zumal man dem Leibwächter noch sagte, vorzeitiges oder unzeitiges Eingreifen sei ebenso peinlich, wie verspätetes Handeln im Augenblick wirklicher Gefahr tödlich sein könnte [1]. An solchen Gefahren fehlte es nicht, der neue Kanzler trat 1933 wenigstens in diesem Punkt unmittelbar in die Fußstapfen seiner Vorgänger.

Reichskanzler Brüning hatte am 9. April 1931 eine kleine Papprolle zugesandt erhalten mit einem aus Zündhölzern und etwa fünf Gramm Schwarzpulver hergestellten Explosivkörper, ähnlich den heute üblichen Briefbomben. Die Sendung wurde rechtzeitig enttarnt und richtete keinen Schaden an. Kurze Zeit später erhielt Goebbels eine ähnliche Sendung. Die Polizei vermutete, daß in beiden Fällen ein Kommunist der Täter gewesen sei [2]. Am 15. November 1932, als Papen Kanzler war, wurde eine

Frau mit einem Dolch in der Hand in der Reichskanzlei gefaßt; sie war
unbemerkt durch einen Seiteneingang hereingekommen[3]. Die Mehrzahl
der gegen Hitler gerichteten Anschläge war von derselben Art, aber es
waren viel mehr als zur Zeit seiner Vorgänger. Hitler war sich dessen bewußt, und mit Recht fürchtete er Anschläge von Juden, Kommunisten
und Katholiken, die systematisch verfolgt und gequält wurden. Die Anschläge von 1933 wurden zum Teil von Kommunisten ausgeführt, es folgten etliche Anschläge von Juden, 1938 machte ein katholischer Theologiestudent mehrere Versuche, und der Täter des Bürgerbräuanschlages von
1939 hatte einmal zum Roten Frontkämpferbund gehört[4].

Allein 1933 erhielt die Polizei Kenntnis von wenigstens zehn Mordanschlägen auf Hitler, die für gefährlich gehalten wurden. 1934 waren es
mindestens vier. Am 9. Februar 1933 telegraphierte ein Lehrer an Hitler,
er habe soeben erfahren, daß »Gift für Eure Exzellenz« in die Reichskanzlei geschickt worden sei[5]. Ebenfalls im Februar 1933 korrespondierte die
Bayerische Gesandtschaft in Berlin mit der Bayerischen Regierung und
dem Reichsministerium der Justiz über von einem ehemaligen Kommunisten und späteren Nationalsozialisten geäußerte Drohungen gegen das
Leben des Reichskanzlers. Der Mann hieß Ludwig Assner und schrieb aus
Palaiseau (Seine-et-Oise) unter dem 18. Februar 1933, er werde nicht ru-
hen, bis er Hitler würde niedergeschossen haben, sofern Präsident Hindenburg ihn nicht bis zum 10. März entlassen haben werde. Er, Assner, kenne
Hitler persönlich, er wisse, daß der Mann wahnsinnig sei, daß er weder
konstruktive Ziele noch Charakter habe. Hitler werde Deutschland in
Ruinen und Asche verwandeln und in namenloses Elend stürzen. In
einem weiteren Brief, den er an die Deutsche Botschaft in Paris richtete,
behauptete Assner, er habe Verbündete innerhalb Deutschlands, die an
seiner Stelle zur Tat schreiten würden, wenn er etwa verhindert wäre.
Heute mögen Assners Voraussagen hellsichtig anmuten; als er sie niederschrieb und zugleich für die Nichtausführung seiner Absichten eine große
Geldsumme verlangte, konnte man ihn schwerlich ganz ernst nehmen.
Gleichwohl hat die Polizei damals Vorsichtsmaßnahmen an den Grenz-
übergängen angeordnet.

Im Februar und März 1933 schwirrte die Luft in Deutschland von
Morddrohungen und Anschlägen. Gewiß waren einige davon bloß aufge-
bauschte Kleinigkeiten, mit denen Himmler, der noch immer in München
saß und bisher am allgemeinen Machtgewinn der neuen Herren wenig
Anteil gehabt hatte, sich bei Hitler unentbehrlich machen wollte. Aber es
gab genug echte Gefahren[6]. Hitler selbst hatte deutliche Vorstellungen
davon. 1933 schilderte er sie einmal dem preußischen Gestapochef Diels:

»Da wird sich eines Tages ein ganz harmloser Mann in einer Dachwohnung irgendwo in der Wilhelmstraße etablieren. Man wird ihn für einen pensionierten Oberlehrer halten. Ein biederer Volksgenosse, mit einer Hornbrille, schlecht rasiert und bärtig. Er wird niemanden sein ärmliches Zimmer betreten lassen. Dort wird er sich in aller Ruhe eine Waffe einbauen, und er wird mit einer unheimlichen Geduld Stunde für Stunde und Tag für Tag den Balkon vor der Reichskanzlei durch sein Zielfernrohr anvisieren. Und dann – fuhr er mit starren Augen fort –, und dann, eines Tages, drückt er ab!« Diels' Gedächtnis ist nicht ohne Fehl, den Balkon gab es erst 1935; dafür gab es ein Fenster, an dem Hitler sich zu zeigen pflegte, und die Bemerkungen Hitlers waren doch ein brauchbarer Hinweis, wie der persönliche Schutz des Führers zu verbessern war, und der Hinweis wurde auch im Lauf der Zeit immer wieder beachtet.

Zunächst aber waren die Gefahren zahlreich und schwer faßbar. Seit März 1933 kam der Polizei mindestens einmal in der Woche irgendein Attentatversuch oder -plan zur Kenntnis. Da hieß es, man werde Hitler einen Strauß Blumen überreichen, aus dem ihm Gift ins Gesicht spritzen werde; oder es sollte ein präparierter Füllfederhalter in seiner Hand explodieren; ein Hellseher teilte mit, daß unter die Potsdamer Garnisonkirche ein Gang getrieben worden sei, durch den am »Tag von Potsdam« mit einem Sack voll Dynamit die gesamte Reichsregierung in die Luft gejagt werden sollte; es stellte sich auch tatsächlich heraus, daß unter der Garnisonkirche Kabel für die Rundfunkübertragung und Beleuchtung verlegt wurden, nur fand sich kein Dynamit. Dann wieder berichtete jemand, Hitlers Flugzeug werde auf dem Flug nach Ostpreußen von einem anderen Flugzeug abgeschossen werden. Ein ehemaliger Freikorpsführer und nachmaliger Kommunist – vermutlich Beppo Römer (in dem Bericht ist kein Name genannt) – hatte es fertiggebracht, sich täglich Zugang zur Reichskanzlei zu verschaffen, bis er schließlich von der SS-Wache entlarvt wurde, worauf er nicht mehr wiederkam. Am Tage der Eröffnungssitzung des von Göring gegründeten Preußischen Staatsrates erhielt sein Gestapochef Diels plötzlich den Anruf eines aufgeregten Kriminalbeamten aus der Pförtnerloge des Preußischen Staatsministeriums, der mitteilte, im Kohlenkeller liege eine Höllenmaschine, die in ganz kurzer Zeit losgehen und den ganzen Staatsrat in die Luft sprengen werde; zunächst habe er die Bauarbeiter, die im Hof des Ministeriums beschäftigt gewesen seien, verhaften und in einen Nebenraum sperren lassen, da Befragungen ergeben hätten, daß sich Kommunisten unter ihnen befänden. Tatsächlich lag auf der Schwelle des Kellers ein torpedoförmiger kleiner Gegenstand, den niemand anzufassen wagte. Man telefonierte nach allen Bomben- und

Sprengstoffsachverständigen herum, die eingesperrten Arbeiter zitterten
vor Angst, mit in die Luft zu gehen. Schließlich stellte sich heraus, daß
der gefährliche Gegenstand aus Bismarcks Zeiten stammte und als Behäl-
ter für Bindfadenrollen gedient hatte, die man in der Pack- und Absende-
stelle des Staatsministeriums brauchte.

Der von einem Einzeltäter – dem holländischen Kommunisten Marinus
van der Lubbe – ohne Zusammenhang mit seiner Partei gelegte Reichstagsbrand, die nachfolgende Notverordnung und die Verhaftungen sowie
der gleichzeitige Wahlkampf erhöhten die Spannungen und Psychosen[7].
Viele Sozialdemokraten und Kommunisten waren erbittert über ihre Führer, die nichts Ernsthaftes gegen die Nazis taten, und viele planten eigene
Aktionen. So wurde am 3. März 1933 in Königsberg der Schiffszimmer-
mann Kurt Lutter verhaftet unter der Beschuldigung, er habe mit anderen
Kommunisten Hitler am 4. März bei einer Wahlversammlung mit Sprengstoff ermorden wollen[8]. Dann wurde wieder eine Verschwörung gemeldet,
durch die ein als Arbeiter getarnter Mörder in die Reichskanzlei eindringen und Hitler umbringen sollte, und ein Plan, den Reichskanzler mit
einem Gewehr mit Zielfernrohr und Schalldämpfer zu erschießen. 1934,
nach der Ermordung der SA-Führer und anderer »Feinde«, wie Gregor
Strasser und Generalmajor von Schleicher, mußte man mit Gegenminen
rechnen, zumal von seiten des im Ausland operierenden Kreises um Gregor Strassers Bruder Otto und seiner »Schwarzen Front«[9]. Die SA-Krise
selbst aber war zunächst eine viel größere Gefahr für Hitlers persönliche
Sicherheit.

Auf die grundsätzlichen Meinungsverschiedenheiten zwischen Hitler
und Röhm wurde schon hingewiesen. 1934 spitzten sich die Spannungen
zwischen SA und Reichswehr zu, als die SA immer mehr drängte, entweder in Massen in die Reichswehr einzutreten oder selbst zur revolutionären Armee zu werden. Zugleich mußte die Wirtschaft vor den Angriffen
der SA geschützt werden, wenn Stabilisierung und Gesundung Fortschritte
machen sollten[10]. Hitler glaubte anscheinend im Frühsommer 1934 vor
der Wahl zu stehen, entweder offene Zusammenstöße und vielleicht einen
SA-Putsch, einen Mordanschlag Röhms (mit dem er zu rechnen behauptete) oder gar einen Reichswehrputsch untätig abzuwarten oder eine der
beiden Organisationen zur Botmäßigkeit zu zwingen.

Oft hatte Hitler im Kreise seiner engeren Umgebung in der klassischen
indirekten Art des Gangsterbosses ausgerufen, er verstehe nicht, warum
nicht dieser oder jener längst beseitigt sei. »»Warum lebt eigentlich dieser
Gregor Strasser noch?‹, oder: ›Muß man denn einem Verbrecher wie Thäl-
mann den Prozeß machen?‹, oder: ›Ich verstehe nicht, daß man den

Stennes entkommen ließ!‹« Direkte Mordbefehle wollte er nicht ausspre-
chen, und andererseits waren Bormann und Himmler gerade erst dabei,
zu lernen, wie man aus beliebigen Äußerungen Hitlers »Führerbefehle«
formulierte [11]. Aber zur Beseitigung der ganzen SA-Führungsspitze mußte
Hitler selbst die Initiative ergreifen. Das war für ihn nicht ungefährlich.

Ende Juni wurde die ganze aktive SA für vier Wochen auf Urlaub geschickt. Auch Röhm und sein Stab gingen auf Urlaub. In diesem Augenblick schlug Hitler zu. Vom 30. Juni bis 2. Juli 1934 wurden mindestens
83 »Feinde«, wahrscheinlich an die zweihundert, überraschend verhaftet
und ohne jegliches Verfahren erschossen [12]. Am Abend des 28. Juni hatte
Hitler Röhm telefonisch befohlen, für den 30. Juni 9 Uhr früh eine SA-
Führerbesprechung nach Bad Wiessee einzuberufen, wo Röhm auf Urlaub
weilte. SS, SD und Polizei bekamen Einsatzbefehle für das ganze Reichsgebiet, und in München und Bad Wiessee leitete Hitler selbst die Aktion.
Es war nicht schwer, die zur Besprechung anreisenden SA-Führer in München auf dem Hauptbahnhof oder auf den nach Bad Wiessee führenden
Straßen abzufangen. Aber es war für Hitler ein großes persönliches Wag-
nis, sich mit wenigen Leibwächtern und SS-Führern selbst zur »Pension
Hanselbauer« zu begeben und dort in aller Frühe, etwa um 6.30 Uhr,
Röhm und seine Freunde aus den Betten zu holen.

Es war eine häßliche Szene, die sich da abspielte [13]. Mit Nilpferdpeit-
sche und Pistole in der Hand stürmte der Reichskanzler in das Haus, gefolgt von Brückner, Schreck, Goebbels, Lutze und einigen anderen, darunter Kriminalbeamten aus München, alle mit Pistolen in den Händen, er
ging im ersten Stock von Schlafzimmer zu Schlafzimmer, riß die Türen
auf und erklärte die in ihren Betten liegenden SA-Führer für Verräter und
für verhaftet. Dann wurden sie von wenigen SS-Leuten und Kriminalbeamten in zwei Omnibussen, die Schreck in Bad Wiessee mietete, ins
Gefängnis Stadelheim bei München gebracht, wo sie noch am selben Tag
erschossen wurden (außer Röhm, der erst am folgenden Tag sterben mußte). Offenbar waren die SA-Führer völlig überrascht worden. Die Wachen
in der »Pension Hanselbauer« waren schwach und wußten nicht, daß Hitlers Erscheinen einen Angriff darstellte, sie wurden rasch überwältigt und
in den Keller gesperrt, samt ihrem Führer, SA-Standartenführer Julius Uhl.
Gerade als Hitler mit Gefolge wegfahren wollte, um nach München zurückzukehren, traf ein Lastwagen mit Röhms Stabswache ein. Diese Leute
nahmen drohende Haltung ein, als sie die Situation zu erkennen begann-
nen; doch gelang es Hitler, die SA-Leute zu überreden, wieder auf ihren
Lastwagen zu steigen und in Richtung München davonzufahren. Unterwegs, gleich außerhalb von Bad Wiessee, hielten sie wieder an und legten

sich mit Maschinengewehren zu beiden Seiten der Straße in Bereitschaft. Hitler aber hielt es für geraten, auf einer zunächst nach Süden führenden Straße (über Rottach und Tegernsee) Bad Wiessee zu verlassen und eine weitere Begegnung mit der Stabswache zu vermeiden. In München hielt er eine kurze Ansprache im Braunen Haus, das anstelle der gewohnten SA-Wachen von einer Reichswehrkompanie bewacht wurde[14].

Die Erschießung der Verhafteten wurde fast ausschließlich von SS-Leuten vorgenommen, zum Teil in den Wohnungen oder Büros der Opfer, teils im Gefängnis Stadelheim, teils in der ehemaligen Kadettenanstalt und nunmehrigen SS-Kaserne in Berlin-Lichterfelde. Röhm wurde am 1. Juli in seiner Zelle in Stadelheim von den beiden Dachauer Konzentrationslagerkommandanten Theodor Eicke und Michael Lippert erschossen, nachdem Amann und Heß sich eifrig, aber vergeblich um die Ehre beworben hatten, den »Verräter« erschießen zu dürfen. Himmlers SS aber hatte sich wie beim zweiten Stennes-Putsch in Treue bewährt. Im August 1936 schrieb Eicke an Himmler über die damals eingesetzte Wachtruppe, die späteren SS-Totenkopfverbände: »... hinter dem Stacheldraht [in Dachau] taten wir still unsere Pflicht und entfernten jeden rücksichtslos aus unseren Reihen, der die geringste Spur von Untreue aufkommen ließ. So geformt und erzogen wuchs die Wachtruppe in der Stille der Konzentrationslager. Ihre Ideale waren Treue, Tapferkeit und Pflichterfüllung. Am 30. 6. 34 fiel uns eine wichtige Aufgabe zu.«[15] Am 20. Juli 1934 wurde die SS zur von der SA unabhängigen, selbständigen Gliederung der NSDAP erklärt[16].

Nicht ohne Berechtigung vermutete man, daß Otto Strasser und seine »Schwarze Front« den ermordeten Gregor Strasser rächen wollten und eine weitverzweigte Verschwörung angezettelt hätten, die ihre Zentralen vor allem in Paris und Prag hatte. Tatsächlich stellte sich heraus, daß Otto Strasser hinter der Absicht eines jüdischen Studenten, Helmut Hirsch, steckte, in Nürnberg Parteibauten in die Luft zu sprengen und eventuell Julius Streicher oder gar Hitler selbst zu ermorden. Hirsch wurde im Dezember 1936 verhaftet, vor Gericht gestellt, zum Tode verurteilt und hingerichtet, nachdem er gestanden hatte, von Otto Strasser angestiftet und ausgesandt worden zu sein. 1937 und 1938 planten deutsche Emigranten, Schwarze-Front-Sympathisanten und Juden in der Tschechoslowakei die Ermordung Hitlers. Weitere Verschwörungen entstanden in der Schweiz und in England, während 1938 auch die innerdeutsche Opposition Mordpläne entwickelte. Ein jüdischer Medizinstudent, namens Felix Frankfurter aus Bern (ursprünglich aus Jugoslawien), hatte gehofft, Hitler umbringen zu können, begnügte sich dann aber damit, den Landesgruppenleiter der Nationalsozialisten in der Schweiz, Wilhelm Gustloff, 1936 in Davos zu ermorden. Weiter erfuhr die Gestapo von in Italien, in der Schweiz und in England im April 1938 ausgeheckten Plänen zur Ermordung Hitlers. Im gleichen Jahr untersuchte der Engländer Alexander Foote als Nachrichtenagent im Auftrage der Sowjetunion die Möglichkeiten zu einem Attentat auf Hitler in München und fand sie recht gut. Es gelang ihm mit Leichtigkeit, in Hitlers bevorzugtem Restaurant, der »Osteria Bavaria«, so nahe an ihn heranzukommen, daß er eine Bombe in geeigneter Größe hätte deponieren oder auch den Diktator mit der Pistole erschießen können. Er berichtete das alles nach Moskau, erhielt aber keine Anweisungen zum Handeln[17]. Ebenfalls 1938 schlug ein anderer Engländer, der Militärattaché der Britischen Botschaft in Berlin, seiner Regierung die Ermordung Hitlers vor (wie unten weiter ausgeführt werden wird), doch ebenfalls ohne Erfolg. Fast zu der gleichen Zeit, da in Paris der deutsche Botschaftsrat Ernst vom Rath von dem polnischen Juden Herszel Grynszpan erschossen wurde, kam ein Schweizer Theologiestudent der Ermordung Hitlers außerordentlich nahe, und Georg Elser, der Attentäter vom »Bürgerbräukeller« 1939, rekognoszierte die Gelegenheit für seinen Anschlag. Alle diese Versuche ballten sich im November 1938, als Hitlers Politik nahe an einen großen Krieg herangeführt hatte und als am 10. November die Nationalsozialisten ein ungeheuerliches Judenpogrom über ganz Deutschland hereinbrechen ließen.

IV. Der Reichssicherheitsdienst

In der Weimarer Republik lag die Polizeigewalt vorwiegend in den Händen der Länderregierungen. Doch gab es Anfänge einer zentralen Reichspolizei, insbesondere in der Abteilung I A des Berliner Polizeipräsidiums, wo sich eine »Centrale Staatspolizei« in den zwanziger Jahren entwickelte, die auch für den persönlichen Schutz der Reichskanzlei zuständig war. Sie arbeitete zusammen mit den entsprechenden Organen der Länder und fungierte de facto, wenn auch nicht de jure als zentrales deutsches Polizeiamt[1].

Politische Polizeiorgane von Bedeutung gab es nur in Preußen und in Bayern, obwohl auch andere Länder politische Polizeiabteilungen hatten. Wie die Abteilung I A unterstand auch die Preußische Politische Polizei dem Preußischen Innenministerium. Im April 1933 schuf Göring als preußischer Ministerpräsident und preußischer Minister des Innern das Preußische Geheime Staatspolizeiamt (Gestapa) in der Prinz-Albrecht-Straße 8, wohin die Abteilung I A des Polizeipräsidiums schon einige Tage vorher umgezogen war. Stellvertretender Leiter des Gestapa war Rudolf Diels, der vorher, auch schon unter Göring, Leiter der Abteilung I A gewesen war. Am 30. November 1933 wurde das Gestapa durch Gesetz zum selbständigen Zweig der inneren Verwaltung Preußens erklärt. Ihr Chef war der preußische Ministerpräsident Göring. Mit der Wahrnehmung der laufenden Geschäfte war der Inspekteur der Geheimen Staatspolizei und Leiter des Geheimen Staatspolizeiamts beauftragt; die bisher beim Preußischen Ministerium des Innern (nunmehr vereinigt mit dem Reichsministerium des Innern unter Dr. Wilhelm Frick) wahrgenommenen Geschäfte der Preußischen Politischen Polizei gingen auf das Geheime Staatspolizeiamt über[2].

Am Tage der »Machtergreifung« Hitlers und der Nationalsozialisten saß Göring schon als Reichstagspräsident in Berlin und bekam schnell in Preußen, dem größten und wichtigsten Land des Reiches, die ganze Macht in die Hand. Himmler saß in München, weit vom Zentrum der Macht, doch hatte er eines vor Göring voraus: die Präsenz einer Organisation

– der SS –, die ihm im ganzen Reichsgebiet einschließlich Preußens unterstand. Göring hatte sich 1930 überlegt, ob er wieder die SA übernehmen sollte, und er hatte auch mit Stennes darüber gesprochen. Als Stennes ihm darlegte, mit wieviel Arbeit das verbunden wäre, war Göring von dem Gedanken abgekommen. Nun wurde er von Himmler mit Zähigkeit Schritt für Schritt und Zug um Zug überflügelt, bis ihm nichts anderes mehr übrigblieb, als sich kurz vor dem sogenannten Röhm-Putsch mit dem Führer der SS zu verbünden. Himmler wurde am 9. März 1933 Polizeipräsident in München, am 16. März bekam er als Politischer Referent im Bayerischen Ministerium des Innern die Befehlsgewalt über die Bayerische Politische Polizei. Im Lauf des Jahres 1933 und noch 1934 verschaffte er sich Schritt für Schritt die Kommandogewalt über die Politische Polizei aller übrigen Länder mit Ausnahme von Schaumburg-Lippe und Preußen. Hier saß Göring fest im Amt, obwohl der Chef der Preußischen Polizei, Daluege, zugleich SS-Führer war. Anfang 1933 hatte Göring die SA als Hilfspolizei gegen Staatsfeinde aller Art eingesetzt, und überhaupt war die Stellung der SA in Preußen durch Besetzung vieler Polizeipräsidentenposten mit SA-Führern stark. Aber bald fand Göring, daß er die SA kaum unter Kontrolle halten konnte. Ihre vielen »wilden« Konzentrationslager, etwa fünfzig allein in Berlin, waren Ausdruck der Machtusurpation durch eine irreguläre, schlecht disziplinierte Parteiarmee, also einer Art Anarchie, die weder Göring noch Hitler dulden konnte. Diels begann daher im Frühjahr 1933 mit der halbherzigen Zustimmung Görings, die illegalen Folterkammern und Konzentrationslager der SA auszuheben, aber zugleich drang die Konkurrenz, Himmlers und Heydrichs SS und SD, mehr und mehr in Preußen ein.

Im Herbst 1933 hatte Hitler dem Reichsführer SS noch die erbetene Genehmigung zum Umzug der SS- und SD-Zentralen von München nach Berlin verweigert und lediglich die Einrichtung von Zweigbüros gestattet. Im Reichsministerium des Innern bemühte sich inzwischen der Alte Kämpfer und ehemalige thüringische Innenminister Dr. Frick – noch mehr vielleicht die hohen Beamten seines Ministeriums – um die Kontrolle aller deutschen Polizeikräfte als Teil einer zentralisierenden deutschen Reichsreform, von der schon jahrelang die Rede gewesen war. Aber weder Frick noch Himmler konnte vorerst den mächtigsten Provinzhäuptling, Göring, überflügeln. Im März und April 1934, als der SA-Konflikt sich dem Siedepunkt näherte, schien es dann allen drei geraten, sich zu verständigen. Göring behielt die Ministerpräsidentschaft in Preußen – und auch das Preußische Finanzministerium blieb unabhängig –, während alle anderen preußischen Ministerien mit den entsprechenden Reichsmini-

sterien vereinigt wurden. Für die Preußische Geheime Staatspolizei
schließlich fand man eine Zwischenlösung: Göring blieb ihr Chef, Himmler wurde als Nachfolger von Diels Stellvertretender Chef und Inspekteur
(20. April 1934), und Heydrich wurde Himmlers Stellvertreter und zugleich Chef des Preußischen Geheimen Staatspolizeiamtes. Ein weiterer
SS-Führer, der bereits in die preußische Hierarchie eingebaut war, Arthur
Nebe, wurde Chef des Preußischen Landeskriminalpolizeiamtes. Damit
kontrollierte fortan die SS alle wichtigen Polizeistellen im Reich. Himmler
war nur theoretisch der Untergebene Görings; denn der joviale Morphi-
nist konnte es mit dem ehrgeizigen, puritanischen Schwerarbeiter Himmler auf die Dauer nicht aufnehmen. Der vorläufige Höhepunkt in Himmlers Karriere war seine Ernennung zum Chef der Deutschen Polizei im
Reichsministerium des Innern am 17. Juni 1936, als Hitler das Parteiamt
des Reichsführers SS mit dem eines Chefs der Deutschen Polizei für
institutionell verbunden erklärte. Spätere Machterweiterungen wuchsen
Himmler zu durch die Gründung und ständige Verstärkung der Waffen-
SS, durch seine Ernennung zum Reichsminister des Innern im Jahre 1943
und endlich durch seine Einsetzung als Befehlshaber des Ersatzheeres (das
er allerdings nur nominell führte) am 20. Juli 1944.

»Bei der nationalen Erhebung in Bayern«, wie Himmler »i. V.« sich in
einem Schreiben an den Staatssekretär in der Reichskanzlei, Dr. Lammers,
unter dem 31. Mai 1934 ausdrückte, »wurde ein Führerschutzkommando
aufgestellt, dem der persönliche Schutz des Herrn Reichskanzlers übertragen wurde. Mit der Übernahme der Politischen Polizei in den Ländern
Württemberg, Baden usw. wurde dieses Kommando auch auf die einzelnen Länder ausgedehnt. Seit der Übernahme der Preußischen Geheimen
Staatspolizei durch den Herrn RFSS wurde die Tätigkeit des Führerschutzkommandos auch auf Preußen ausgedehnt.«[3] So läßt sich der Beginn der
Neuorganisation des Kanzlerschutzdienstes auf März 1933 datieren, ihr
Abschluß auf Anfang April 1935. Aus den Personalakten des Kommandeurs des Führerschutzkommandos, Polizeihauptmann Johann Rattenhuber, geht hervor, daß er das Kommando seit dem 15. März 1933 innehatte.
Noch im November 1934 lautete Rattenhubers Briefkopf »Geheime Staatspolizei – Führerschutzkommando«; erst 1935 machte man seine Dienststelle zur selbständigen Reichsbehörde mit der Bezeichnung »Reichssicherheitsdienst«. Die Qualifikationen für Rattenhubers Leibwächtertruppe beschrieb Himmler in dem oben zitierten Schreiben folgendermaßen: »Die
Beamten des Führerschutzkommandos haben den Schutz des Führers sowohl in der Reichskanzlei als auch auf allen Fahrten und Gängen zu
übernehmen und für dessen unbedingte Sicherheit Sorge zu tragen. Aus

IV. Der Reichssicherheitsdienst

diesem Grunde kommen hier nur Beamte in Betracht, die einmal bewährte Nationalsozialisten, dann ausgezeichnete Kriminalisten mit unbedingter Zuverlässigkeit, äußerster Pflichterfüllung, guten Umgangsformen und körperlich gewandt sind.«

Zunächst konnte das neue, vorwiegend aus bayerischen Kriminalbeamten bestehende Schutzkommando nur in Bayern tätig werden, während in der Reichskanzlei die bisher dort eingesetzten Beamten vom SS-Begleitkommando in den Hintergrund gedrängt wurden. Hitler verbat sich jegliche Begleitung außer der seines SS-Begleitkommandos, seiner Adjutanten und anderer gewohnter Begleiter. So wirkte Himmlers Schutzkommando zunächst im stillen und ohne Hitlers Wissen. Als Hitler einmal im Frühjahr 1933 bei München ein Auto bemerkte, das dem seinen und dem seines Begleitkommandos folgte, befahl er seinem Fahrer Kempka, das Tempo des Kompressorwagens so zu erhöhen, daß das fremde, schwächere Auto, in dem, wie sich zeigte, Himmlers Polizisten saßen, zurückblieb. Polizei jeder Art war Hitler, offenbar von der »Kampfzeit« her, ein unangenehmer Anblick, und es dauerte bis zum Frühjahr 1934, bis das Führerschutzkommando von Hitler akzeptiert wurde und im ganzen Reichsgebiet in Funktion treten konnte.

Anfangs bestand das Führerschutzkommando aus Rattenhuber, neun Kriminalbeamten »beim Führer« und zwei Kriminalbeamten »beim Reichsführer SS«. 1935 wurde seine Stärke auf siebzehn Kriminalbeamte und einen Kommandeur festgelegt. Gehälter, Unterhalt, Reisekosten und Ausrüstung wurden vorläufig von den Ländern getragen, aus denen die Beamten jeweils kamen. Die Hotelkosten für die Unterbringung in Berlin waren freilich wesentlich höher als im Budget vorgesehen, und so mietete Hitlers persönlicher Chefadjutant, SA-Gruppenführer Brückner[4], für das Schutzkommando eine Wohnung in der Kanonierstraße 40 (heute Glinkastraße). Hitlers Pilot Flugkapitän Baur und seine beiden Bordfunker wohnten ebenfalls hier. Das Zentralbüro des Führerschutzkommandos befand sich in der Prinz-Albrecht-Straße 8, von wo es 1938 in die Kochstraße 64 verlegt wurde; 1940 zog man in die Hermann-Göring-Straße 5 um. Als die Wohnung in der Kanonierstraße für die wachsende Zahl der Leibwächter zu klein geworden war, wurde 1940 das Haus Kronenstraße 4–6 gekauft.

Die Kosten für das Führerschutzkommando – ohne die Gehälter der Beamten – beliefen sich 1934 auf 80 068,83 Reichsmark für Renovierung der Wohnung, Gehälter für eine Köchin und zwei Putzfrauen, Miete, zwei Mercedes-Benz-Wagen und deren Unterhalt. Sie wurden bezahlt aus einem Haushaltstitel des Reichsministeriums des Innern für »Maßnahmen zum Schutz von Volk und Staat«. Ende 1934 bat Dr. Frick den Reichsminister der Finanzen Graf Schwerin von Krosigk, den Staatssekretär und Chef der Reichskanzlei Dr. Lammers und den Chefadjutanten Brückner zu einer Besprechung der finanziellen und Verwaltungsangelegenheiten des Führerschutzkommandos. Brückner konnte nicht kommen, und der 12. Januar 1935 wurde als neuer Termin festgesetzt. Diesmal war auch Himmler eingeladen, der aber verhindert war. Schließlich kam die Besprechung am 13. Februar 1935 zustande. Teilnehmer waren: Staatssekretär Pfundtner, Ministerialrat Erbe und Regierungsrat Dr. Gisevius vom Reichs- und Preußischen Ministerium des Innern; Chefadjutant Brückner; der Kommandeur des Führerschutzkommandos, Polizeihauptmann und SS-Obersturmbannführer Rattenhuber; Ministerialrat Wienstein von der Reichskanzlei sowie Oberregierungsrat Schmidt-Schwarzenberg vom Reichsfinanzministerium.

Der Vertreter der Reichskanzlei legte dar, die gegenwärtige Zusammensetzung der zum Schutz des Führers und der Reichskanzlei eingesetzten Wachorgane sei folgende: 4 Kriminalbeamte, deren Gehälter vom Haushalt des Berliner Polizeipräsidiums bezahlt wurden; 4 aus dem Haushalt des Reichsministeriums des Innern bezahlte Polizisten; 31 Mann der SS-Leibstandarte »Adolf Hitler« (LSSAH), deren Gehälter ebenfalls im Haushalt des Reichsministeriums des Innern geführt wurden; 15 Führerschutzkommando-Beamte, die von den Kriminalpolizeien verschiedener Länder kamen und noch aus den jeweiligen Landeshaushalten bezahlt wurden. Pfundtner meinte, die Arbeit des Führerschutzkommandos sei eine Angelegenheit des Reiches und sollte daher auch vom Reich bezahlt werden, nur müßte erst festgestellt werden, welches Ministerium für zuständig erklärt werden solle. Natürlich war das nicht bloß eine Etatfrage, sondern auch eine Frage der administrativen Autorität. Es schien drei Möglichkeiten zu geben. Entweder konnte das Führerschutzkommando dem Reichsministerium des Innern unterstellt werden, oder der Reichskanzlei, oder der Geheimen Staatspolizei. Der Reichsminister des Innern, so erklärten dessen Vertreter, war gerne bereit, die haushaltmäßige Verantwortung zu übernehmen. Dagegen schien die tatsächliche im Auftrag Hitlers ausgeübte unmittelbare Autorität des Chefadjutanten eher für den Anschluß an die Reichskanzlei zu sprechen. Mehr technische Gründe konnten für die (bisher nur vorläufige und etatmäßig unvollständige) Unterstellung unter die Geheime Staatspolizei vorgebracht werden; diese war zwar noch immer nur eine preußische Behörde, aber durch die Person des Reichsführers SS mit allen deutschen politischen Polizeien wie mit der NSDAP-Gliederung SS aufs engste verbunden.

Hauptmann Rattenhuber beschrieb dann den gegenwärtigen Aufbau des Führerschutzkommandos. Es gab insgesamt fünf Dienststellen für den Schutz des Führers, der Reichsminister Göring, Heß und Goebbels und des Reichsführers SS. Zwei weitere Dienststellen mußten für die Sicherheit von Reichsministern auf Reisen und für den Schutz ausländischer Staatsmänner sorgen. Die achte Dienststelle war zuständig für Nachforschungen, wenn Attentatpläne entdeckt oder vermutet wurden, und schließlich gab es eine Haupt- und Verwaltungsdienststelle. Zum Führerschutzkommando gehörten auch die Besatzungen von Hitlers Flugzeug und der Begleitmaschine: ein Major, ein Hauptmann, vier Kriminalinspektoren. Die Gesamtstärke des Führerschutzkommandos – ohne Schreibkräfte – belaufe sich auf 76 Personen. Von diesen seien insgesamt 16, die Flieger nicht mitgerechnet, für den Schutz des Reichskanzlers allein tätig.

Regierungsrat Dr. Gisevius vertrat die Auffassungen von Ministerialdirektor Daluege und meinte, es wäre am besten, alle Sicherungsdienststellen an die Preußische Geheime Staatspolizei anzugliedern. Damit wäre auch Fricks Machtbereich erweitert oder konsolidiert worden; denn er hoffte, als Reichsminister des Innern alle deutschen Polizeiorganisationen in die Hand zu bekommen. Daluege, Generalleutnant der Landespolizei, war Leiter der Abteilung III (Polizei) im Reichs- und Preußischen Ministerium des Innern. Gisevius begründete seinen Standpunkt damit, daß die einzelnen Dienststellen, so wie sie jetzt bestünden, für die Erforschung weitverzweigter Attentatpläne zu klein seien und daß ihre Beamten auch nicht über die nötige spezielle Ausbildung verfügten. Das erwünschte Maß an Sicherheit könne nur erreicht werden, wenn alle jeweils bei der Geheimen Staatspolizei und beim Landeskriminalamt vorliegenden Informationen in engster Zusammenarbeit mit dem Sicherheitsdienst des Führers ausgewertet würden. Die durch mangelnde Zusammenarbeit (wegen Unabhängigkeit) erhöhten Gefahren seien zu bedenken.

Hauptmann Rattenhuber wandte sich gegen Gisevius' Darlegungen und sagte, die Geheime Staatspolizei habe ihre eigenen Aufgaben und Interessen und habe mit den Schutzdienststellen keineswegs immer gut zusammengearbeitet. Ministerialrat Wienstein als ständiger Stellvertreter des Staatssekretärs und Chefs der Reichskanzlei, Dr. Lammers, fügte hinzu, die Angliederung der Sicherungsgruppen an die Reichskanzlei wäre ohne Personalvermehrung eine dort nicht zu bewältigende Belastung.

Schmidt-Schwarzenberg sprach für das Finanzministerium und unterstützte die Argumentation von Gisevius: Wenn für die Führerschutzbeamten Stellen im Reichshaushalt geschaffen würden, so würden dadurch die einzelnen Beamten weniger austauschbar und somit in ihren Beförderungschancen eingeschränkt. Bald würden ohnehin alle Polizeien in einer einzigen Reichsbehörde zusammengefaßt werden, und es wäre deshalb besser, die zur Zeit bestehende Regelung für die Beamten des Führerschutzkommandos vorerst bestehen zu lassen, also sie weiterhin aus den Länderhaushalten zu bezahlen.

Brückner sagte hierauf, es gebe keinen Grund, die Zusammenfassung der Polizeikräfte zu einer Reichspolizei abzuwarten, im Gegenteil wäre die Erhebung des Führerschutzkommandos zu einem Reichsführerschutzkommando ein logischer Schritt in dieser Richtung. Gisevius und Schmidt-Schwarzenberg widersprachen, Pfundtner sekundierte Brückner und trat für die Übernahme wenigstens der Kommandostellen des Führerschutzkommandos in den Reichshaushalt ein. Die Gesamtkosten wurden auf 709 000 Reichsmark geschätzt.

Eine weitere Besprechung über den gleichen Gegenstand fand zwei Tage später statt, diesmal in der Reichskanzlei. Die Teilnehmer waren Hauptmann Rattenhuber, sein Zahlmeister Trenkl, Schmidt-Schwarzenberg, Dr. Gisevius sowie Ministerialrat Dr. Killy und Regierungsrat Steinmeyer von der Reichskanzlei [5]. Man war sich einig, daß organisatorische Fragen so lange nicht geklärt werden konnten, wie die Kompetenzen nicht klar definiert und abgegrenzt waren. Jedoch sollte das Führerschutzkommando auf alle Fälle zum 1. April 1935 offiziell ins Leben treten, zum Beginn des neuen Haushaltjahres. Rattenhuber versprach, eine Liste aller Beamten und ihrer gegenwärtigen Dienststellungen rechtzeitig vor einer weiteren Besprechung vorzulegen, die für eine Woche später anberaumt wurde. Er hielt aber die Zusage nicht ein, und am 13. März stellte Steinmeyer fest, daß Rattenhuber nicht in Berlin sei und vor der Rückkehr des Führers, der sich bis zum 15. März in Bayern aufhalte, auch nicht zurückerwartet werde.

Etwas kurzfristig, nämlich am Vormittag des Samstag, 16. März, verlangte Rattenhuber dann eine Besprechung am selben Nachmittag in der Reichskanzlei. Er bestand darauf, daß das Führerschutzkommando dem Reichsführer SS unterstellt und der Reichskanzlei angegliedert werden müsse, Brückner verlange das. Steinmeyer und Wienstein von der Reichskanzlei waren für Anschluß an das Reichsministerium des Innern. Am folgenden Montag stellte Lammers fest, daß Himmler ihm versichert habe, dagegen bestünden keine Einwendungen.

Schließlich, nach weiteren Verhandlungen mit Rattenhuber, kam eine Vereinbarung zustande und wurde am 29. März 1935 von den beteiligten Ministern selbst und am selben Tag außerdem in einer Kabinettssitzung ratifiziert. Die Kosten für das Führerschutzkommando wurden in Verbindung mit den Kosten für den Reichssicherheitsdienst – dieser Ausdruck scheint hier zum erstenmal offiziell angewandt worden zu sein – auf den Haushalt des Reichsministeriums des Innern übernommen, und zwar mit einem Betrag von 700 000 Reichsmark. (Ende Mai 1935 wurde der Betrag schließlich auf 500 000 RM festgesetzt; 1937 erreichte der Haushalt des Reichssicherheitsdienstes aber schon 1 062 800 RM.)

So war es weder Himmler gelungen, schon jetzt alle deutschen Polizeikräfte in seine Gewalt zu bringen, noch hatte Frick mehr als eine indirekte, budgetmäßige Kontrolle über das Führerschutzkommando bekommen. Aber das Tauziehen um Hitlers Leibwachen ging weiter. Im Oktober 1935 schien Himmler gewonnen zu haben, als Hitler ihn zum Chef des Reichssicherheitsdienstes (RSD) ernannte. »Reichssicherheitsdienst« war seit 1. August 1935 die amtliche Bezeichnung für die Sicherungsgruppen Hitlers und der übrigen Regierungsmitglieder. Aber Rattenhuber war noch immer Kommandeur des Reichssicherheitsdienstes und erhielt fast alle seine Anweisungen für den täglichen Dienst von Hitler, durch einen der Persönlichen Adjutanten (Brückner, Schaub), später durch Bormann. Himmler hatte so etwas wie eine höhere Verwaltungsaufsicht, nicht die unmittelbare Befehlsgewalt über die Leibwache. Aber er war jetzt in der Lage, den Reichssicherheitsdienst mehr und mehr in das NSDAP- und SS-System zu integrieren.

Übrigens führte die Frage der offiziellen Bezeichnung des Schutzdienstes zu einer charakteristischen Verwirrung. Im November 1935 ersuchte Himmler Hitler um Genehmigung zur Umbenennung des Reichssicherheitsdienstes in »Reichssicherungsdienst«, um den Führerschutz deutlich vom »Reichssicherheitsdienst« im Saargebiet zu unterscheiden, wo dieser Ausdruck für die Staatspolizei verwendet werde [6]. Hitler wünschte die Änderung nicht und ließ am folgenden Tag durch Dr. Lammers antworten, da müsse eben das Saargebiet die Bezeichnung für seine Staatspolizei ändern; der Ausdruck Reichssicherheitsdienst für den Führerschutz stehe schon im Reichshaushalt. Dr. Frick aber kam nach einigen Recherchen zu dem Ergebnis, die Staatspolizeistelle Saarbrücken habe nie Reichssicherheitsdienst geheißen, und ließ den Reichsführer SS andeutungsweise wissen, daß dieser seiner Wichtigtuerei zum Opfer gefallen sei. Himmler antwortete mit der lahmen Erklärung, die Bezeichnung »Reichssicherheitsdienst« sei aber kurz vor der Wiedereingliederung der Saar ins Reich für die Staatspolizei des Saargebiets in Aussicht genommen gewesen, und ersuchte Frick, die Sache nunmehr als abgeschlossen anzusehen.

Zur Zeit der Ernennung Himmlers zum Chef des Reichssicherheitsdienstes schrieb ihm Lammers unter dem 22. Oktober 1935: »Im Auftrage des Führers und Reichskanzlers beehre ich mich, Sie davon in Kenntnis zu setzen, daß der im Haushalt V. (Reichsministerium des Innern) für das Haushaltsjahr 1935 unter Kap. 14 vorgesehene ›Reichssicherheitsdienst‹ Ihnen unterstellt wird. Sie erhalten die volle Kommandobefugnis über die Angehörigen des Reichssicherheitsdienstes und werden in dieser Ihrer Eigenschaft dem Führer und Reichskanzler unmittelbar unterstellt. Aus der Kommandobefugnis ergibt sich auch Ihre alleinige Verantwortung für den Reichssicherheitsdienst. Aus Ihrer Stellung ergibt sich ferner die Befugnis, über die im Haushalt des Reichsministeriums des Innern für den Reichssicherheitsdienst vorgesehenen Haushaltsmittel im Rahmen der Gesetze zu verfügen. Die Vertretung der Ausgaben gegenüber dem Rechnungshof des Deutschen Reichs fällt infolgedessen Ihnen zur Last. Der Führer und Reichskanzler hat sich die Ernennung der Beamten des Reichssicherheitsdienstes selbst vorbehalten. Vorschläge zur Ernennung von Beamten bitte ich, durch mich dem Führer und Reichskanzler zu unterbreiten und einen Abdruck des Vorschlages zugleich dem Herrn Reichsminister des Innern zuzuleiten. Ich habe den Herrn Reichsminister des Innern von dem Inhalt dieses Schreibens unterrichtet.« [7]

Innenminister Dr. Frick hatte offensichtlich wenig Einfluß auf den RSD, da er nur mit Durchschlägen von dem unterrichtet zu werden brauchte, was Himmler, Rattenhuber und Lammers Hitler vorschlugen. Aber auch Himmler erhielt durch seine Ernennung keine wirkliche Kontrolle. Dies ergibt sich aus dem Vorbehalt des Ernennungsrechts, aus der besonderen Stellung des Stellvertreters des Führers bzw. später – nach 1941 – des Leiters der Parteikanzlei und aus der Mittelstellung der Persönlichen Adjutanten zwischen RSD und Hitler, wobei Himmler und seine »Kommandobefugnisse« einfach umgangen wurden.

Das von Lammers vorgezeichnete Verfahren wurde von Himmler schon unter dem 30. Oktober 1935 angewandt, als er eine Liste von 14 Namen zur Ernennung für den RSD vorlegte. Bis zum Unterschriftvollzug durch Hitler wuchs die Zahl auf 45.

Ehe die Ernannten ihre Urkunden erhielten, wurde die Liste ihrer Namen von Lammers dem Stellvertreter des Führers, Reichsminister Rudolf Heß, zur Begutachtung vorgelegt mit der Frage, ob gegen irgendeinen der Ernannten Bedenken bestünden. Wienstein begründete dieses Verfahren: Da der Führer die Ernennungen selbst vornahm, mußte in allen Fällen auch sein Stellvertreter gehört werden. Lammers informierte also Himmler, daß der Führer die Ernennungsurkunden unterzeichnet habe, daß sie aber Himmler noch nicht zugesandt werden könnten, weil gemäß der Verordnung des Führers und Reichskanzlers vom 24. September 1935 über die Teilnahme des Stellvertreters des Führers bei Ernennungen von Regierungsbeamten dessen Zustimmung und Bestätigung bei allen vom Führer und Reichskanzler persönlich vorgenommenen Ernennungen erforderlich sei. Tatsächlich bedeutete das eine Kontrolle und ein Zustimmungsrecht für die NSDAP durch Heß und seinen Stabsleiter, Reichsleiter Martin Bormann. Da Heß keine Einwendungen erhob, wurden die Urkunden Himmler am 13. November 1935 zugesandt.

Himmlers »Kommandobefugnis« war weiter beschränkt, wie schon gesagt, durch die Mittelstellung der Persönlichen Adjutanten. Sie erhielten Befehle für den RSD direkt von Hitler, sofern Hitler seine Befehle nicht unmittelbar an Rattenhuber gab, und sie gaben die Befehle ohne Zwischenschaltung Himmlers an Rattenhuber oder einen seiner Vertreter, Kriminalinspektor Högl und Polizeiinspektor Kiesel, weiter[8]. Während Himmler sich vergeblich bemühte – sei es auch auf dem Umweg über seine Stellung als Chef der Deutschen Polizei im Reichsministerium des Innern (seit 1936) –, die volle Gewalt über Hitlers Leibwache zu erhalten, gelang dies Martin Bormann zwar ebenfalls nicht vollständig, aber doch im Lauf der Jahre in höherem Maße als Himmler.

Bormann brachte schließlich die gesamte Parteiorganisation unter seine Kontrolle und konnte in fast allen Regierungsstellen, teilweise sogar in militärischen Kommandozentralen, mitreden. Als Stabsleiter bei Heß hatte er schon eine nicht unbedeutende Stellung, seit 1938 gehörte er offiziell zur ständigen Begleitung des Führers. Wie Himmler hatte er sich stark an einen später Abtrünnigen gebunden, konnte aber daraus Kapital schlagen. Am 12. Mai 1941, zwei Tage nach Heß' Flug nach Schottland, befahl Hitler, das bisherige Amt des Stellvertreters des Führers sei hinfort als »Partei-Kanzlei« zu bezeichnen und sei unmittelbar ihm, dem Führer selbst, unterstellt. Bormann war – wenn auch noch nicht dem Namen nach – Sekretär des Führers (sein mit ihm verfeindeter Bruder Albert Bormann war Chef der Privatkanzlei des Führers) und Leiter der Kanzlei des Führers der NSDAP. Am 29. Mai 1941 legte ein Führerbefehl fest, daß der Leiter der Partei-Kanzlei, Reichsleiter Martin Bormann, einem Reichsminister gleichgestellt sei; wo immer bisher der Ausdruck »Stellvertreter des Führers« in Gesetzen, Verordnungen, Erlassen und Befehlen verwandt worden sei, habe hinfort der Ausdruck »Leiter der Partei-Kanzlei« zu stehen. Am 8. Mai 1943 schließlich erklärte Hitler, anscheinend auf Wunsch Bormanns, der Reichsleiter sei nicht nur Leiter der Partei-Kanzlei, sondern auch mit vielen Sonderaufträgen außerhalb seines unmittelbaren Kompetenzbereiches betraut. Er handle dann als »Sekretär des Führers« und führe »Führerbefehle« mit Gesetzeskraft aus[9].

Im Reichssicherheitsdienst waren Loyalität und dienstliche Zuverläs-

sigkeit oberste Grundsätze. Sie wurden über die allgemein übliche Auslese
für besonders verantwortungsvolle Stellen hinaus zusätzlich gesichert
durch eine Vereidigungszeremonie in Gegenwart des Führers, deren Tradition auf den 4. November 1921 zurückging [10]. Alle neu ernannten RSD-
Beamten wurden in Gegenwart Hitlers vom Reichsführer SS, Himmler,
jeweils am 9. November vereidigt, und zwar vor der Feldherrnhalle in
München. Noch im Dezember 1933 wurde die Eidesformel für alle Staats-
beamten auf folgende Worte festgelegt: »Ich schwöre: Ich werde Volk
und Vaterland Treue halten, Verfassung und Gesetze beachten und meine
Amtspflichten gewissenhaft erfüllen, so wahr mir Gott helfe.« Durch Gesetz vom 20. August 1934, drei Wochen nach dem Tode des Reichspräsidenten von Hindenburg und der Übernahme seiner Rechte und Kompetenzen durch den Führer und Reichskanzler, wurde folgender Wortlaut
vorgeschrieben: »Ich schwöre: Ich werde dem Führer des Deutschen Reiches und Volkes Adolf Hitler treu und gehorsam sein, die Gesetze beachten und meine Amtspflichten gewissenhaft erfüllen, so wahr mir Gott
helfe.« Weder die Verfassung noch Hitlers verfassungsmäßige Stellung als
Reichskanzler waren hier erwähnt, nur die Person des Führers war Eidträger. Wienstein bestand darauf, daß alle RSD-Beamten diesen Eid schwö-
ren müßten, sofern sie Beamte mit allen Rechten und Ansprüchen werden
sollten. Der vor der Feldherrnhalle geleistete Eid genüge nicht, da sein
Wortlaut nicht dem Gesetz entspreche. Also mußten beide Eide geschwo-
ren werden. Der vor der Feldherrnhalle geleistete lautete: »Ich schwöre
Dir, Adolf Hitler, als Führer und Kanzler des Deutschen Reiches, Treue
und Tapferkeit. Ich gelobe Dir und den von Dir bestimmten Vorgesetzten
Gehorsam bis in den Tod. So wahr mir Gott helfe.« Auch hier fehlte die
Erwähnung von Verfassung und Volk als Eidträger, dafür kam merkwür-
digerweise der Kanzler vor. Doch wurde die persönliche Loyalität gegen-
über dem Führer über Verfassung, Gesetz und Volk gestellt, durch das
»Du« wurde dies besonders betont und vielleicht noch mehr durch die
äußeren Umstände der Vereidigung. Der große Zeitabstand zwischen den
beiden Eidesleistungen beleuchtet im übrigen ihre relative Bedeutung.
Der amtliche Eid war seit dem 20. August 1934 vorgeschrieben, aber 37
RSD-Beamte – darunter Rattenhuber und sein Vertreter Högl sowie Hitlers
Leibpilot Baur – hatten bis zum April 1936 den amtlichen Eid noch nicht
geleistet, wohl aber den der persönlichen Verpflichtung auf den Führer.

Immer wieder in den zwölf Jahren seiner Herrschaft bestand Hitler
ausdrücklich darauf, die persönliche Verfügungs- und Disziplinargewalt
einschließlich des Ernennungs- und Entlassungsrechts für den RSD in der
Hand zu behalten. Als Lammers im Januar 1942 vorschlagen wollte, dem

Führer etwas von seiner übergroßen Arbeitslast abzunehmen, bestand Hitler erneut darauf, alle Ernennungsurkunden des RSD mit eigener Hand zu unterzeichnen. 1944 wurde noch einmal betont, daß zwar Himmler Chef des RSD und Rattenhuber sein Vertreter als Kommandeur des RSD seien, aber der Führer sich das Kommando über den RSD vorbehalten habe.

Die einzelnen Dienststellen waren 1944 folgendermaßen eingeteilt: Dienststelle 1 stellte stets den unmittelbaren Schutz des Führers und hatte zugleich für die lokale Sicherheit auf dem Obersalzberg zu sorgen; Dienststelle 9 (1936 mit der Bezeichnung 7 b gegründet) war die Ortsdienststelle für Berchtesgaden und Umgebung, Dienststelle 8 für München. Weitere Dienststellen waren für hohe Funktionäre und Regierungsmitglieder zuständig: Dienststelle 2 für Göring, 3 für Ribbentrop, 4 für Himmler, 5 für Goebbels, 6 für Frick, 7 für Ernährungsminister Darré. 1937 hatte es bereits drei Dienststellen mehr als 1935 gegeben; die Dienststelle 3 war 1937 noch für Heß zuständig gewesen. Dienststelle 8 – 1935 noch »Hauptstelle und Fahndungsdienst« in Berlin – wurde 1937 als Ortsdienststelle München bezeichnet. Dienststelle 7 war 1944 nicht mehr Darré, sondern Staatsminister Frank in Prag zugeteilt. Dienststelle 10 stand Reichsminister Seyß-Inquart in Den Haag zur Verfügung, Dienststelle 11 dem Reichskommissar und Gauleiter Terboven in Oslo, Dienststelle 12 dem Oberbefehlshaber der Marine Großadmiral Dönitz, Dienststelle 13 dem Reichskommissar Dr. Best in Kopenhagen und Dienststelle 14 dem Chef des Reichssicherheitshauptamtes (RSHA), SS-Obergruppenführer Dr. Kaltenbrunner. Je eine Dienststelle ohne Nummer stand Dr. Ley und Gauleiter Koch zur Verfügung. Eine weitere Dienststelle ohne Nummer war als »Sicherungs-Kontrolldienst Reichskanzlei« dem RSD seit Dezember 1939 – also wenige Wochen nach dem Elser-Attentat – angeschlossen [11].

Die routinemäßigen Aufgaben der RSD-Dienststellen umfaßten hauptsächlich die Gewährleistung der persönlichen Sicherheit der Personen, denen sie zugeteilt waren, ferner unabhängige Nachforschungen über gemeldete Attentatpläne (unbeschadet enger Zusammenarbeit mit der Gestapo), ständige Überwachung von Schutzobjekten (Hotels, Versammlungshallen, Reichskanzlei, Hauptquartiere, Berghof, Krolloper in Berlin, »Osteria Bavaria« in München usw.), periodische Gesamtüberholungen solcher Objekte mit Hilfe von Handwerkern und von Fachleuten für das Aufspüren von Explosivstoffen, Abhörgeräten usw. [12] Ferner mußte das an den Schutzobjekten beschäftigte Personal überprüft werden, benachbarte Gebäude mußten ebenfalls ständig oder gelegentlich, je nach Situation, untersucht und kontrolliert werden, regelmäßig benutzte Gebäude waren unter Dauerüberwachung zu stellen vor, während und nach Veranstaltungen in Gegenwart der zu schützenden Personen, und alle in einem bestimmten Umkreis solcher Objekte wohnenden Personen mußten ebenfalls dauernd überwacht werden. Auch auf Zufahrtstraßen, Eisenbahnstationen und Flugplätzen wurde der RSD zu gegebener Zeit für Überwachungsaufgaben eingesetzt. Alle Dienststellen hatten lokal oder regional besondere Aufgaben zu erfüllen. So war seit 1937 die Dienststelle 9 (Berchtesgaden) auch für die Überwachung aller in der Gegend auftauchenden Ausländer und Fremden verantwortlich.

1935 betrug die Stärke des RSD ohne die Flieger 45 Beamte. 20 von ihnen waren nun zum Schutze Hitlers eingeteilt. 1936 sah der Haushaltsplan des RSD 56 Stellen vor, 1937 schon 100, und 1939 war die Zahl auf 200 angestiegen. Beim Ende des Krieges gab es etwa 400 RSD-Beamte [13].

Die Mehrzahl der ersten RSD-Beamten kam aus Bayern, aus städtischen Polizeidiensten oder aus der Landespolizei. Etwa 10 % der vor dem Krieg im RSD tätigen Beamten stammten aus anderen Ländern: Zwei kamen aus Thüringen und die übrigen Nicht-Bayern aus Preußen [14].

Ehemalige Angehörige des RSD vertreten heute die Auffassung, allein die Befähigung und Eignung zu dem zu leistenden Schutzdienst und sonstige rein sachlich-dienstliche Qualifikationen seien für die Ernennung maßgebend gewesen. Wohl stimmt es, daß alle RSD-Beamten SS-Ränge erhielten, ob sie wollten oder nicht, und daß Ausbildung und Eignung zum Dienst bei der Auswahl eine wesentliche Rolle spielten. Aber politische »Zuverlässigkeit« und nationalsozialistische Gesinnung fielen besonders ins Gewicht. Fast alle RSD-Beamten waren Mitglieder der NSDAP, einige waren »Alte Kämpfer«, d. h. Parteimitglieder aus der Zeit vor 1933, und einige waren »Träger des Blutordens vom 9. November 1923«, also ehemalige Angehörige des »Stoßtrupps Adolf Hitler« bzw. Teilnehmer des Marsches zur Feldherrnhalle. Ein von Rattenhuber unter dem 30. November 1934 aufgestelltes »Verzeichnis der Kriminalbeamten des Führerschutzkommandos« enthält für 10 der damals 16 Beamten Angaben über Parteimitgliedschaft: Zwei Beamte waren 1931 der NSDAP beigetreten, einer 1932, und die anderen sieben nach dem 30. Januar 1933 [15]. Himmler operierte zur Erlangung höherer Gehälter für die RSD-Angehörigen in einem Schreiben an Lammers vom 13. November 1935 mit der Behauptung, die erstmalig zu Beamten ernannten Kriminalangestellten des RSD seien »als SS- und SA-Angehörige sämtlich ›Alte Kämpfer‹« und sollten »in Anrechnung dieser Verdienste mit einem entsprechenden Diensteinkommen übernommen werden«. Aber als Rattenhuber unter dem Datum des folgenden Tages die Liste von 45 in den RSD zu übernehmenden Beamten und Angestellten vorlegte, führte er darin nur 5 ausdrücklich als »verdiente Alte Kämpfer« an, obwohl freilich die Liste noch einige andere enthielt. Aus den erhaltenen Akten geht ferner hervor, daß ein ziemlich großer Teil der bei Kriegsausbruch im RSD tätigen Beamten, etwa die Hälfte, erst am 1. Mai 1937 in der NSDAP die Mitgliedschaft erworben hatte, nachdem Himmler eigens dafür gesorgt hatte, daß alle RSD-Beamten in die Partei eintraten[16]. Dagegen hatten fast alle RSD-Angehörigen der Zeit vor dem Krieg SS-Ränge aus der Zeit vor 1934, wenn auch nicht immer aus der Zeit vor 1933. Die SS war eine Gliederung der NSDAP, und wenn in diesem oder jenem Fall eine SS-Mitgliedschaft ohne gleichzeitige oder nachfolgende NSDAP-Mitgliedschaft bestand, so war das eher eine Frage der Buchführung.

Im Mai 1934 schrieb Göring als preußischer Ministerpräsident und Chef der Preußischen Geheimen Staatspolizei an Staatssekretär Lammers, für den Schutz des Führers kämen »nur Beamte in Betracht, die einmal bewährte Nationalsozialisten, dann ausgezeichnete Kriminalisten« seien. Grundsätze dieser Art galten aber schon länger. Schon das »Gesetz zur Wiederherstellung des Berufsbeamtentums« vom 7. April 1933 sah die Entlassung oder Pensionierung von Beamten »nicht arischer Abstammung« und von solchen vor, »die nach ihrer bisherigen politischen Betätigung nicht die Gewähr dafür bieten, daß sie jederzeit rückhaltlos für den nationalen Staat eintreten«. Die »Dritte Verordnung zur Durchführung des Gesetzes zur Wiederherstellung des Berufsbeamtentums« vom 6. Mai 1933 bestimmte, daß insbesondere mit Personalfragen befaßte Beamte politisch unbedingt zuverlässig sein oder durch unbedingt zuverlässige ersetzt werden müßten, und am 14. Juli 1933 bat Dr. Frick in einem Runderlaß an die obersten Reichsbehörden in diesem Zusammenhang, »überall da, wo es noch nicht geschehen sein sollte, für Ersatz durch im nationalsozialistischen Sinne unbedingt zuverlässige Beamte sorgen zu wollen«. Am 26. Oktober 1933 erklärte der Reichsminister der Finanzen in einem Runderlaß an die Präsidenten der Landesfinanzämter, er beabsichtige, »solche Beamte, die sich für die nationale Erhebung besonders verdient gemacht [haben] .. nach Maßgabe verfügbarer geeigneter Stellen außer der Reihe zu befördern, wenn sie nach ihren Fähigkeiten und Leistungen den Anforderungen entsprechen, die ich an die Anwärter für die Beförderungsstellen zur Wahrung der dienstlichen Belange stellen muß«. Die Beamten des Führerschutzkommandos, wie es damals noch hieß, wurden »aus Anlaß der Röhm-Affaire« zum 1. Juli 1934 vorzugsweise befördert. Die »Reichsgrundsätze über Einstellung, Anstellung und Beförderung der Reichs- und Landesbeamten« vom 14. Oktober 1936 bestimmten verkürzte Wartezeiten bis zur Einstellung, Anstellung oder Beförderung, wenn »na-

tionalsozialistisch bewährte Anwärter für den höheren Dienst sich auch
dienstlich bewährt und die vorgeschriebenen Staatsprüfungen mit erheblich über dem Durchschnitt liegendem Erfolg abgelegt« haben; »haupt-
amtliche Tätigkeit im Dienste der NSDAP, ihrer Gliederungen und an-
geschlossenen Verbände ist auf die Anwärterzeit anzurechnen«. Ferner:
»Befördert kann nur der Beamte werden, der neben restloser Erfüllung
der allgemeinen Beamtenpflichten a) unter Berücksichtigung seiner früheren politischen Einstellung die unbedingte Gewähr dafür bietet und
seit dem 30. Januar 1933 bewiesen hat, daß er jederzeit rückhaltlos für
den nationalsozialistischen Staat eintritt«, b) arisches Blut nachweist,
c) die dienstlichen Voraussetzungen erfüllt[16]. Die angeführten Beispiele
mögen genügen, sie ließen sich beliebig vermehren. Jedenfalls wurden
Kandidaten für eine Tätigkeit im Reichssicherheitsdienst, die die Voraussetzungen für die Aufnahme in die NSDAP und SS nicht erfüllten, auch
für den RSD als ungeeignet angesehen. Ohnehin mußten sie als Beamte
ihre »deutschblütige« Abstammung laut dem »Gesetz zur Wiederherstellung des Berufsbeamtentums« nachweisen; diese Bestimmung wurde verschärft durch die antisemitischen »Nürnberger Gesetze« und ihre Durchführungsbestimmungen vom Herbst 1935.

Als Dienstanzug trugen die RSD-Beamten vor dem Krieg entweder die
schwarze SS-Uniform oder Zivil, je nach den Erfordernissen ihres Dienstes. Traten sie bei Partei-Ereignissen oder sonstigen Gelegenheiten auf,
bei denen Uniformen der NSDAP und ihrer Gliederungen vorherrschten,
fielen sie natürlich in SS-Uniform weniger auf als in Zivil; umgekehrt
war es etwa bei diplomatischen Anlässen oder privaten Reisen, Opern-
und Restaurant-Besuchen. In militärischer Umgebung trugen die Beamten
schon 1938 und 1939 die feldgraue SS-Uniform mit den dem parallelen
Feldpolizeirang entsprechenden Rangabzeichen. Im Kriege, wenn sie, wie
es meistens der Fall war, in Hitlers Hauptquartieren oder auf seinen Reisen
als Oberster Befehlshaber Dienst taten, trugen sie ebenfalls fast immer
die feldgraue SS-Uniform[17].

Zu Beginn des Krieges wurden die zum Schutze Hitlers eingeteilten
Beamten der »Reichssicherheitsdienst-Gruppe z. b. V. (Führersicherheit)«,
wie jetzt der Ausdruck lautete, zu »Wehrmachtbeamten auf Kriegsdauer«
erklärt. Zugleich wurden sie administrativ und militärisch dem Chef des
Oberkommandos der Wehrmacht (General Keitel) unterstellt. Die Weisungsbefugnisse Hitlers, Himmlers, der Persönlichen Adjutantur oder Bormanns wurden dadurch nicht eingeschränkt, wohl aber die Rechte und
Privilegien der RSD-Beamten so erweitert, daß sie die größtmögliche
Bewegungsfreiheit und Autorität in der militärischen Umgebung erhiel-

ten, in der Hitler sich vorwiegend befand. Sie bekamen also den Status von Angehörigen der Geheimen Feldpolizei und hießen deshalb auch bald »Reichssicherheitsdienst (Gruppe GFP z. b. V.)«[18].

Im Laufe der ersten Kriegsmonate wurden entsprechende Ausweise ausgegeben, mit denen sich die RSD-Beamten als Angehörige der Geheimen Feldpolizei legitimieren konnten, sowie die dazugehörigen Erkennungsmarken. Die RSD-Beamten erhielten damit das Recht, in dringenden Fällen von jedem Angehörigen der Geheimen Feldpolizei und von jedem anderen Wehrmachtangehörigen Hilfe zu verlangen und in flagranti überraschte Wehrmachtangehörige sofort festzunehmen. In Fällen von Spionage- oder Sabotageverdacht konnten sie den Verdächtigen nach Verständigung des örtlichen Kommandeurs festnehmen lassen. Falls erforderlich, durften die RSD-Beamten zur Tarnung die Uniform jedes anderen Wehrmachtteils tragen. Weiter durften sie auf Vorzeigen ihrer Ausweise oder Erkennungsmarken hin alle militärischen und polizeilichen Kontrollen passieren, Verpflegung und Unterkunft verlangen, waren jedoch ausdrücklich angewiesen, in allen militärischen Anlagen und Gebieten nur die Dokumente zu verwenden, die sie als Angehörige der Gruppe Geheime Feldpolizei z. b. V. auswiesen. In ziviler Umgebung mußten sie erforderlichenfalls ihre gewöhnlichen Geheimpolizeiausweise vorzeigen.

V. Das SS-Begleitkommando

Die SS-Leibwache Hitlers hat ihre Ursprünge in der frühesten Geschichte der NSDAP. Feste Daten sind der 4. November 1921 für die »Feuertaufe« der Leibwache im Münchner »Hofbräuhaus«, März 1923 für die Aufstellung der »Stabswache« als besonderer Elitetruppe der SA durch Göring und Mai 1923 für die Gründung des »Stoßtrupps Adolf Hitler« durch Berchtold, wobei die Stabswache in den Stoßtrupp überführt wurde. Der Stoßtrupp wurde 1925 die Mutter der SS, und aus der SS ging wieder eine besondere Leibwache hervor. Nach dem 30. Januar 1933 trat diese nicht etwa in den Hintergrund, weil nun staatliche Schutzorgane zur Verfügung standen, im Gegenteil. Anfangs wollte Hitler, wie schon berichtet, nur die Bewachung durch sein SS-Begleitkommando dulden.

Zum besseren Verständnis der verwickelten Zusammenhänge sei nun zuerst die Entstehung der Leibstandarte und sodann die Geschichte des SS-Begleitkommandos kurz skizziert.

Die Gesamtorganisation der SS als Parteielite- und Schutztruppe war bis zum Frühjahr 1933 auf 50 000 Mann angewachsen; nun wurde aufs neue eine kleinere Elitetruppe für den Schutz Hitlers und anderer Parteiführer abgesondert. Am 17. März 1933 erhielt Sepp Dietrich von Hitler den Auftrag, eine neue »Stabswache« aufzustellen, die zunächst aus »SS-Sonderkommandos« bestand. So gab es jetzt u. a. ein »SS-Sonderkommando z. b. V. Berlin«, ein »SS-Sonderkommando München« und Abteilungen wie die »Adolf-Hitler-Standarte« oder das »Kommando Zossen«. Die Stärke der Berliner »Stabswache«, anfangs in der Alexanderkaserne beim Bahnhof Friedrichstraße untergebracht, betrug nur 120 Mann. Überall, wo Hitler hinkam, sollten zu seinem Schutz die zuverlässigsten und zugleich ortskundigsten SS-Leute ständig abrufbereit zur Verfügung stehen. Aber bald wurden die verschiedenen Einheiten in einer größeren, der SS-Leibstandarte, zusammengefaßt oder entwickelten sich örtlich und regional weiter [1].

Die neue Stabswache, Hitlers Eliteschutzgarde innerhalb der SS, hatte besondere Wachaufgaben zu erfüllen: Absperrdienst bei öffentlichen Auf-

tritten des Führers; Wachdienst an der Reichskanzlei, an Hitlers Privat-
wohnungen, an höheren Parteidienststellen; ferner an den Residenzen
und Amtssitzen von Göring, Himmler, Heydrich, Dr. Ley, Ernährungsminister Darré; an den Gestapodienststellen; auf dem Flughafen Tempelhof (wo Regierungsflugzeuge gewöhnlich landeten und starteten)[2]. Überhaupt diente sie als innere Schutzgarde, auf die bei Bedarf zurückgegrif-
fen wurde, wie 1934 beim Niederschlagen der SA-Führung. Bei der von
Hitler mit seinem Architekten Albert Speer geplanten Neugestaltung Berlins sollte – in einem Stadium der Planung – die Kaserne der Leibstandarte
unmittelbar neben der neuen Reichskanzlei stehen. Im Kriege wurden
größere Teile der Einheit stets an Brennpunkten der Kämpfe als Vorbild
und Speerspitze eingesetzt. Dagegen wurde die Stabswache, später Leibstandarte, nicht in größerem Umfang zur Bewachung der Kriegshaupt-
quartiere Hitlers herangezogen, obwohl ihre Zahl dazu ausgereicht hätte.
Vielmehr war diese Aufgabe dem Führer-Begleit-Bataillon vorbehalten, das
ganz aus dem Heer stammte. Nur das SS-Begleitkommando war, wie überall, in begrenzter Zahl zusammen mit dem RSD für die Sicherheit in den
innersten Bezirken der Führerhauptquartiere verantwortlich[3].

Auf dem Reichsparteitag der NSDAP von 1933 (30. August bis 3. September) wurde die »Stabswache«, inzwischen auf Regimentsstärke gebracht, offiziell »Leibstandarte Adolf Hitler« benannt. Am 4. November
1933 wurde verfügt, daß alle Befehle, Verfügungen, Erlasse usw. des
Reichsführers SS für die Leibstandarte künftig nicht mehr an die Reichskanzlei, wo Sepp Dietrich seinen Dienstraum hatte, sondern nach »Berlin-
Lichterfelde, Kadettenanstalt« zu richten seien, weil die Leibstandarte
jetzt ein stehender Verband »mit ihrem festen Sitz in Berlin-Lichterfelde«
sei. Am 9. November 1933 wurden alle 1000 Mann mit ihren Offizieren
vor der Feldherrnhalle auf Hitler vereidigt. Die Eidesformel war dieselbe,
mit der auch die RSD-Beamten vor der Feldherrnhalle auf ihren Herrn
vereidigt wurden. Nach dem November 1933 bürgerte sich als Bezeichnung der neuen Sondertruppe (»SS-Verfügungstruppe«) der Name »Leibstandarte SS ›Adolf Hitler‹« (LSSAH) ein[4].

Die Leibstandarte unterstand Himmler, dem Reichsführer SS, nominell.
In Wirklichkeit war ihr Kommandeur, Sepp Dietrich, dem Führer allein
und unmittelbar verpflichtet und verantwortlich. Wenn Himmler dann
und wann auf der Einhaltung bestimmter Verfahren oder Vorschriften
bestehen mußte, so tat er es in Form einer Bitte; befehlen konnte er Sepp
Dietrich nicht[5]. Das Tauziehen um die Leibgarde und um die Leibwachen ging während der ganzen Zeit des nationalsozialistischen Regimes
weiter, aber Hitler dachte nicht daran, Himmler die Befehlsgewalt über

die gesamte SS einschließlich der Leibgarde und der Leibwache zu überlassen.

Das Beispiel der Leibstandarte zeigt auch, daß die Verschmelzung von
Partei und Staat, die Hitler proklamierte, nicht immer glatt vor sich ging.
Zur Finanzierung von Hitlers privater Leibgarde mußte ein Haushaltstitel
gefunden werden, nachdem die Partei durch das »Gesetz zur Sicherung der
Einheit von Partei und Staat« vom 1. Dezember 1933 zur staatlichen Körperschaft geworden war. In dem Gesetz stand, die NSDAP sei »Trägerin
des deutschen Staatsgedankens und mit dem Staat unlöslich verbunden.
Sie ist eine Körperschaft des öffentlichen Rechts. Ihre Satzung bestimmt
der Führer.«[6] Schon am 22. September 1933 hatte der preußische Ministerpräsident und Minister des Innern, Göring, dem Berliner Polizeipräsidenten von Levetzow, der Preußischen Oberrechnungskammer und der
Reichskanzlei die neuen Gehaltsbestimmungen für die »Leibstandarte des
Reichskanzlers und die Stabswache des Ministerpräsidenten« übersandt,
die am 1. Oktober 1933 in Kraft treten sollten. Die Stärke der Leibstandarte
war mit 1000 angegeben, die der Stabswache Görings mit 253[7]. Am 22. Dezember 1933 erklärte Staatssekretär Grauert vom Preußischen Ministerium
des Innern in einem Erlaß, die Leibstandarte werde nur zum Schutz von
Reichsbehörden und Reichsorganen eingesetzt und keiner preußischen
Behörde unterstellt (so daß der preußische Staat auch nicht ihren Unterhalt finanzieren konnte); nur vorläufig, bis eine zufriedenstellende Lösung
gefunden werden könne, sollte der Haushalt der Leibstandarte in dem
der Landespolizeigruppe Wecke z. b. V. geführt werden[8]. Diese Organisation, gegründet am 8. März 1933, stand besonders dem preußischen Ministerpräsidenten Göring zur Verfügung und stellte u. a. seine Stabswache
dar. Bis wenigstens Januar 1935 lag sie teilweise in der ehemaligen Köni-
gin-Elisabeth-Gardegrenadier-Kaserne (Königin-Elisabeth-Straße 5) in Char-
lottenburg, zum größeren Teil aber in der Kadettenanstalt Lichterfelde
(Westblock). Offenbar handelte es sich bei der organisatorischen Verbindung von Leibstandarte und Landespolizeigruppe Wecke z. b. V. für die
Übergangsmonate im Sommer 1933 um mehr als nur ein finanzielles Ar-
rangement: Die Leibstandarte – noch als »Stabswache« bzw. »Sonderkommando Berlin« – erhielt über die Gruppe Wecke Waffen und Ausrüstung.

Die finanzielle Zwischenlösung für die Leibstandarte – Bezahlung aus
preußischen Polizeimitteln, ohne daß irgendeine preußische Verfügungs-
oder Weisungsbefugnis entstand – war für Staatssekretär Grauert nicht
zufriedenstellend. Er verlangte in seinem schon zitierten Erlaß die Bereitstellung von Reichshaushaltsmitteln. Staatssekretär Lammers ersuchte daher den Reichsminister der Finanzen Graf Schwerin von Krosigk um

Bereitstellung der nötigen Mittel im Etat des Reichsministeriums des Innern[9]. Ein Beamter im Reichsministerium der Finanzen schlug darauf vor, den Leibstandarte-Haushalt in den der Reichskanzlei einzugliedern; aber ein Beamter der Reichskanzlei widersprach im Februar 1934 heftig mit dem Hinweis, daß der Etat der Reichskanzlei nicht geheimgehalten werden und also die Existenz einer paramilitärischen Truppe von 1000 Mann mit reichswehrähnlicher Organisation nicht verborgen werden könnte, was vom außenpolitischen Standpunkt aus unerwünscht wäre. Die vom Versailler Vertrag auferlegten Beschränkungen waren noch in Kraft, ihre offene Mißachtung wagte man nicht. Weiter gab der Finanzbeamte zu bedenken, daß eine amtlich festgesetzte Gehaltsregelung für die Leibstandarte dazu führen könnte, daß die SA und die übrige SS gleiche Bezahlung, vielleicht gar aus dem Reichswehretat verlangten. Angesichts der 3 Millionen SA-Mitglieder und dem zwischen SA und Reichswehr schwelenden Konflikt waren das unerfreuliche Aussichten. Der Finanzbeamte erbat die Entscheidung des Reichskanzlers. Unter dem 8. Februar 1934 teilte Ministerialrat Wienstein von der Reichskanzlei sie dem Ministerialrat Woothke im Reichsministerium der Finanzen mit: der Haushalt der Leibstandarte sei ohne detaillierte Positionen als Gesamtsumme im Haushalt des Reichsministeriums des Innern aufzuführen. Die Gründe dafür, schrieb Wienstein, könne er nicht schriftlich mitteilen, würde dies aber gerne mündlich tun, und unterzeichnete »in ausgezeichneter Hochachtung mit Hitler-Heil«[10].

Die Verschmelzung von Staat und Partei bzw. Parteiformationen war mehr als eine Frage der Finanzen. Noch am 1. Juli 1941 und am 1. September 1944 proklamierte Himmler von neuem das noch nicht erreichte Ziel »des Aufbaues eines einheitlich ausgerichteten Staatsschutzkorps des nationalsozialistischen Reiches und der Verschmelzung der Angehörigen der Deutschen Polizei mit der Schutzstaffel der NSDAP«, damit »die Polizei von der SS durchdrungen« werde und »»zusammengeschweißt mit dem Orden der SS‹ zum Schutze des Reiches nach innen«[11]. Die LSSAH sollte hierin die erste Stelle einnehmen.

Die Aufnahmebedingungen der SS waren streng, der Nachweis »arischer« Abstammung bis zum Jahr 1800 zurück wurde für alle SS-Männer gefordert, für Offiziersränge bis 1750. 1940 wurde ein gewöhnlicher SS-Mann aus der SS ausgeschlossen, weil in seinem Stammbaum nach dem Dreißigjährigen Krieg ein jüdischer Vorfahr auftauchte[12]. Auf gleichzeitige NSDAP-Mitgliedschaft der SS-Leute wurde jedoch selbst in der Leibstandarte nicht so streng geachtet, wie man annehmen könnte. Am 6. März 1934 meldete die LSSAH an den Reichsführer SS 986 Mann Ist-

stärke vom 1. März 1934; hiervon waren 45 Mann nicht Mitglieder der
NSDAP, und 136 der 941 NSDAP-Mitglieder waren »ohne Mitgl. Nr.«.
1937 wurden über 1400 Angehörige der Leibstandarte geschlossen mit
Mitgliedsnummern von 5 506 805 bis 5 508 254 (mit einigen Auslassungen
in der Nummernfolge) in die NSDAP übernommen, also offenbar ohne
Prüfung im einzelnen. Der amtlichen 1937 veröffentlichten Statistik über
SS und NSDAP zufolge waren andererseits noch 11 % aller SS-Angehörigen am 1. Juli 1937 weder Parteimitglieder, noch hatten sie die Mitgliedschaft beantragt. Der Prozentsatz der Nicht-Parteimitglieder betrug sogar
27 % für die SS-Verfügungstruppe, zu der die Leibstandarte gehörte. Noch
höher war der Anteil der Nichtmitglieder mit 29 % bei den SS-Toten-
kopfverbänden. Zwei der späteren Persönlichen SS-Adjutanten Hitlers,
die SS-Hauptsturmführer Richard Schulze und Max Wünsche, sind erst
am 1. Mai 1937 bzw. am 1. März 1938 in die NSDAP aufgenommen worden [13]. Allerdings hatten viele Angehörige der SS und auch des SS-Begleitkommandos wegen geringen Alters keine Möglichkeit zu früherem Eintritt
in die NSDAP. Am 25. Mai 1940 teilte das SS-Befehlsblatt mit: »Der
Reichsschatzmeister der NSDAP teilt mit: ›Während des Krieges ruht für
alle Angehörigen der Wehrmacht die Mitgliedschaft in der NSDAP. Mit-
gliedsbeiträge dürfen nicht eingezogen werden.‹ Vorstehende Mitteilung
des Reichsschatzmeisters der NSDAP. gilt sinngemäß auch für alle Angehörigen der SS-Verfügungstruppe und der SS-Totenkopfverbände.«

Das »SS-Begleitkommando des Führers« (auch »SS-Begleitkommando
›Der Führer‹«) war der Stabswache bzw. der aus dieser entstandenen Leibstandarte eingegliedert, jedoch nur zu Verwaltungszwecken wie Gehalts-
zahlung und Sozialversicherung und damit es überhaupt eine »Stamm-
formation« für das Begleitkommando gab. Ersatz und Erweiterung des
Begleitkommandos kamen gewöhnlich aus der Leibstandarte, auch trat
dann und wann ein Angehöriger des SS-Begleitkommandos zur Leibstandarte zurück.

Die Geschichte des »SS-Begleitkommandos ›Der Führer‹« reicht (abgesehen von seinen früheren Vorläufern, wie Hitlers »ständigen Begleitern«,
dem »Stoßtrupp Adolf Hitler« und den lose organisierten Leibwächtern
unter Führung von Sepp Dietrich) etwa ein Jahr weiter zurück als die der
Leibstandarte. Sepp Dietrich und Julius Schreck konnten auf die Dauer
bei dem wachsenden Betrieb nicht alle Dinge des persönlichen Schutzes
des Führers selbst leiten; so wurde am 29. Februar 1932 das SS-Begleitkommando gegründet. 12 Mann wurden aus Verbänden der SS ausgesucht
und von den zuständigen SS-Abschnittsführern unter Leitung Sepp Dietrichs und in Anwesenheit Heinrich Himmlers dem Führer im Berliner

Hotel »Kaiserhof« vorgestellt, wo Hitler seit 3. Februar 1931 sein ständiges Berliner Hauptquartier hatte [14]. 8 Kandidaten wurden erwählt: Franz Schädle, Bruno Gesche, Erich Kempka, August Körber, Adolf Dirr, Kurt Gildisch, Willy Herzberger und der erste Kommandeur des Kommandos, Bodo Gelzenleuchter. Die Angehörigen des Begleitkommandos trugen während der Zeit der Uniformverbote Motorradkombinationen mit blauen Mützen ohne Abzeichen. Als Waffen führten sie Nilpferdpeitschen mit; doch konnten mit der Zeit Waffenscheine beschafft und also auch Pistolen getragen werden. Nach dem 30. Januar 1933 trugen die Angehörigen des SS-Begleitkommandos fast immer Uniform; auf dem rechten Arm hatten alle altgedienten, vor 1933 eingetretenen SS-Leute einen nach oben offenen Winkel; ein paar Jahre später freilich trugen die RSD-Beamten auf ihren SS-Uniformen nach oben offene Winkel mit einem Stern darin, wodurch sie als ehemalige Polizeiangehörige, die unmittelbar in die SS übergetreten waren, kenntlich und somit kaum von den SS-Begleitkommandoleuten zu unterscheiden waren [15].

In der neuen Organisation fehlen die aus den zwanziger Jahren bekannten Namen der »ständigen Begleiter« Hitlers. Die meisten von ihnen waren längst in höhere Funktionen aufgerückt [16]. Josef Berchtold war schon vor 1932 Hauptschriftleiter der Zeitschrift »Der SA-Mann« und später in der Redaktion des »Völkischen Beobachters« leitend tätig; Rudolf Heß war Stellvertreter des Führers und Reichsminister; Alfred Rosenberg war Reichsleiter, Leiter der Reichsstelle zur Förderung des deutschen Schrifttums und Leiter des Außenpolitischen Amtes der NSDAP; Max Amann war Reichsleiter der NSDAP für die Presse und Direktor des Zentralverlages der NSDAP; Dr. Ernst Hanfstaengl leitete die Auslandspresse im Stab des Stellvertreters des Führers; Christian Weber war in München Stadtrat geworden. Wohl befaßte sich Heß noch hie und da in Erlassen mit der Sicherheit des Führers; Weber war bis 1939 für die Sicherheit im Münchner »Bürgerbräukeller« zuständig (wobei er, wie unten zu berichten sein wird, katastrophal versagte); Weber, Graf, Maurice und Dietrich spielten bei der Niederschlagung der SA-Führung 1934 eine aktive Rolle. SS-Hauptsturmführer Kurt Gildisch, der von April 1933 bis Juni 1934 das SS-Begleitkommando Hitlers geführt hatte, erhielt am 30. Juni von Heydrich den Befehl zur Erschießung von Dr. Klausener, der im Preußischen Ministerium des Innern unter Staatssekretär Dr. Abegg bis Juli 1932 für die Organisation und Beaufsichtigung der preußischen Polizei zuständig gewesen war. Gildisch wurde SS-Sturmbannführer; Sepp Dietrich, der im Gefängnis Stadelheim bei München die Erschießungen am 30. Juni und 1. Juli persönlich beaufsichtigte, wurde SS-Obergruppenführer; Emil Mau-

rice, der am 30. Juni »in München mehrere Meuterer verhaftet« hatte,
wie es in der entsprechenden Verlautbarung hieß, wurde SS-Standartenführer; ebenso Christian Weber (»hat in Begleitung des Führers die Meute-
erzentrale in Bad Wiessee ausgehoben«).

Die Laufbahn von Emil Maurice weist Merkwürdigkeiten auf, die in
einer dunklen Weise mit Sicherheitsfragen zusammenhängen. Wie oben
berichtet, gehörte er in den ersten Jahren der Kampfzeit zu den ständigen
treuen und kampfbereiten Begleitern Adolf Hitlers. In »Mein Kampf«
wird er von seinem dankbaren Führer als einziger außer Heß im Bericht
über die Schlacht im »Hofbräuhaus« am 4. November 1921 lobend mit
Namen erwähnt: »Der Tanz hatte noch nicht begonnen, als auch schon
meine Sturmtruppler, denn so hießen sie von diesem Tage an, angriffen.
Wie Wölfe stürzten sie in Rudeln von acht oder zehn immer wieder auf
ihre Gegner los und begannen sie nach und nach tatsächlich aus dem
Saale zu dreschen. Schon nach fünf Minuten sah ich kaum mehr einen
von ihnen, der nicht schon blutüberströmt gewesen wäre. Wie viele habe
ich damals erst so recht kennengelernt; an der Spitze meinen braven
Maurice, meinen heutigen Privatsekretär Heß und viele andere, die, selbst
schon schwer verletzt, immer wieder angriffen . . .« [17] Eine oft abgedruckte
Photographie zeigt Hitler und Maurice mit Oberstleutnant Kriebel im
Landsberger Festungsidyll, und auch danach war Maurice noch jahrelang
um Hitler. 1927/28 kam es zu Spannungen, und Maurice wurde schließlich
zur Vermeidung einer unerwünschten Beziehung zu Hitlers Nichte Geli
Raubal aus der unmittelbaren Umgebung des Führers verbannt. Es kam
aber noch schlimmer.

Spätestens im Frühjahr 1935 ist die Entdeckung der »nicht arischen«
Abstammung von Maurice zum Gegenstand einer Auseinandersetzung
zwischen Hitler und Himmler geworden. Ehe Maurice am 11. Mai 1935
heiraten konnte, mußte er dem Rasse- und Siedlungshauptamt der SS seine
und seiner Braut Ahnentafel zur Prüfung einreichen, um die Heiratser-
laubnis zu erhalten, die für SS-Angehörige vorgeschrieben war. Spätestens
von da an ließ sich nicht mehr vertuschen, was doch nicht wahr sein
durfte: Einer der allerältesten Kämpfer – Parteieintritt 1919, Mitgliedsnummer 594 (die Zählung begann mit 501), nach der Neugründung der
NSDAP Mitgliedsnummer 39, SS-Nr. 2 – war kein reiner Germane; unter
seinen Vorfahren befand sich zufolge einer vom 11. März 1936 datierten
Aktennotiz des Chefs der SS-Personalkanzlei, SS-Gruppenführer Schmitt,
»ein Jude«. Angesichts der Judenverfolgungen durch das NS-Regime muß
die Erkenntnis wie die Entlarvung eines feindlichen Agenten gewirkt haben. Ging man nicht ein ungeheuerliches und unvertretbares Sicherheits-

risiko ein, wenn man einen solchen Menschen auch nur in Hitlers Nähe kommen ließ? Himmler hatte im Frühjahr 1935 Hitler den Fall vorgetragen und mußte die Entscheidung des Führers schriftlich niederlegen:

Der Reichsführer-SS   München, den 31. August 1935
                                                                Geheim!

Aktenniederschrift.

1.) SS-Standartenführer Emil Maurice ist gemäß seiner Ahnentafel ohne Zweifel nicht arischer Abstammung.

2.) Ich habe gelegentlich der Verheiratung des SS-Standartenführers Maurice, bei der er die Ahnentafel vorlegen mußte, dem Führer meinen Standpunkt vorgetragen, nämlich, daß ich der Ansicht wäre, Maurice müsse aus der SS ausscheiden.

3.) Der Führer entschied, daß in diesem einzigen Ausnahmefall Maurice, ebenso seine Brüder, da er sein allererster Begleiter war und er und seine Brüder und die ganze Familie Maurice in den ersten, allerschwersten Monaten und Jahren der Bewegung mit seltener Tapferkeit und Treue dienten, in der SS verbleiben könne.

4.) Ich bestimme, daß weder Maurice in das Sippenbuch der SS aufgenommen wird, noch daß irgendein Nachkomme der Familie Maurice in die SS aufgenommen werden kann.

5.) Von dieser Niederschrift erhält der Chef des Rasse- und Siedlungshauptamtes ein Exemplar zu seiner Kenntnis mit der Bitte der strengst vertraulichen Behandlung, es ist lediglich der Chef des Sippenamtes mit einzubeziehen.

6.) Ich stelle für mich und alle meine Nachfolger als Reichsführer-SS fest, daß lediglich Adolf Hitler selbst das Recht hatte und hat, auch für die SS eine Ausnahme in blutlicher Hinsicht zu bestimmen. Kein Reichsführer-SS jedoch hat heute und in aller Zukunft die Berechtigung, in den blutlichen Forderungen der SS Ausnahmen zu bewilligen.

7.) Ich verpflichte alle meine Nachfolger zur strengsten Einhaltung des in Punkt 6 festgesetzten Standpunktes.

                                                        Der Reichsführer-SS
                                                        [gez.] H. Himmler.

            1.) Zwei Abschriften an den Chef des Rasse- und Siedlungshauptamtes
                a) eine verschlossen und versiegelt zum Heiratsakt Maurice

b) eine für den Chef des Rasse- und Siedlungshauptamtes und für den Chef des Sippenamtes zur Kennt-
nisnahme.

2.) Eine Niederschrift zum Personalakt Maurice, ebenfalls
verschlossen und versiegelt, nach vertraulicher Kennt-
[gez.:]   nisnahme durch
K.g. Heißmeyer   a) den Chef des SS-Hauptamtes,
K.g. Heydrich   b) den Chef des SS-Sicherheitshauptamtes,
K.g. Wolff   c) den Chef-Adjutanten und
K.g. Schmitt   d) den Personalchef.

[gez.] H. Himmler.

Maurice blieb aus dem engsten Kreis um Hitler verbannt, aber im übrigen erfreute er sich bis zum Ende des Regimes des verbrieften Schutzes
seines Führers. Als er im September 1935 einen siebzigjährigen Mann
niederschlug, der mit seinem Fahrrad dem Auto von Maurice ohne Ver-
schulden die Fahrbahn versperrt hatte, wurde nicht gegen Maurice vor-
gegangen; zu Weihnachten 1935 schickte Himmler ihm einen »Julleuch-
ter«. Am 4. Mai 1933 hatte Himmler ihm erlaubt, »wieder die Uniform«
der SS zu tragen, offenbar zum Zeichen, daß seine Strafzeit nach den Vorfällen von 1927/28 vorüber sei, und Maurice blieb weiterhin SS-Führer z. b. V., ab 1. Juli 1934 mit dem Rang eines SS-Standartenführers, ab
30. Januar 1939 als SS-Oberführer. Er führte ein Uhrengeschäft, saß als
»Ratsherr der Hauptstadt der Bewegung« im Münchner Stadtrat, war Mitglied des Reichstages, Vizepräsident der Gauwirtschaftskammer und Gau-
handwerkskammer sowie Landeshandwerksmeister für Bayern. Vom 1. Januar 1940 bis 1. Oktober 1942 diente er in der Luftwaffe, zuletzt als Oberleutnant. Im Mai 1948 verurteilte ihn die Spruchkammer des Internie-
rungslagers Regensburg zu vier Jahren Arbeitslager.

So war an der alten Garde manches auszusetzen; aber die neue war
vom Sicherheitsstandpunkt aus auch nicht über alle Kritik erhaben. Gelzenleuchter schied bald aus und übernahm einen lukrativen Posten im
Trabrennsport. Nachfolger vom 4. Oktober 1932 bis 11. April 1933 war SS-
Hauptsturmführer Willy Herzberger, früher Polizeihauptmann in Darmstadt. Vom 11. April 1933 bis 15. Juni 1934 führte SS-Sturmführer Kurt Gildisch das SS-Begleitkommando. Gildisch, der nach einer Lehrerausbildung
keine Stelle finden konnte und zur Polizei gegangen war, wurde dort wegen
nationalsozialistischer Umtriebe im Herbst 1930 dienstenthoben und zum
10. März 1931 fristlos aus der Berliner Polizei entlassen; am 1. April 1931
wurde er Mitglied der SA und trat am 29. September 1931 in die SS über.

Im Juni 1934 wurde er wegen seiner Neigung zum Trunk, wie sich Sepp
Dietrich 1953 erinnerte, aus dem SS-Begleitkommando entfernt. Trotz
seiner »Bewährung« durch die im Auftrag Heydrichs ausgeführte Ermordung Dr. Klauseners wurde Gildisch im Mai 1936 aus der NSDAP und im
Juni 1936 aus der SS ausgeschlossen. Er durfte nach Kriegsausbruch in die
Waffen-SS eintreten, bewährte sich durch hervorragende Tapferkeit, blieb
aber wegen seiner Neigung zum Alkohol ohne festen Halt. 1953 wurde er
wegen des Mordes an Dr. Klausener zu fünfzehn Jahren Zuchthaus verurteilt [18].

SS-Sturmbannführer Bruno Gesche wurde Gildischs Nachfolger als
Kommandeur des SS-Begleitkommandos. Seine Vertreter waren die SS-
Sturmbannführer Franz Schädle und Adolf Dirr [19]. Gesche wurde 1905 in
Berlin als Sohn eines Oberschirrmeisters a. D. geboren. Er hatte Neigung
und Eignung zum Offiziersberuf, doch nicht die erforderliche Schulbildung. 1922 trat er in die SA und in die NSDAP ein und verlor 1923 wegen
politischer Tätigkeit seine Anstellung bei einer Berliner Bank, worauf er
als Arbeiter, Lastwagenfahrer, Posthelfer und endlich als Werber für eine
NSDAP-Zeitung, die »Niedersächsische Tageszeitung« sein Brot verdiente,
und zwar schon als Angehöriger der SS, in die er im Oktober 1928 mit der
Mitgliedsnummer 1093 übergetreten war [20]. Gesche galt als besonders
schneidiger, loyaler und schlagkräftiger SS-Mann, hatte aber schon früh
in seiner Laufbahn Zusammenstöße mit höheren SS-Führern, deren Vor-
stellung vom Idealbild des SS-Mannes er nicht entsprach. Als Gesche die
anläßlich Hitlers Rede in Selb am 14. Oktober 1932 ergriffenen Sicherheitsmaßnahmen kritisierte und für wertlos erklärte, verlangte der Führer
der SS-Gruppe Süd, SS-Oberführer Hildebrandt, Gesches »Degradierung
und sofortige Enthebung aus dem Begleitkommando I«. Denn: »Es kann
nicht geduldet werden, daß sich SS-Führer derart miserabel und zersetzend
aufführen, am allerwenigsten deshalb nicht [sic], weil sowohl Parteige-
nossenschaft wie Öffentlichkeit im Begleitkommando des Führers eine
besondere Auslese der SS an Selbstzucht und Dienstauffassung erblickt
haben. Leider ist diese Beurteilung heute bereits ernstlich erschüttert.«
Gesche aber erhielt nur eine strenge Verwarnung vor versammeltem SS-
Begleitkommando [21]. Wie weit bei diesen Vorgängen schon Eifersucht
wegen der Unabhängigkeit des SS-Begleitkommandos von der SS-Führung
mitspielte, ist nicht ersichtlich. Himmler jedenfalls versuchte mehrfach
vergeblich, das Kommando unter seine Botmäßigkeit zu bringen. 1935
veranlaßte er die Übernahme des SS-Begleitkommandos in den RSD und
sperrte die bis dahin von der LSSAH aus erfolgten Gehaltszahlungen; aber
Gesche ging sofort zu Sepp Dietrich und dieser bewog Himmler, die Sache

rückgängig zu machen[22]. Auch bei Verfehlungen von Angehörigen des
SS-Begleitkommandos wollte Himmler jeweils – sachlich mit Recht –
scharf einschreiten, doch gelang es ihm bei Gesche nur spät und unvollkommen.

Dieser Kommandeur des SS-Begleitkommandos war offenbar so beliebt
und wegen seiner frühen und langjährigen Verdienste um die Bewegung
so angesehen, daß ihm weder gelegentliche Gelage noch Reibereien mit
den höchsten SS-Führungsstellen viel schaden konnten. Im April 1942
wurde Gesche nach einigen Wochen in einem SS-Ausbildungslager in Hilversum an die Kaukasus-Front versetzt. (Erst später, als nach dem Fall von
Stalingrad anscheinend erpreßte Aussagen deutscher Kriegsgefangener in
russischem Gewahrsam bekannt wurden, erging ein Befehl gegen den Einsatz von Angehörigen des Führerhauptquartiers an der Ostfront, der aber
auch dann nicht strikt befolgt wurde.) Am 28. Dezember 1942 aber war
Gesche schon wieder im Führerhauptquartier, von Januar 1943 an erneut
als Kommandeur des SS-Begleitkommandos[23].

Jedoch war seine Stellung geschwächt. Am 22. Dezember 1942 hatte
Hitler einem seiner Persönlichen Adjutanten, SS-Hauptsturmführer Schul-
ze, einen Teil der Kompetenzen des Kommandeurs des SS-Begleitkom-
mandos übertragen. Im Zeichen der katastrophalen Niederlage von Stalin-
grad nahm das Sicherheitsbedürfnis Hitlers beträchtlich zu; Schlafen,
Verlassen des Postens, unerlaubte private Telefongespräche und dergleichen häufige Wachvergehen konnten nicht mehr mit kameradschaftlicher
Großzügigkeit übergangen werden. In dem Befehl Hitlers hieß es: »1. Die
Dienstaufsicht über mein SS-Begleitkommando übernimmt ab sofort SS-
Hauptsturmführer Schulze. 2. Er hat die Disziplinarstrafgewalt eines selbst-
ständigen Bataillonskommandeurs. 3. Die Richtlinien für Ausbildung und
Einsatz des Kommandos werden von Hauptsturmführer Schulze erlassen.
4. Alle Kommandierungen zum SS-Begleitkommando und Entlassungen
erfolgen durch SS-Hauptsturmführer Schulze. 5. Hauptsturmführer Schulze
wird bei Abwesenheit durch Hauptsturmführer Darges oder SS-Hauptsturmführer Pfeiffer vertreten.«[24]

Schließlich gelang es Himmler Ende Dezember 1944, mit der Beschuldigung, der Kommandeur des SS-Begleitkommandos habe im Führerhauptquartier abermals einen Kameraden mit der Pistole bedroht und sinnlos geschossen, Gesches Versetzung an die Front zu erreichen. Falls Himmlers
Vorwürfe zutrafen, war es freilich um die Sicherheitsmaßnahmen im
Führerhauptquartier nicht zum besten bestellt. Gesche diente in der 16.
SS-Division »Reichsführer SS« in Italien, Ungarn und Slowenien, und zwar
mit Auszeichnung, und überlebte den Krieg[25]. Das SS-Begleitkommando

wurde bis zum Ende des Krieges von Schädle geführt, nach den »Weisungen des SS-Sturmbannführers Günsche, dem der Führer die Verantwortung für das Kommando übertrug«.

Anfangs bestand das SS-Begleitkommando, wie berichtet, nur aus 8 ausgewählten SS-Leuten. Bis 1937 wuchs es auf 17 Mann Stärke an, bis Juni 1941 auf 35, und am 15. Januar 1943 betrug seine Gesamtstärke 31 Führer und 112 Mann, von denen aber nur 33 zum eigentlichen Begleitschutz eingeteilt und überdies teilweise ständig in Berlin stationiert, also die meiste Zeit bis Ende November 1944 nicht im Begleitschutz tätig waren. Die anderen wirkten als Diener, Ordonnanzen, Fahrer, Kuriere, Wachleute für zur Zeit nicht benützte Residenzen und Hauptquartiere sowie als Ersatzleute [26].

Da die Diener auch zum SS-Begleitkommando gehörten und am persönlichen Schutz Hitlers unmittelbar und wesentlich beteiligt waren (vgl. die Tafeln 32, 34 u. 39), seien die wichtigsten von ihnen hier kurz vorgestellt, namentlich Karl Krause, Otto Meyer, Heinz Linge und Wilhelm Schneider [27]. Krause war seit 18. Juli 1934 Hitlers Erster Diener, wurde aber aus dem Persönlichen Dienst entlassen, weil er während des Polenfeldzuges, am 16. September 1939, versäumt hatte, für Hitler das Mineralwasser »Staatl. Fachingen« mitzunehmen. Hitler bestand darauf, teils aus hygienischen Gründen und aus Furcht vor Vergiftung, teils wegen seines empfindlichen Magens, und als er merkte, daß Krause ihm etwas anderes vorsetzte und als »Staatl. Fachingen« ausgab, mußte der Diener gehen; er kam 1940 noch einmal in den Persönlichen Dienst zurück, wurde aber nach einigen Monaten endgültig zur Fronttruppe versetzt. Meyer mußte gehen, als Hitler merkte, daß er seine Verwandten unerlaubt in der Führerloge eines Theaters sitzen ließ. Linge war als junger Maurerlehrling zur SS gegangen und am 17. März 1933 in Sepp Dietrichs neue Stabswache, bald danach in das SS-Begleitkommando übernommen worden; er wurde im Juni 1935 Ordonnanz im Persönlichen Dienst des Führers. Nach dem Abgang Krauses stieg er zum Ersten Diener (Chef des Persönlichen Dienstes beim Führer) auf. Schneider wurde an die Front versetzt, als nach Linges Ansicht seine nächtlichen Pokersitzungen sich auf den Dienst auswirkten. Eine der freien Stellen nahm bis Juli 1943 Hans Junge ein, der seit 1. Juli 1936 im SS-Begleitkommando war. Wenigstens einer der Diener war stets in Hitlers Nähe und hielt Mantel, Pillen, Butterbrote, Fernglas oder was sonst gewünscht wurde, bereit. Zu jeder Gelegenheit mußten die Diener die Kleider zurechtlegen, morgens die Zeitungen und Meldungen zum Schlafzimmer des Führers bringen. Sie mußten auch jederzeit in der Lage sein, sich zum Schutz vor oder über den Führer zu werfen, einen

Angreifer mit dem ersten Pistolenschuß niederzustrecken, Blumen entgegenzunehmen. Linges letzter Dienst war seine Mithilfe bei der Verbren-
nung von Hitlers Leiche am 1. Mai 1945.

Die SS-Leibwache bestand aus jungen, kräftigen, hochgewachsenen und
sportlichen Gestalten. Viele von ihnen hatten weder höhere Schulbildung
genossen noch einen Beruf erlernt, und auch in der SS hatten sie meist
nur eine militärische Grundausbildung bekommen. Oft hatten sie im
Begleitdienst starken Belastungen standzuhalten, zum Beispiel mehr als
vierundzwanzig Stunden Dienst ohne Ruhepausen oder tagelange Autofahrten im offenen Wagen bei jedem Wetter, wobei zugleich ständig an-
gespannte Aufmerksamkeit verlangt wurde. Vielleicht noch häufiger gab
es lange Zeiten ohne ausfüllenden Dienst, ohne eigentliche Beschäftigung,
mit viel Wartezeit und Freizeit, die irgendwie herumgebracht werden
mußte. Dabei bewegten sich diese SS-Leute auf einer ihrer Herkunft und
Ausbildung nicht entsprechenden gesellschaftlichen Ebene, zwischen
deutschen und ausländischen Staatsmännern, hohen Beamten, Würden-
trägern und Prominenten. Die Versuchungen waren also zahlreich und
ebenso die Gelegenheiten, ihnen nachzugeben. Obgleich Ausdauer und
Aufmerksamkeit der Begleitkommando-Leute mit den Jahren nachließen,
obwohl durch Beförderungen die Zahl der höheren Dienstränge unver-
hältnismäßig wurde, obwohl so insgesamt Überalterung im Kommando
eintrat und Disziplin und straffe Führung beeinträchtigt waren, wurde
kaum je ein Begleitkommando-Angehöriger wegversetzt. Hitler sagte einmal zu Sepp Dietrich: »So lange er lebe, werde er keinen dieser Männer
hergeben.«[28]

VI. Das Führer-Begleit-Kommando und sonstige Sicherungskräfte

Auf Reisen und bei öffentlichen Auftritten oder anderen Gelegenheiten, bei denen Hitler seine jeweilige Residenz verließ, folgten ihm gewöhnlich je sechs Angehörige des Reichssicherheitsdienstes und des SS-Begleitkommandos in zwei Mercedes-Autos, das »Führer-Begleit-Kommando«. Manchmal, so bei Frontbesuchen im Kriege, konnten es auch mehr Begleiter sein. Waren die von außen bemerkbaren Trennungslinien zwischen RSD und SS-Begleitkommando schon durch die nahezu einheitliche Uniformierung verwischt, so wurden die Verhältnisse bei näherem Zusehen eher noch undurchsichtiger. Rattenhuber hatte Weisungsbefugnisse für das ganze Führer-Begleit-Kommando, war aber andererseits machtlos gegenüber dem dienstwidrigen Verhalten des Kommandeurs des SS-Begleit-Kommandos [1].

Zu den Aufgaben des Führer-Begleit-Kommandos gehörte die Sicherung Hitlers gegen Belästigungen und Angriffe, wenn er sich außerhalb seiner Wohnungen, Amtssitze oder Hauptquartiere aufhielt. Hierzu werden in den folgenden Kapiteln Einzelheiten zu berichten sein.

Weitere Sicherungskräfte wurden bei besonderen Anlässen dauernd oder zeitweise eingesetzt. Bei öffentlichen Veranstaltungen wurden Polizei, Geheime Staatspolizei, LSSAH, Allgemeine SS, SA, NSKK, auch Truppen der Wehrmacht herangezogen. Während der Bautätigkeit auf dem Obersalzberg oder in den Hauptquartieren, also eigentlich immer, gab es eigene Kontrollorganisationen der Bauarbeiter. Spezialisten für Sprengstoff, für Tickgeräusche und für Sabotageakte aller Art wurden in Residenzen, Hauptquartieren und an Orten öffentlicher Auftritte (Nationaltheater in Weimar, Sportpalast in Berlin) eingesetzt. Spezialisten mußten regelmäßig das an Hitlers Aufenthaltsorten verwendete Wasser untersuchen [2].

Seit 1935 bestand in der Reichskanzlei ein besonderer »Sicherheitsdienst (SD)«, dessen Angehörige Pförtner- und Wachdienste versahen und vor allem die Aufgabe hatten, »die in die Reichskanzlei kommenden fremden Personen unablässig zu beobachten und unter persönlicher Verantwortung jede strafbare Handlung und jegliche Gefahr abzuwenden« [3].

Geheimhaltung der An- oder Abwesenheit Hitlers war zu gewährleisten, indem Auskünfte auf entsprechende Fragen grundsätzlich nicht gegeben wurden. Kurz nach dem Attentat im Münchner »Bürgerbräukeller« am 8. November 1939 wurde ein »Sicherheits-Kontrolldienst« in der Neuen Reichskanzlei und in den angrenzenden Gebäuden mit Wirkung vom 12. Dezember 1939 eingerichtet, wie der Reichsminister und Chef der Reichskanzlei Dr. Lammers dem Reichsminister der Finanzen Graf Schwerin von Krosigk unter diesem Datum schrieb: »Unabweisbare Sicherheitsgründe erfordern, daß in den Dienstgebäuden der Neuen Reichskanzlei ein Sicherheits-Kontrolldienst eingerichtet wird. Der Sicherheits-Kontrolldienst hat die Aufgabe, den für die Reichskanzlei bereits bestehenden Sicherheitsdienst sowie die bei der Präsidialkanzlei des Führers und Reichskanzlers, der Privatkanzlei des Führers der NSDAP und der Obersten SA-Führung für die von diesen Stellen benutzten Gebäudeteile noch zu schaffende gleichartige Einrichtung nach den vom Chef des Reichssicherheitsdienstes zu treffenden besonderen Weisungen zu beaufsichtigen und zugleich nach seinen Anordnungen Überwachungen durchzuführen. Die Verantwortung für den Sicherheits-Kontrolldienst trägt der Chef des Reichssicherheitsdienstes. Er übt auch die Disziplinargewalt über die Angehörigen des Sicherheits-Kontrolldienstes aus und betreut den Sicherheits-Kontrolldienst haushaltsmäßig.« Zunächst sollten 45 bis 50 Personen eingesetzt werden, die mit Pistolen (Walther PPK. 7.65) und Taschenlampen bewaffnet die Neue Reichskanzlei samt angrenzenden Gebäuden ständig als Patrouillen zu überwachen hatten. Sie mußten auch in der Lage sein – wie Rattenhuber am 28. Februar 1940 an das Reichssicherheitshauptamt (RSHA) schrieb –, »irgendwelche im Gebäude der Reichskanzlei auszuführenden Arbeiten dergestalt zu überwachen, daß Sabotageakte, wie sie am 8. 11. 1939 geschehen sind, in Zukunft unmöglich werden«. Daneben hatten sie den allgemeinen Kontrolldienst über sämtliche in der Reichskanzlei tätigen Personen zu versehen.

Hitlers persönlicher Pilot Hans Baur und dessen Bordmannschaften wurden eigenartigerweise nicht in einen der bestehenden Schutzdienste (RSD, SS-Begleitkommando) eingegliedert. Eine Luftwaffe gab es noch nicht, so wurden sie auch nicht in die Wehrmacht übernommen. Vielmehr erhielten sie alle Polizeidienstränge, so daß auf diese Weise eine weitere Sondergruppe entstand[4]. Rattenhuber hatte keine unmittelbare Befehlsgewalt über sie, Himmler hatte so viel oder so wenig zu sagen wie beim RSD und beim SS-Begleitkommando. Baur und seine Leute erhielten ihre Weisungen durch Hitlers Adjutanten und häufig von Hitler persönlich.

Schließlich gab es im Kriege noch das »Führer-Begleit-Bataillon«. Es hieß ursprünglich »Kommando ›Führerreise‹«, wurde zuerst im Juni 1938 aufgestellt und auf Hitlers Fahrten in das Sudetenland im Oktober 1938 und nach Prag im März 1939 eingesetzt. Nach dem 23. August 1939 hieß es »Führer-Begleit-Bataillon«[5]. Größtenteils kamen die Elemente der neuen Schutztruppe vom Berliner Wachbataillon »Großdeutschland« und vom Regiment »General Göring«; ihre Stammunterkunft war in der Kaserne des Regiments »General Göring« in Döberitz bei Berlin. Ihre Hauptaufgabe war die Bewachung Hitlers bei Reisen an die Front oder ins mehr oder weniger feindliche besetzte Ausland sowie in den Hauptquartieren und die Bewachung der Hauptquartiere bei Hitlers Abwesenheit. Hierauf ist weiter unten noch zurückzukommen.

Natürlich konnten Rivalitäten und Reibungen zwischen den vielen Sicherheitsdiensten nicht ausbleiben. Mitunter störten und behinderten sie sich gegenseitig. Teilweise konnte die Rivalität auf verschiedene Herkunft und Ausbildung zurückgeführt werden; die Angehörigen des SS-Begleitkommandos etwa waren, sofern sie nicht gute Schulbildung besaßen, in der Hauptsache als Angehörige einer ideologisch ausgerichteten Sondertruppe ausgebildet, deren Aufgabe Kampf für eine »Rasseidee« war. Der RSD dagegen bestand aus Kriminalisten, die zugleich gut ausgebildete Fachleute und Staatsbeamte nach immer noch geltenden herkömmlichen Grundsätzen waren.

VII. Hitlers Verkehrsmittel

1. Das Auto

Höchst selten ging Hitler zu Fuß, wenn er seine jeweilige Residenz verließ, es sei denn zu einem Spaziergang auf dem Obersalzberg oder zu einem kurzen Besichtigungsgang. Es ist auch aus der Zeit nach 1933 kein Fall bekannt, in dem er aus anderen als zeremoniellen Gründen (Eröffnungsfahrt) ein öffentliches und allgemein zugängliches Verkehrsmittel benutzt hätte. Wohl fuhr er gelegentlich auf einem Schiff, doch nicht ohne die gründlichsten Vorbereitungen und mit ausgesuchtem »Publikum«. Spätestens seit 1923 besaß er stets ein Auto und benutzte es, wenn immer es ging, zumindest für kürzere Fahrten, in den Kampfjahren aber auch öfter für lange Strecken. Ein Chauffeur stand Hitler ebenfalls schon seit 1923 zur Verfügung; der Fahrer war zugleich Leibwächter [1].

Nach der Ernennung zum Reichskanzler fuhr Hitler kaum irgendwohin im Auto, ohne daß seinem Wagen wenigstens ein weiterer mit Angehörigen des Führer-Begleit-Kommandos folgte, gewöhnlich aber waren es zwei, mit je einem Offizier und fünf Mann des Reichssicherheitsdienstes und des SS-Begleitkommandos. Hitler saß in seinem Wagen neben dem Fahrer, hinter ihm ein bewaffneter Diener, seit 1935 meistens Karl Krause oder Heinz Linge, später fast nur noch Linge. Während des Krieges hatte Linge immer eine Maschinenpistole bei sich. Die Diener mußten in der Lage sein, bei Gefahr rasch und richtig zu reagieren, zum Beispiel auf einen Attentäter mit der Pistole zu schießen. Weil der Kommandeur des SS-Begleitkommandos, Gesche, etwas schielte – so erinnert sich Linge –, kommentierte Hitler einmal seinem Diener gegenüber seine Einschätzung der Schießkünste Gesches mit den Worten: »Linge, ich bin froh, daß nicht Gesche hinter mir sitzt, der würde mich vielleicht in den Rücken schießen.« [2] Aus Sicherheitsgründen bestand Hitler darauf, daß keine Hoheitszeichen und Stander an seinem Wagen geführt wurden, außer bei zeremoniellen Anlässen. Er vertrat immer die Meinung, Unauffälligkeit sei die beste Sicherheitsmaßnahme. Am 3. Mai 1942 notierte sich Dr. Picker beim Mittagessen (oder kurz danach) folgende Bemerkungen Hitlers: »Er halte es daher mit all seinen Ausfahrten so, daß er sie überraschend ausführe und die Polizei nicht verständige. Er habe auch dem Leiter seines Sicherheitskommandos, Rattenhuber, und seinem Fahrer Kempka die strikte Anweisung gegeben, seine Fahrten absolut geheimzuhalten, und sie darauf hingewiesen, daß sie diesem Befehl zu gehorchen hätten, auch wenn noch so hohe Vorgesetzte sie um Auskunft angingen. Sobald nämlich etwa die Polizei etwas von seinen Ausfahrten erführe, durchbreche sie die übliche Art der Diensterledigung und wirke allein dadurch schon auf die Menschen alarmierend, ohne dabei zu bedenken, daß alles, was die Regel durchbricht, auffällt. Die beste Probe aufs Exempel sei beim Umbruch in der Ostmark seine Fahrt nach Wien und nach Preßburg gewesen. Auf der Strecke Wien–Nikolsburg habe die Polizei ebenso wie auf der Strecke nach Preßburg alles alarmiert gehabt, was um so gefährlicher gewesen sei, als sie gar nicht über genügend Kräfte zum Absperren verfügte. Außerdem seien ihre Kriminalbeamten in ein so auffallendes Zivil gekleidet (zum Beispiel Loden-, Klepper-Mantel oder dergleichen), daß – ebenso wie er – im Zweifel auch jeder Bazi sie auf den ersten Blick erkenne. Nachdem er seinerzeit Weisung gegeben habe, andere als die vorher vereinbarten Wege zu fahren und in Städten selbst das rote Stopplicht nicht zu überfahren, sei er überall unbehelligt durchgekommen.«[3] Teilweise hatte Hitler recht mit diesen Ausführungen, aber nicht mit der im letzten Satz aufgestellten Behauptung, wie in einem anderen Abschnitt zu zeigen sein wird.

Wenn es sich irgendwie machen ließ, fuhr Hitler nie in einem fremden Auto und grundsätzlich nur in Wagen der Firma Mercedes-Benz. In einem Schreiben an Lammers vom Mai 1934 wies Himmler darauf hin, daß der Führer in seiner Begleitung keine Wagen anderer Firmen dulde. Nur, wenn seine eigenen Autos ausnahmsweise nicht verfügbar waren, so bei einem plötzlichen Besuch an der Front, fand er sich bereit, etwa in einen Achtzylinder-Horch zu steigen[4]. Allerdings fuhr er auf dem Obersalzberg oft vom Teehaus zum »Berghof« zurück im Volkswagen (vgl. unten, S. 191). Es war aber gar nichts Ungewöhnliches während des Krieges, daß eine ganze Kolonne mit Führerwagen und Begleitwagen Hunderte von Kilometern von ihrem Standort, etwa vom Hauptquartier »Wehrwolf« bei Winniza in der Ukraine oder von Slominsk nach Smolensk oder Saporoshje beordert wurde, um dort für einen Frontbesuch Hitlers zur Verfügung zu stehen, wo sie dann zur Hin- und Rückfahrt über eine meist ganz kurze Strecke, vom Flugplatz zum besuchten Fronthauptquartier und wieder zurück, benutzt wurde. Das hatte nur Sinn, sofern es der Sicherheit dienen sollte; denn die Armeehauptquartiere hatten für so einen Zweck genug Autos zur Verfügung, und um den Luxus war es Hitler nicht zu tun, da

er ohnehin bei solchen Gelegenheiten immer offene Geländewagen benutzte.

Der feuerrote Benz-Wagen, in dem Hitler am Abend des 8. November
1923 zum Putsch in den »Bürgerbräukeller« am Rosenheimer Platz in
München fuhr, war schon sein viertes Auto[5]. Davor hatte er zwei Selve-
Wagen und einen Benz. Der rote Benz wurde nach dem Putsch von der
bayerischen Polizei beschlagnahmt und erst 1933 wieder von der NSDAP
in Besitz genommen. In der Zwischenzeit war er von der bayerischen
Polizei »im Kampfe gegen die nationalsozialistische Bewegung« benutzt
worden, wie man sagte. Die erste photographische Aufnahme von Hitler
nach seiner Entlassung aus der Festung Landsberg zeigt ihn in trutziger
Pose mit der Hand an einem Benz-Wagen, unmittelbar vor den Stadttoren.
Im Lauf der Jahre wurden für Hitler noch Dutzende der teuren Wagen
angeschafft. In den Bestellbüchern der Firma Daimler-Benz A.G. sind für
die Jahre 1929 bis 1942 wenigstens 44 Wagen verzeichnet, die für die
»Verwaltung Obersalzberg zu Händen Reichsleiter Martin Bormann«, für
die Reichskanzlei, für die Präsidialkanzlei und für den RSD bestellt wurden. Es waren lauter Wagen des größten und stärksten Typs und fast alle
offene Tourenwagen. Nur vier Pullman-Limousinen sind als für Hitler
geliefert verzeichnet, sein Fahrer Kempka weiß sogar nur von einer einzigen, und auch die wurde so gut wie nie benutzt.

Drei Prototypen des Modells »540 K W 24«, die 1935 als »Cabriolet F
mit Panzerung« an die Adjutantur des Führers abgeliefert wurden, waren
wahrscheinlich die ersten gepanzerten Autos in Hitlers Fuhrpark. Die
Panzerung bestand aus einer 4 Millimeter starken Stahlkarosserie, 25 Millimeter starken Windschutz- und Seitenscheiben und beschußsicheren Reifen nach dem Kammersystem mit 20 Kammern pro Reifen. Das Fahrzeug
besaß einen 5,4-Liter-Kompressormotor, der 180 PS leistete und eine
Höchstgeschwindigkeit von 170 Kilometern pro Stunde entwickelte.
Kempka erinnert sich nicht, Hitler je in diesem Wagen gefahren zu haben.

Offene Tourenwagen vom Typ 520 G 4 W 31 und W 131 wurden in den
Jahren 1934 bis 1939 hergestellt und noch 1940 geliefert, und zwar als
geländegängige Dreiachser. Die Achtzylinder hatten 5 Liter (W 31) oder
5,252 Liter (W 131) Hubraum und leisteten 100 bzw. 115 PS. Kempka
berichtet allerdings, Hitler habe sich nur in den größeren 7,7-Liter-Wagen
fahren lassen, die mehr leisteten und wesentlich schneller waren (100 bis
120 km/h Dauergeschwindigkeit). Die 20-Kammer-Reifen schüttelten zu
sehr und wurden gegen gewöhnliche Reifen ausgetauscht, die aus Rücksicht auf Hitlers Magen noch mit Unterdruck gefahren wurden. Die Wind-
schutzscheiben dieser Fahrzeuge waren 30 Millimeter, die versenkbaren

Seitenfenster 20 Millimeter stark. Die erhöhten Rücklehnen der hintersten der drei Sitzreihen waren mit 8 Millimeter starken Stahleinlagen verstärkt, so daß sie die Köpfe der Insassen gegen Beschuß von hinten schützten. Türen, Fußraum und Boden waren aus 8 Millimeter starkem Stahl, die Reifen beschußsicher. Die Panzerung bot so eine gewisse Sicherheit, etwa gegen von Fußgängern oder Insassen vorbeifahrender Personenwagen abgegebene Pistolenschüsse oder gegen Querschläger oder Splitter bei einer Frontfahrt. Aber von oben bot auch das aufgezogene faltbare Dach nicht viel Schutz, weder gegen aus vorbeifahrenden Lastautos, von Fenstern oder Balkonen geworfene Explosivkörper noch gefeuerte Schüsse. Überdies pflegte Hitler bei öffentlich bekannten Gelegenheiten im Auto stehend durch Städte zu fahren, so 1938 beim Einzug in Österreich oder beim Reichsparteitag in Nürnberg. Später, nachdem Heydrich im Mai 1942 in Prag im offenen Auto ermordet worden war, verurteilte Hitler solche »heroischen Gesten, wie in offenen, ungepanzerten Wagen zu fahren«, »nur als Dummheit oder reinen Stumpfsinn«; zu Weihnachten 1942 schenkte er Goebbels eine gepanzerte Limousine und bestand darauf, daß er sie benütze [6]. Er selbst ist dann nicht mehr so oft aufrecht im Auto stehend durch Städte gefahren. In den dreißiger Jahren aber und in den ersten drei Kriegsjahren setzte er sich häufig solchen Gefahren aus. Man rechnete auch in der für die Sicherheit verantwortlichen Umgebung kaum mit Angriffen von oben. Aber obwohl zum Beispiel das Blumenwerfen verboten war, mußten Linge, Schaub und andere Adjutanten, die meist mit Hitler im Wagen fuhren, sich immer wieder dicht an Hitler herandrängen, um die Blumen abzufangen oder abzulenken, die nach Hitlers Wagen geworfen wurden. Es war auch immer eingeteilt, wer von den Begleitern nach oben zu sehen hatte; würde geschossen oder etwas geworfen, so sollte Kempka auf ein Zeichen scharf beschleunigen und aus der Wurf- oder Schußbahn fahren.

Hitlers Fahrer, Erich Kempka, der nach dem Tode Julius Schrecks am 16. Mai 1935 dessen Nachfolger und »Chef des Kraftfahrwesens beim Führer und Reichskanzler« wurde, erinnert sich, daß der Diktator bis zum Attentat im »Bürgerbräukeller« von der Benutzung voll gepanzerter Autos nichts habe wissen wollen, erst danach habe er sich damit abgefunden. Nach den Unterlagen der Firma Daimler-Benz A.G. begannen die Bestellungen dieses Typs für Hitlers Bedarf jedoch spätestens am 22. Juli 1938. Tatsächlich wurde schon am 15. April 1939, also rechtzeitig zu Hitlers fünfzigstem Geburtstag, eine gepanzerte Pullman-Limousine an die »Präsidialkanzlei des Führers und Reichskanzlers« geliefert, mit der Bezeichnung »Typ 770 K, W 150 II Großer Mercedes Staatskarosse« [7]. Aber Hitler hat das Auto fast nie benutzt, außer bei offiziellen Staatsbesuchen zusammen mit ausländischen Staatsoberhäuptern oder Regierungschefs; er selbst zog immer die offenen Wagen mit faltbarem Verdeck vor. Der »Typ 770 Großer Mercedes« wurde seit 1930 zunächst als Starrachswagen (W 07) und von 1938 an als Schwingachswagen (W 150) gebaut. Der Motor des W 07 leistete ohne Kompressor 145 PS, mit Kompressor 200 PS (160 km/h); der W 150 leistete ohne Kompressor ebenfalls 145 PS und 230 PS (170 km/h) mit Kompressor. Die »Staatskarosse« (W 150 II) hatte einen 400-PS-Achtzylinder-Motor mit zwei Kompressoren und Doppelvergasern; die Höchstgeschwindigkeit wurde mit 180 km/h angegeben. Die Karosserie von Hitlers Exemplar, dem einzigen, das gebaut worden ist, war rundum mit 18 Millimeter starken Stahlplatten gepanzert, die seitlichen Ersatzräder waren als Panzerschilde ausgebildet, Fenster und Windschutzscheibe waren aus 40 Millimeter starkem Panzerglas, die 20-Kammerreifen beschußsicher (sie wurden nicht gegen normale Reifen ausgetauscht, weil Hitler das Fahrzeug so gut wie nie benutzte). Zur Gewichtsverringerung wurden Kotflügel aus Leichtmetall verwendet. Das Auto wog aber immer noch ohne Fahrer und Passagiere 4780 Kilogramm; es verbrauchte 38 Liter Benzin und 1 Liter Öl auf 100 Kilometer.

Martin Bormann war bei den meisten Autobestellungen Hitlers als Mittelsmann beteiligt. Am 4. Juni 1936 informierte er die Firma Daimler-Benz durch eingeschriebenen Brief, daß SS-Sturmbannführer Kempka jetzt, nach dem Tode von SS-Brigadeführer Julius Schreck, für Hitlers Wagenpark verantwortlich sei und daß alle Rechnungen und die Korrespondenz über Kempka an Bormann zu gehen haben. Bestellungen seien nichtig, wenn sie nicht schriftlich von Bormann erteilt seien. Im Februar 1937 fand Bormann es nötig, Hitlers Persönlichen Adjutanten SS-Hauptsturmführer Wernicke in Berlin daran zu erinnern, daß diese Regelung im vergangenen Juni von Chefadjutant Brückner gutgeheißen worden sei [8].

Hitlers Wagenpark wuchs ständig. 1935 wurden Kosten von 6000 Reichsmark allein für Reifen veranschlagt, 20 000 RM für Benzin und 4000 RM für Reparaturen. 1936 standen zum Dienst in der »Führerkolonne« für den RSD und das SS-Begleitkommando 8 Personenwagen zur Verfügung. Die Garagen befanden sich in einem Gebäude an der Saarlandstraße. Noch 1935 jedoch hatte Rattenhuber dringende Vorstellungen erheben müssen, um die Anschaffung eines oder zweier weiterer Wagen genehmigt zu bekommen. Er beschrieb groteske Situationen, die sich ergaben, wenn Hitler ohne lange Vorankündigung die Oper in Hamburg, Bayreuth oder Berlin besuchen wollte und die RSD-Beamten dann möglichst rasch hinfahren mußten, um die Gebäude zu überprüfen und zu sichern, für unge-

hinderten Zutritt und Durchgang zu sorgen usw. Zu der Zeit, als Rattenhuber seine Vorstellungen erhob, mußte das RSD-Vorauskommando in
solchen Fällen bei der Geheimen Staatspolizei ein Auto anfordern, und
wenn da keines zur Verfügung stand, mit einer Kraftdroschke fahren. Sogar Hitlers RSD-Begleiter mußten manchmal ein Taxi nehmen, und wenn
etwa bei einem Wolkenbruch keines zu haben war, den Bus oder die
Straßenbahn benutzen [9]. So etwas geschah, wenn aus Gründen der Sicherheit ein Opernbesuch erst im allerletzten Moment bekanntgegeben wurde – oder auch, weil Hitler sich nicht hatte entschließen können und die
Entscheidung schließlich durch Werfen einer Münze herbeigeführt wurde
(Adler gewann). So erschienen denn im RSD-Haushalt für 1937 drei neue
Autos: ein 5,4-Liter-Kompressor-Mercedes für Darrés Begleitkommando
und zwei 7,7-Liter-Kompressor-Mercedes für das Führer-Begleit-Kommando. Als Grund für die Anschaffung der beiden 7,7-Liter-Wagen wurde
angegeben, die in Berlin und München stationierten Autos des Begleitkommandos seien zu langsam und könnten auf den Landstraßen mit
Hitlers Wagen nicht Schritt halten. Jeder der beiden Wagen kostete
27 500 Reichsmark [10].

Das Leben und der Dienst der Fahrer und Begleitkommandos waren
nicht leicht. Rattenhuber stellte einmal fest, mit fünfzig Jahren müßten
die RSD-Beamten pensioniert werden, weil der Dienst so anstrengend sei.
Die Fahrer mußten immer ihr Leben einsetzen und gegebenenfalls bereit
sein, entgegenkommende Wagen, die dem Führerwagen die Bahn zu ver-
sperren drohten, abzudrängen oder zu rammen oder plötzlich auf die Ge-
genfahrbahn zu wechseln, um Überholmanöver zu verhindern. Sie mußten verhindern, daß fremde Fahrer sich mit ihren Autos zwischen die
Fahrzeuge der Kolonne schoben oder gar versuchten, Hitlers Wagen von
der Straße zu drängen. Hitler selbst sprach gelegentlich von den Gefahren
des Autofahrens und besonders von der Notwendigkeit, gegen verdächtige
nachfolgende Autos gewappnet zu sein; in diesem Fall, so erzählte er 1942
seiner Tischrunde, brauche sein Fahrer nur einen der sehr starken Rück-
scheinwerfer einzuschalten, mit dem der nachfolgende Fahrer geblendet
werde.

Im Juli 1934 beanstandete die Polizei einen solchen Scheinwerfer, der
die Fahrbahn auf 50 statt nur auf 10 Meter beleuchtete und unabhängig
vom Rückwärtsgang eingeschaltet werden konnte und also gegen die Stra-
ßenverkehrsordnung verstieß. Die polizeilichen Ermittlungen ergaben, daß
»alle Kraftfahrzeuge der Reichskanzlei aus besonderen Gründen mit einem
solchen Scheinwerfer ausgerüstet« seien.[11]

2. Der Führer-Sonderzug

Hitler bevorzugte Auto und Flugzeug, doch fuhr er viele längere Strecken
mit dem Sonderzug, der ihm seit 1933 zur Verfügung stand. Autofahrten
gaben zwar immer Gelegenheit zum Kontakt mit der Bevölkerung auf
eine Weise, die Hitler von seinen Anfängen her gemäß war, aber der Zug
war bequemer. Andererseits waren bei der Eisenbahn mit ihrem festliegen-
den Weg und den zahllosen Stationen, Beamten und Angestellten, die bei
einer Führerreise beteiligt und unterrichtet sein mußten, die Sicherheits-
risiken besonders hoch. Theoretisch mußte es für einen Attentäter leicht
sein, mit einem Streckenwärter Freundschaft zu schließen oder ihn zu
bestechen, damit dieser ihn zu gegebener Zeit unterrichtete und er den
Sonderzug in die Luft sprengen konnte.

Der friedensmäßige Führersonderzug setzte sich zusammen aus Lokomotive, Gepäckwagen, Salonwagen des Führers, Beratungswagen (sofern
erforderlich), Begleitkommandowagen, Speisewagen, zwei Schlafwagen
für Gäste, einem weiteren Salonwagen (sofern erforderlich), Personalwa-
gen, Pressewagen und einem zweiten Gepäckwagen[12]. 1938 wurde ein
Führersonderzug für den »Mob-Fall« organisiert, der vom Kriegsausbruch
an »Führerhauptquartier« heißen sollte, dann aber »Amerika« genannt
wurde. Er bestand aus zwei Lokomotiven, einem gepanzerten Flak-Wagen
mit einer 2-Zentimeter-Flakbatterie und 26 Mann Bedienung, Gepäckwagen, Befehlswagen mit Nachrichtenzentrale (Funkgeräte, Fernschreiber,
Telefonzentrale), Führerwagen, Begleitkommandowagen (je 1/7 Mann RSD
und SS-Begleitkommando), Speisewagen, zwei Gästewagen (Gäste, Ärzte,
Adjutanten, Verbindungsleute verschiedener Ministerien, Keitel, Himmler
und Schaub, der die ursprünglich Hewel zugeteilte Kabine bekam, »da der
Herr Gruppenführer Schaub nicht wünscht, auf der Achse zu schlafen«),
Badewagen (wenn gewünscht), noch einem Speisewagen, zwei Schlaf-
wagen (Sekretärinnen des Führers sowie weitere Adjutanten, Diener,
Mitropaköche, Nachrichtensoldaten), einem Pressewagen, einem zweiten
Gepäckwagen und endlich einem zweiten Flak-Wagen[13]. Stammbahnhof
war ein Sonderschuppen im Reichsbahn-Ausbesserungswerk Tempelhof.

Geheimhaltung aller Führerreisen und der Vorbereitungen dazu war
eine der wichtigsten Sicherheitsmaßnahmen. Chefadjutant Brückner
wollte einmal vom Reichsminister für Verkehr, Dorpmüller, wissen, ob
es möglich wäre, die für Führerreisen zuständigen Reichsbahnbeamten
erst eine bis zwei Stunden vorher zu unterrichten, wenn der Sonderzug
gebraucht würde[14]. Der Minister war selbst alter Eisenbahner und kannte
die Möglichkeiten genau. Er antwortete, daß – soweit Beamte des Ver-

kehrsministeriums und der Reichsbahn beteiligt seien – die strikteste
Geheimhaltung gewährleistet sei, und wenn Indiskretionen vorgekom-
men seien, dann jedenfalls nicht von seiten dieser Beamten. Wenn aber
die Reichsbahn die Führerreisen mit der größtmöglichen Sorgfalt vorbereiten solle, dann könne eine gewisse Mindestvorwarnzeit nicht unterschrit-
ten werden. Es könne einfach nicht garantiert werden, daß alle Strecken-
abschnitte mit der nötigen Intensität bewacht würden, daß das Personal
auf den Posten sei, daß Bahnübergänge rechtzeitig geschlossen würden
und so weiter, wenn dem Ministerium nur eine bis zwei Stunden zur
Verfügung stünden, um all die Hunderte oder gar Tausende von Reichs-
bahnleuten telefonisch oder telegraphisch zu verständigen, die auf die
Durchfahrt des Zuges vorbereitet sein müßten. Es dauere oft allein viele
Stunden, einen Sonderzugfahrplan auszuarbeiten und in den normalen
Fahrplan einzufügen. Selbst die Bereitstellung von Lokomotiven, Eisen-
bahn- und Bahnpolizeipersonal könne bei zu kurzer Frist nicht garantiert
werden. Wenn der Sonderzug von einem anderen Berliner Bahnhof als
vom Anhalter Bahnhof abfahren solle, seien allein schon zwei Stunden
zur Überführung an den Abfahrtbahnhof erforderlich. Für Abfahrten am
frühen Morgen (4 und 5 Uhr von Berlin, 3.53 und 4.50 Uhr von München)
sei Voranmeldung am Abend vorher unumgänglich. Es sei nach alldem
besser, das Ministerium so frühzeitig wie möglich zu orientieren, selbst
wenn die Reise nicht mit Sicherheit feststehe, damit Verzögerungen und
Verwicklungen vermieden werden konnten. Eine kurzfristige Absage war
für die Bahn viel leichter zu verkraften als eine zu knappe Anmeldung.

Auf diese grundsätzlichen Darlegungen antwortete Brückner, die kurzfristigen Anmeldungen seien nur auf der Strecke Berlin–München bzw.
München–Berlin nötig und die Adjutantur mache ohnehin jede mögliche
Anstrengung, um die Reisestelle im Verkehrsministerium zu informieren,
sobald der Führer den Befehl zu einer Reise gegeben habe – jedoch: »Leider kann das bei Reisen nach München und von dort zurück nicht immer
in der gewünschten Zeit erfolgen.«[15] Die Hauptschwierigkeit deutete
Brückner nur zwischen den Zeilen an: Hitler gab seine Reisebefehle mit
Vorliebe ganz kurzfristig, weil er überzeugt war, sich dadurch weitgehend
gegen Attentate zu schützen. Brückner fand, zwei Stunden Voranmeldung
müßten eigentlich für die Fahrten zwischen Berlin und München genügen, da für diese Strecke schon eine Anzahl Bedarfsfahrpläne fest eingeplant seien. Gewiß sei die Sicherheit zu gewährleisten, aber: »Bezüglich
der Sicherheit überhaupt, glaube ich, daß sie am allermeisten dann gewährleistet ist, wenn die Fahrt überraschend erfolgt.« Besonders bei Fahrten mit der Eisenbahn war das der Fall: »Denn die Geheimhaltung ist

dann nicht mehr gegeben, wenn schon viele Stunden vorher der Bahnschutzbeamte Schulze oder Meier und damit auch seine ganze Familie weiß, daß um soundsoviel Uhr der Zug des Führers auf den und jenen Bahnhof rollt.« Die Adjutantur des Führers habe deshalb mit einem im Verkehrsministerium zuständigen Beamten vereinbart, daß die Bahnpolizei zweimal wöchentlich in unregelmäßigen Abständen ihre Sicherheitsvorkehrungen für die vorgeplanten Leerfahrpläne übungsweise durchführen solle, und zwar je einmal bei Tag und einmal bei Nacht, so daß niemand wissen könne, nicht einmal die Bahnpolizeibeamten selbst, ob tatsächlich der Führerzug fahren werde oder nur eine Übung stattfinde.

Im Kriege erhielten alle Sonderzüge der obersten Führung Decknamen. Hitlers Sonderzug hieß nun nicht, wie vorgesehen, Führerhauptquartier, obwohl er es manchmal tatsächlich war, sondern »Amerika« – bis zum 1. Februar 1943 – und danach »Brandenburg«. Görings Sonderzug hieß »Asien«, später »Pommern«; Keitels Zug »Afrika«, ab 1. Februar 1943 »Braunschweig«; Himmlers Zug hatte die Namen »Befehlszug Himmler«, auch »Heinrich« und ab 1. Februar 1943 »Steiermark«; Ribbentrops Zug hieß »Westfalen«; die zwei Sonderzüge des Wehrmachtführungsstabes nannte man »Atlas«, später »Franken I« und »Franken II« [16]. Für alle diese Züge wurden Leerfahrpläne eingerichtet, was im Kriege durch die geringere Zahl der fahrplanmäßigen Passagierzüge erleichtert, aber zugleich durch die gewaltig erhöhte Zahl unfahrplanmäßiger Truppen- und Materialtransporte erschwert wurde. Die Einhaltung der Sonderzugfahrpläne war gleichwohl von Wichtigkeit, weil parallel zu den Fahrplänen bestimmte Zeiten festgelegt wurden, zu denen die jeweiligen Ministerien und sonstigen festen Kommandostellen über bestimmte Stationen Fernschreib- und Telefonkontakt zu den in den Zügen befindlichen Oberkommandierenden bzw. deren Stäben aufnehmen konnten. Auf diesen Stationen brauchte der Zug nur anzuhalten, damit ein paar Kabel an vorbereitete Anschlußstellen gelegt und in jedes gewünschte Netz (Heer, Marine, Luftwaffe, SS, Post, Eisenbahn) eingeschaltet werden konnten. Auf der Fahrt wurde der Kontakt über Funk aufrechterhalten, was aber für viele Bedürfnisse zu schwerfällig und umständlich war, besonders wenn Mitteilungen verschlüsselt und im Morsealphabet gesendet und empfangen werden mußten. Im Kriege fuhren die Sonderzüge, zumal in den gefährlicheren besetzten Gebieten (Polen, Rußland, Frankreich), fast nur bei Tage. Die Hauptrolle beim Schutz des Führersonderzuges wie bei den Führerhauptquartieren spielte das aus dem Heer stammende Führer-Begleit-Bataillon, nicht die SS.

Hitlers Kontakt mit der Bevölkerung war bei seinen Sonderzugreisen auf die Aufenthalte auf den Bahnhöfen beschränkt. Es war gefährlicher als bei Autofahrten, wenn Hitler sich – wie er es oft tat – einer an den Zug herandrängenden Menge zeigte und das Fenster heruntergelassen war. Leicht konnte von einem Attentäter ein Explosivkörper im Gedränge unter den Zug oder durch das offene Fenster geworfen werden. Hitler lief auch Gefahr, daß ihm der Arm ausgekugelt wurde, wenn er vom Zugfenster herab Hände schüttelte, und das Publikum brachte sich in Gefahr, wenn es in der Begeisterung blindlings über die Geleise zum Sonderzug lief, obwohl vielleicht gerade ein Schnellzug durch die Station brauste. Seit 1942 hörten diese Kontakte auf. Wenn Hitlers Zug in einer Station hielt, wurden auf der Bahnsteigseite die Vorhänge zugezogen. Einmal soll Hitlers Sonderzug zufällig neben einem in ein Todeslager fahrenden Zug voll deportierter Juden gehalten haben, wobei der Blick der Opfer und des Mörders sich begegneten. Was er da sah, war dem Führer keineswegs unbekannt, aber unangenehm, er wollte nichts davon sehen, so wenig wie vom Elend der bombenzerstörten Städte. Als er im Januar 1945 auf der Rückfahrt vom Hauptquartier »Adlerhorst« nach der gescheiterten Ardennenoffensive in seinem Zug in Berlin einfuhr, war er überrascht und deprimiert über das Ausmaß der Zerstörungen, das er offenbar zum erstenmal wahrnahm [17].

3. Das Flugzeug

In den Wahlkämpfen des Jahres 1932 machte Hitler so ausgiebig von den Möglichkeiten der Luftfahrt Gebrauch wie noch nie ein Staatsmann oder Politiker zuvor. Aber anfänglich war ihm bei der Fliegerei nicht wohl gewesen. Lange hatte er den nervenaufreibenden Flug von München nach Berlin im Jahr 1920 bei schlechtem Wetter, als er zum Kapp-Putsch zurechtkommen wollte, nicht vergessen können. Doch 1932 stand viel auf dem Spiel. Brüning habe den Rundfunk zur Verfügung, sagte Hitler zu dem samt Flugzeug bei der Lufthansa gemieteten Flugkapitän Hans Baur – der übrigens Alter Kämpfer und seit 1921 bzw. (nach der Neugründung) 1926 NSDAP-Mitglied war –, er, Hitler, müsse deshalb mit Hilfe des Flugzeuges in möglichst kurzer Zeit in möglichst vielen Städten sprechen und persönlich auftreten. Ohnehin waren der persönliche Auftritt und die Rede seine wirkungsvollsten Propagandamittel. Dreimal flog Hitler zwei bis drei Wochen lang von Stadt zu Stadt und sprach in jedem der Wahlkämpfe in etwa fünfundsechzig Städten, manchmal in fünf an einem Tage. Hitlers Vertrauen in die Luftfahrt wuchs gewaltig durch die Zuverlässigkeit Baurs, durch die bessere Stabilität der modernen Flugzeuge und durch die fast reibungslose Einhaltung der Flugpläne im März, Juli und November 1932. Auch für die Lufthansa war die Werbewirkung nicht hoch genug einzuschätzen [18].

Nach seiner Ernennung zum Reichskanzler machte Hitler Baur zu seinem ständigen persönlichen Piloten und zum Chef der Regierungsstaffel, die Baur organisierte. Hitler ließ sich fortan fast nur von Baur fliegen [19].

Auf den beiden ersten Wahlkampfflügen, im März und Juli 1932, wurde eine Rohrbach Ro VIII Roland I (»Immelmann I«) benutzt. Im gleichen Jahr stellte die Lufthansa die Junkers »Ju 52« in Dienst, eines der zuverlässigsten Flugzeuge, die je gebaut worden sind, und im November des Jahres flog Hitler im Wahlkampf mit der »Ju 52« von Stadt zu Stadt. 1933 bis 1937 flog Hitler ausschließlich mit der »Ju 52«. Die »Führermaschine« hieß »Immelmann II« und trug die Nummer D-2600. Diese Nummer wurde bis zum Kriegsausbruch für alle nacheinander von Hitler benutzten »Führermaschinen« verwendet, so daß das Flugpersonal überall wußte, daß es sich um Hitlers Maschine handelte, wenn der Pilot unter dieser Nummer um Landeerlaubnis bat [20]. Baur erinnerte sich jedoch, daß Hitler am 30. Juni 1934 gerade nicht mit dieser Maschine flog, so daß Röhm trotz seiner Weisungen an den Flughafendirektor in München nicht von Hitlers Eintreffen unterrichtet worden sei; dagegen erinnert sich Kempka, noch während des Fluges über Funk die nötigen Autos zum Flugplatz beordert zu haben, die auch pünktlich bereitgestanden hätten, so daß Hitlers bevorstehende Ankunft und deren Zeitpunkt doch nicht ganz geheim geblieben sein können.

Im Jahre 1937 standen Hitler bzw. der Regierung drei »Ju 52« zur Verfügung, Heß und Göring konnten über je eine Maschine verfügen, und spätestens 1937 kam auch Himmler zu seiner »Ju 52«; die Regierungsstaffel bestand nun aus 6 dieser Flugzeuge. 1937 wurden die beiden ersten viermotorigen Focke-Wulf 200 »Condor« hergestellt (erster »Condor«-Flug: 27. Juli 1937); die dritte wurde 1937 zur Führermaschine »Immelmann III« (s. Tafel 27) [21]. Die »Condor« war viel schneller als die »Ju 52«, die aber trotzdem auch im Kriege noch von Hitler benutzt wurde.

1942 wurde eine verbesserte Focke-Wulf 200 »Condor« für Hitler in Dienst genommen. Ihre Motoren leisteten je 1000 PS wie bei den zur Fernaufklärung und als Bomber verwendeten Maschinen der Luftwaffe; das Flugzeug konnte 15 Stunden in der Luft bleiben. Die Bewaffnung bestand aus drei Maschinengewehren. Baur berichtete von einer unter Hitlers Sitz eingebauten »Absprungplatte«, die Hitler bei Gefahr durch Ziehen eines roten Hebels hätte öffnen können, um mit dem in der Rükkenlehne seines Sitzes verstauten Fallschirm hinunterzuspringen: ».. unter dem Sitz Hitlers befand sich eine Absprungplatte. Er konnte im Falle der Gefahr einen roten Griff ziehen, hierdurch hätte sich die Absprungplatte gelöst, und unter ihm wäre ein ungefähr einen Quadratmeter großes Loch zum Ausspringen freigeworden«. Einer der Verschwörer, die dem Führer 1943 ans Leben wollten, bestätigt die Darstellung von einer durch besonderen Hebel zu betätigenden Absprungvorrichtung unabhängig von Baur auf Grund von im Kriege über Lufthansa-Verbindungen beschafften »Condor«-Plänen [22].

Im Herbst 1944 wurde das Schutz- und Rettungssystem in Hitlers Flugzeug verbessert, und zwar in einer neuen Maschine, der Junkers »Ju 290« A-6 (»Immelmann IV«). Diese war schon eine Art fliegender Festung, die sechstausend Kilometer fliegen konnte, ohne zwischenzulanden. Die Bewaffnung bestand aus 10 Maschinengewehren der Kaliber 1,5 und 2 Zentimeter. Drei dieser Maschinen wurden eigens für Hitler umgebaut: Der Führersitz war durch 12 Millimeter starke Stahlplatten besonders geschützt, die Fensterscheiben bestanden aus 50 Millimeter dickem Panzerglas, Boden und Decke hatten an der Stelle, wo Hitlers Sitz war, zusätzliche Stahlplatten. Im Falle der Gefahr konnte Hitler seinen roten Hebel ziehen, worauf der Notausgang unter ihm hydraulisch geöffnet wurde und er auf seinem Sitz ins Freie und dann an einem sich automatisch öffnenden Fallschirm zu Boden gleiten würde. Versuche mit Puppen waren erfolgreich [23].

Am Ende des Krieges war Baur Herr über 13 »Condor«-Maschinen des verbesserten Typs sowie über mehrere »Ju 290«, einige Heinkel »He 111«, viele »Ju 52« und einige Fieseler »Storch« und Siebel-Maschinen, insgesamt etwa 40 Flugzeuge. Ein Fieseler »Storch« wurde im April 1945 noch für Hitler in Berlin bereitgehalten, für den Fall, daß er doch nicht hier sterben wollte [24].

Die Flugzeuge der Regierungsstaffel waren ständig unter strenger Bewachung, die von Hitler benutzten noch besonders unter Aufsicht von RSD-Beamten und SS-Kommandos der Leibstandarte [25]. Wartung und Reparaturen durften nur unter unmittelbarer Aufsicht des Bordmechanikers oder eines anderen Besatzungsmitgliedes ausgeführt werden und natürlich in Gegenwart der Wachkommandos. Alle Regierungsflugzeuge wurden, sofern nicht SS-Wachen herangezogen waren, von drei Polizeibeamten mit Karabinern bewacht, und außer den Besatzungen, den örtlichen Flugleitern und den Werkmeistern und Monteuren der Deutschen Lufthansa, die an den betreffenden Flugzeugen Arbeiten auszuführen hatten, durfte niemand herangelassen werden. Gepäck durfte nur unter

Aufsicht des Flugleiters oder der Besatzung verladen werden; fremde Personen, Gepäck, Fracht oder Post, die nicht jeweils zu dem betreffenden Regierungsflug gehörten, durften nicht befördert werden. Dies alles war festgelegt in einer »Anweisung für die Überwachung der Regierungsflüge und Bewachung der Regierungsflugzeuge« des stellvertretenden Chefs und Inspekteurs der Preußischen Geheimen Staatspolizei und des Politischen Polizeikommandeurs der Länder, Dr. Best, vom 1. Juni 1935. Dort hieß es auch: »Verdächtige Personen sind sofort in Schutzhaft zu nehmen.«

Vor jedem Flug, der als Regierungsflug galt, das heißt vor Flügen des Führers und Reichskanzlers, der Reichsminister und des Staatssekretärs der Luftfahrt, mußte ein Probeflug von 10–15 Minuten stattfinden, wobei keine Fluggäste mitgenommen werden durften. Dadurch hoffte man nicht nur Funktionsfehler rechtzeitig zu entdecken, sondern auch Attentate zu verhindern. Es hatte in den frühen dreißiger Jahren Berichte gegeben, wonach Sprengstoff in Hitlers Flugzeug geschmuggelt und mit Hilfe eines Barometers bei Erreichen einer bestimmten Höhe automatisch zur Explosion gebracht werden sollte. Während des Krieges verursachten solche Anschläge mehrere Abstürze deutscher Flugzeuge in Norwegen. Wenn ein Sprengstoffattentat mit einem Zeitzünder ausgeführt wurde, nützte der Probeflug freilich nichts, wenn der Attentäter von dieser Übung wußte. Zeitzünder-Attentate konnten nur verhindert werden durch strenge Geheimhaltung der Abflugzeit (sofern der Attentäter nicht zur engsten Umgebung des Opfers gehörte) und durch häufige Änderung des vorgesehenen Transportmittels oder des Abreisezeitpunktes in letzter Minute sowie durch strikte Einhaltung der Bestimmungen gegen die Mitnahme von fremder Fracht, Päckchen usw. Wäre diese alte Bestimmung am 13. März 1943 eingehalten worden, so hätte es nicht einmal zu dem Versuch des Attentats von Tresckow und Schlabrendorff kommen können (das unten S. 162–166 behandelt wird). Zur Erhöhung der Sicherheit der Flugzeuge Hitlers wurden auch die Sicherheitsvorkehrungen in unregelmäßigen Abständen durch fingierte Attentatversuche geprüft; in einem Fall wurde der fingierte Sabotageversuch nicht entdeckt, und da war es gut, daß er nur fingiert war. Die Bewacher schützte das freilich nicht vor dem, was sie danach über sich ergehen lassen mußten.

Die Benutzung des Flugzeuges zu Reisen ermöglichte bessere Geheimhaltung als Auto oder Eisenbahn, und sie konnte noch erhöht werden durch unvorhersehbaren Wechsel vom einen zum anderen Verkehrsmittel. Deshalb wollte Hitler auch möglichst immer alle »seine Leute« bei sich haben – Diener, Ärzte, Leibwachen, aber auch Chauffeure und Piloten. Oft mußte Baur die 2–3 Flugzeuge für Hitler und seine Begleitung leer irgendwohin bringen, wohin Hitler mit dem Zug oder mit dem Auto fuhr. Im Herbst 1940 fuhr Hitler zu einer Zusammenkunft mit Franco nach Hendaye durch ganz Frankreich mit seinem Sonderzug; Baur mußte gleichzeitig drei »Condor« von Etappenziel zu Etappenziel mitbringen, damit jederzeit umgestiegen werden konnte, und eine Autokolonne des Führer-Begleit-Bataillons fuhr ebenfalls ständig parallel mit dem Zug [26].

Ein Vorfall im September 1933 zeigt jedoch, wie schwierig es war, strikte Geheimhaltung durchzusetzen. Hitler wollte ein Dorf bei Karlsruhe besuchen, das völlig abgebrannt war, und wollte dabei keinen Aufenthalt durch Ovationen großer Publikumsmassen, um einen späteren Termin in Essen einhalten zu können. Die Flughafenkommandanten bzw. Flugleiter aber waren grundsätzlich angewiesen, bei Regierungsflügen – und besonders bei Flügen Hitlers – sofort das vorgesetzte Luftamt zu benachrichtigen, ferner die am Abflugort zuständige Staatspolizeistelle und die Flugleitung des Landeortes mit Angabe, welche sonstigen Dienststellen von dem Flug und der zu erwartenden Landung zu benachrichtigen seien. Der Flugleiter des Landeortes mußte dann auf dem schnellsten Wege das für ihn zuständige Luftamt und die zuständige Staatspolizeistelle benachrichtigen. Es ist also begreiflich, daß der Flughafenkommandant in Tempelhof den Piloten anflehte, ihm den Zielflugplatz zu sagen, was aber Baur von Hitler ausdrücklich verboten worden war. Baur stellte Hitler die Entscheidung anheim mit der Bemerkung, er könne auch ohne die Flugsicherungsmaßnahmen des Luftfahrtministeriums fliegen. Hitler entschied, wenn sein Pilot sage, er brauche diese Flugsicherungsmaßnahmen nicht, dann brauche er sie nicht, und stieg nach dem üblichen zehnminütigen Probeflug ein. Baur flog in nördlicher Richtung davon, damit man glauben sollte, der Flug gehe nach Hamburg, drehte in genügender Entfernung bei und flog nach Karlsruhe. Die Staatspolizei war aber doch informiert worden, hatte den Gauleiter von Baden, Robert Wagner, benachrichtigt, und dieser hatte die Bevölkerung auf die Beine gebracht. Der Flugplatz war bei Hitlers Ankunft schwarz von Menschenmassen, die befürchtete Verzögerung trat ein, Hitler war wütend und versäumte den Termin in Essen, obwohl auf der Rückreise der Karlsruher Flugplatz gemieden und statt dessen von Böblingen abgeflogen wurde [27]. In einem ähnlichen Fall sah Hitler die Massen in Nürnberg auf ihn warten, weil die Polizei den Flug nicht genügend geheimgehalten hatte, und befahl Baur, nicht zu landen, sondern nach Fürth weiterzufliegen, wo dann Autos für die Fahrt nach Nürnberg beschafft wurden.

Im März 1935 übernachtete Hitler auf einer Reise von München nach Wiesbaden in Stuttgart. Riesige Menschenmengen stauten sich vor dem

Hotel, und Hitlers Adjutanten streuten aus, der Führer werde am nächsten
Tag von Böblingen aus weiterfliegen. Baur erhielt den Befehl, mit seinen
Flugzeugen den ganzen Tag in Böblingen zu bleiben und nicht vor 18 Uhr
in Wiesbaden zu landen, während Hitler – ungestört, wie er hoffte – mit
dem Auto fuhr. Aber ein aufgeweckter Bürgermeister in einem der Dörfer,
durch die Hitlers Autokolonne fuhr, hatte den Frankfurter Rundfunk an-
gerufen, so daß nun mit Hilfe des Telefons die ganze Strecke verfolgt werden konnte. Der Rundfunk gab ständig durch, wo Hitler sich befand, und
im jeweils nächsten Ort rannte sofort alles auf die Straße. In einigen
Dörfern stellten die Bauern ihre Wagen quer über die Straße, um Hitler
zum Verweilen zu bewegen, die Leibwachen mußten vor und neben dem
Auto zu Fuß einhergehen, um zu verhindern, daß Kinder und Leute überfahren wurden. Die Kolonne kam nur im Schneckentempo vorwärts, und
am Abend kam Hitler todmüde und erschöpft in Wiesbaden an[28].

Merkwürdig sind die Widersprüche zwischen der Benutzung des Flug-
zeugs aus Schnelligkeits- und Sicherheitsbedürfnis einerseits und der In-
kaufnahme des dadurch erhöhten persönlichen Sicherheitsrisikos andererseits. Es wurde geflogen, um nicht Tausende von Eisenbahnleuten von
einer Reise informieren zu müssen, aber dafür nahm man Risiken in Kauf
wie Stürme und Gewitter, die Gefahr, daß das Benzin ausging, ehe ein
Landeplatz gefunden war, daß beim Abflug oder beim Landen (etwa durch
blockierende Bremsen) ein Rad in Brand geriet und das Flugzeug explodierte. Nebel konnte zu Notlandungen zwingen, die nie eine sichere Sache sind, der Boden konnte vom Regen aufgeweicht sein, die Räder stek-
kenbleiben, das Flugzeug sich auf die Nase stellen und in Flammen auf-
gehen. So geriet im Juni 1942, als Hitler von Rastenburg nach Micheli bei
Wiborg in Finnland flog, um Marschall Mannerheim zu besuchen, bei
der Landung seines Flugzeuges ein Rad durch eine fehlerhafte Bremse in
Brand, und nur mit knapper Not entging die Maschine der Zerstörung
durch Feuer. Wenn in Rastenburg die Startbahn länger gewesen und also
beim Rollen mehr Hitze entwickelt worden wäre und dann das Rad bren-
nend unter den Flügel, in der Nähe des Brennstofftanks, eingezogen worden wäre, so wäre das Flugzeug wahrscheinlich abgestürzt[29]. In nebeligem
Wetter mußte Baur oft so tief fliegen, daß das Flugzeug in Gefahr geriet,
gegen einen Hügel oder einen hohen Schornstein zu prallen, zumal wenn,
wie so oft, die Radioleitsignale vom Boden irreführend waren. Einmal
hatte sich Baur über der Ostsee verirrt und mußte lange nach einem Kü-
stenort suchen, dessen Name festgestellt werden konnte, so daß er sich
wieder zurechtfand; Hitler war dabei nicht wohl zumute[30]. Da fuhr er
lieber einmal mit dem Schiff, wie im April 1934 auf dem Schlachtschiff

»Deutschland« in norwegischen Gewässern oder von Wilhelmshaven nach Helgoland und zurück auf dem KdF-Schiff »Robert Ley« im Frühjahr 1939 [31].

Hitler suchte offenbar nicht bloß die größtmögliche Sicherheit seiner Person, obwohl er immer wieder davon sprach und zahllose Vorkehrungen treffen ließ. Das Lotteriespiel, das er zugleich betrieb, eben um seine Sicherheit zu erhöhen, war nicht ganz rational. Mochte es dem Bewußtsein entspringen, daß völlige Sicherheit nicht möglich war, mochte es der Ausdruck eines Triebs zum Vabanquespiel sein, jedenfalls beeinträchtigte es die Sicherheit ebensosehr, wie es sie erhöhte. Daß Hitler die Risiken beim Fliegen durchaus bewußt waren, geht daraus hervor, daß er Ministern, Feldmarschällen usw., die mit ihm flogen, meistens befahl, in einem anderen Flugzeug Platz zu nehmen [32].

VIII. In der Öffentlichkeit

Noch in den ersten Monaten nach dem 30. Januar 1933 ging Hitler gern zum Tee in den »Kaiserhof« – sein früheres Berliner Hauptquartier –, wo eine ungarische Kapelle spielte. Ein Ecktisch war immer für Hitler reserviert. Nach einiger Zeit fiel auf, daß meistens beim Eintritt des Reichskanzlers der ganze Saal schon zum Brechen voll war, und an den Tischen in der Nähe seines Ecktisches saßen immer dieselben älteren Damen und schauten bewundernd oder neugierig herüber. Die Damen bezahlten die Kellner für ihre Plätze und für die rechtzeitige Mitteilung, wann Hitler erwartet wurde. Danach kam der Reichskanzler nicht mehr so oft, mied aber öffentliche Lokale nicht grundsätzlich. Regelmäßig zur Parteigründungsfeier am 24. Februar erschien er im »Café Heck« am Hofgarten in München, wenigstens bis 1941, und im »Hofbräuhaus«. Auch sonst war er in den dreißiger Jahren öfter im »Café Heck« anzutreffen oder in seinem bevorzugten Restaurant, der »Osteria Bavaria«, manchmal mitten in der Nacht, wozu dann etwa Speer oder andere Trabanten hinzugeladen wurden und wohl oder übel kommen mußten [1]. Es hing von der Geschicklichkeit des Personals und von der Kundschaft der Lokale ab, ob es gelang, eine ungezwungene Atmosphäre aufrechtzuerhalten. Natürlich mußten die RSD-Beamten unauffällig den Keller und andere Nebenräume absuchen, und das SS-Begleitkommando besetzte in dem von Hitler besuchten Nebenzimmer gewöhnlich die vorderen Tische zur Abschirmung gegen das allgemeine Publikum. Im Kriege stand auch immer eine Wache vor dem Lokal und hielt Neugierige fern. In Bad Godesberg stieg Hitler oft im »Rheinhotel Dreesen« ab, wo er 1925 nach der Entlassung aus Landsberg von dem Eigentümer, Fritz Dreesen, freundlich aufgenommen worden war. Als er einmal nach seiner Ernennung zum Reichskanzler dort eintraf, fand er das Hotel völlig leer vor. Er war an Ovationen und Menschenmengen schon so gewöhnt, daß er ärgerlich werden konnte, wenn sie ausblieben, obgleich sie ihm oft eher lästig waren. Als er wissen wollte, warum alles leer sei, erfuhr er, daß seine Leibwächter aus Sicherheitsgründen vor seiner Ankunft etwa 1200 Gäste aus dem Gartenrestaurant gescheucht hatten. Hitler war erbost und verlangte die sofortige Rückkehr des Publikums, man sammelte es also wieder ein, und dann saß der Diktator zwischen Hunderten von anderen Gästen, freilich noch immer von Adjutanten und Leibwächtern umringt, an seinem Tisch und nahm seinen Tee [2].

Bei politischen Kundgebungen, Aufmärschen und Vorbeimärschen war in den dreißiger Jahren der regionale Gauleiter für die Sicherheitsvorkehrungen wie für die übrigen Arrangements verantwortlich. Dies galt ausdrücklich auch dann, »wenn die Veranstaltung über den Rahmen der Partei hinausgeht« [3]. Bei vorher der Öffentlichkeit bekannten Auftritten Hitlers mußten Straßen gesperrt und Strecken gesichert werden, aber das Straßenbild durfte keinesfalls von Polizeiuniformen beherrscht oder beeinträchtigt sein. Besonders bei Parteiveranstaltungen in seiner Gegenwart wollte er weder am Kundgebungsplatz noch an den Zu- und Abfahrtstrecken uniformierte Polizeibeamte sehen. Polizei in Uniform durfte nur für Melder- und Telefondienste, zur Verkehrsregelung an Sammelpunkten und Anmarschwegen für die Versammlungsteilnehmer und nur im Hintergrund eingesetzt werden. Unter gar keinen Umständen durfte Polizei – uniformiert oder nicht – Spalier bilden, wo Hitler fuhr oder ging. Auch wenn die politischen Leiter einer Veranstaltung Polizeiunterstützung verlangten, durfte diese laut Anweisung von Reichsinnenminister Dr. Frick nur in Form von Beratung und Hilfsdienst gewährt werden und immer nur so, daß nicht der Eindruck entstand, als hätten Polizeibeamte für irgendwelche Vorkehrungen die Verantwortung. War der Einsatz von Polizeibeamten in Uniform oder Zivil doch nötig, um die Fahrbahnen frei zu halten, so hatte das im Einvernehmen mit dem Kommandeur des RSD und nach seinen Wünschen und Anweisungen zu geschehen. In solchen Fällen handelte Rattenhuber als Kommandeur der eingesetzten Polizisten, die ermahnt werden mußten, ihre Aufgabe ernst zu nehmen: »Bei diesen Beamten kommt es weniger darauf an, daß sie den Vorgesetzten einen guten Gruß erweisen, als vielmehr, daß sie aufpassen.«

Bei nicht angesagtem, geheimgehaltenem Erscheinen Hitlers in der Öffentlichkeit mußten die Sicherheitsvorkehrungen möglichst unsichtbar sein, damit sie nicht gerade das Publikum anzogen, wodurch dann erst umfangreiche Maßnahmen nötig wurden. Es war schwer, Unsichtbarkeit und Gründlichkeit in Übereinstimmung zu bringen, und es war einfach unmöglich, Hitlers Weg unauffällig gegen Behinderung durch größere Menschenmengen zu sichern. Da waren die Sicherheitsbeamten immer im Dilemma: Wenn die Maßnahmen unauffällig waren und spontan viele Leute zusammenliefen, konnten Behinderungen oder Gefahrensituationen mit den geringen eingesetzten Kräften vielleicht nicht vermieden werden; waren die Maßnahmen aber für solche Fälle ausreichend, dann waren sie auch nicht mehr unauffällig und führten beinahe mit Sicherheit zu Ansammlungen und Aufläufen. Die Beamten mußten also versuchen, sowohl Hitlers Wünschen als auch ihrer Aufgabe gerecht zu werden. Wenn sie von einer beabsichtigten Ausfahrt, einem Theaterbesuch, einer Reise wußten, dann mußten sie etwas unternehmen, wodurch eben ein Signal gegeben wurde. Wollte Hitler das vermeiden, so blieb ihm nichts anderes übrig, als selbst seine nächste Umgebung bis zum letzten Moment über seine Absichten im unklaren zu lassen. Er hat das auch immer wieder geübt, mit wechselndem Erfolg.

Am 23. Mai 1939 wollte Hitler das Varieté im »Wintergarten« beim Bahnhof Friedrichstraße besuchen. Um Behinderungen zu vermeiden, wollte er wie üblich erst nach der Verdunkelung des Zuschauerraumes möglichst unbemerkt hereinkommen. Als Rattenhuber kurz vorher, um 19.45 Uhr eintraf, sah er schon Leute herumstehen, die auf Hitlers Ankunft warteten, wie er ihren Gesprächen entnehmen konnte. Er forschte nach und stellte fest, daß sie von Angestellten des »Wintergartens« unter dem Siegel absoluter Verschwiegenheit erfahren hatten, daß der Führer kommen werde. Nach dem Besuch im »Wintergarten« wollte Hitler dem Bierlokal »Franz Nagel« einen spontanen Besuch abstatten, aber auch dort stellte Rattenhuber fest, daß der Führer erwartet wurde: Zwei Kellner standen vor dem Lokal und sagten dem Sicherheitschef, sie hätten von »Wintergarten«-Angestellten vom Kommen des Führers erfahren. Rattenhuber berichtete dies Hitler, und dieser ging nun überhaupt nicht ins Varieté. Dafür stattete er später am Abend dem »Kasino der Deutschen Künstler« einen Besuch ab, fand aber wieder eine kleine Ansammlung von Menschen vor, die schon auf ihn warteten, einschließlich eines Polizeibeamten, der sagte, Herr Benno von Arent, der Reichsbühnenbildner und Führer der »Kameradschaft der Deutschen Künstler«, von dem Hitler sehr viel hielt, habe ihn hergeschickt [4].

Vorgänge dieser Art werden in den Abschnitten über Reisen und Residenzen weiter beleuchtet werden. Hier ist nun darzulegen, welche Maßnahmen bei *angekündigten* öffentlichen Auftritten ergriffen wurden und welchen Erfolg sie hatten.

Am 9. März 1936 verfügte Heß als Stellvertreter des Führers eine Erweiterung der zentralen Kompetenz für Sicherheitsmaßnahmen bei offiziellen öffentlichen Auftritten Hitlers [5]. Eine ältere Anordnung vom 23. September 1934 lautete: »Der Führer hat bestimmt, daß für Aufmärsche oder Kundgebungen, an denen er teilnimmt, der zuständige Gauleiter als der verantwortliche Hoheitsträger der Bewegung die Gesamtverantwortung trägt. Dies hat auch Geltung für Aufmärsche oder Kundgebungen, die über den Rahmen der Partei hinausreichen.« Diese grundsätzliche Verfügung wurde nun wiederholt und als verbindlich bezeichnet; es blieb dabei bis zum Attentat im »Bürgerbräukeller« im November 1939. Der folgende schwerwiegende Satz wurde jedoch der grundsätzlichen Anweisung schon 1936 hinzugefügt: »Für alle Absperr- und Sicherheitsmaßnahmen bei diesen Veranstaltungen ist jedoch der Reichsführer-SS bzw. ein von ihm jeweils bestimmter höherer SS-Führer allein verantwortlich.« Damit war die Kompetenz für Sicherheitsmaßnahmen dem Gauleiter entzogen und in die Hände des Reichsführers SS, des RSHA, praktisch in die Hände des Kommandeurs des RSD gelegt. Es war nicht immer einfach, den weiter in der Verordnung von Heß niedergelegten Auftrag zu erfüllen, auftretende Schwierigkeiten »in gegenseitiger verständnisvoller Aussprache« zwischen dem von Himmler beauftragten SS-Führer und dem Gauleiter aus dem Wege zu räumen, aber im allgemeinen wurde es doch so gehalten. Man besprach und vereinbarte die jeweils erforderlichen Maßnahmen und koordinierte das Vorgehen der Gauleitung, der Polizei und der SS. Entscheidend war, daß die Sicherheitsmaßnahmen für öffentliche offizielle Auftritte Hitlers nunmehr in die Hände der Zentralgewalt der SS gelegt waren, die seit dem 17. Juni 1936 – nach der Ernennung Himmlers zum Chef der Deutschen Polizei im Reichsministerium des Innern – zugleich die Zentralgewalt über die gesamten deutschen Polizeikräfte innehatte. Nur der »Bürgerbräukeller« bildete bis November 1939 hiervon eine Ausnahme, wie unten zu sehen sein wird.

Die Anweisungen für die in Frage kommenden SS-Formationen sind in einer ausführlichen *Absperr-Anleitung* enthalten [6]. Waren bei besonderen Anlässen, also etwa bei Parteitagen, Katastrophen, Grundsteinlegungen, Schiffstaufen, Einweihungen neuer Autostraßen usw. Absperrungen durch SS-Einheiten erwünscht oder erforderlich – und wie oben erwähnt, kamen bei größeren Absperrungen nur Formationen der Partei, also hauptsächlich SS, in Frage –, so hatte sich der regional zuständige SS-Oberabschnittsführer umgehend mit dem betreffenden Gauleiter in Verbindung zu setzen und zu klären, aus welchem Anlaß der Führer an der zu schützenden Veranstaltung teilnahm, wie lange er bleiben würde, ob je nach Umfang der Feierlichkeiten große, mittlere oder kleine Absperrmaßnahmen zu treffen waren. Hierauf war für die Vorbereitungen im einzelnen ein Sicherungsstab zu bilden und im Zusammenwirken mit Polizei und Parteigliederungen ein Absperrplan aufzustellen. Vorher mußte das ganze in Frage kommende Gelände besichtigt werden, und zwar einschließlich der

An- und Abfahrtwege sowie des Eisenbahn- und Flugplatzgeländes, auch
dann, wenn die Ankunft des Führers etwa im Auto geplant war, aber
– »wie dies sehr oft eintritt – im letzten Augenblick Änderungen erfährt
(Flugzeug statt Eisenbahn usw.)«. Deshalb mußten auch unvorhergesehene
An- oder Abfahrtwege bei Bedarf rasch mit bereitgestellten Reserven abgesperrt werden können. Bei der Besichtigung der in Frage kommenden
Geländeabschnitte waren besondere Gefahrenpunkte zu ermitteln, wie
Straßen- und Bahnüberführungen und -unterführungen, enge Gassen,
unübersichtliche Straßenstücke, Gebäudeecken, Parkanlagen, Gebüsche
und Waldstücke. Wenn nötig, mußten Gefahrenpunkte schon 24 Stunden vor der Veranstaltung unter Beobachtung gestellt werden. Hiernach
waren bei Zugrundelegung des gewünschten Abstandes von Mann zu
Mann der Absperrungsketten die benötigten Kräfte zu berechnen.

Schon im Planungsstadium mußte die Stimmung der Bevölkerung ein-
geschätzt und in Rechnung gestellt werden: »Alle Maßnahmen müssen
so getroffen werden, daß ihre Zweckmäßigkeit und Notwendigkeit für
das verständige Publikum erkennbar ist. Sie sind, soweit es sich um be-
geisterte Volksgenossen handelt, die den Führer sehen wollen, grundsätzlich hilfreich und ohne zwecklose Erschwerungen durchzuführen. Klein-
lichkeit schadet nur. Andererseits müssen sie ruhig, fest und unerschütter-
lich zur Anwendung kommen, wenn Duldsamkeit nicht mehr geübt
werden kann. Wird den Anordnungen Widerstand entgegengesetzt, so
ist ihnen ohne Zögern Geltung zu verschaffen, erforderlichenfalls unter
Anwendung der gebotenen Rücksichtslosigkeit und unter Mitwirkung
von Polizeikräften.« Ferner war auch, sofern nicht schon geschehen, die
»Überwachung verdächtiger Ausländer oder sonstiger unsicherer Elemente« rechtzeitig ins Auge zu fassen und bei den zuständigen Polizeidienststellen zu veranlassen.

Der Absperrplan war gewöhnlich geheim und mußte folgende Informationen enthalten: genaue Bezeichnung des Absperrgebiets (mit Skizzen), Zu- und Abgangswege, Platz des Sicherungsstabes und seiner Be-
fehlsstelle mit Namen des Leiters und seines Stellvertreters, Grenzen der
Absperrabschnitte mit den Namen der jeweils verantwortlichen Führer
(die Grenzen durften nicht an Straßenkreuzungen liegen), Stärke und
Bezeichnung der in den Abschnitten eingesetzten Kräfte, Polizeiwachen
für Ablieferung Festgenommener, Sammelplätze, Krankenplätze und Sani-
tätshilfsstellen, Parkplätze, Angaben über Zulassung bestimmter Personen
innerhalb der Absperrung (Presse, Photographen und ihre Ausweise);
weiter waren die für besondere Punkte eingesetzten Einheiten als solche
und mit ihrem jeweiligen Auftrag zu bezeichnen, z. B. Bahnhofsabsper-

rung, Flugplatzabsperrung, Lotsenwagen, Posten zur Bewachung von Gebäuden, Parkplätzen, Tribünen, Fernsprechleitungen, Rundfunkleitungen; es waren Vorbereitungen für Nachrichtenübermittlung zu treffen (Meldegänger oder -fahrer, eigene Telefonleitungen usw.) und in Sonderskizzen einzutragen; Zivilposten der SS und der Polizei waren einzuteilen auf Bäume, Denkmäler und Gebäudevorsprünge nahe hinter der Sperrkette, die »dauernd zu überwachen und von Zuschauern zu säubern« waren; besondere Posten mußten bestimmt werden zur Beobachtung von Hauseingängen, Fenstern und Dächern der gegenüberliegenden Straßenseiten und zur Besetzung von Toreingängen und Dächern. Es mußte entschieden werden, ob ein- oder zweigliedrige Ketten zum Absperren zweier Straßenseiten erforderlich waren. Reserven mußten bereitgehalten werden, damit man mit »einer aufsässigen Menge« fertigwerden und sie durch Keil-, Zangen- oder Trichterabsperrung abdrängen konnte. Im Absperrplan mußte auch die Aufstellung von getarnten Beobachtern vorgesehen werden: »Zur laufenden Unterrichtung über Vorgänge, die für den ungestörten Ablauf der Veranstaltung, der Absperrung und Verkehrsregelung von Einfluß sind, ist die Beobachtung des Publikums durch SS-Angehörige in Zivil (mit Pistole) zweckmäßig. Diese Beobachter und SS-Zivilpatrouillen (die die Angehörigen des Sicherheitsdienstes, der Gestapo und der Kriminalpolizei nicht ersetzen können und sollen) .. melden alle wichtigen Vorgänge demjenigen SS-Führer, der sie entsandt hat. Diese Meldungen sind unauffällig so zu erstatten, daß dem Außenstehenden die SS-Zugehörigkeit des Beobachters in Zivil nicht erkennbar wird.«

Gewöhnlich bestanden Absperrungen aus einem äußeren und einem inneren Ring. Der äußere umfaßte ein größeres Gebiet, in dem jeglicher Fahrzeugverkehr unterbunden oder sehr beschränkt werden mußte und in dem der Fußgängerverkehr ebenfalls Beschränkungen und der Beobachtung unterlag. Der innere Ring sperrte den eigentlichen Veranstaltungsort oder mehrere Veranstaltungspunkte ab, zum Beispiel Stadthalle oder Theater, Marktplatz und einen oder mehrere Straßenzüge. Das abzusperrende Gebiet mußte zonenweise von innen nach außen geräumt werden. In den Absperrbefehlen, die bis zum Unterführer herunter schriftlich gegeben werden mußten, war genau festzulegen, was zu räumen war: Straßen, Plätze, Brücken, Überführungen, Bürgersteige, Freitreppen usw. Zwar sollte das Absperrungsgebiet immer möglichst klein sein, damit die Absperrkräfte ausreichten; andererseits war es nötig, Ventile für andrängendes Publikum zu schaffen. Drängte Publikum in Menge in eine abgesperrte Straße hinein, so mußte eine zwei- oder dreigliedrige Absperrkette eventuell nachgeben und zurückweichen und das Publikum an einer hinter der Sperrkette liegenden Kreuzung in die Seitenstraßen abdrängen können, ohne daß dadurch die Veranstaltung gestört wurde. Also mußte das Absperrgebiet weit genug sein, um solche Ventile zu gestatten. Auf großen freien Plätzen, Flugplätzen, auf freiem Feld sollten die Sperrketten besonders dicht sein, weil Häuserketten als Anlehnung und Rückendekkung fehlten; Berittene, die im Stadtbild nicht in Erscheinung treten durften, mochten hier als Eingreifreserve nötig sein, ebenso wie schärfere Maßnahmen als in der Stadt anzuwenden wären, wenn das Publikum die Absperrung zu durchbrechen drohte. Vor allem mußte die Absperrung so früh beginnen, daß es nicht nötig wurde, etwa schon angesammeltes Publikum abzudrängen.

Ein Spalier konnte grundsätzlich die Absperrung nicht ersetzen. Vereine, Schulen, »sonstiges Publikum« durften wohl Spalier bilden, aber davor mußte dann noch eine SS-Kette stehen. Sogar wenn die Reichswehr Spalier bildete, waren »SS-Männer in geringer Zahl einzuteilen, die im Bedarfsfalle eingreifen«. Die Absperrungskette mußte immer so dicht sein, daß die SS-Männer sich bei Bedarf mindestens an den Händen fassen konnten, unter Umständen aber so dicht, daß sie sich rechts und links an den Koppelschlössern ihrer jeweiligen Nebenmänner festhalten konnten oder zumindest links, wenn eine Hand zum Gebrauch der Waffe freibleiben sollte. Standen die Zuschauer tiefgliedrig, so waren auch in ihrem Rücken SS-Männer einzusetzen. Die an der Straßenseite oder sonst am vorderen Rand des Publikums absperrenden SS-Männer standen mit wechselnder Front, abwechslungsweise je einer, zwei oder drei mit Front zur Straße, Rednerbühne usw. und einer mit Front zum Publikum. Je nach Wunsch der Veranstalter oder nach der vermutlichen Zahmheit oder Aufsässigkeit des Publikums war zu entscheiden, ob wenige dem Publikum zugewandte SS-Männer genügten oder ob es mehr als nur jeder vierte oder dritte sein mußten. Die dem Publikum zugewandten SS-Männer mußten dasselbe stets im Auge behalten, »um an gefährdeten Stellen rechtzeitig eingreifen und strafbare Handlungen (Taschendiebstähle, Gefährdungen der Sicherheit, Attentate) rechtzeitig verhindern zu können«. Dem diente auch die Anweisung, »Kinder und alte Personen« soweit angängig vorn aufzustellen. Die SS-Männer waren darauf aufmerksam zu machen, daß sie sich »keinesfalls durch die Ankunft des Führers oder durch sonstige Ereignisse von der Pflicht schärfster Aufmerksamkeit ablenken lassen«.

Bei Durchfahrten sollte etwa jeder siebente oder achte Mann in der Absperrungskette das gegenüberliegende Hausdach beobachten, auf dem außerdem alle 50 bis 100 Meter ein Posten stationiert wurde. In Haustüren, also hinter den Zuschauern, sollten je zwei SS-Leute stehen, unter den Zuschauern etwa alle 50 bis 100 Meter ein Zivilposten. Standen Zuschauer auf einem Bürgersteig, der an einem Park entlangführte, so mußte hinter ihnen eine Kette von SS-Männern mit etwa 3 bis 4 Metern Abstand am Park entlang gebildet werden und außerdem mindestens alle 100 Meter ein Querriegel in den Park hineinreichen von wenigstens 3 SS-Männern im Abstand von etwa 3 Metern zueinander. Reserven zur Verhinderung des Durchbruchs von Publikum waren innerhalb des inneren Absperrungsringes aufzustellen, so daß sie rasch an die Durchbruchstelle geworfen werden konnten. Reserven außerhalb des Absperrungsringes waren gegen Störungen von außen einzusetzen. Es war darauf zu achten, daß die Reserven jeweils in der Nähe voraussichtlicher Gefahrenstellen und vor allem mit genügend freiem Raum um sich herum aufgestellt wurden.

Normalerweise waren zur Absperrung nur Angehörige der SS-Verfügungstruppe, also vor allem der Leibstandarte SS »Adolf Hitler« einzusetzen. Wenn deren Kräfte nicht ausreichten, wie das oft vorkam, so war die SA verpflichtet, die SS zu unterstützen und die Weisungen des Absperrleiters der SS auszuführen; jedoch behielt der SA-Führer die Befehlsgewalt über seine Einheit, SS-Führer konnten nicht unmittelbar Befehle an SA-Einheiten geben. Häufig wurden auch andere Gliederungen der Partei eingesetzt, z. B. NSKK oder Reichsarbeitsdienst (RAD).

Natürlich durfte niemandem erlaubt werden, die Absperrung zu durchschreiten, außer Absperrführern, Organisationsleitern, Ärzten, Verletzten, Kranken. Alle anderen einschließlich der Pressevertreter und Photoreporter waren an die vorgesehenen Durchlässe zu verweisen, wo gegebenenfalls ihre Ausweise zu prüfen waren: »Unter keinen Umständen dürfen unbekannte Personen ohne gültigen Ausweis an irgendeiner Stelle durch die Sperre gelassen werden.« Wer trotzdem die Absperrung durchbrach, war zu ermahnen und hinter die Absperrung zurückzuführen, wenn er nicht verdächtig war: »Verdächtige sind festzunehmen, auf Waffen zu untersuchen und der nächsten Polizeiwache oder der Sammelstelle für Festgenommene zuzuführen.« Der SS-Mann hatte also direkte Polizeibefugnisse, ja, die örtliche Polizei war zum ausführenden Organ der SS geworden. Anderen Organisationen erging es nicht viel besser: »Der SS-Absperrmann ist Vorgesetzter aller Führer sämtlicher Organisationen. Dementsprechend muß er sich durchsetzen. In vielen Fällen werden ihm durch höhere Führer Schwierigkeiten entstehen (Durchschreiten der Absperrung), dann besonders bestimmt, aber ebenso höflich auftreten.« Waffen waren selbständig nur zu gebrauchen, wenn in Notwehr oder zur Verhinderung eines Verbrechens beim Ertappen des Täters auf frischer

Tat gehandelt wurde, sonst hatte Waffengebrauch nur auf Befehl zu geschehen. Die größte und angespannteste Aufmerksamkeit war erforderlich,
um dieser und den anderen Aufgaben des Absperrmannes nachzukom-
men. Deshalb war es streng verboten, im Absperrdienst zu essen, zu trinken, zu rauchen, zu lesen, sich mit dem Publikum zu unterhalten oder
irgendwen – und sei es der Führer selbst – zu grüßen: »Alle SS-Unterführer
und Männer erweisen keinerlei Ehrenbezeugung.« Nur SS-Führer vom
Untersturmführer aufwärts hatten zu grüßen, und auch sie nur, wenn sie
vor der Front standen.

Hotels, Festhallen, Zelte und andere Gebäude, in denen zu schützende
Personen bei der Veranstaltung sich aufhalten würden, mußten 24 Stunden vor Beginn besonders überwacht werden. In Hotels waren Zureisende
einer verschärften Kontrolle zu unterwerfen, Aufenthaltsräume, Versammlungsräume und Garagen »einer genauen Durchsicht auf Anzeichen etwa
beabsichtigter Verbrechen oder Sabotage-Akte zu unterziehen ... Das Bedienungspersonal der benutzten Hotels und Versammlungsräume ist unauffällig auf seine Zuverlässigkeit genauestens zu überprüfen.« Spätestens
eine Stunde vor Öffnung des Gebäudes mußte es durch eine Sperrkette
aus SS-Männern abgeriegelt, die angrenzenden Straßenteile mußten völlig
geräumt (Bannzone für jegliches Publikum: 50 Meter) und alle bis auf
wenige übersichtliche Zugänge geschlossen und von Doppelposten besetzt
werden. An den Durchgängen der Sperrkette waren ortsansässige, perso-
nenkundige SS-Mitglieder aus der Polizei zur Überwachung einzusetzen,
damit nicht irgendein Fremder sich etwa als der Stadtkämmerer ausgeben
und so durch die Sperre gelangen konnte. Der Durchgang für Besucher
vom Gebäudeeingang zum Versammlungsraum mußte durch dichtes Spalier (Schulter an Schulter) abgesperrt, der Haupteingang für die zu schützende Persönlichkeit und evtl. den Redner freigehalten werden. Notaus-
gänge, besonders von der Rednertribüne aus waren vorzubereiten, Licht-,
Lautsprecher- und Fernsprechanlagen mußten durch Fachleute und SS-
Nachrichten-Einheiten besonders gesichert werden. Vor Beginn der Veranstaltung war »das ganze Gebäude durch findige SS-Angehörige (Polizeibeamte) unter Beihilfe des Hausverwalters vom Dach bis zum Keller abzu-
suchen«, Keller und Dachgeschosse ebenso wie alle Ein- und Ausgänge
des Gebäudes mit Doppelposten zu besetzen. »Im Gebäude selbst, besonders aber im Versammlungsraum, sind Beobachtungsposten in Zivil zu
verteilen. Die Ränge sind besonders zu beobachten. Jede verdächtige Person, besonders solche mit Paketen, ist sofort anzuhalten und dem Führer
der Absperrung vorzuführen.«

Wenn bei Veranstaltungen Tribünen oder andere Standorte im Freien benutzt wurden, so mußten diese samt ihrer Umgebung »schon tagelang vorher durch Posten in Zivil (Polizeibeamte)« beobachtet werden, was bei den zuständigen Polizeidienststellen zu veranlassen war. Spätestens am Morgen der Veranstaltung war eine nochmalige gründliche Durchsuchung der Tribüne oder sonstigen Lokalität vorzunehmen und von da ab durfte die Bewachung nicht mehr unterbrochen werden. Alle Standorte im Freien mußten mit Doppelketten (zweigliedrigen Ketten) gesichert werden, die unter sich zwei Meter Abstand zu halten hatten. Jeder zweite Mann in der dem Publikum zunächst stehenden Kette hatte mit Front zum Publikum zu stehen. Der Abstand zwischen Redner bzw. zu schützender Persönlichkeit und Publikum mußte »tunlichst groß sein (mindestens 30 Meter, Einschränkung der Wurf- und Treffsicherweite)«. Beobachtungsposten »zum Teil in Zivil, eventuell mit Fernglas« waren auf erhöhten Standpunkten und im Publikum einzusetzen. »Jede sich verdächtig machende Person sofort herausgreifen und der Polizei übergeben.« Reserven waren hinter der Tribüne bereitzuhalten.

Von der Ankunft des Führers auf dem Flugplatz, Bahnhof oder am Stadtrand ab hatte der Leiter des Reichssicherheitsdienstkommandos bzw. des Führer-Begleit-Kommandos den Befehl über alle weiteren polizeilichen Maßnahmen, es war ihm über das bisher Veranlaßte Meldung zu erstatten, und seinen Anordnungen war in der Umgebung des Führers von allen am Absperrdienst Beteiligten Folge zu leisten. Die Fahrzeiten waren bei Autofahrten »möglichst lange geheim zu halten«, ebenso die Fahrstrecken, sofern sie nicht offiziell abgesperrt waren, und für jede Fahrstrecke waren immer Reservewege vorzusehen, so daß die Strecke jederzeit geändert werden konnte. Gewöhnlich 3 Minuten vor der Durchfahrt des Führers fuhr ein SS- oder Polizeiwagen von 2 Motorrädern begleitet die Strecke mit einer gelben Flagge ab, als Signal für höchste Alarmbereitschaft, strengste Absperrung und vollständiges Fernhalten oder Ablenken der übrigen Verkehrsmittel. Zweckmäßig war es oft, dem Führerwagen einen Lotsenwagen vorausfahren zu lassen, aber in vielen Städten war es nicht erforderlich, weil Kempka die Straßen schon kannte. Der Lotsenwagen hatte mit 50 Meter Abstand vorauszufahren. Dem Führerwagen folgten in möglichst geringem Abstand die zwei Wagen mit dem SS-Begleitkommando und dem RSD – in dieser Reihenfolge, wenn sie nicht nebeneinander fahren konnten –, die zusammen das Führer-Begleit-Kommando bildeten, danach ein Wagen mit SS-Führern, hinter diesem im Abstand von 100 oder noch besser mehr Metern die Wagen mit den übrigen Gästen. Unter Umständen, wenn die Prozession zu lang geworden wäre, mußten die Gästewagen auf Nebenstraßen umgeleitet werden. Beim

Anhalten und Ein- oder Aussteigen des Führers vor dem Hotel, Rathaus oder sonstigen Gebäuden war wieder ein besonderes Zeremoniell vorgeschrieben, das die Sicherheit erhöhen sollte: Der Führerwagen hielt unmittelbar vor dem Eingang, die beiden Führer-Begleit-Kommando-Wagen unmittelbar vor und hinter dem Führerwagen, der Wagen für SS-Führer in gleicher Höhe wie der Führerwagen auf der anderen Straßenseite. Bei der Abfahrt wurde die vorige Reihenfolge wiederhergestellt. Wenn ein Stück Weges zu Fuß zurückgelegt werden sollte, etwa vom Hotel zum Marktplatz, so ging der Führer, dicht von seiner Begleitung gefolgt, in einem aus SS-Männern gebildeten Karree; die vordere Linie hatte in 50 Meter Abstand vor Hitler zu gehen, die seitlichen Reihen im Gänsemarsch so weit am Rand der Straße, wie es deren Breite erlaubte, und die hintere Reihe als Doppelreihe mit 20 Meter Abstand hinter der letzten Reihe der Begleitung. Diese Art der Begleitung war nicht anzuwenden, wenn die zu schützende Persönlichkeit ein schon abgesperrtes Gebiet (Straße) zu durchschreiten hatte, sondern nur, wo ihm der Weg durch die Volksmenge unmittelbar gebahnt oder freigehalten werden mußte. Linge berichtet, Hitler habe sich meist selbst den Weg durch die Menge gebahnt, aber das trifft wohl nur auf Gelegenheiten zu, bei denen Hitler sich völlig überraschend ins Publikum begab.

Im Falle eines »besonderen Vorkommnisses«, so hieß es schließlich in den Anweisungen, durfte man vor allem nicht rat- und entschlußlos sein; warnendes Beispiel sei die Ermordung König Alexanders von Jugoslawien und des französischen Außenministers Louis Barthou am 9. Oktober 1934. Aus der bei dieser Gelegenheit entstandenen Panik und Verwirrung seien folgende Schlüsse zu ziehen: »Beim ersten Anzeichen eines Attentats ergreifen die der Attentatstelle zunächst stehenden SS-Führer oder Unterführer unverzüglich das Kommando, lassen etwa 25 Meter hinter und 25 Meter vor dem Wagen die an dem Bürgersteig stehenden beiderseitigen Sperrketten rechts und links derart einschwenken, daß die Straße durch verstärkte Sperrketten von Haus zu Haus abgeriegelt ist. Keine Person, außer Polizei, Gerichtsbehörden, Arzt, wird herein oder heraus gelassen. Nur dem Wagen selbst, der so schnell als möglich den Gefahrsbereich zu verlassen hat, sowie seinen Begleitwagen ist die Durchfahrt freizugeben.« Gleichzeitig mußten die nächstliegenden Seitenstraßen zur Einfahrt des Wagens des Führers oder der sonst zu schützenden Persönlichkeit freigemacht werden, »da in der Feststraße mit weiteren Attentaten zu rechnen ist (Ermordung des österreichischen Thronfolgers in Serajevo)«. Anscheinend wurde nur mit einem Attentat zu ebener Erde gerechnet, nicht mit Schüssen oder Bomben aus Fenstern, von Balkonen und Dä-

TAFEL 2a

Die Absperrung und Sicherung des Wagens des Führers *

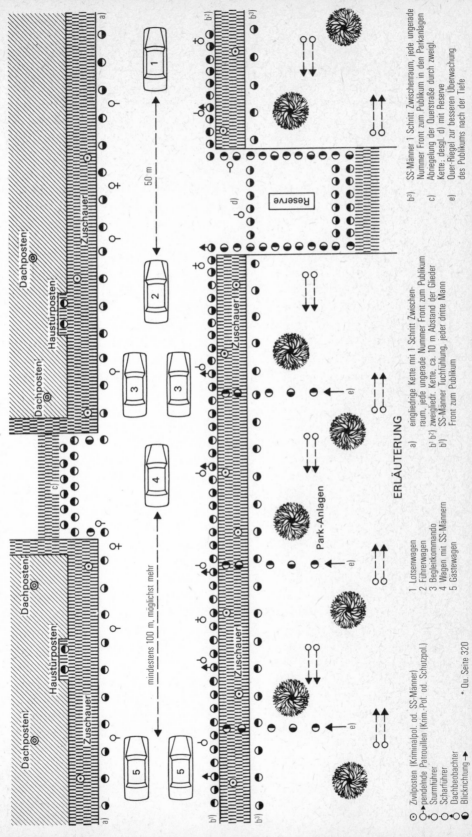

50 m

mindestens 100 m, möglichst mehr

Dachposten/
Haustürposten
Zuschauer!

Reserve

Park-Anlagen

ERLÄUTERUNG

1 Lotsenwagen
2 Führerwagen
3 Begleitkommando
4 Wagen mit SS-Männern
5 Gästewagen

⊙ Zivilposten (Kriminalpol. od. SS-Männer)
+ pendelnde Patrouillen (Krim.-Pol. od. Schutzpol.)
⊙ Sturmführer
○ Scharführer
◉ Dachbeobachter
→ Blickrichtung

a) eingliedrige Kette mit 1 Schritt Zwischenraum, jede ungerade Nummer Front zum Publikum

b¹ b²) zweigliedr. Kette, ca. 10 m Abstand der Glieder

b¹) SS-Männer Tuchfühlung, jeder dritte Mann
Front zum Publikum

b³) SS-Männer 1 Schritt Zwischenraum, jede ungerade
Nummer Front zum Publikum in den Parkanlagen

c) Abriegelung der Querstraße durch zweigl.
Kette; desgl. d) mit Reserve

e) Quer-Riegel zur besseren Überwachung
des Publikums nach der Tiefe

* Qu. Seite 320

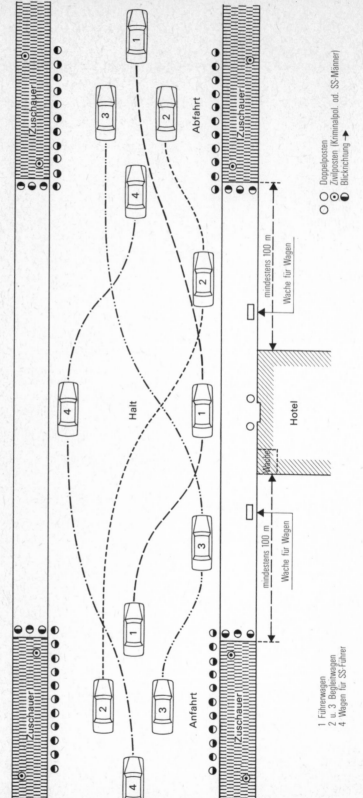

Sicherung des Führers während der Wagenfahrt (Anfahrt–Halt–Abfahrt)*

TAFEL 2b

Zuschauer

Zuschauer

Abfahrt

Halt

Anfahrt

Hotel

Wache

mindestens 100 m

Wache für Wagen

mindestens 100 m

Wache für Wagen

○ ○ Doppelposten
○ Zivilposten (Kriminalpol. od. SS-Männer)
◐ Blickrichtung →

1 Führerwagen
2 u. 3 Begleitwagen
4 Wagen für SS-Führer

* Qu. Seite 320

Sicherung einer Tribüne oder eines Standortes im Freien* TAFEL 2c

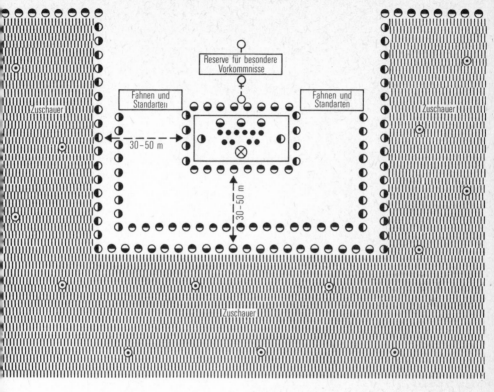

Reserve für besondere Vorkommnisse

Fahnen und Standarten

Fahnen und Standarten

Zuschauer

Zuschauer

Zuschauer

30-50 m

30-50 m

Symbol	Bedeutung	Symbol	Bedeutung
⊗	Führer	♂	Führer der SS-Einheit
●	Begleiter des Führers	○	Stellvertr. des Führers der SS-Einheit
⊙	Zivilposten	◑	Absperrkette (Blickrichtung→)

*Qu. Seite 320

Sicherung des Führers auf dem Wege zu Fuß[*]   TAFEL 2

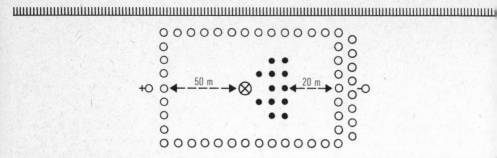

⊗ Führer   ● Begleiter des Führers   ⚲ Führer der SS-Einheit   ○ SS-Männer   ⚲ Stellvertr. des Führers der SS-Einh.

* Qu. Seite 320

chern oder gar einer unterirdisch vorbereiteten Explosion wie bei der Ermordung des spanischen Ministerpräsidenten Blanco im Dezember 1973 in Madrid. Zugleich mit der Sicherung bzw. dem Abtransport des Attentatopfers waren Maßnahmen zur Aufklärung zu ergreifen, deren Versäumnis schwerwiegende Folgen haben konnte. »Wenn das Publikum den Täter oder Verdächtige ergreift und lynchen will, hat die SS sie der Menge zu entreißen, ihnen die Waffen abzunehmen (Selbstmord) und sie sofort im nächsten Haus bis zum Eintreffen von Polizei in Sicherheit zu bringen. Die Vernehmung der Schuldigen ist von großer Wichtigkeit für die Aufdeckung umfangreicher Verschwörungen. Sie darf nicht durch den Tod der Beteiligten verhindert werden.« Auch das war eine Lehre des Marseiller Attentats.

Die oben wiedergegebenen Anweisungen bildeten in den nächsten Jahren, wenigstens in großen Zügen, immer die Grundlage für die Sicherheitsvorkehrungen bei Hitlers offiziellen öffentlichen Auftritten, mit Ausnahme der Veranstaltungen des 8. und 9. November, wobei der »Bürgerbräukeller« von den sonst vorgesehenen Sicherheitsmaßnahmen ausgespart blieb. Aber sie waren auch schon zur Zeit der Olympischen Winterspiele von 1936 in Garmisch-Partenkirchen wenigstens teilweise angewandt worden. Allgemeine Sicherungsmaßnahmen gingen mit der Zerschlagung der Untergrundorganisationen der Sozialisten und Kommunisten durch die Gestapo besonders in den Jahren 1935 und 1936 einher. Die Verhaftung von nicht weniger als 2197 linken Gruppen angehörenden Personen in 14 Monaten der Jahre 1935 und 1936 allein in Berlin gibt einen Begriff von dem Umfang der Maßnahmen, die natürlich auch die Attentatgefahr wenigstens statistisch verringerten. In ganz Deutschland wurden 1936 11 687 Personen wegen sozialistischer Tätigkeit verhaftet. Viele Tausende wurden schon jahrelang in den Konzentrationslagern festgehalten [7].

Bei den Olympischen Spielen trat die Leibstandarte SS »Adolf Hitler« als Wach- und Absperrtruppe immer dann in Erscheinung, wenn Hitler als Staatsoberhaupt (Eröffnung) oder als Zuschauer teilnahm. Rattenhuber und Sepp Dietrich teilten sich in die Leitung der nötigen Anordnungen [8]. Die Bayerische Politische Polizei, Außenstelle Garmisch-Partenkirchen unter Leitung von Polizeihauptmann Staudinger führte Rattenhubers Anweisungen aus: Überwachung der Hotels und anderer Gebäude während Hitlers An- und Abfahrt, Durchsuchung des Hauptgebäudes am Ski-Stadion und anschließende ununterbrochene Bewachung, Beobachtung der Zuschauer und sonstigen Besucher während Hitlers Anwesenheit. Sepp Dietrich und 205 Angehörige der Leibstandarte, davon 5 SS-Führer, sorgten für die nötigen Absperrungen. Die SS-Leute waren im örtlichen Schulhaus untergebracht und angewiesen, in ihrer freien Zeit nur bestimmte Lokale zu besuchen, aber nicht die »Traube«, weil ihr Eigentümer im Ruf stand, »Nicht-Nationalsozialist« zu sein. Hitler kam zur Eröffnung am 6. Februar um 10.22 Uhr mit seinem Sonderzug an der Station Kainzenbad an, schritt eine Ehrenkompanie der Reichswehr ab und ging dann zu Fuß durch das Absperrspalier der SS. Während er sich auf der Tribüne aufhielt, patrouillierten Geheimpolizei-Beamte auf Skiern überall im Gelände, wo man Sicht auf Hitlers Platz hatte. Der RSD bewachte den Sonderzug, an der Station wachten Bahnpolizisten in Zivil. Um 12.20 Uhr fuhr Hitler wieder ab nach München. Ähnliche Sicherheitsmaßnahmen galten, als Hitler vom 1. bis 16. August in Berlin die Spiele fast täglich besuchte. Er benutzte immer denselben Anfahrtweg, und seine Adjutanten wiesen darauf hin, wie leicht da für einen Attentäter ein Anschlag auf sein Leben sein müßte. Hitler lehnte aber eine Änderung ab, und der RSD mußte versuchen, alle Hauseigentümer an der Strecke dafür haftbar zu machen, daß sie vertrauensunwürdige Fremde aus den Häusern fernhielten. Natürlich waren entlang der Strecke reichlich Polizeibeamte stationiert.

Sogar bei Besuchen der Reichswehr brachte Hitler seine Prätorianergarde mit. Als er im September 1936 den Manövern des Gruppenkommandos 2 in der Gegend von Schlüchtern beiwohnte, brachte er Sepp Dietrich und 300 Leibstandarte-Männer mit, immerhin ein Affront gegenüber der Reichswehr. 250 SS-Leute waren sichtbar eingesetzt. Die SS war allein verantwortlich für die Sicherheit des Quartiers Hitlers und seiner Umgebung – auf dem Manövergebiet der Reichswehr[9]. Bei einer ähnlichen Gelegenheit, am 19. und 20. August 1938 im Wehrkreis II (Stettin), brachte Hitler zwar sein Führer-Begleit-Kommando in zwei Autos mit, das überall hinter ihm herfuhr, aber wenigstens nicht die schwarze Parteiarmee Sepp Dietrichs[10]. Die Absperrungen waren hier ganz der Wehrmacht überlassen (man sagte jetzt nicht mehr Reichswehr), und Zivilangestellte des Wehrkreiskommandos, Mitglieder der Deutschen Arbeitsfront (also Arbeiter und Angestellte), Kinder aus den naheliegenden Schulen und andere Einwohner bildeten das Spalier. Zum festlichen Essen mit den Offizieren des Wehrkreises kamen mit Hitler die verfeindeten Gebrüder Bormann, Gauleiter Schwede-Coburg, Leibarzt Dr. Brandt und Bormanns SS-Adjutant SS-Obersturmführer Darges; das Führer-Begleit-Kommando aß draußen im Wirtschaftsgebäude der Kommandantur. Auf seinem Rückweg zum Sonderzug fuhr Hitler durch »lichtes Fackelspalier« und nur dünne Absperrungsketten.

Eine der immer wiederkehrenden Gelegenheiten zu öffentlichen Auftritten war der »Tag der nationalen Erhebung«, der 30. Januar, auch »Tag der Machtergreifung« genannt. Zu den üblichen Festlichkeiten gehörte am 30. Januar 1937 die Besichtigung der Leibstandarte um 10 Uhr am Wilhelmsplatz, eine Reichstagssitzung mit Hitlerrede in der Krolloper (das Reichstagsgebäude war am 27. Februar 1933 durch den bekannten Brand zerstört worden) um 13 Uhr, eine der seltenen Kabinettssitzungen in der Reichskanzlei um 17 Uhr und ein Fackelzug von NSDAP-Mitgliedern aus Groß-Berlin um 20 Uhr, wobei 84 ausländische Diplomaten Hitler in der Reichskanzlei beim Zuschauen Gesellschaft leisteten [11].

Für die Absperrungen am Morgen waren allein 2000 SS-Männer eingesetzt, und 45 Beamte der Geheimen Staatspolizei beobachteten alle wichtigen Punkte auf dem Wilhelmsplatz und in der Wilhelmstraße; RSD-Patrouillen beobachteten ständig die Außenfront der Reichskanzlei, andere überprüften die Gästeliste des Hotels »Kaiserhof« am Nachmittag des 29. Januar und um 8 Uhr früh am 30. Januar. Während der Reichstagssitzung sperrten 4000 SS-Leute unter dem Befehl von Sepp Dietrich die Umgebung der Krolloper ab; nur die Hälfte konnte von der Leibstandarte gestellt werden, die anderen 2000 kamen aus Einheiten des SS-Oberabschnitts Ost. Besonders an der Zufahrt und am Eingang zur Krolloper waren Sicherheitsvorkehrungen nötig, wie Hitler sich im Mai 1942 beim Mittagessen erinnerte: »einer der gefährlichsten Brennpunkte Berlins [sei] die lediglich 5 Meter breite Anfahrt vor der Krolloper«. Die Krolloper selbst wurde am 29. Januar um 17 Uhr durchsucht und darauf die ganze Nacht über bewacht, am 30. Januar um 9 Uhr wurde sie nochmals durchsucht und ein drittes Mal um 11 Uhr. Von da an wurden alle wichtigen Punkte – Eingänge, Flure, Rednertribüne, Vorhänge hinter der Bühne, Bühne, Hängeboden, Auditorium usw. – ständig bis nach dem Ende der Veranstaltung bewacht. Ehe Hitler selbst kam, kontrollierte Högl mit 8 RSD-Beamten noch einmal den ganzen Weg, den Hitler vom Eingang bis zum Rednerpult zu gehen hatte, und Rattenhuber selbst kam mit Hitler und führte den Befehl über die Sicherheitskräfte während der Reichstagssitzung. Jedoch standen diesmal nicht, wie am 13. Juli 1934 – wenige Tage nach dem »Röhm-Putsch« – 4 schwarzuniformierte SS-Wachen im Stahlhelm hinter Hitler, während er seine Ansprache hielt.

Bei der An- und Abfahrt, beim Hereinschreiten in den Saal und beim Verlassen des Auditoriums, war nur den besonders autorisierten Photographen, in der Hauptsache den Angestellten des Reichsbildberichterstatters Professor Heinrich Hoffmann, das Photographieren erlaubt, und auch den offiziellen Photographen war die Benützung von Blitzlicht verboten. Photographieren von jenseits der Absperrkette war verboten. Es war auch

allerstrengstens verboten, dem Führer Blumen, Briefe, Päckchen oder dergleichen zu übergeben oder Gegenstände irgendwelcher Art einschließlich
Blumen zu werfen.

Gleichwohl waren die Zuschauermassen bei Hitlers öffentlichen Auftritten, wie bei den »Wahlkämpfen« im März und April 1938, nie ganz
unter Kontrolle. Immer wieder gelang es insbesondere Kindern oder
Frauen, aber gelegentlich auch Männern bis zu Hitlers Wagen hinzulau-
fen und Blumen oder einen Brief zu überreichen oder sich ein Autogramm
geben zu lassen. Auch Photographieren war für das allgemeine Publikum
verboten, und doch geschah es immer wieder, allerdings noch viel mehr
im Krieg durch Soldaten, wenn Hitler militärische Einrichtungen und
Frontkommandostellen besuchte.

Das Blumenwerfen war wie das Werfen jeglicher Gegenstände außerordentlich gefährlich; bei allgemeinem Blumenwerfen konnte ein Attentäter leicht unerkannt einen Explosivkörper werfen. Andererseits mußte es
so unterbunden werden, daß die Begeisterung des Publikums nicht sichtbar gedämpft wurde; denn eine stumm und finster dreinblickende, reglos
dastehende Menge war nicht nur ein unangenehmer Anblick, sondern das
Regime hatte auch Grund, dem Volk seine Begeisterung nicht auszutrei-
ben, war es doch für die Kriegspolitik noch lange nicht begeistert genug
(wie Hitler am 10. November 1938 in einer Geheimrede vor Journalisten
erklärte). Obwohl Himmler immer wieder Befehle herausgab (so im September 1936), um das Werfen von Blumen in die Autos führender Persönlichkeiten von Partei und Staat zu unterbinden, hörte es bis zur Mitte des
Krieges nie ganz auf. Das Überreichen von Blumensträußen durch Kinder
und junge Mädchen wurde oft sogar geduldet oder gar eingeplant. Aber
die Sträuße wurden dem Führer womöglich sofort von einem Leibwächter,
Diener oder Adjutanten aus der Hand genommen und weitergereicht, oft
ehe Hitler sie überhaupt berührt hatte. Der SS-Adjutant Max Wünsche
hat sich, wie Linge berichtet, dabei einmal eine Handvergiftung zugezogen, die Hitler zugedacht war [12]. Als Hitler im »Wahlkampf« am 1. April
1938 Stuttgart besuchte und in seinem Wagen (mit den üblichen Begleitwagen) die Königstraße hinunterfuhr, wurde er mit seinem Auto von der
Menge geradezu eingekeilt. Blumenwerfen war verboten, geschah aber
trotzdem. Ein Kind lief zu Hitlers Auto hin mit Blumen in der Hand, wurde zuerst von einem Sicherheitsbeamten zurückgehalten, dann aber zu
Hitlers Wagen hingetragen und zum Übergeben der Blumen hochgeho-
ben [13]. Es war natürlich nicht wahrscheinlich, daß ein Attentäter ein Kind
für seinen Zweck mißbrauchen würde, aber ausgeschlossen war es nicht.
Übrigens wollte Hitler das Publikum nicht unnötig scharf angegriffen

sehen, auch wenn Sicherheitsbestimmungen verletzt wurden. Gewalt-
anwendung in der Nähe des Führers sah schlecht aus, und wenn er in
einer Menge eingekeilt war und ohnehin nicht vor und zurück konnte,
war es besser, freundlichen Kontakt mit der Menge aufrechtzuerhalten,
bis die Situation entwirrt war.

Ein Jahr später wurde der 50. Geburtstag Hitlers in Berlin ganz groß
gefeiert[14]. Schon am Tag vorher, dem 19. April, begannen die Gratula-
tionen der NSDAP-Führung mit Heß an der Spitze, gefolgt von den noch
lebenden Angehörigen des »Stoßtrupps Hitler« und anderen Teilnehmern
des Marsches zur Feldherrnhalle am 9. November 1923 (Blutordensträger).
Um 21 Uhr fuhr Hitler mit 50 Wagen geladener Gäste die Ost-West-Achse
zu ihrer offiziellen Einweihung entlang bis zum Adolf-Hitler-Platz (wo
die 1937 vom Königsplatz hierher versetzte Siegessäule stand) und wieder
zurück. Zu beiden Seiten der Ost-West-Achse war reichlich Bevölkerung
aufgestellt, nachdem sie in geschlossenen Marschgruppen unter SA- oder
SS-Eskorten herangeführt worden war. Insgesamt 513 000 Personen hatten sich schon um 18 Uhr an den festgelegten Sammelpunkten einfinden
und bis 20.30 Uhr ihre Plätze einnehmen müssen, 80 000 hier, 30 000 da
usw., vor 21.30 Uhr durften sie sie nicht verlassen. Die ganze Strecke, an
deren Ende Professor Albert Speer an der Siegessäule Hitler die Vollendung
der Monumentalstraße meldete, war von SS-, SA- und NSKK-Einheiten
seit 19 Uhr völlig abgesperrt. Nach Hitlers Rückkehr zur Neuen Reichskanzlei marschierten 5900 Mitglieder der Organisationen der NSDAP in
einem Fackelzug an ihm vorbei, während er vom Balkon der Reichskanzlei
aus zusammen mit Bormann, Goebbels, den Befehlshabern der Wehrmachtteile und der SS und mit seinen Leibwächtern zusah. Mit dem
Großen Zapfenstreich am Wilhelmsplatz und einer Chordarbietung der
Leibstandarte SS »Adolf Hitler« im Ehrenhof der Reichskanzlei um 23 Uhr
endete die Reihe der Feierlichkeiten dieses Tages.

Der Geburtstag selbst begann mit weiteren musikalischen Bemühungen
der Leibstandarte. Schon um 8 Uhr früh brachte der Musikzug dem Führer
im Garten der Alten Reichskanzlei ein Ständchen. Darauf folgte eine
Parade der Leibstandarte und anderer SS-Einheiten in der Wilhelmstraße,
sodann die Glückwünsche des Päpstlichen Nuntius, des Reichsprotektors
für Böhmen und Mähren, Reichsminister Freiherrn von Neurath, des
früheren Präsidenten der Tschechoslowakei Hácha und des slowakischen
Ministerpräsidenten Tiso. Danach gratulierten die Reichsregierung und
die Vertreter der Wehrmachtteile, geführt von Feldmarschall Göring,
dann der Stadtpräsident von Berlin; der Gauleiter von Danzig (Forster)
gratulierte und überreichte Hitler die Ehrenbürgerurkunde seiner Stadt.

Um 11 Uhr nahm Hitler an der Ost-West-Achse eine große Parade ab, am Nachmittag empfing er die Diplomaten.

Die Gelegenheiten zu Attentaten waren bei so einem Ereignis ungezählt. Hitler beschrieb einmal in Gegenwart seines Adjutanten Hauptmann Wiedemann eine Attentatmethode, die der am 20. Juli 1944 in der »Wolfschanze« und noch mehr der im Dezember 1973 in Madrid angewandten ähnlich war: »Stellen Sie sich vor, während wir hier versammelt sind, fährt draußen durch die Wilhelmstraße ein Lastwagen. Gerade vor der Reichskanzlei hat der Fahrer einen Reifenschaden oder sonst eine Panne. Er geht weg, um Hilfe zu holen, und während er weg ist, fliegt der Wagen, der mit Dynamit beladen ist, in die Luft und begräbt uns alle unter den Trümmern der Reichskanzlei.«[15] Am Geburtstag Hitlers im Jahre 1939 hätten zum Beispiel die Fahrer der zur Gratulation in den Hof der Reichskanzlei einfahrenden Oberkommandierenden der Wehrmachtteile einen solchen Anschlag ausführen können. Hitler bekam auch ein Boot geschenkt, das auf einem großen Tieflader in den Hof hereingefahren wurde, ohne daß es an der Einfahrt näher überprüft worden wäre. Bei der Fahrt zur Parade gab es ebenfalls Gelegenheiten für Anschläge, wie Hitler selbst wußte, zumal er im offenen Wagen fuhr. In dem schon mehrfach erwähnten Tischgespräch im Mai 1942 sagte er hierzu: Anläßlich des 1. Mai, des 9. November oder seiner Geburtstagsparade in Berlin müsse man die durch Menschenanhäufungen entstehenden Schwierigkeiten für die persönliche Sicherheit »in Kauf nehmen, da es bei diesen Menschenanhäufungen nicht zu vermeiden sei, daß Idealisten mit Zielfernrohren oder dergleichen ihn aus irgendwelchen Ecken anvisierten und auf ihn schössen. Es sei deshalb erforderlich, daß solche Ecken genau beobachtet würden; vor allem müsse man bei Dunkelheit dafür sorgen, daß sie durch die aufgestellten Polizeischeinwerfer richtig angestrahlt würden und das Scheinwerferlicht nicht, wie es ihm einmal in Hamburg passiert sei, ausschließlich auf seinem Wagen liege.«[16]

Die Möglichkeiten zu umfassenden Maßnahmen waren begrenzt oder wurden nicht ausgeschöpft. Menschen neigen zur Nachlässigkeit, wenn das Auge des Vorgesetzten nicht auf ihnen ruht oder wenn der Vorgesetzte selbst nicht über jede Kritik erhaben ist. Die eigentlich nötige Besetzung aller Wohnungen, die an einer von Hitler nach Ankündigung passierten Strecke lagen, wollte Hitler nicht, sie schien ihm zu einschneidend, unnötig und peinlich. Auch scheute man vor der Durchsuchung und Besetzung der Wohnungen von ausländischen diplomatischen Vertretern zurück, selbst wenn sie an der zu sichernden Strecke lagen.

Hitler nahm die Geburtstagsparade von einer Tribüne gegenüber der Technischen Hochschule an der Berliner Straße ab, zwischen Knie und Charlottenburger Brücke. Die Leibstandarte besetzte den Absperr- und Sicherungsabschnitt VII, d. h. »Berlinerstr. von Charlottenburger Brücke einschl. bis Knie ausschl. Gesamtstrecke beiderseits ca. 1200 Mtr.«. Flankiert von Ribbentrop, Göring, Brauchitsch, Keitel, Raeder, deren Adjutanten, seinem schwarzuniformierten Führer-Begleit-Kommando und seinen eigenen Adjutanten stand Hitler auf einer kleinen »Führer-Tribüne« vorn an der Straße, gegenüber einer großen Zuschauertribüne für geladene Gäste, ausländische Diplomaten und Reichsregierung. Die Absperrung in der Nähe der »Führer-Tribüne« oblag der SS, die Polizei hatte bei der Beobachtung und Disziplinierung des Publikums mitzuhelfen, die schon beschriebenen Absperranweisungen waren natürlich in Kraft und eher noch verschärft. Aber das Bild, das sich den zahlreichen und an allen geeigneten Punkten aufgestellten Photographen bot und das man noch heute ihren Aufnahmen entnehmen kann, war kein ordentliches, obwohl die Polizei ausdrücklich angewiesen war, besonders auf der Südseite der Straße dafür zu sorgen, da der Führer das alles von seinem Platz aus sehen würde. Doch da sah man selbstgebastelte und in Bäume eingebaute »Tribünen«, zahlreiche Zuschauer (darunter allerdings viele Polizisten) auf Fensterbänken der ersten und zweiten Stockwerke der Häuser westlich der Technischen Hochschule und einen wahren Dschungel von langen und kurzen, gegen Hauswände und Bäume gelehnten Leitern, auf denen ebenfalls oft gefährlich viele Zuschauer standen [17]. Hitler hatte offenbar mit seinen Befürchtungen recht, auch wenn viele der »Zuschauer« uniformierte und in Zivil gekleidete Polizisten waren. Aber er hat nie erfahren, wie nahe er tatsächlich bei seiner Geburtstagsparade einem Anschlag auf sein Leben gekommen ist.

Der britische Militärattaché in Berlin, Oberst Mason-MacFarlane, wohnte im Haus Sophienstraße 1, von wo man direkt auf die »Führer-Tribüne« gegenüber der Technischen Hochschule sehen konnte. Er war schon lange der Meinung, daß Hitlers Politik zum Kriege führen müsse, weil der deutsche Diktator nicht aufhören werde, ein Land nach dem anderen zu erpressen und zu überfallen, bis die Großmächte dem ein Ende setzten [18]. Nach der Besetzung Prags im März 1939 hatte sich sogar der britische Botschafter, Sir Nevile Henderson, der lange mit der deutschen Regierung sympathisiert hatte, zu der Auffassung durchgerungen, daß Hitler nicht zu trauen sei und daß die Appeasementpolitik ihren Zweck nicht erreiche. Aber der Attaché war dem Botschafter in seiner Lagebeurteilung immer ein paar Schritte voraus, wie am 29. März 1939 der

Geschäftsträger der Botschaft, Sir George Ogilvie-Forbes an Mr. Strang in Whitehall schrieb: »Der Militärattaché hier ist in sehr kriegerischer Stimmung und wünscht, daß wir innerhalb von drei Wochen Deutschland den Krieg erklären! Man hat ihm privat nahegelegt, seine Auffassungen erst einmal schriftlich niederzulegen.« Mason-MacFarlane tat es und schlug vor, sofort einen Zweifrontenkrieg gegen Deutschland zu beginnen, solange noch gute Aussichten auf Sieg bestünden. Da man im Foreign Office nicht darauf eingehen wollte, machte der Attaché mündlich einen anderen Vorschlag, wie er 1951 berichtete: »Ich hatte in London .. dringend geraten, Hitler zu ermorden. Meine Berliner Wohnung war weniger als 100 Meter von der Führer-Tribüne für Paraden entfernt. Man brauchte nur einen guten Schützen und ein H.V.-Gewehr mit Teleskop und Schalldämpfer. Von einem Punkt etwa 10 Meter hinter dem offenen Fenster meines Badezimmers hätte man schießen können.« Die Musik und der übrige Lärm hätten den schwachen Knall völlig übertönt, so daß man niemals hätte feststellen können, woher der Schuß gekommen war. In London aber fand man den Vorschlag des Militärattachés nicht annehmbar.

Ähnliche Gelegenheiten wie die von Mason-MacFarlane beschriebene gab es fast überall, wenn auch freilich nicht immer willige Attentäter die Gelegenheit hatten. Die an Hitler bei der Parade vorbeifahrenden Soldaten auf ihren Lafetten, Mannschaftswagen und Panzern hätten ihn erschießen können ebenso wie irgendein Bewohner oder Besucher eines der Häuser in Nürnberg, an denen Hitlers Wagenkolonne bei den Parteitagen vorbeifuhr oder in München, wo er an jedem 9. November zu Fuß durch die halbe Stadt marschierte. Der schon erwähnte Anschlag von Helmut Hirsch im Jahr 1936 in Nürnberg ist nicht über das Anfangsstadium hinausgekommen. In München aber sind mindestens zwei Anschläge erst ganz kurz vor dem Erfolg gescheitert.

An jedem 8. November seit 1933 versammelten sich Hitler und seine Anhänger von 1923 im Münchner »Bürgerbräukeller« am Rosenheimer Platz (heute »Löwenbräu«), um des Putschversuches und der an der Feldherrnhalle erschossenen Kameraden zu gedenken. Am nächsten Tag hielten sie den Erinnerungsmarsch zur Feldherrnhalle ab. Solche jedes Jahr in derselben Form wiederkehrenden Ereignisse boten dem planenden (im Gegensatz zum spontanen) Attentäter ideale Voraussetzungen.

1936 wurde der Ablauf der Feiern von 1935 von der Gauleitung in München für verbindlich für alle künftigen Feiern erklärt: »Mit den Feiern des 8./9. November 1935, bei denen die Gefallenen von 1923 Ewige Wache am Königlichen Platz bezogen, wurde die Grundlage für die ›Nationalsozialistische Prozession‹ gelegt. Die in diesem Jahr [1936] – und in allen kommenden Jahren – stattfindenden Feiern anläßlich des 8./9. November müssen aus diesem Grund genau so aufgezogen werden wie die Feiern von 1935.«[19] So wußte also jeder, der sich ein Festprogramm kaufte, daß auch im nächsten Jahr wieder der Führer mit seinen Getreuen am Abend des 8. November im »Bürgerbräu« sitzen würde, daß in der Nacht vor der Feldherrnhalle die neuen SS-Angehörigen vereidigt würden und daß um Mittag am 9. November Hitler und viele der Parteiführer und der Marschteilnehmer von 1923 den Rosenheimer Berg herunter, über die Ludwigsbrücke, durch Isartor und Tal zum Marienplatz, und von da durch die Weinstraße, Perusastraße und die Residenzstraße zur Feldherrnhalle langsamen Schrittes feierlich marschieren würden. Allen voraus und trutzig aufgereckten Hauptes ging Julius Streicher, der berüchtigte Judenfresser und Gauleiter von Nürnberg, der, wie man sagte, Franken in die Bewegung gebracht hatte (daher »Frankenführer«), gefolgt vom Träger der »Blutfahne«, Grimminger, der von zwei anderen »Blutordensträgern« flankiert war. Im Abstand von einigen Metern folgte die »Führergruppe« in zwei breiten Reihen (die Breite wechselte zwischen 16 und 8 Mann, je nach Breite der Straßen oder Durchlässe), zu der außer Hitler Oberstleutnant Kriebel, Max Amann, Alfred Rosenberg, Hermann Göring, Dr. Weber, Rudolf Heß, Heinrich Himmler, Hans Frank, Wilhelm Frick und andere gehörten. Nach ihnen kamen die Blutordensträger und andere Alte Kämpfer, dann die Reichsleiter, Gauleiter, Führer der SA, SS und NSKK im Rang von Obergruppenführern, dann die neuaufgenommene Hitler-Jugend und mehrere Kompanien SA, NSKK, RAD und SS. Entlang der ganzen Marschstrecke waren Pylone aufgestellt mit Schalen, in denen Ölfackeln brannten; auf jedem Pylon stand der Name eines der 16 an der Feldherrnhalle Erschossenen, und sooft die Führergruppe an einem vorbeikam, rief ein Rufer den Namen aus. Das alles wurde untermalt von den Klängen des Horst-Wessel-Liedes in langsamem Trauermarschtempo abwechselnd mit dumpfem Trommelwirbel. Die Absperrung bestand an der ganzen Strecke aus SA-Männern, jedenfalls waren vorwiegend SA-Uniformen zu sehen. Als der Zug an der Feldherrnhalle angelangt war, wurden 16 Salutschüsse abgefeuert, dann folgte Musik, worauf sich der Zug wieder in Bewegung setzte in Richtung zum Königlichen Platz. Von der Feldherrnhalle an gingen dem Zug zwei Kompanien der Leibstandarte voraus. Nachdem alle Marschierer sich auf dem Königlichen Platz aufgestellt hatten, wurde wieder ein Schuß abgefeuert, die Musik – von der Feldherrnhalle bis hierher das Deutschlandlied – hörte auf, Hitler trat vor zu einem Punkt zwischen den beiden Ehrentempeln mit den 16 Sarkopha-

gen: »Im Augenblick, in dem der Führer auf seinem Platz steht, fällt ein
zweiter Schuß, auf den hin sich die Fahnen senken. Die Kapelle der Leibstandarte Adolf Hitler spielt den Trauermarsch von Hanfstaengl.« Dann
wurden noch einmal die 16 Namen ausgerufen, und bei jedem Namen
antworteten 12 000 Hitler-Jungen und Mädchen sowie alle die anderen
angetretenen Formationen mit einem donnernden »Hier«. Dann wurden
Kränze niedergelegt, Heß meldete Hitler die neu in die Partei aufgenom-
mene Hitler-Jugend, Hitler stieg in sein Auto und fuhr ab. Im Jahre 1936
hat das alles zusammen etwa 1 239 740 Reichsmark gekostet, einschließlich des Öls für 276 Pylone zu je 20 RM, 5000 Fackeln zu 0,30 RM das
Stück und 40 000 RM für »Unvorhergesehenes«.

Im dritten Jahr nach der Stiftung der Nationalsozialistischen Prozession kam ein Schweizer Theologiestudent, Maurice Bavaud aus Lausanne,
der in einem Priesterseminar in der Bretagne studierte, in seinen Ferien
im Oktober 1938 nach Deutschland mit der Absicht, Hitler zu ermorden[20].
Er fuhr nach Baden-Baden zu Verwandten, einer Familie Gutterer. Herr
Leopold Gutterer war Ministerialdirektor im Reichsministerium für Volks-
aufklärung und Propaganda und dort mit der Vorbereitung öffentlicher
oder halböffentlicher Veranstaltungen befaßt, an denen Hitler teilnahm –
so auch mit den Feiern des 8./9. November. Bavaud gab sich den Anschein,
er suche als technischer Zeichner Arbeit, und behauptete immer wieder,
begeisterter Bewunderer des Führers zu sein. Schließlich besorgte er sich
in Basel eine Pistole und Munition und fuhr dann nach Berlin, um womöglich dem Führer zu begegnen, erfuhr dort aber, der Führer sei auf dem
Obersalzberg; so fuhr er sogleich nach Berchtesgaden. Dort angekommen,
sah er sich ein paar Tage in der Gegend um und machte die Bekanntschaft
zweier Schullehrer, die mit ihm ihr Französisch übten, und durch sie
wurde er in einem Berchtesgadener Café mit einem Major Deckert bekannt. Als dieser hörte, es sei Bavauds heißer Wunsch, den Führer zu
sehen und womöglich persönlich kennenzulernen, erwies er sich als hilfreich. Zwar sei ein persönliches Interview völlig ausgeschlossen, meinte
Deckert, der Führer sei so beschäftigt, daß er nicht einmal Zeit finde,
Dr. Lammers zu empfangen, der schon tagelang warte, und überhaupt sei
der Führer gegenwärtig oft vom »Berghof« abwesend. Aber bei den Feiern
des 8./9. November in München, meinte Major Deckert, werde der Führer
zu sehen sein und ein besonders guter Platz dafür sei das Café »City«, weil
die Marschkolonne ganz dicht daran vorbeikommen werde. Der anscheinend echten Begeisterung eines Ausländers, der noch dazu (wie Bavaud
behauptete) für Westschweizer Zeitungen als Korrespondent arbeitete,
konnte Major Deckert anscheinend nicht widerstehen, hatte doch das

Regime im Ausland sonst eine schlechte Presse. Andererseits wäre ihm
etwas mehr Mißtrauen nicht übel angestanden; er war nämlich Dr. Lammers' Sicherheitsbeauftragter für die Reichskanzlei in Berlin bzw. in Bischofswiesen bei Berchtesgaden, wenn Hitler längere Zeit im Süden war.

Bavaud fuhr also nach München und bemühte sich um eine Platzkarte
für eine der Zuschauertribünen. Er ging zum Rathaus, zum Büro für ausländische Pressevertreter und zur Wache an der Feldherrnhalle, aber überall hieß es, es seien keine Karten mehr zu haben. Endlich bekam er aber
am 3. oder 4. November doch eine Karte, sogar gratis, beim »Büro für den
9. November«, wo er sich als Schweizer Journalist ausgab. Die Karte berechtigte ihn, während des Marsches auf der Tribüne an der Heiliggeistkirche zu sitzen, wenige Schritte östlich vom Marienplatz, also an einem
anscheinend für ein Attentat außerordentlich günstigen Platz, weil der
Zug vom Tal zum Marienplatz enge Torbogen passieren mußte und sich
vermutlich verlangsamen würde. Später wurde festgestellt, daß Bavaud
als einziger Ausländer einen solchen Tribünenplatz erhalten hatte und
nicht einmal nach einem Ausweis gefragt worden war. Auch das ist eine
Merkwürdigkeit, die noch größer wird, wenn man berücksichtigt, daß es
Gründe genug gab – es wäre etwa die Vergewaltigung der Tschechoslowakei durch das Münchner Abkommen von Ende September zu nennen –,
um die Sicherheitsvorkehrungen in jeder Weise zu intensivieren.

Bavaud kaufte sich weitere Munition für seine Pistole, fuhr zum Am-
mersee bei Herrsching, mietete ein Boot und übte sich im Schießen auf
kleine Papierschiffchen, die er vom Boot aus zu Wasser brachte. Danach
schoß er in einem Wald bei Pasing auf Ziele, die er an Bäumen befestigte,
und zwar aus derselben Entfernung, in der er glaubte, daß Hitler an seinem
Tribünenplatz an der Heiliggeistkirche vorbeidefilieren würde. Dann begab er sich nach München zurück, kaufte ein Festprogramm und ging mit
dessen Hilfe die gesamte Strecke des Erinnerungsmarsches ab, um den
besten Platz für das Attentat ausfindig zu machen. Schließlich fand er,
daß sein Tribünenplatz doch am günstigsten sei. Freilich konnte er sich
nicht recht vorstellen, wie es um die Tribüne am Tag des Marsches aussehen würde.

Am Morgen des 9. November ging er so zeitig zur Tribüne, daß er einen
Platz in der ersten Reihe einnehmen konnte. Die geladene Pistole hatte er
in seiner Manteltasche. Sollte Hitler in zu großer Entfernung von seinem
Platz vorbeikommen, so überlegte sich der Attentäter, dann wollte er
seinen Platz verlassen, auf die Straße laufen und Hitler aus kurzer Entfernung erschießen. Tatsächlich erwies sich beim Marsch, als die »Führergruppe« an der Heiliggeistkirche vorbeikam, daß die Entfernung für einen

sicheren Pistolenschuß zu groß war und daß Hitler nur für kurze Momente
seitlich ungedeckt war. Er konnte nur von seitlich vorne oder hinten getroffen werden, die Zielfläche war gering, das Opfer immer wieder von
anderen Marschierern und von den im Gänsemarsch auf beiden Seiten
marschierenden Sicherheitsbeamten verdeckt. Das größte Hindernis aber
war die dichte Absperrkette der SA, die unmittelbar vor der ersten Reihe
der Tribüne stand. Als die Blutfahne vorbeigetragen wurde und dann die
Führergruppe folgte, hoben alle SA-Leute auch noch den rechten Arm und
verdeckten Bavaud völlig die Sicht und das Schußfeld. Den Plan, auf die
Straße zu laufen, mußte er als undurchführbar erkennen, da er gewiß am
Verlassen der Tribüne gehindert und vielleicht seine Absicht, sinnlos,
trotz völliger Aussichtslosigkeit, entdeckt worden wäre.

Bavaud sann auf andere Möglichkeiten; noch ließ er den Mut nicht
sinken. Er schrieb einen Umschlag, von dem er behaupten wollte, er
enthalte ein persönlich zu übergebendes Schreiben von dem national-
radikalen französischen Abgeordneten Pierre Taittinger an Hitler, und
fuhr am 10. November damit nach Berchtesgaden, erfuhr dort aber, Hitler
sei nicht auf dem Obersalzberg, sondern in München. Bavaud fuhr zurück
und ging mit seinem »Brief« ins Braune Haus, wo man ihm sagte, er solle
sich mit der Reichskanzlei in Verbindung setzen. Inzwischen war Hitler
am 11. November zum Obersalzberg zurückgekehrt, Bavaud fuhr noch
einmal dorthin (worauf S. 193 zurückzukommen sein wird), wieder ohne
Erfolg. Schließlich wollte er Deutschland verlassen, da ihm das Geld ausgegangen war, aber in Augsburg wurde er verhaftet. Sein Vorhaben wurde
entdeckt, er kam vor den Volksgerichtshof, wurde im Dezember 1939 zum
Tode verurteilt und im Mai 1941 enthauptet.

Im nächsten Jahr, 1939, wollte Hitler nicht am Erinnerungsmarsch teil-
nehmen. Es war Krieg und besonders gefährlich, einen großen Teil der
Führerschaft des Reiches gemeinsam Gefahren auszusetzen. Hitler traute
den Alliierten zu, während des Marsches einen Luftangriff auf München
zu unternehmen. Es mußte auch über den vorgesehenen Termin zum
Angriff auf Frankreich (12. November) endgültig entschieden werden,
und anderes mehr zog Hitler in seine Berliner Befehlszentrale; die Partei
und ihre Münchner Prozession waren jetzt Nebensache. Es mag auch sein,
daß die Attentatversuche Maurice Bavauds, über die Hitler genau unterrichtet war, bei seiner Entscheidung gegen die Teilnahme am Marsch eine
Rolle gespielt haben [21]. Hitler hatte aber keine Ahnung, daß im November
1938, als Bavaud seine vergeblichen Versuche unternahm, bereits ein weiterer Attentäter das Gelände rekognoszierte, auf dem er 1939 seinen Anschlag ausführte.

Georg Elser, Schreiner aus dem Württembergischen, Einzelgänger und Handwerker von großer Geschicklichkeit, mit Sympathien für die politische Linke, einstmals Mitglied des Roten Frontkämpferbundes, glaubte schon lange, Hitler habe die Arbeiter betrogen, treibe Deutschland in einen verheerenden Krieg und müsse deshalb beseitigt werden. Er war nach München gekommen, um zu sehen, ob das hier zu machen wäre. Am 9. November 1938 sah er sich denselben Marsch an wie Maurice Bavaud, fand aber die Gelegenheit zu einem Attentat beim Marsch nicht günstig. Er besuchte den »Bürgerbräukeller« und sah, daß man hier kommen und gehen konnte, ohne kontrolliert zu werden, stellte fest, wo das Rednerpult stand und beschloß, in eine dahinter stehende Säule eine Höllenmaschine einzubauen [22]. Der Zusammenbruch der Säule, so rechnete Elser, würde Teile der Decke und des Balkons hinter dem Pult auf den Redner stürzen lassen, so daß dieser mit großer Sicherheit getötet würde. Dann reiste er wieder ab und stahl in den folgenden Monaten systematisch Explosivstoffe, Zündschnüre und anderes Material, kaufte eine Schachtel Gewehrpatronen und bereitete alles vor, während er zeitweise bei einer Firma in Heidenheim und in einem Steinbruch bei Königsbronn arbeitete. Ostern 1939 besuchte er den »Bürgerbräukeller« zum Maßnehmen an der Säule. Dann machte er Sprengstoffversuche und entwickelte eine Methode, mit Hilfe eines Uhrwerkmechanismus statt einer Zündschnur Sprengstoff zur Explosion zu bringen, und lernte, die Explosionszeit auf viele Stunden, ja Tage im voraus genau festzulegen und einzustellen. Im August 1939 siedelte er nach München über, besuchte an mehr als dreißig Abenden regelmäßig den »Bürgerbräukeller« zum Nachtessen, versteckte sich anschließend auf der Galerie, wartete, bis der Saal abgeschlossen wurde, und arbeitete dann an seiner Säule. Zuerst sägte Elser ein Stück der Vertäfelung an der aus Stahlträgern, Mörtel und Ziegelsteinen bestehenden Säule aus, fertigte daraus eine rasch aus- und einsetzbare Türe und höhlte den Raum für die Höllenmaschine aus. Das herausgekratzte Mauerwerk ließ er in einen an die Öffnung in der Vertäfelung gehängten Sack fallen; den Sack leerte er in einen Pappkarton aus und diesen wieder in ein mitgebrachtes Köfferchen, in dem er am nächsten Tag, meistens während der betriebsamen Mittagszeit, den Schutt forttrug. Nach der Arbeit wurde die Höhlung mit der aus der Vertäfelung gesägten Türe wieder verschlossen. Die fertige Höhlung wurde mit Stahlblech und mit einer 1 Zentimeter starken Korkschicht ausgeschlagen, als Sicherheit gegen etwa eingeschlagene Nägel (mit denen Lampions und Dekorationen für Tanzfeste angebracht wurden). Stahlblech und Korkschicht dienten dem Schutz des Uhrwerks, der Dämpfung des Tickens

und zugleich dem Schutz gegen Entdeckung der Aushöhlung, falls die in
der *Absperr-Anleitung* vorgesehenen findigen SS-Angehörigen (Polizeibeamte) tatsächlich »unter Beihilfe des Hausverwalters vom Dach bis zum
Keller« das Gebäude absuchten und dabei an die Säule klopften. Die Umsicht und Sorgfalt Georg Elsers waren also kaum zu überbieten.

Eine Meisterleistung war auch die Einrichtung des Zündmechanismus.
Nichts sollte dem Zufall überlassen bleiben, und so wurden nicht eines,
sondern zwei Uhrwerke so eingerichtet, daß sie zu einem festgesetzten
Zeitpunkt über zwei unabhängige Übertragungsmechanismen 3 Schlag-
bolzen auslösten, die über 3 Zündhütchen 3 Sprengkapseln detonieren
ließen, die ihrerseits die Masse des Sprengstoffes zur Explosion brachten.

In der Nacht vom 1. zum 2. November baute Elser seine Höllenmaschine in den Pfeiler ein, zunächst ohne Uhren. Am 3. und 4. November
wollte er die Uhrwerke einfügen; aber am ersten der Abende fand er eine
Türe verschlossen, die er hatte benützen wollen, und am nächsten Abend,
als ihm der Zugang wieder gelungen war, fand er den ausgehöhlten Raum
in der Säule zu klein für Sprengstoff und Uhrengehäuse, mußte also die
Gehäuse wieder mitnehmen und entsprechend ändern. Am Abend des
5. November kam er mit den abgeänderten Gehäusen und betrat den
Saal durch den Haupteingang. Da hier gerade eine Tanzveranstaltung
stattfand, kaufte er eine Eintrittskarte, ging auf die Galerie und schaute
dem Treiben zu, bis die Besucher gingen. Dann versteckte er sich wie immer auf der Galerie, wartete bis alles ruhig war, und arbeitete dann etwa
sechs Stunden ununterbrochen, bis der Einbau beendet war. Die eingebauten Uhren waren schon auf die Explosionszeit – fast drei Tage später
um 21.20 Uhr – eingestellt. Mit einigem Stolz berichtete Elser in seinen
späteren Vernehmungen, wie er das Problem gelöst habe, die Uhren drei
Tage im voraus auf einen bestimmten Zeitpunkt mit einer Genauigkeit von
nicht mehr als 15 Minuten Abweichung einzustellen. Am frühen Morgen
des 6. November fuhr Elser mit der Bahn nach Stuttgart, kehrte am 7. November noch einmal nach München zurück und verbrachte die Nacht
vom 7. zum 8. November im »Bürgerbräukeller«, um seine Arbeit und die
Einstellung der Uhren zu überprüfen. Wieder blieb er unentdeckt und
unbehelligt. Offenbar versuchte niemand festzustellen, wer ein- und ausging und ob auch alle, die hineingingen, wieder herauskamen. Es ist also
zu fragen, wie es möglich war, daß der Attentäter so ungestört arbeiten
konnte.

Im November 1936 war es zwischen Christian Weber, damals Stadtrat
in München, und dem Münchner Polizeipräsidenten Freiherrn von Eber-
stein zu einem Disput darüber gekommen, wer für die Sicherheit des

Führers im »Bürgerbräukeller« verantwortlich sei; Hitlers Entscheidung wurde offenbar wörtlich genommen, sie lautete: »In dieser Versammlung schützen mich meine Alten Kämpfer unter Führung von Christian Weber, die Verantwortung der Polizei erlischt an den Saaleingängen.« Im Regieprogramm der Feier des 8. und 9. November 1939 fand sich diese Anweisung wiederholt: »Gesamtverantwortlich für die Durchführung der Veranstaltung im Bürgerbräukeller sowie für den Empfang des Führers, Empfang der Ehrengäste, Kontrolle der Teilnehmer, Saalsicherung und Sitzordnung: SS-Brigadeführer Weber.« Systematische Sicherheitsvorkehrungen fehlten im »Bürgerbräukeller«. Weder wurde das Gebäude in den Tagen vor dem 8. November durchsucht, wie etwa die Krolloper, noch wurden in der Nacht vorher Streifen eingesetzt.

Seit Anfang August hatte Elser mehr als 30 Nächte im »Bürgerbräukeller« verbracht. Gewöhnlich war er abends etwa um 20 Uhr gekommen, hatte ein einfaches Abendessen bestellt und war gegen 22 Uhr auf die Galerie gegangen, wo er sich unauffällig verlor und versteckte, bis alles ruhig war und der Saal geschlossen wurde. Dann hatte er bis 2 oder 3 Uhr früh gearbeitet und anschließend geschlafen, bis wieder geöffnet wurde. Danach hatte er sich unauffällig durch die hintere Türe, die über den Brauereihof zu einer Parallelstraße der Rosenheimer Straße führte, entfernt. Zwar wurde er dabei manches Mal gesehen, aber nie angehalten oder befragt. Sicher spielte sein Äußeres eine Rolle: Er war klein, unscheinbar, sozusagen grau und sah sehr harmlos aus. Auch wurde der hintere Ausgang von vielen Leuten benützt, zumal von solchen, die den »Bürgerbräukeller« als Durchgang zwischen zwei Straßen auffaßten. Einmal war Elser innerhalb der Gastwirtschaft nach Betriebsschluß entdeckt worden, aber der Pächter ließ ihn ohne viel Aufhebens, anscheinend ohne Verdacht zu schöpfen, laufen. Vielleicht half es Elser auch, daß er sich etwas mit dem Bedienungspersonal angefreundet hatte, womöglich sogar mit dem Pächter. Begreiflicherweise war davon in den nachfolgenden Vernehmungen und in Elsers Aussagen nicht viel die Rede; wenigstens dem Pächter und den Bedienungen, vermutlich aber auch Elser selbst lag nicht daran, sich bzw. andere in den Verdacht der Komplizenschaft zu bringen, Elser schon deshalb nicht, weil er auf seine Tat sehr stolz war. Gelegentlich kam es vor, daß in der Nacht jemand eine Tür aufschloß und kurz horchte oder umherging; Elser gab in seiner Vernehmung an, er habe nie versucht, zu sehen, wer es sei. Als Überprüfung des Saales konnte man das schwerlich gelten lassen. Erst am Tag der Veranstaltung selbst, am 8. November, überprüfte ein Beamter der Münchner Kriminalpolizei den Saal: der Alte Kämpfer, Parteigenosse seit 1920 und ehemalige Angehörige

des »Stoßtrupps Hitler« Josef Gerum, der bis Sommer 1939 bei der Münchner Stapoleitstelle tätig gewesen war, sich freiwillig zum Heer gemeldet
hatte und nun gerade auf Urlaub in München weilte. Die Sicherheit des
Führers lag also, wenigstens vor der Veranstaltung, wie in den früheren
Jahren hier in den Händen der Partei und nicht in den Händen des RSD,
der lokalen Polizeibehörden oder der Leibstandarte. Gerum war fast bei-
läufig aufgetragen worden, die »Sicherung des Bürgerbräukellers während
der Hitler-Rede zu übernehmen«. Als SS-Führer aber mußte Weber die
verschiedenen in den letzten sechs Jahren ergangenen Sicherheitsanweisungen kennen, es lag also grobe Fahrlässigkeit seitens der Münchner Ver-
anstaltungsleiter vor. 1942 erwähnte SS-Gruppenführer Heinrich Müller,
der Chef des Amtes Gestapo im Reichssicherheitshauptamt, die Sicher-
heitslücke im »Bürgerbräukeller«: »In früheren Jahren sind häufig bei
Veranstaltungen, die wegen Anwesenheit führender Persönlichkeiten geschützt werden mußten, Schwierigkeiten entstanden, da die Partei die
Durchführung des Schutzes für sich in Anspruch nahm und den Beamten
der Sicherheitspolizei den Zutritt zu den Veranstaltungsräumen verweigerte. In dieser Hinsicht ist seit dem Münchner Bürgerbräuattentat erheb-
licher Wandel geschaffen worden.« Es gehört in der Tat zu den merkwür-
digsten Widersprüchen in Hitlers Einstellung zur Frage seiner persönlichen
Sicherheit, daß dieser mißtrauische und so sehr mit den Problemen des
Schutzes seiner Person beschäftigte Diktator, der sich völlig darüber klar
war, welche unendlichen Möglichkeiten findige Attentäter hatten, sich
den Alten Kämpfern im »Bürgerbräukeller« so ganz anvertraute. Abgesehen von der Möglichkeit der Vorbereitung von langer Hand, also der von
Elser angewandten Methode, hätte sich doch ein Fremder zur Veranstaltung einschleichen oder ein enttäuschter Alter Kämpfer den Führer ermorden können.

Da Elsers Anschlag nur knapp mißlungen ist, sind abenteuerliche Er-
klärungsversuche aufgetaucht. Viele glaubten an einen fingierten Anschlag zur Erhöhung der Popularität Hitlers, andere glaubten an eine Verschwörung in der SS. Es ist undenkbar, daß Hitler einem Propaganda-
trick zugestimmt hätte. Wie, wenn der mit der Ausführung Beauftragte
die einzigartige Tarnung zu einem richtigen Mordanschlag ausnützte
oder wenn er auch nur einen kleinen Fehler beging? Dagegen hat es, wenn
auch nicht in der SS, damals mehrere Verschwörungen zu Hitlers Abset-
zung und Ermordung gegeben. Der Chef des Generalstabes selbst, Generaloberst Halder, der in der befohlenen Offensive gegen Frankreich
Deutschlands Untergang sah, hatte sich angewöhnt, mit einer Pistole in
der Tasche zu den Besprechungen bei Hitler zu gehen, um eventuell den

Obersten Befehlshaber der Wehrmacht niederzuschießen, wie er Major i. G. Groscurth, dem bei ihm tätigen Verbindungsoffizier der Abwehr, gestand [23]. Hitler selbst behauptete anfangs, der britische Geheimdienst stecke hinter dem »Bürgerbräu«-Attentat, nachdem am 9. November an der holländischen Grenze die britischen Geheimdienstoffiziere Major R. H. Stevens und Hauptmann S. Payne Best festgenommen worden waren. Später lastete Hitler die Urheberschaft des »Bürgerbräu«-Attentats Otto Strasser an. Aber Georg Elser hat ganz allein gehandelt.

Der Ablauf der Ereignisse im »Bürgerbräukeller« war etwa folgender: Um 18 Uhr warteten dreitausend Parteifunktionäre und Alte Kämpfer im bis zum letzten Platz gefüllten, rauch- und bierdunstgeschwängerten Saal auf ihren Führer. Sepp Dietrich, Kriebel, Rosenberg, Bouhler, Amann, Himmler, Hans Frank, Goebbels, Dr. Weber, Streicher, Ribbentrop waren da. Kaum eine SS-Uniform war zu sehen, sogar Julius Schaub, der sonst fast immer SS-Uniform trug, war diesmal in Parteiuniform erschienen. Man sah viele Wehrmachtuniformen, denn mancher Alte Kämpfer hatte sich freiwillig gemeldet oder war eingezogen worden. Von dem bei anderen Gelegenheiten vorgeschriebenen Schulter-an-Schulter-Spalier der Leibstandarte war nichts zu sehen. Kurz nach 20 Uhr spielte die Kapelle den Badenweiler Marsch, Blutordensträger Grimminger trug die Blutfahne herein, mit der er während Hitlers Rede hinter dem Rednerpult stand, und dann kam Hitler selbst, schüttelte einige Hände, ging zum Rednerpult, hielt seine Ansprache und verließ – entgegen seiner sonstigen Gewohnheit – schon um 21.07 Uhr den Saal. Kaum hatten sich die Alten Kämpfer wieder gesetzt und ihrem Bier zugewandt, explodierte um 21.20 Uhr Elsers Höllenmaschine. Der Pfeiler hinter dem Rednerpult und die Galerie darüber stürzten zusammen und begruben ein paar Dutzend Alte Kämpfer unter Trümmern, Chaos und Verwüstung herrschten im Saal. Sechs Alte Kämpfer und eine Kellnerin waren sofort tot, ein weiterer Alter Kämpfer starb im Krankenhaus, über 60 Personen wurden verletzt, 16 von ihnen schwer [24].

Hitler war währenddessen unterwegs zum Hauptbahnhof. Er hatte früher als sonst mit seiner Ansprache begonnen, sogar 5 Minuten früher als im Programm vorgesehen, um 20.10 Uhr; er hatte kürzer als sonst gesprochen, und er war nicht wie sonst nach seiner Rede mit den alten Parteigenossen zusammengeblieben. »Wichtige Regierungsgeschäfte« waren die offizielle Erklärung für seinen frühen Abgang und für seine Abwesenheit bei den Feiern des nächsten Tages (der Marsch fiel ohnehin aus). Unbedingt wollte er am Morgen des 9. November wieder in Berlin sein; doch im November ist es oft neblig und Baur konnte den Rückflug für den frü-

hen Morgen des 9. November nicht fest zusagen. So nahm Hitler seinen
Sonderzug, für den die Abfahrtszeit 21.31 Uhr festgelegt war[25]. Um ihn zu
erreichen, mußte er wenigstens 15 Minuten vor Abfahrt den »Bürgerbräukeller« verlassen. Kam er zu spät, verzögerte sich alles, der ohnehin lang-
samer als normale Züge fahrende Sonderzug paßte dann nicht in den
übrigen Fahrplan und würde mit großer Verspätung in Berlin ankommen.
Auf sein früheres Weggehen, um den Sonderzug zu erreichen, hat Hitler
denn auch später sein Überleben zurückgeführt.

Ursprünglich war angekündigt, daß Hitler wegen anderweitiger Bean-
spruchung überhaupt nicht zur Feier im »Bürgerbräukeller« erscheinen
würde, es sollte lediglich Rudolf Heß über den Rundfunk sprechen. Erst
am 7. November, vielleicht sogar erst am 8. November hat Hitler sich
entschlossen, doch nach München zu fliegen[26]. Mochte auch die Entscheidung über den Termin der Westoffensive dabei eine Rolle gespielt
haben, so entsprach solches Verhalten doch auffällig Hitlers eigenem
Rezept für seine persönliche Sicherheit. Auch das frühe Weggehen am
Abend des 8. November könnte dazu gehören. Aber Elser scheiterte nur
in ganz geringem Maße an Sicherheitsvorkehrungen, wenn die Rückreise
um 21.31 Uhr überhaupt eine Sicherheitsmaßnahme war. Hauptsächlich
scheiterte er an einem Umstand, der wesentlich dazu beigetragen hatte,
ihn dem Erfolg so atemberaubend nahezubringen: an seinem Einzel-
gängertum und seiner völligen Isolierung und Schweigsamkeit. Diese
verhinderten es einerseits, daß er durch Spitzel oder Gerüchte vorzeitig
entdeckt wurde, aber ebenso, daß er von Änderungen der Planung in
Hitlers engerem Kreis etwas erfuhr.

Georg Elser wurde noch am Abend des 8. November verhaftet, zufällig
und ohne Zusammenhang mit Fahndungsmaßnahmen wegen des Attentats, als er in Konstanz den Zaun an der Schweizer Grenze überklettern
wollte. Die beiden Zollbeamten, die ihn festnahmen, lauschten am Rund-
funkempfänger Hitlers Ansprache, die aus dem »Bürgerbräukeller« übertragen wurde, als sie die verdächtige Person am Grenzzaun bemerkten.
Als Elser später der Gestapo seine Geschichte erzählte, glaubte man dem
unscheinbaren Männchen eine solche Leistung nicht und veranlaßte ihn,
den ganzen Höllenapparat noch einmal zu bauen. Das brachte er in sehr
kurzer Zeit fertig; das Gerät diente jahrelang im RSHA für Unterrichts-
zwecke. Auf Hitlers persönlichen Befehl wurde Elser – wie übrigens auch
die beiden britischen Geheimdienstoffiziere – im Konzentrationslager
Dachau festgehalten und als »Sonderhäftling« bevorzugt behandelt. Wahrscheinlich sollte er später bei einem großen Schauprozeß auftreten. Aber
im April 1945 gab Heinrich Müller auf den über Himmler ergangenen

Befehl Hitlers die Anweisung, den Sonderhäftling zu erschießen und als bei einem Bombenangriff umgekommen nach Berlin zu melden [27]. Unerfindlich bleibt, warum Elser erschossen und warum sein Tod kaschiert wurde.

Nachdem Hitler dem Anschlag Elsers so knapp entronnen war, mußten alle Maßnahmen zu seinem Schutz, besonders bei öffentlichen Auftritten, gründlich überprüft werden. Das Ergebnis waren neue »Richtlinien für die Handhabung des Sicherheitsdienstes« vom Februar 1940 aus dem Amt IV des RSHA. Unter dem 9. März 1940 schickte Heydrich als Chef der Sicherheitspolizei und des SD im RSHA die Richtlinien mit einem langen Begleitbrief an alle Staatspolizeileitstellen, Staatspolizeistellen, SD-Leitabschnitte und SD-Abschnitte sowie nachrichtlich an die Amtschefs des RSHA, den Chef der Ordnungspolizei, die Höheren SS- und Polizeiführer, die Inspekteure der Sicherheitspolizei und des SD, die Kriminalpolizeileitstellen und Kriminalpolizeistellen, an Martin Bormann, an SA-Obergruppenführer Brückner und an SS-Standartenführer Rattenhuber [28]. Die Richtlinien erklärten ein neues Schutzdienstreferat im Amt IV (Gestapo) des RSHA zur zentralen Stelle für alle Schutzmaßnahmen und Attentatberichte, aber Hitlers, Bormanns, Brückners und Rattenhubers direkte Kontrolle über die Schutzmaßnahmen in der unmittelbaren Umgebung des Führers wurde davon nicht berührt. Immerhin kam es zu etwas mehr Koordination und Zusammenarbeit zwischen RSD und RSHA, gegen die sich Rattenhuber 1935 noch gewehrt hatte. Die Leichtigkeit, mit der ein umsichtiger Mann wie Elser einen Anschlag vorbereiten und ausführen konnte, war ein Schock für die Sicherheitsbeamten, die sich nicht mit irgendwelchen Märchen vom englischen Geheimdienst trösten konnten und die es besser wußten, auch wenn sie in dem besonderen Fall nicht für die Sicherheit zuständig gewesen waren. Das Drängende der Lage schlug sich sowohl in den Richtlinien als auch in Heydrichs Begleitbrief nieder.

Heydrich schrieb: »Im Zuge der Umorganisation des Reichssicherheitshauptamtes unter Berücksichtigung der letzten Erfahrungen hat sich auch eine Neugestaltung des Schutz- und Sicherungsdienstes als notwendig erwiesen. Aus dem Gesamtaufgabengebiet des Reichssicherheitshauptamtes, nämlich der Bekämpfung und Unschädlichmachung aller Staatsfeinde, ragt als die wichtigste Aufgabe hervor, alle Maßnahmen zur Verhütung von Attentaten auf führende Persönlichkeiten des Reiches und solche anderer Staaten, die sich im Reich aufhalten, zu treffen. Hier geht der Schutz des Führers aber auch *jeder* Aufgabe vor.« Und: »In jedem Einzelfalle [öffentlicher Veranstaltungen mit Anwesenheit des Führers] muß von der Überzeugung ausgegangen werden, daß jeder noch so gut organisierte Attentatsversuch an den bis ins kleinste vorbereiteten Sicherungsmaßnahmen scheitern muß.«

Hierzu wurde erstens im Amt IV RSHA das Schutzdienstreferat als Ref. IV A 5a eingerichtet unter Leitung von Kriminaldirektor SS-Sturmbannführer Franz Schulz, das als »Zentralstelle für alle sicherheitspolizeilichen Schutzmaßnahmen und zentrale Sammelstelle für alle Attentatsmeldungen« bezeichnet wurde; zweitens wurden in allen regionalen und örtlichen Hauptdienststellen der Gestapo, in den Stapoleitstellen und Stapostellen Schutzdienstreferate eingerichtet.

Den Schutzdienstreferaten in bestimmten Städten oder Bereichen mit periodisch wiederkehrenden Veranstaltungen, an denen zu schützende Persönlichkeiten, vor allem der Führer, teilnahmen, fiel die Aufgabe zu, nicht nur Attentatmeldungen laufend zu bearbeiten und erforderlich werdende Sicherungsmaßnahmen durchzuführen, sondern auch Kundgebungsstätten laufend zu überprüfen und zu überwachen. Hierzu gehörten Berlin, München, Nürnberg, Weimar, Hamburg und Hannover. Die Leiter der Schutzdienstreferate durften nicht mit anderen Aufgaben neben der schutzdienstlichen Arbeit beauftragt noch ohne besondere Genehmigung des Chefs der Sicherheitspolizei und des SD, Heydrich, versetzt werden. Nur wo keine periodisch wiederkehrenden Veranstaltungen der zu schützenden Art stattfanden, durften Leiter des Schutzdienstreferats und Leiter des einzurichtenden Nachrichtenreferats identisch sein. Immer unterstanden die Leiter der Schutzdienstreferate in dieser Eigenschaft unmittelbar den Leitern der Staatspolizeileitstellen bzw. Staatspolizeistellen; jedoch hatten die Höheren SS- und Polizeiführer direkte Befehlsbefugnis und konnten die Stapoleitstellen- und Stapostellenleiter in Schutzdienstfragen umgehen. Diese Regelung war vor allem für Fälle gedacht, in denen Schutzmaßnahmen in mehrereren Bereichen mit mehreren verschiedenen Stellenleitern erforderlich waren. Die Höheren SS- und Polizeiführer konnten dann einen Sicherungshauptstab aufstellen, der die regionalen und örtlichen Maßnahmen koordinierte und leitete. In allen Fällen, in denen Hitler, Göring oder Heß auftraten, war ohnehin der Höhere SS- und Polizeiführer zuständig. Für Berlin behielt sich Heydrich die persönliche Leitung der Maßnahmen vor, ebenso für andere Orte, sofern er selbst bei der Veranstaltung zugegen sein wollte und ausdrücklich die Gesamtleitung übernahm.

Parteifunktionäre hatten also in Sicherheitsfragen nichts mehr oder nur noch wenig zu sagen, die Befugnisse der Gestapo waren erweitert und Bormanns Apparat hatte eine Schlappe erlitten. Aber die Verfügungsgewalt über Hitlers persönliche Leibwachen blieb davon unberührt, wie Heydrich selbst in seinem Begleitbrief betonte: »Der Reichssicherheitsdienst (Leiter SS-Standartenführer Rattenhuber) ist zuständig und verantwortlich für den unmittelbaren und persönlichen Schutz des Führers und jener Persönlichkeiten, denen ein Kommando beigegeben ist. Diese Zuständigkeit ist gleichbleibend auf *allen* Fahrten, Reisen, bei Kundgebungen usw. Weiter ist der Reichssicherheitsdienst zuständig und verantwortlich für die Sicherungsmaßnahmen in der Reichskanzlei, der Privatwohnung des Führers und auf dem Obersalzberg. Für alle anderen Sicherungsmaßnahmen in der weiteren Umgebung dieser Persönlichkeiten einschließlich der Zu- und Abfahrtstrecke ist die Geheime Staatspolizei zuständig und verantwortlich. Den Wünschen des Reichssicherheitsdienstes im Einzelfall ist Rechnung zu tragen, wie ich überhaupt eine ebenso reibungslose wie intensive Zusammenarbeit mit dem Reichssicherheitsdienst allen Staatspolizei(leit)stellen zur Pflicht mache. Für die Gestaltung der Sicherung in der unmittelbaren Umgebung des Führers hat der Leiter des Reichssicherheitsdienstes Weisungsrecht. Er trägt hierfür auch persönlich die Verantwortung.«

Die 60 Seiten Richtlinien versuchten, Ordnung in die Vielfalt zu bringen und vor allem eine Vertiefung der Vorkehrungen zu bewirken. Sie kategorisierten drei Anwendungsgruppen: periodisch wiederkehrende Veranstaltungen, nicht periodisch wiederkehrende Veranstaltungen, Staatsbesuche. Sie wurden ausdrücklich auf öffentliche Ereignisse beschränkt, Sicherheitsmaßnahmen in Hitlers Residenzen und Hauptquartieren oder auf Reisen waren ausgenommen. Sodann differenzierten die Richtlinien zwischen verschiedenen Stadien der Vorkehrungen: ganzjährige, drei Monate vor dem Ereignis, 24 Stunden vor dem Ereignis und während des Ereignisses zu ergreifende Maßnahmen. Ferner wurden für alle in Frage kommenden Ereignisse Sicherheitszonen unterschieden, und zwar drei: weitere Umgebung des Veranstaltungsortes, Umgebung im Radius bis zu 500 Metern je nach örtlichen Verhältnissen, Veranstaltungsort (Gebäude) mit unmittelbarer Umgebung. Schließlich wurden die einzusetzenden Kräfte strukturiert in Sicherungsstab (bei besonders umfangreichen Maßnahmen Sicherungshauptstab unter unmittelbarem Befehl Himmlers oder Heydrichs), Befehlsstab, Befehlsstellen, Einsatzgruppen mit Abschnittskommandos, Sonderkommandos und Reservekommandos.

In den Absperranweisungen für die SS war schon auf geheimpolizeiliche Sicherungsaufgaben hingewiesen worden. Die hier von Heydrich ausgegebenen Richtlinien galten ausschließlich für solche Sicherungsaufgaben: Sicherheit in Gebäuderäumen, an Gefahrenpunkten, Über- und Unterführungen, Durchsuchung und eventuell Besetzung von Häusern, Personenkontrolle an und in den Sicherheitszonen, vorsorgliche Überprüfungen und Besetzungen von Hotels und schlecht beleumundeten Häusern, Restaurants und Cafés, Überprüfung von Baustellen, Untergrundbahneingängen, Kanalisationsanlagen usw. usw. Die Sicherungskräfte hatten die schwierige Aufgabe, untereinander Augenverbindung zu halten, obwohl sie anders als die Absperreinheiten normalerweise in Zivil eingesetzt wurden und Geheimabzeichen wie Nadeln, Erkennungsknöpfe oder gar Armbinden tabu waren. Sie sollten sich unauffällig benehmen, schon gar nicht strammer dastehen als das Publikum ihrer Umgebung, nicht bei trivialen Vorfällen und Streitigkeiten eingreifen oder die Funktionen uniformierter Polizeibeamter übernehmen. Die Unauffälligkeit durfte andererseits nicht so übertrieben werden, daß Gruppenführer ihre Gruppen nicht mehr fanden. Ständiger Kontakt zwischen allen eingesetzten Kräften und reibungslose Nachrichtenübermittlung gerade dann, wenn diese am ehesten zu versagen drohte – also bei Störungen oder Anschlägen –, gehörten zu den schwierigen Aufgaben der Sicherungskräfte, deren Leit- und Befehlsstäbe deshalb außerhalb der eigentlichen Sicherungszonen und Massenansammlungen stationiert werden mußten. Die Zahl der einzusetzenden Kräfte mußte sich nicht nur nach der Größe der zu erwartenden Menschenmassen, sondern auch nach der Zahl der vorhandenen Gefahrenpunkte richten. Nur die besten Beamten durften verwendet werden, auch an scheinbar ungefährlichen Stellen, und alle mußten mit Pistolen bewaffnet sein.

Für jedes einzelne Ereignis, bei dem Sicherungskräfte einzusetzen waren, mußten detaillierte geheime Einsatzbefehle unter Anleitung des zuständigen regionalen oder örtlichen Schutzdienstreferatleiters mindestens 48 Stunden vorher ausgearbeitet werden. Exemplare der Befehle mußten dem RSHA, dem zuständigen Höheren SS- und Polizeiführer, dem Inspekteur der Sicherheitspolizei und des SD, dem Inspekteur der Ordnungspolizei, der SD-Leitstelle oder SD-Stelle und dem Reichssicherheitsdienst zugeleitet werden.

Rückte eines der in Frage kommenden Ereignisse heran, so mußte der Nachrichtendienst über »feindliche Kreise« im In- und Ausland intensiviert werden. Alle Berichte über Pläne für Sabotage, Gewalttaten oder Angriffe gegen zu schützende Persönlichkeiten mußten sofort an das RSHA und an die zuständige Gestapodienststelle weitergeleitet werden, und jedem Bericht, auch dem scheinbar unwichtigsten und sogar lächerlichsten sollte mit der allergrößten Sorgfalt bis zur völligen Klärung nachgegangen werden. Eine besondere A-Kartei über Staatsfeinde, die

innerhalb der Sicherungszonen wohnten, mußte angelegt und auf dem
laufenden gehalten werden, wobei auch die Karteien der Kriminalpolizei
über Geistesgestörte, Berufsverbrecher, Asoziale und Ausländer auszuwer-
ten waren. Eine weitere Kartei mußte alle verfügbaren Angaben über
sämtliche Personen enthalten, die innerhalb des 500-Meter-Radius um
den Ort einer periodisch wiederkehrenden Veranstaltung wohnten oder
zeitweise oder ständig arbeiteten, die dort Lagerplätze, Garagen oder Büros
hatten oder die irgend etwas dorthin lieferten: »Alle karteimäßig erfaßten
Personen müssen in politischer, krimineller und charakterlicher Hinsicht
gründlichst und eingehendst überprüft werden. Das Ergebnis der ersten
Überprüfung muß mindestens einmal im Jahre erneuten Ermittlungen
unterworfen werden.« Abgänge und besonders Zugänge waren zu regi-
strieren und entsprechend zu überprüfen. »Jede Person, welche als unzuverlässig zu erachten ist, muß – mit nach der Sachlage entsprechenden
Vorwänden – aus der Räumlichkeit bezw. dem Sicherungskreis entfernt
werden oder – falls dieser Maßnahme im Einzelfall besonders triftige
Gründe entgegenstehen – entsprechend vorgemerkt werden, zwecks besonderer Präventivmaßnahmen im Falle des Einsetzens der eigentlichen
Sicherungsmaßnahmen.« Vorsorgliche Verhaftung verdächtiger Elemente,
ob im Sicherungskreis wohnhaft oder nur zeitweise anwesend, war gestattet, doch mußten in solchen Fällen weitere Instruktionen vom Amt IV
(Gestapo) im RSHA angefordert werden. Wenigstens drei Monate vor
periodisch wiederkehrenden Ereignissen mußten Kontrollen an allen
Grenzstellen, Flugplätzen, Seehäfen, Bahnhöfen, Landstraßen, Tankstel-
len, Pensionen und Mietshäusern, Hotels mit schlechtem Ruf, Gaststätten
und Bars, bekannten Aufenthaltsorten von Kriminellen intensiviert werden. Alle Grenzgänger mußten in besonderen Listen festgehalten und
unter dem Vorwand von Zoll- und Devisenrevisionen gründlichen Überprüfungen unterworfen werden. Ergab sich irgendein Verdacht, so war
die betreffende Person der zuständigen Gestapodienststelle am Zielort zur
weiteren Überwachung zu melden.

Zu den routinemäßigen Vorbereitungen, die jedoch nie zur Routine
werden durften, sondern ständig überprüft und erneuert werden mußten,
gehörte auch die Errichtung von Karteien von politisch zuverlässigen
Spezialisten und Experten aller Art wie Ärzten, Ingenieuren, Chemikern,
Baufachleuten, Sprengstoff- und Gasexperten, Nahrungsmittelfachleuten,
Schlossern, Maurern, Flaschnern, Kaminfegern, Uhrmachern, Tauchern,
Bühnengestaltern, die bei Bedarf zugezogen werden konnten, falls sich
die Kriminal- oder Staatspolizeibeamten nicht kompetent oder findig
genug fühlten. Ferner mußten Karten und Pläne nach dem neuesten

Stand vorhanden sein, einschließlich genauer Grundrisse aller in Frage kommenden Häuser, Kanalisationsanlagen und dergleichen; in letzter Zeit vorgenommene Veränderungen mußten eingetragen sein (Hauseigentümer bzw. -verwalter waren verpflichtet, sie der Gestapo mitzuteilen). Gefahrenpunkte, wie hohe Gebäude, Fabrikgelände mit Versteckmöglichkeiten, Eckgebäude usw., mußten besonders markiert werden. Wurden an einem Veranstaltungsplatz wie dem Berliner Sportpalast oder dem Münchner »Bürgerbräukeller« Veränderungen vorgenommen, so mußte der Architekt sie der Gestapo melden, und alle beteiligten Arbeiter mußten auf ihre politische Zuverlässigkeit überprüft werden. Die örtlich jeweils eingesetzten Sicherungsbeamten mußten in der Lage sein, Häuser innerhalb des Sicherungskreises (500-m-Radius) jederzeit zu betreten und zu überprüfen. Dazu mußten sie über eine entsprechende Schlüsselsammlung für Gebäude, Garagen, Lagerschuppen, Kellerräume und Speicherräume verfügen und natürlich auch für das engere Schutzobjekt. Die im Sicherungskreis liegenden Gebäude und Nebenräume mußten durch Eigentümer, Einwohner, Werkschutz oder Polizei unter Verschluß und Beobachtung gehalten werden. Eigentümer und Hausmeister wurden für unerlaubten Zutritt und unerlaubte Tätigkeiten in den oder um die Gebäude haftbar gemacht sowie dafür, daß nichts von Balkonen geworfen wurde, daß keine Unbefugten Zutritt hatten und daß eventuell als Wurfgeschosse benützbare Gegenstände nicht von Fahnen oder Dekorationen verdeckt wurden.

Kurz und gut: »Das gesamte Leben und Treiben innerhalb des Sicherungskreises muß durch eine ständige, unauffällige, aber doch energische und zielsichere Überwachung laufend erfaßt, erforscht und überprüft werden. Nichts darf sich innerhalb des Sicherungskreises ereignen, was nicht mindestens gleichzeitig dem Schutzdienstreferat bekannt wird.«

In den letzten vier Wochen vor dem Ereignis mußten alle Vorausmaßnahmen überholt werden, jedoch nicht später als eine Woche vorher. Mit der Überholung begannen die eigentlichen Sicherungsmaßnahmen. Am besten war es, das in Frage kommende Gebäude bis zur Veranstaltung für das Publikum zu schließen, mindestens während der Überholung, während die Gebäude mit allen Räumlichkeiten, Anlagen und Gegenständen unter, auf und über der Erde »einer an Gründlichkeit nicht zu übertreffenden neuerlichen Prüfung nach jeder Hinsicht« unterworfen wurden. Weiter hieß es in den Richtlinien für die Überholung in den letzten vier Wochen: »Es sind – bei Tageslicht – peinlichst genau zu erforschen, zu durchsuchen und zu prüfen nach jeder Hinsicht die Keller-, Speicher- und sonstigen Nebenräume, die Kanalisationsbauten, Installationseinrichtungen, jede einzelne Räumlichkeit für sich (Fußböden, Wände, Säulen, Decken, Ausstattungs- und Ausschmückungsgegenstände, Um- oder Aufbauten, Kabelleitungen, Umformerstationen, Unter- und Überführungen, Lichtmasten, Denkmäler, Plakatsäulen, Sandkästen, Garagen, Telefonzellen, Briefkästen, Gerüstanlagen, Oberleitungen, Tribünen, Pylone, Fahnengerüste usw. usw.), wobei alle brauchbaren Errungenschaften der Wissenschaft und Technik (wie z. B. Abhörgeräte, Tastwerkzeuge, Durchleuchtungsapparate, Scheinwerfer usw.) zu verwenden sind. Weiter sind Sprengstoffsachverständige beizuziehen, welche aufgrund ihrer Erfahrungen Orte anzugeben haben, die sich ganz besonders für Sprengstoffanschläge eignen würden. Daß diese bezeichneten Orte einer besonderen Aufmerksamkeit bedürfen, bedarf keiner Hervorhebung. Das Ergebnis der Überholung ist schriftlich niederzulegen.«

In den letzten Tagen wurde die Überwachung schärfer und lückenloser: »Das Betreten des Sicherungskreises bezw. der Örtlichkeit ist grundsätzlich nur mehr zu gestatten aufgrund eines besonderen Ausweises, der von der Geheimen Staatspolizei entweder ausgestellt, beglaubigt oder genehmigt ist.« Nur »in jeder Hinsicht« einwandfreie Personen durften Ausweise erhalten, und nach der Veranstaltung mußten alle Ausweise »restlos« eingezogen werden. Diese Bestimmung allein hätte genügt, um den Anschlag Georg Elsers zu verhindern. Nicht einwandfrei verschließbare Gebäude und Räume waren unter Dauerbewachung zu stellen. »Lieferungen, Paketsendungen usw., welche geeignet sind, Material für Anschläge zu enthalten, müssen – wenn sie während der Periode der Sicherungsmaßnahmen anfallen – von Beamten der Geheimen Staatspolizei überprüft werden. Etwa noch erforderliche Ausschmückungsarbeiten müssen laufend und ohne Unterbrechung staatspolizeilich überwacht werden. Insbesondere sind Hohlräume, welche im Zuge dieser Arbeiten verschlossen werden müssen, vor dem Verschluß nochmals eingehendst zu überprüfen und nach Verschluß ständig zu überwachen.« Vom Zeitpunkt der Überholung an mußten auch die schon vorher festgestellten Hotels, Pensionen usw. »unauffällig besetzt gehalten werden, sofern sie besonders verdächtig erscheinen oder mit ihren Fensterfronten der Feststraße bezw. der Veranstaltungsörtlichkeit zugewendet sind.« Jeglicher Automobilverkehr in der Sicherungszone mußte mit Hilfe der Ordnungspolizei genauestens und ständig beobachtet werden. Fand in den letzten Tagen vor dem Ereignis noch eine andere Veranstaltung statt, zum Beispiel ein Tanz im »Bürgerbräukeller«, so mußte eine neue vollständige Überholung stattfinden, die auf keinen Fall mit der für die letzten vier Wochen vor dem Ereignis angeordneten zusammengelegt werden durfte. Jetzt war es auch Zeit für »die präventive Festnahme bekannter und gefährlicher Staatsfeinde, Terroristen usw., welche innerhalb des Sicherungshaupt- oder des Sicherungskreises wohnen, beschäftigt sind oder sich hauptsächlich aufhalten (vergleiche A-Kartei). Hierbei ist allerdings zu bedenken, daß diese Maßnahme keine mehrmalige Wiederholung finden wird, da sich diese Elemente schon vor dem Herannahen der Veranstaltungstermine von selbst wegbegeben werden (was unter Umständen umfangreiche Fahndungsmaßnahmen erforderlich macht). Deshalb ist von der Maßnahme der Festnahme nur in den wichtigsten Fällen Gebrauch zu machen; im übrigen muß man sich auch auf geeignete Überwachungsmaßnahmen beschränken.« Hierzu gehörte auch die »Erfassung und Beobachtung der in dieser Zeit zur Entlassung kommenden Sträflinge, Geistesgestörten, Trinker, der mit Bewährungsfrist oder gnadenweise Entlassenen usw.«, ferner die »Beantragung einer Entlassungssperre für alle Schutzhaftgefangenen von einem in unmittelbarer Nähe liegenden Konzentrationslager beim Reichssicherheitshauptamt«.

Je länger der Zeitpunkt eines Ereignisses mit Teilnahme einer zu schützenden Persönlichkeit dem Publikum im voraus bekannt war, desto intensiver mußten die Sicherungsmaßnahmen sein. Andererseits waren bei kurzfristiger Ankündigung »die vorbereitenden Maßnahmen zunächst auf das unbedingt gebotene Maß zu beschränken und darüber hinaus unter Vorgabe eines den örtlichen oder zeitlichen Verhältnissen entsprechenden glaubhaften Grundes durchzuführen«. Dies galt vor allem für einmalige Veranstaltungen. Möglichste Unauffälligkeit der Maßnahmen war hier besonders wichtig, wenn nicht der Sinn der kurzfristigen Ankündigung verfehlt werden sollte; aber: »Gleichwohl darf dieser Umstand der Intensität aller Sicherungsmaßnahmen keinen Abbruch tun. Denn die Kriminalgeschichte zeigt immer wieder, daß Attentäter jeden Umstand und jede Zufallsmöglichkeit in Rechnung stellen. So darf es z. B. nicht überraschen, wenn derartige Elemente auch für solche Veranstaltungen Attentate planen, bei denen sie erfahrungsgemäß annehmen können, daß führende Persönlichkeiten in letzter Stunde oder Minute erscheinen.« In solchen Anweisungen spiegelte sich der Schock und auch eine gewisse Hilflosigkeit angesichts eines so tüchtigen Attentäters wie des schwäbischen Handwerkers Georg Elser.

Selbstverständlich mußten alle Sicherungsmaßnahmen während des Ereignisses intensiviert werden. Nun waren Beamte für die Einlaßkontrollen abzuordnen und für die unauffällige Beobachtung des Publikums, der Häuserfronten, Dächer und Balkone, für die Besetzung von Dächern, Eckfenstern, Hauseingängen, Über- und Unterführungen, U-Bahneingängen, Baustellen, Denkmälern usw. usw. Selbst *nach* der Veranstaltung durfte die Überwachung nicht nachlassen: »Zum wiederholten Male wurde festgestellt, daß planmäßig vorgehende Attentäter die nach der Beendigung der Veranstaltungen zumeist folgende ›Besichtigungszeit‹ benutzen, um sich an Hand der Dekorationen, der Tribünen usw. einen Situationsüberblick zu verschaffen.« Also war »Nachsicherung« nötig; auch dies war Elser zu verdanken.

Endlich wurde der Leser der Richtlinien ermahnt, sie nicht bloß zu lesen und dann wegzulegen, sondern sie immer wieder neu zu durchdenken: »Gerade die Selbstverständlichkeiten, welche in diesen Richtlinien enthalten sind, werden erfahrungsgemäß zumeist für so selbstverständlich gehalten, daß sie übersehen oder vergessen werden.«

Die oben dargelegten Maßnahmen waren in den Jahren 1940 bis 1945 in Kraft für Veranstaltungen wie den »Tag der nationalen Erhebung«, den 1. Mai, den 8./9. November, den Heldengedenktag im März im Berliner Zeughaus, teilweise auch für nicht-regelmäßige Veranstaltungen wie die Ansprachen Hitlers an Offiziersanwärter am 14. Februar und am 30. Mai 1942.

Zu den beiden letztgenannten Veranstaltungen kam Hitler eigens mit seinem Sonderzug aus der »Wolfschanze« angefahren und fuhr anschließend gleich wieder zurück. Die Sicherheitsanordnungen für die zweite der Ansprachen sind von einigem Interesse, weil kurz vorher ein neuer Schock die Sicherheitsorgane ereilt hatte: Am 27. Mai war auf SS-Obergruppenführer Heydrich, Chef der Sicherheitspolizei und des SD und Stellvertreter des Protektors von Böhmen und Mähren, auf der Fahrt zum Dienst in Prag ein Attentat verübt worden. Die Attentäter hatten Heydrich zuerst erschießen wollen, wurden durch eine Ladehemmung frustriert, und schon zogen Heydrich und sein Fahrer ihre Pistolen, um die Angreifer niederzuschießen, da warf ein Mittäter eine Bombe, an deren Folgen Heydrich am 4. Juni starb. Man schloß aus dem Anschlag, daß »den Terroranweisungen des englischen und bolschewistischen N.D. Folge geleistet wird. Es bedarf keines besonderen Hinweises, daß deren Terroristen es in erster Linie auf das Leben des Führers abgesehen haben, weil der Führer der Garant unseres Sieges ist.«[29]

Zwar konnten die Sicherheitsvorkehrungen gegenüber den oben beschriebenen kaum erhöht werden, sie sind aber dadurch merkwürdig, daß sowohl die Veranstaltung selbst und die Teilnahme Hitlers als auch die zu ergreifenden Sicherheitsmaßnahmen geheim waren: »Die Veranstaltung und der Einsatz ist [sic] streng geheim.« Geheimhaltung war im Kriege zum allgegenwärtigen Grundsatz geworden, nach dem berühmten, von Hitler erlassenen Befehl Nr. 1, wonach jedermann nur genau das und nicht mehr wissen durfte, was er zur Erfüllung seiner jeweiligen Aufgabe unbedingt wissen mußte. So wurden auch hier, trotz der großen Zuhörerzahl, trotz umfangreicher Vorbereitungen, die nötig waren, alle Anstrengungen gemacht, um die Anwesenheit des Führers bei der Veranstaltung sowohl vorher als auch während des Ereignisses geheim zu halten. Mit den zuständigen Wehrmachtstellen wurde vereinbart, daß an allen Telefonzellen innerhalb und außerhalb des Sportpalastes am Tag der Ansprache Wachen aufgestellt wurden, die jegliches Telefonieren unterbinden mußten. Es liegt aber ein gewisser Widerspruch darin, daß viele Maßnahmen der Heydrichschen Richtlinien für öffentliche und vorher bekannte Veranstaltungen auf diese geheime Veranstaltung angewandt wurden, die nur Sinn hatten, wenn man mit Publikumsansammlungen rechnete. Sie erregten erst die Aufmerksamkeit und machten mehr als die aufgewandten Maßnahmen nötig; die Sicherheitsmaßnahmen beeinträchtigten also sich selbst.

Nicht weniger als 450 Gestapo-, Kriminalpolizei- und Ordnungspolizeibeamte wurden eingesetzt, um alle Gefahrenpunkte zu beobachten und zu besetzen (Balkone, U–Bahnschächte, Kabelschächte, Kanalisationsanlagen, Briefkästen, Feuerlöscher, Hydranten, Automaten). Zuschauer mußten von vorn und von hinten beobachtet werden, zugleich die gegenüberliegenden Häuserfronten. »Das Werfen von Blumen und Briefen, sowie anderer Gegenstände ist zu unterbinden. Das Besteigen von Gerüsten, Denkmälern, Masten, Bäumen, Zäunen, Verkehrsschildern, Fahrzeugen usw. ist gegebenenfalls im Benehmen mit der Schutzpolizei zu verhindern. Es ist streng darauf zu achten, daß kurz vor und während der Vorbeifahrt oder An- und Abfahrt der zu schützenden Persönlichkeiten in den Sicherungsabschnitten, wie auch im Sportpalast selbst keinerlei Koffer, Pakete, Taschen oder sonstige Behältnisse abgegeben oder abgestellt werden ... An der Strecke abgestellte Fahrzeuge aller Art sind auf verdächtige Personen oder Gegenstände zu überprüfen. *Juden und sonstige verdächtige Elemente* sind aus dem Sicherungsraum zu verweisen und gegebenenfalls für die Dauer des Einsatzes in Sicherungsverwahrung zu nehmen.« War die Veranstaltung bis zum Beginn der Sicherungsmaßnahmen geheim, so konnte sie es nicht bleiben, wenn Autos und Häuser untersucht und beobachtet, Anwohner verhaftet, Cafés besetzt, Photographen nur mit Ausweisen vom Propagandaministerium zugelassen, also auch erwartet wurden, »leerstehende Häuser« (Euphemismus für Ruinen?) besonders beobachtet wurden. »Die Baustellen und leerstehenden Häuser sind genau zu überholen und nach der Straßenseite während der Vorbeifahrt des Führers von allen Personen freizuhalten. Sie sind durch Beamte besetzt zu halten.

Der freie Balkon des ›Café Telchow‹ in der Potsdamer Straße mit Ausblick auf diese und den Potsdamer Platz ist durch 2 Beamte gesichert.« »Das Café ›Fürstenhof‹ und ›Münchener Hofbräu‹ sind durch Beamte besonders in den oberen Etagen zu besetzen … In der 1. Etage des ›Café am Potsdamer Platz‹, sowie der ›Vegetarischen Küche‹ Ecke Potsdamer Straße sind Beamte abzustellen, die die anwesenden Gäste unauffällig zu beobachten haben.« Auch die Bedürfnisanstalt Bülow- Ecke Potsdamer Straße war »zu überholen und besonders in Aufsicht zu nehmen«. Je 26 Kriminalbeamte (1 Kriminalkommissar und 25 Beamte) wurden für eine Seite eines kurzen Straßenabschnitts eingesetzt, z. B. Potsdamer Straße von Potsdamer Brücke ausschließlich bis Ludendorffstraße Mitte, Nordseite; weitere 26 für Potsdamer Straße von Ludendorffstraße Mitte bis Winterfeld- und Alvenslebenstraße Mitte, Südseite; usw.

Den Sportpalast selbst durfte niemand ohne Ausweis betreten oder verlassen, tagelang vorher überwachten Gestapobeamte alle Arbeiten, das Aufstellen der Stühle, die Vorbereitungen an der Rednertribüne. Vom 26. Mai 1942, 8 Uhr früh an waren ständig bis nach der Veranstaltung 48 Gestapo-Beamte im Sportpalast postiert, nach dem Ende der Vorbereitungen wurde das ganze Gebäude »nach zurückgelassenen Gegenständen« durchsucht. Am 30. Mai ab 7 Uhr früh wurden noch 80 Beamte im Gebäude eingesetzt zur letzten Generalüberholung und Besetzung aller Gefahrenpunkte wie Dachstock, Lichtschalter, Dach (10 Beamte in Zivil, die die umliegenden Dächer, Fenster, Balkone zu beobachten hatten), die bei dieser Veranstaltung nicht benützten Tribünen (13 Beamte in Zivil), Souterrain (20 Beamte in Zivil). Ein Beamter wurde eigens zur Beobachtung der Balkone am Haus Potsdamer Straße 168 eingeteilt, zwei wurden im Treppenhaus Winterfeldstraße 36 und Pallasstraße 1 postiert, von wo man direkte Einsicht auf den Vorplatz des Sportpalastes hatte. Weitere 50 Beamte besetzten 17 Häuser an der Potsdamer Straße und an der Winterfeldstraße, von denen man ebenfalls direkt auf die Anfahrt bzw. auf den Sportpalasteingang sehen konnte.

Hitler kam am 29. Mai um 10.45 Uhr aus Ostpreußen an, ließ sich mit seiner Autokolonne am 30. Mai kurz vor 12 Uhr von der Reichskanzlei über Wilhelmsplatz, Leipziger Straße, Hermann-Göring-Straße und Potsdamer Straße zum Sportpalast fahren und sprach dann zu den großenteils todgeweihten Zuhörern vom Lebenskampf und vom Lebensraum. Dann fuhr er wieder zur Reichskanzlei und bestieg noch am gleichen Tag seinen Sonderzug, der ihn in die »Wolfschanze« zurückbrachte.

Etwa ein Jahr später wurde bei einem ähnlichen halböffentlichen Ereignis die Ermordung Hitlers tatsächlich geplant und versucht. Diese Bemühungen sind an anderer Stelle ausführlich geschildert worden (Hoffmann, Widerstand . . ., Kap. IX) und sollen hier nur unter dem Aspekt der Sicherheit kurz skizziert werden. Der Attentäter machte zwei improvisierte Anläufe. Dem ersten fehlte jegliche Originalität, und er wurde durch routinemäßige Sicherheitsmaßnahmen im Keim erstickt; der zweite scheiterte an Hitlers unberechenbarem Verhalten, also in gewissem Sinne auch an einer Sicherheitsmaßnahme. Die Anläufe wurden am 20. und 21. März 1943 unternommen, anläßlich der Feier des Heldengedenktages im Berliner Zeughaus an der Straße Unter den Linden[30].

Eine Woche zuvor war der Anschlag von Oberst i. G. Henning von Tresckow (Ia bei Generalfeldmarschall von Kluge, dem Oberkommandierenden der Heeresgruppe Mitte an der Front in Rußland) und Oberleutnant von Schlabrendorff, Tresckows Ordonnanzoffizier, gescheitert, bei dem eine in Hitlers Flugzeug geschmuggelte Bombe dieses auf dem Flug von Smolensk zur »Wolfschanze« zum Absturz bringen sollte (hierauf wird unten S. 164 zurückzukommen sein). Die Verschwörergruppe im Oberkommando der Heeresgruppe Mitte sah eine neue Gelegenheit anläßlich der Eröffnung einer Ausstellung von sowjetischem Kriegsmaterial am Heldengedenktag im Zeughaus, bei der Hitler meistens eine Ansprache im Lichthof hielt, anschließend die Ausstellung besichtigte und dann draußen vor dem Ehrenmal eine Parade abnahm. Oberst i. G. von Gersdorff, Ic-Offizier bei Kluge und seit einiger Zeit an der Verschwörung beteiligt, hatte Gelegenheit zur Teilnahme an der Eröffnung der Ausstellung. Nach dem mißlungenen Versuch im Flugzeug waren die verwendeten britischen Haftminen, »clams«, übrig und sollten wieder verwendet werden (vgl. Tafel 31). Gersdorff flog am 20. März mit Generalfeldmarschall von Model, dem Oberkommandierenden der 9. Armee, nach Berlin. In der Nacht vom 20. zum 21. März übergab Schlabrendorff im Hotel »Eden« die »clams« an Gersdorff. Gersdorff wollte sie im Rednerpult unterbringen, so daß sie während Hitlers Ansprache explodierten. Dazu mußte er den genauen Zeitpunkt der Ansprache kennen. Das Minutenprogramm stand wohl fest, konnte aber aus Sicherheitsrücksichten kurzfristig um eine Stunde früher oder später angesetzt werden. Anscheinend war nicht einmal der Reichsführer SS Himmler vom richtigen Zeitpunkt vorher unterrichtet; denn er schrieb in seinen Terminkalender unter 10.30 Uhr »Zeughaus« und unter 12.00 Uhr »Führerrede«, was nicht zutraf. Model wollte noch seine Frau in Dresden besuchen und rechtzeitig zur Feier zurückkommen, also waren Model und Gersdorff am 20. März zu Generalmajor Schmundt, Hitlers Chefadjutanten, gegangen und hatten diesen nach dem genauen Zeitpunkt gefragt. Schmundt weigerte sich zunächst befehlsgemäß, irgend etwas mitzuteilen, ließ sich aber schließlich von den ihm seit langer Zeit bekannten Kameraden bereden. Unter dem Siegel allergrößter Verschwiegenheit und unter Androhung der »Todesstrafe« sagte er, die Rede sei für 13 Uhr angesetzt statt wie gewöhnlich für 12 Uhr. 12 Uhr sei zwar angekündigt, aber kurzfristig werde alles auf 13 Uhr verschoben werden.

Am Nachmittag des 20. März ging Gersdorff zum Zeughaus, wo die Vorbereitungen noch im Gange waren. Die Örtlichkeit war für einen Sprengstoffanschlag ungünstig, der hohe weite Raum des Lichthofes mit dem Glasdach bot wenig »Verdämmung« und die Gewalt der Explosion würde gering sein. Außerdem sah Gersdorff keine Möglichkeit, seine »Bombe« unbemerkt anzubringen. Der Raum war scharf bewacht, es wimmelte von Polizei- und SS-Leuten in Uniform und Zivil. Schließlich hatte Gersdorff nur Zünder für 10 und 30 Minuten Zündverzögerung, er hätte also weniger als 30 Minuten vor der Ansprache die »Bombe« unbemerkt am Rednerpult anbringen müssen, und das war ausgeschlossen. Da die Verschwörer, vermutlich zu Unrecht, überzeugt waren, daß Hitler kugelsichere Kleidung trug, schied ein Pistolenattentat aus. Tresckow hatte sich auch aus anderen Gründen schon lange für Sprengstoff als sicherste Methode entschieden.

Gersdorff wollte sich nun, während Hitler nach seiner Ansprache die Ausstellung besichtigte, an ihn herandrängen und mit ihm in die Luft sprengen. Dazu wäre ein Simultanzünder nötig gewesen, den Gersdorff in seiner Manteltasche im geeigneten Moment betätigen konnte, aber es war so schnell keiner zu beschaffen gewesen und Gersdorff wollte es mit dem Zeitzünder mit der kürzesten Verzögerungszeit, der ihm zur Verfügung stand, einem Zehnminutenzünder, versuchen.

Zehn Minuten waren für die Besichtigung vorgesehen, aber Hitler lief geradezu durch die Ausstellung und war nach weniger als fünf Minuten wieder im Freien, wodurch das Protokoll in Verwirrung geriet. Gersdorff konnte nicht folgen und mußte sich seines in Gang gesetzten Zünders in einer Toilette entledigen. Zwar hatte er durch sein Vordringen in Hitlers Umgebung die Sicherheitsmaßnahmen unterlaufen, aber Hitlers planmäßige Unberechenbarkeit hatte den Anschlag doch vereitelt.

IX. Schutz auf Reisen

Hitlers Ruhelosigkeit gehört zu den auffallendsten Merkmalen seiner Persönlichkeit. Willenskraft, Zielstrebigkeit und Disziplinlosigkeit lagen oft im Widerstreit. Der Führer und Reichskanzler hatte die Gewohnheit, seine Zeit mit nutzloser, irrationaler Tätigkeit und mit endlosen Monologen zu füllen, dann wieder plötzlich mit besonderen »Führerbefehlen« in Einzelheiten der Verwaltung und später auch der Kriegführung einzugreifen. Die Umgebung mußte bei Tag und Nacht die Monologe anhören, die Befehle ausführen oder auf einen Wink abreisefertig sein, wenn eine Laune den Führer überkam. Denn nicht jede kurzfristige Ankündigung einer Ausfahrt oder eines Reisezieles war durch Sicherheitserwägungen motiviert. Es kam oft vor, daß Hitler eine Münze warf, um das Fahrtziel zu entscheiden [1].

Zu den häufigsten Reisezielen gehörten München und der Obersalzberg. Hitlers Wehrmachtadjutant (1934–1938), Oberst Hoßbach, und der Cheffahrer Kempka erinnern sich, daß selten ein Wochenende ohne eine Reise nach München oder zum Obersalzberg verging und daß deshalb fast immer der Samstag und der Montag für die normale Regierungsarbeit ausfielen. Viele Reisen führten aber auch nach Hamburg, Kiel, Weimar, Bayreuth, Hannover oder Dresden. In den dreißiger Jahren nahm Hitler jedes Jahr an den Bayreuther Wagner-Festspielen teil. Weimar, sein Theater und seine Bauten waren ihm auch wichtig [2]. Über Reisen dieser Art ist in den Abschnitten über Verkehrsmittel schon einiges gesagt worden. Hier soll noch kurz über den Einmarsch in Österreich und einen Staatsbesuch in Italien, sodann über die Reisen während des Krieges berichtet werden.

Ins Ausland reiste Hitler nur, wenn es befreundet oder besetzt war. Das befreundete Ausland wurde vor dem Krieg von Italien vertreten, im Kriege kam noch Finnland dazu. Nach 1938 reiste Hitler häufig in besetzte Länder: Tschechei und Polen 1939; Belgien und Frankreich 1940; Rußland 1941, 1942 und 1943; Italien 1943 (auch 1934, 1938 und 1940, aber da war es befreundetes, nicht besetztes Land); Frankreich 1944. Auf den Reisen in russisches Gebiet benutzte Hitler hauptsächlich das Flugzeug, begleitet von einer Anzahl Jagdflugzeuge; lange Eisenbahnreisen durch Rußland waren nicht nur zeitraubend, sondern durch die überall hinter der Front operierenden Partisanenbanden gefährlich. Auch sonst benutzte Hitler häufig das Flugzeug zu Reisen außerhalb des Reichsgebiets, auch der Führersonderzug wurde für lange Reisen verwendet, dagegen nicht das Auto.

Im März 1938 zog Hitler im Triumph in seine Heimat Österreich ein. Vom Sicherheitsstandpunkt aus gesehen, besuchte er ein fremdes Land, das soeben von deutschen Truppen besetzt wurde. Der Einmarsch begann am frühen Morgen des 12. März, nachdem Dr. Seyß-Inquart »um Hilfe gebeten« hatte und die österreichischen Nationalsozialisten »legal« zur Macht gelangt waren[3]. Schon am 11. März waren Heereseinheiten an der Grenze bereitgestellt worden. Über Seyß-Inquarts sogenanntes Hilfeersuchen berichtet Hitlers damaliger Adjutant, Hauptmann Wiedemann: Göring telefonierte mit Seyß-Inquart, diktierte ihm den Text des Telegramms, in dem die deutsche Regierung um Hilfe gebeten werden sollte, und sagte zum Schluß, es brauche nicht mehr abgeschickt zu werden: »So – ich habe hiermit also Ihr Telegramm bekommen!«

Hitler konnte kaum erwarten, in Österreich einzuziehen und, wie er es sah, den jahrhundertealten Traum eines vereinten Großdeutschen Reiches zu verwirklichen, den nicht einmal Bismarck hatte erfüllen können. Mit einem Dutzend dreiachsiger Mercedes-Benz-Autos (G 4) gedachte er durch seine einstige Heimat bis nach Wien zu fahren. Der Chef des OKW, der die Funktionen des im Januar entlassenen Kriegsministers von Blomberg übernahm, General Keitel, war dabei und die ständigen Begleiter wie Pressechef Dr. Dietrich, Reichsbildberichterstatter Heinrich Hoffmann, die Adjutanten Brückner und Schaub, der Arzt Dr. Brandt sowie Bormann. SS-Standartenführer Rattenhuber kommandierte persönlich das vereinte Führer-Begleit-Kommando, als Vertreter unterstand ihm der Führer des SS-Begleitkommandos, SS-Sturmbannführer Gesche. 10 Mitglieder des insgesamt 31 Mann zählenden Führer-Begleit-Kommandos waren Fahrer, zwei waren für das Gepäck verantwortlich (einer von diesen war Hitlers späterer SS-Adjutant Otto Günsche). Die Gruppe war in drei Kommandos eingeteilt, die von Gesche, Högl und Schädle geführt wurden. 6 Autos waren nötig, um sie, ihre Waffen und ihr Gepäck zu transportieren. Das Führer-Begleit-Kommando verfügte über insgesamt 14 Maschinenpistolen und 2596 Schuß Munition, außerdem führte jeder 2 Pistolen, und SS-Sturmbannführer Wernicke, einer der Persönlichen Adjutanten, hatte zwei weitere Maschinenpistolen zur besonderen Verfügung.

Der erste Teil der Reise, von Berlin nach München, wurde in neun

»Ju 52« zurückgelegt. Am 12. März um 8.10 Uhr flogen Hitler und seine
Begleitung in Berlin ab und kamen um 10.30 Uhr in München an[4]. Die
Autos warteten schon, die Flugzeuge wurden nach Wien vorausbeordert.
Zunächst fuhr man südwärts nach Mühldorf zum Armeeoberkomman-
do VIII; General von Bock befehligte die VIII. Armee. Soldaten und SS-
Leute riegelten sofort nach Hitlers Ankunft in der Mühldorfer Zentral-
schule, wo Bocks Hauptquartier war, alle Eingänge ab. Der Mühldorfer
Bürgermeister Gollwitzer, ein Mann von kleiner Gestalt, schlüpfte durch,
holte den Führer in einem Flur ein und stellte sich vor. Dann ging er ein
bißchen herum und fragte sich und Umstehende, wo denn wohl der Führer hinfahre. Da sah er, wie von Hitlers schwarzem Mercedes der Stander
abgenommen und auf einem von Kempka hinbeorderten Mercedes mit
Heeresanstrich und Heeresnummer (WH-32290) befestigt wurde; jemand
aus Hitlers Begleitung sagte: »Der Führer fährt nach Braunau.« Damit
(spätestens) war das Ende der Geheimhaltung erreicht. Noch am 12. März
kam Hitler in seine Geburtsstadt und fuhr unter den unglaublichsten
durch jubelnde Menschen verursachten Verzögerungen über Lambach
und Wels nach Linz. Hier wurde die Nacht verbracht, und am 13. März
ging es weiter nach Wien, bis St. Pölten mit einer durchschnittlichen
Geschwindigkeit von 40 Kilometer in der Stunde, von da an wurden nur
noch 20 Kilometer in der Stunde zurückgelegt.

Die Begeisterung, mit der Hitler von den vielen Tausenden auf die
Straße geeilten Österreichern begrüßt wurde, war zweifellos echt, wie auch
so unbestechliche Zeugen bestätigen wie der britische Militärattaché in
Berlin, Oberst Mason-MacFarlane. Selbst geringere Begeisterung, als sie
tatsächlich an den Tag gelegt wurde, hätte genügt, um in engen Ortsdurchfahrten die Führerkolonne immer wieder zum Stehen zu bringen
oder nur im Schneckentempo vorankommen zu lassen. Zwischen Melk
und Linz, wo die Straße nach Wien abzweigt, wurde sie am 13. März von
dem britischen Militärattaché erwartet, der eifrig in der Gegend herum-
fuhr, um sich einen Überblick über die deutschen Truppenbewegungen
zu verschaffen, und gerade hier an einer Tankstelle gehalten hatte. Man
hatte ihm gesagt, Hitler werde gleich durchkommen, und er hatte sich
das Schauspiel nicht entgehen lassen wollen. Tatsächlich kamen »alsbald
zwei Mercedes-Wagen vorbei, voll von SS-Leuten mit Maschinenpistolen
und anderen tödlichen Waffen, dicht gefolgt von einem halben Dutzend
Superautos mit Hitler, seinem Gefolge und seinen Leibwächtern«. In Wien
krönte Hitler vorläufig dieses Unternehmen, mit dem er, wie die NS-Pro-
paganda verbreitete, »Geschichte gemacht« hatte. Er übernachtete im
Hotel »Imperial« am Schwarzenbergplatz, vor dem ein Doppelposten der

Leibstandarte stand und nahm die raffiniert manipulierten Ovationen der Menge entgegen, die immer wieder zu rasenden Beifallsstürmen aufgeputscht wurde durch Kinderstimmen, die »Ein Volk, ein Reich, ein Führer« riefen – und von verborgenen Schallplatten über Lautsprecher kamen. Am Heldenplatz sprach er von einem Balkon der alten Hofburg zur Menge. Am Nachmittag des 14. März endete der Besuch mit einer Parade österreichischer und deutscher Truppen.

Hitlers Staatsbesuch in Italien war für den 3. Mai 1938 angesetzt. Seine kurze Zusammenkunft mit Mussolini in Venedig am 14. Juni 1934, ohne Teilnahme des Königs, zählte nicht als Staatsbesuch. 1937 aber war Mussolini in Deutschland wie ein Staatsoberhaupt empfangen worden, nun war der Gegenbesuch fällig. Am Nachmittag des 2. Mai verließ Hitler im Führersonderzug Berlin, begleitet u. a. von Außenminister Ribbentrop sowie Heß, Schaub, Goebbels, Dr. Hans Frank, Lammers, Keitel, Himmler, Bouhler, Amann, Dr. Dietrich, Generalleutnant von Stülpnagel, Konteradmiral Schniewind, Sepp Dietrich und Generalmajor Bodenschatz [5]. Drei »Condor«-Maschinen wurden von Baur und seinen Leuten leer nach Rom geflogen. Um 8 Uhr früh am 3. Mai empfing ein Vetter des Königs von Italien, der Herzog von Pistoia, am Brennerpaß den Sonderzug und geleitete Hitler nach Ostia bei Rom, wo er am Abend um 20.30 Uhr ankam und von König Viktor Emanuel, Mussolini und Außenminister Graf Ciano begrüßt wurde. Wieder, wie schon 1934 in Venedig, waren die schwarzuniformierten Faschistenführer mit ihrem Faschistengruß mit dem blanken gezogenen Dolch da. Den deutschen Sicherheitsbeamten muß es heiß und kalt zugleich geworden sein bei dem gefährlichen Anblick, nur wenige Zentimeter vom Gesicht des Führers entfernt blinkten die Dolchspitzen. Hitler und sein Gastgeber schritten die Front einer Ehrengarde ab, Mussolini aber ging nicht wie sein Freund Hitler neben, sondern ein Stück hinter dem König, Ciano ging hinter Mussolini, und dann kam erst der Rest der beiden Gefolge. Hitler und der König fuhren in einer von Pferden gezogenen Staatskarosse davon, flankiert von berittenen Gardeoffizieren, ohne Mussolini, der kein Staatsoberhaupt war. Hitler lächelte und verbarg sein Mißvergnügen über das ante-diluviale Transportmittel, wie er es nannte, das ihn zum Quirinalpalast brachte, wo er während seines Aufenthaltes in Rom wohnte.

Das Gefolge des deutschen Führers war zweimal so groß, wie das Mussolinis bei dessen Deutschlandbesuch gewesen war. Es war nicht leicht, für angemessene und ausreichende Sicherheitsmaßnahmen zu sorgen. Mussolini aber löste das Problem in großem Stil, indem er kurzerhand 10 000 Verdächtige verhaften ließ, ehe die Gäste ankamen. Attentate durch

unverdächtige Einzelgänger, etwa bei einem der vielen Auftritte Hitlers
in der Öffentlichkeit, konnten dadurch nicht ausgeschlossen werden.
Aber die Italiener waren den Anforderungen offenbar gewachsen; es sind
keine ernsten Zwischenfälle bekannt geworden.

Am Abend des 4. Mai fuhr Hitler in seinem Sonderzug nach Neapel.
Überall, wo der Zug hielt, standen Menschenmengen, und immer wurden
Hitler Blumen gereicht, meistens von Kindern, wenn er sich am Fenster
zeigte. Hitler wußte natürlich so gut wie Mussolini, daß ein großer Teil
dieser Huldigungen zu dem sorgfältig vorbereiteten großartigen Empfang
gehörte, den man ihm bewußt und mit soviel Glanz bereitete, wie Dikta-
turen das können. In Deuschland war es nicht anders, wenn ein fremder
Staatsmann hofiert werden sollte, wie zum Beispiel im März 1941 der
japanische Außenminister, der unterwegs in Moskau von Stalin auffällig
freundlich begrüßt worden war und für dessen Empfang in Berlin u. a.
folgendes angeordnet war: »Für die Spalierbildung auf der Strecke vom
Anhalter Bahnhof bis zum Schloß Bellevue sind 600.000 Volksgenossen
notwendig... Die Gauleitung wird gebeten, zur Spalierbildung bei der
Kranzniederlegung und für die Kundgebung auf dem Wilhelmplatz je
150.000 Volksgenossen – einschließlich HJ – vorzusehen und den Aufmarsch hierzu in der mündlich besprochenen Weise durchzuführen...
Die Betriebe werden durch die Reichswirtschaftskammer über den Betriebsschluß an verschiedenen Tagen benachrichtigt mit dem Hinweis,
für den Arbeitsausfall Lohnkürzungen nicht vorzunehmen.«[6] Obwohl
die Diktatoren um die Künstlichkeit der Huldigungen wußten, waren sie
doch geschmeichelt.

In Neapel sah sich Hitler mit seiner Begleitung vom Schlachtschiff »Ca-
vour« aus am 5. Mai Marinemanöver an. Hitlers Stimmung litt zunehmend
unter der zweitrangigen Rolle, die Mussolini zu spielen gezwungen war[7],
und in Neapel hatte es auch noch einen unangenehmen Vorfall gegeben,
als Hitler im Anschluß an ein Bankett beim Kronprinzen zu etwa 200
deutschen Nationalsozialisten sprechen wollte. Sein Diener hatte dafür
die braune Uniformjacke und die Mütze mitgebracht, aber die italienischen Protokollbeamten sagten, zum Umziehen reiche die Zeit nicht
mehr. So mußte Hitler, verärgert und im vollen Bewußtsein des lächer-
lichen Anblicks, mit erhobenem rechtem Arm und fliegenden Frack-
schößen an der Front der Auslandnazis vorbeischreiten[8].

Das Programm lief vollends ab, mit weiteren begeisterten Huldigungen
seitens der Bevölkerung, mit einer »Aida«-Aufführung (die Hitler später
mit der im November 1938 in Weimar verglich, wobei er die Weimarer
nach seiner eigenen Behauptung vorzog), mit Paraden, Empfängen, Aus-

stellungsbesuchen und Banketten, mit Vorführungen der italienischen Luftwaffe in Civitavecchia und mit einem gewaltigen Feuerwerk. Am 9. Mai bestieg Hitler seinen Sonderzug und traf sich in Florenz noch einmal mit Mussolini, »endlich allein«, nach den vielen Demonstrationen monarchischer Autorität und Souveränität, zu denen Hitler sich nicht ganz zu Unrecht ausgenutzt fühlte [9].

Im Herbst 1938 führte Hitler Europa an den Rand des Krieges. Während Major F. W. Heinz mit Freunden aus dem »Stahlhelm« die Erschießung Hitlers vorbereitete, verlangte der Diktator die »Rückkehr« des deutschsprachigen Sudetenlandes und wollte in Wirklichkeit die Vernichtung der Tschechoslowakei; er schrieb am 30. Mai 1938: »Es ist mein unabänderlicher Entschluß, die Tschechoslowakei in absehbarer Zeit durch eine militärische Aktion zu zerschlagen.« Termin: 1. Oktober 1938 [10]. Hektische diplomatische Bemühungen der britischen Regierung, eine Intervention Mussolinis bei Hitler, mehr noch die Alarmierung der britischen Flotte und die Einberufung französischer Reservisten retteten die Tschechoslowakei für diesmal vor der Annexion und Invasion, jedoch nicht vor dem Verlust ihres Festungsgürtels und des Sudetenlandes, das die Münchner Konferenz Hitler Ende September zusprach.

Der Führer wollte möglichst bald seine neueste Eroberung persönlich inspizieren und einem mittelalterlichen Feudalherrn gleich den »Umritt« vollziehen. Am 2. Oktober fuhr er im Führersonderzug von Berlin nach Hof, und am 3. Oktober überschritt er in Wildenau bei Asch in seinem dreiachsigen Mercedes-Benz G 4 die ehemalige Grenze [11]. Die Autokolonne fuhr nach Eger, Wildstein und Schönbach und wieder zurück zum Sonderzug nach Hof. Der Sonderzug diente als Hauptquartier. Am 4. Oktober ging die Fahrt mit der Autokolonne über Falkenau und Karlsbad nach Annaberg, dann zurück nach Berlin zur Eröffnung des Winterhilfswerks am 5. Oktober. Noch am selben Tag fuhr Hitler nach Löbau in Sachsen und setzte am 6. Oktober seine Inspektionsreise fort. Im Auto besuchte er Fugau, Schluckenau, Rumburg, Kratzau, Friedland und einige ehemals tschechische Befestigungsanlagen; in der Nacht fuhr er mit dem Sonderzug weiter und besuchte am 7. Oktober mit dem Auto Neustadt in Oberschlesien, Schönwiese, Kohlbach, Jägerndorf, einige weitere tschechische Befestigungen, und Freudenthal. Am 8. Oktober nahm er seinen Zug und fuhr von Patschkau in Schlesien nach Saarbrücken zur Einweihung der neuen Oper und einer Aufführung des »Fliegenden Holländer«. Weitere Ausflüge in die neuen Gebiete führten Hitler am 19. Oktober von Linz nach Krumau, am 25. Oktober nach Preßburg und zurück nach Wien und am 26. Oktober von Wien mit dem Auto nach Znaim. Am

27. Oktober fuhr Hitler mit dem Sonderzug nach Nikolsburg und anschließend zurück nach Wien, wo er einer Aufführung der Oper »Tiefland« beiwohnte.

So gut sich die Sicherheitsmaßnahmen auf dem Papier ausnahmen, in Wirklichkeit waren sie nicht gut. Geheimhaltung und Überraschung hätten einem einzelgängerischen Attentäter das Leben schwergemacht, aber eine Gruppe hätte zum Zuschlagen kommen können, wenn ihre Mitglieder günstig postiert waren und es klar wurde, wie bei aller Geheimhaltung nicht zu vermeiden war, daß eine Inspektionsreise im Gange war. Gegen einen spontanen, durch das plötzliche Erscheinen des Opfers hervorgerufenen Mordanschlag nutzten die besten Geheimhaltungsmaßnahmen ohnehin nichts. Dazu kam im Sudetenland die Unsicherheit eines fremden, erst wenige Tage (manchmal Stunden) zuvor von deutschen Truppen besetzten Landes, wenn auch die Bevölkerung größtenteils nicht feindselig war. Die Absperrungen in Ortsdurchfahrten waren oft lückenhaft, man nahm Truppen, wo man sie in der Eile auftreiben konnte; so sah man zwar manchmal genügend Polizei- und SS-Abteilungen, dann wieder nur Nachrichtensoldaten und gelegentlich überhaupt keine Absperrung. Immer wieder fluteten die Zuschauermassen auf die Straße und keilten Hitlers Kolonne so ein, daß sie nicht mehr vom Fleck kam. RSD- und SS-Begleitkommando-Leute mußten aussteigen und vor, neben und hinter Hitlers Wagen einhergehen oder -laufen, um wenigstens soviel Raum zwischen das Auto und die Massen zu bringen, wie ihre Körper einnahmen. Gelegentlich waren auf den Gesichtern der Leibwachen und auch in Hitlers Mienen Zorn und Besorgnis zu erkennen. Einmal, in Krumau, wurde ein großes gerahmtes Gemälde aus der Menge in Hitlers Auto gereicht – wie leicht hätte damit ein Attentat getarnt werden können. Dasselbe gilt für die zahllosen Blumensträuße, die Hitler in die Hand nahm, ehe er sie an seine Begleiter weitergab, oder für einen Korb voll Früchten, den er ebenfalls entgegennahm. Es ist unwahrscheinlich, daß die Gestapo alle diese Vorgänge vorher überprüft und unter Kontrolle hatte. In einem anderen Ort waren zum Willkomm Drähte mit Wimpeln über die Straßen gespannt; einer der Drähte fiel gerade bei Hitlers Durchfahrt auf die Kühlerhaube seines Mercedes; die Möglichkeit eines damit verbundenen Attentatversuches kann nicht ausgeschlossen werden. In Schluckenau besichtigte Hitler am 6. Oktober ein Sudetendeutsches Freikorps, eine Truppe verwegener Gestalten mit über die Schulter gehängten Flinten. In Eger und in Franzensbad wurden Tausende von Blumen geworfen, nicht bloß gereicht; leicht hätte eine Handgranate unter den geworfenen Gebinden sein können. Auch die Geheimhaltung war nicht über jede Kritik erhaben. In vielen Orten konnten die Bürger Stunden vor Hitlers Ankunft aus überdeutlichen Anzeichen ihre Schlüsse ziehen, wie zum Beispiel aus der plötzlichen (aber unvollständigen) Absperrung der Hauptstraße und des Marktplatzes und aus den unvermittelt auftauchenden Photographenmannschaften mit ihren Geräten und Gerüsten, die sich an günstigen Ecken postierten. Das private Photographieren wurde nicht unterbunden, was eine weitere Gefahrenquelle darstellte.

Der Entschluß zur Besetzung Prags und der ganzen Tschechoslowakei war spätestens im Mai 1938 gefaßt und durch den Kompromiß von München nur die Ausführung aufgeschoben worden. Über Premierminister Chamberlains Vermittlung sagte Hitler: »Der Kerl hat mir meinen Einzug in Prag versiebt.«« Am 21. Oktober 1938 befahl Hitler der Wehrmacht, jederzeit bereit zu sein, 1. die deutschen Grenzen und das Reichsgebiet zu schützen, 2. die »Rest-Tschechei« zu zerschlagen und 3. das Memelgebiet zu besetzen[12]. Im März 1939 schien die Zeit reif, und am 14. März begann nach entsprechenden Drohungen, Beschuldigungen und »Enthüllungen« die Besetzung der Tschechei, die am 15. März durch eine sogenannte Vereinbarung zwischen der deutschen und der tschechischen Regierung sanktioniert wurde.

In der Nacht vom 15. zum 16. März bestieg Hitler seinen Sonderzug und fuhr nach Süden zum Grenzort Böhmisch-Leipa, wo er am 16. in der Frühe um 3 Uhr ankam. Flugkapitän Baur war mit mehreren »Ju 52« in der Nähe und folgte Hitler auf der ganzen Reise, die in dem bekannten dreiachsigen Mercedes-Geländewagen fortgesetzt wurde[13]. Gegen Abend kam Hitler nahezu unbemerkt in Prag an, konferierte mit Generalen im Hradschin-Palast und kehrte zu seinem Führersonderzug zurück, wo er die Nacht verbrachte. Am 17. März fuhr er mit dem Zug weiter nach Brünn und Wien, übernachtete im Hotel »Imperial« und fuhr mit dem Zug am 18. nach Berlin zurück, wo er am Abend des 19. ankam.

Obwohl Hitler in einem feindselig gesinnten und weder volks- noch sonstwie deutschen Land reiste, fuhr er wie früher in seinem offenen Geländewagen durch Prag und andere Orte. Die Bevölkerung war hier nicht nur zurückgehaltener, sondern vor allem zurückhaltender. Es gab überall Neugierige, aber nicht in solchen Massen und fast ganz ohne die Begeisterung der vorhergegangenen Gelegenheiten. Kaum jemand fühlte anscheinend den Drang, durch die Absperrung zu Hitlers Wagen hinzustürzen und ihm Blumen zu überreichen, auch wurden keine Blumen geworfen oder gestreut. Ganz ohne freundliche Gesten war der Empfang freilich nicht, Prag hatte immerhin eine deutschsprachige Bevölkerung von etwa 40 000.

Die Vorbereitungen und Vorkehrungen zum Schutze Hitlers waren jedoch gründlicher als bei früheren Gelegenheiten. Das Führer-Begleit-
Kommando, zum erstenmal in militärischer Aufmachung, d. h. in feldgrauen SS-Uniformen, wurde wie beim Einzug in Österreich von SS-Standartenführer Rattenhuber persönlich kommandiert, und die Absperrungen
wurden ernst genommen. Obwohl in Prag nur dünne Zuschauerreihen
an den Straßenrändern standen, waren die Absperrketten dicht, selbst an
der am Fluß entlang führenden Straße, wo keine Häuser standen. Wo
Zuschauer standen, waren fast alle zur Absperrung eingesetzten Uniformierten dem Publikum zugewandt, kaum ein Zuschauer lächelte oder
winkte, und Hitler saß fast die ganze Zeit hinter seinen kugelsicheren
Scheiben, statt wie sonst aufrecht im Auto zu stehen. Freilich gab es keine
Ovationen entgegenzunehmen. Nur wenn seine Autokolonne einer deutschen Heereseinheit begegnete, stand Hitler auf und grüßte. Die Kolonne
wurde angeführt von zwei offenen Begleitkommandowagen, sodann von
zwei Panzerspähwagen; nach Hitlers Wagen kamen die Autos der Begleitung und weitere Wagen des Führer-Begleit-Kommandos, in denen die
schwerbewaffneten Leibwächter saßen. Am 17. März in Preßburg war der
Empfang ein gut Teil freundlicher, aber auch hier waren die Sicherheitsmaßnahmen streng.

Bei vielen Reisen waren die Sicherheitsvorkehrungen mehr oder minder
improvisiert gewesen. Das war jetzt anders. Im Januar 1939 lag ein detailliertes Verfahrensschema für Führerreisen vor. Vor allem wurde dafür
gesorgt, daß beim leisesten Anzeichen einer bevorstehenden Reise sofort
sowohl die für den Führersonderzug als auch die für die Flugzeuge und für
die Autokolonne zuständigen Leute informiert und in Bereitschaft versetzt
wurden, so daß Hitler wirklich im allerletzten Moment über das Transportmittel entscheiden konnte. Dann wurden die Führer des SS-Begleitkommandos und des RSD, Gesche und Rattenhuber, verständigt, ferner
die Persönlichen Adjutanten (Brückner, Schaub, Wiedemann, A. Bormann,
SS-Sturmbannführer Wernicke, die SS-Untersturmführer Bahls und Wünsche) und die Sekretärinnen Fräulein Wolf und Fräulein Schröder. Auch
die Wehrmacht-Adjutanten, der Pressechef und sein Vertreter mußten
verständigt werden sowie der Reichsbildberichterstatter und entsprechende Personen am Bestimmungsort. Jedoch war nur die Adjutantur des
Führers allein berechtigt, wie Rattenhuber noch am 29. Mai 1939 an den
Chefadjutanten Brückner schrieb, diejenigen Personen von einer beabsichtigten »Führerreise« zu unterrichten, die es unbedingt erfahren müßten und deren Zahl möglichst gering zu halten sei. Seit Jahren habe er,
Rattenhuber, es abgelehnt, bei inoffiziellen, d. h. nicht öffentlich ange-

kündigten Reisen irgendwelche Polizeidienststellen zu unterrichten; wenn sich dann trotzdem vor Hitlers Absteigequartier oder in Straßen, durch die er fuhr, Menschenmassen ansammelten, so sei es Sache der Polizei und der Geheimen Staatspolizei, für ordentliche An- und Abfahrtmöglichkeiten für den Führer zu sorgen – sowie die Quelle der Indiskretion festzustellen und Rattenhuber zu melden [14].

Mit dem Beginn des Krieges gegen Polen am 1. September 1939 wurde das Reisen für Hitler noch einmal um einen Grad gefährlicher, aber er gab es weder auf, noch schränkte er es ein, sei es dem Umfang nach oder durch Vermeiden gefährlicher Gegenden. Es gehörte zu seinem Stil, möglichst nahe dabei zu sein, wenn seine strategischen und Geschichte machenden Befehle ausgeführt wurden (soweit es sich nicht um Euthanasie, Judenvernichtung oder Hinrichtungen handelte, wovon er sich unter Umständen aber die Photos zeigen ließ [14a]), es gehörte zu seinem Aktivismus und zur Methode des feudalistischen Führerstaates, und es gehörte zu seinem halsbrecherischen Wesen. Aber es war auch eine Manifestation infantilen Mangels an Zurückhaltung und staatsmännischer Distanz. Es war gewiß unnötig und eher störend, daß der Oberste Kriegsherr seinen Generalen bis auf das Schlachtfeld folgte und ihnen hier dreinredete. Weder Roosevelt, Churchill noch Stalin folgten Hitlers Beispiel.

Bis zum Abend des 3. September war Hitler durch die diplomatischen Manöver festgehalten, durch die der Krieg in letzter Stunde vermieden oder angehalten werden sollte. Der Kriegseintritt Englands und Frankreichs, den Hitler für höchst unwahrscheinlich erklärt hatte, zögerte sich etwas hin. So oder so, sagte er am 22. August zu den auf dem »Berghof« versammelten kommandierenden Generalen, sei es an der Zeit, Polen anzugreifen, er habe sich schon im Frühjahr dazu entschlossen [15]. Den Rücken habe er nun durch den am 23. August zu unterzeichnenden Pakt mit Stalin frei. Aber der Erfolg schien ihm nicht die Hauptsache zu sein; denn im Frühjahr hatte er den Pakt noch nicht, und der Eintritt oder Nichteintritt Englands und Frankreichs war ihm verhältnismäßig gleichgültig, obwohl er höchst wahrscheinlich den amerikanischen Kriegseintritt spätestens dann nach sich ziehen mußte, wenn England in Bedrängnis geriet. Hitler schien sich von einem Selbstzerstörungstrieb treiben zu lassen, immer wieder riskierte er – hier wie in Fragen seiner persönlichen Sicherheit – schlechthin alles. Auch die finsteren Ankündigungen an die Militärs gehören hierher, denn sie waren eine einzige Botschaft des Todes und der Zerstörung: Viel Ruhm winke im kommenden Feldzug, nur hart müsse man sein und brutal, die Vernichtung Polens stehe im Vordergrund: »Ziel ist die Beseitigung der lebendigen Kräfte, nicht die Erreichung einer

bestimmten Linie. Auch wenn im Westen Krieg ausbricht, bleibt Vernichtung Polens im Vordergrund ... Herzen verschließen gegen Mitleid ...
Jede sich neu bildende lebendige polnische Kraft ist sofort wieder zu vernichten.« Nach einer anderen Aufzeichnung der Rede sagte Hitler anschließend an den Satz, das Kriegsziel sei nicht die Erreichung bestimmter
Grenzlinien, sondern die physische Vernichtung des Gegners: »So habe
ich, einstweilen nur im Osten, meine Totenkopfverbände bereitgestellt
mit dem Befehl, unbarmherzig und mitleidslos Mann, Weib und Kind
polnischer Abstammung und Sprache in den Tod zu schicken. Nur so
gewinnen wir den Lebensraum, den wir brauchen. Wer redet heute noch
von der Vernichtung der Armenier? ... Polen wird entvölkert und mit
Deutschen besiedelt.« Das Großgermanische Reich, ja die »deutsche Erd-
herrschaft« stehe vor der Tür. Es gehörte wohl zur Vorbereitung, daß
Martin Bormann unter dem 13. Juni 1939 mit Rundschreiben Nr. 127/39
bekanntgab (nicht zur Veröffentlichung): »Der Führer wünscht, daß die
Bezeichnung und der Begriff ›Drittes Reich‹ nicht mehr verwendet werden.« Jetzt, im August 1939, hatte der Führer nur noch eine Sorge – daß
wieder so ein Kerl wie der britische Premierminister mit Kompromißvor-
schlägen käme. Aber da werde es nichts mehr geben, versicherte er den
Generalen; persönlich und vor allen Photographen werde er den Kerl die
Treppe hinunterwerfen. Die Generale hörten sich alles an, sie murrten
nicht über die unverhüllte Ankündigung von Verbrechen, sie hatten wohl
nur »Ruhm« gehört.

Trotz seiner starken Worte hatte Hitler noch selbst in Berlin den verschiedenen diplomatischen Manövern der Westmächte zur Rettung des
Friedens präsidiert. Endlich, am Morgen des 3. September, hatte Großbritannien dem Deutschen Reich den Krieg erklärt, nachdem Hitler sich
geweigert hatte, die militärischen Operationen gegen Polen anzuhalten.
Als dem Führer des Deutschen Reiches das britische Ultimatum kurz nach
9 Uhr vorgelesen worden war, in dem es hieß, Großbritannien werde sich
als mit Deutschland im Kriegszustand befindlich betrachten, wenn nicht
bis 11 Uhr eine zufriedenstellende Antwort vorliegen werde, schwieg er
zunächst verstört. Dann fragte er sein außenpolitisches Sprachrohr, Ribbentrop: »Was nun?« Ribbentrop stotterte, Frankreich werde wohl bald
eine ähnliche Mitteilung machen. Allmählich erholte sich der Führer von
seinem Schrecken, vielleicht in der Hoffnung, die Engländer würden
schon keinen großen Krieg aus der Sache machen wollen, wenn sie sähen,
wie schnell Polen zerschlagen sein werde. Rasch diktierte er ein halbes
Dutzend Memoranden, Proklamationen und Botschaften und begab sich
noch am Abend mit dem Führersonderzug von Berlin zur Front[16].

Auf solchen Reisen wurde der Sonderzug von nun an regelmäßig von Teilen des Führer-Begleit-Kommandos unter dem Kommando von Generalmajor Rommel begleitet. Zwei Autokolonnen mußten überall dorthin fahren, wo der Zug hinfuhr und unterwegs oder am Zielort jederzeit zur Verfügung stehen. Die Führer-Flugstaffel mußte mit mehreren Flugzeugen in gleicher Weise verfügbar sein.

Der Führersonderzug »Amerika« erreichte am 4. September um 1.56 Uhr Bad Polzin, etwa hundert Kilometer östlich von Stettin. Um 9.30 Uhr desselben Tages startete Hitlers Autokolonne zur ersten Fahrt an die »Front«. Alle Wagen waren offene Mercedes-Wagen mit drei Achsen, also geländegängig, noch in Beige mit schwarzen Kotflügeln hochglanzlackiert (beim französischen Feldzug waren sie dann stumpf-olivgrün)[17]. Der Konvoi fuhr in zwei Gruppen. In der Staffel 1 fuhren Hitlers Wagen, zwei Wagen Führer-Begleit-Kommando, ein Adjutanten-Wagen, ein Wagen für den Chef des OKW und weitere Adjutanten. In Hitlers Wagen saßen außer ihm und dem Fahrer Kempka noch Schaub, Schmundt, Hauptmann von Below, Hauptmann Engel und der Diener Linge unmittelbar hinter Hitler. Linge war mit einer Maschinenpistole bewaffnet wie das übrige Begleitkommando, Hitler selbst trug eine Pistole am Gürtel. In den beiden folgenden Wagen saßen Brückner und die Angehörigen des Führer-Begleit-Kommandos einschließlich Gesche und Rattenhuber; zwei Maschinengewehre waren auf jedem dieser Wagen montiert. Wenn die beiden Begleit-Kommando-Wagen nicht nebeneinander fahren konnten, fuhr gewöhnlich das RSD-Kommando hinter dem SS-Begleitkommando. In den Adjutantenwagen saßen Martin Bormann, Generalmajor Bodenschatz, ein SS-Adjutant (Wünsche oder Bahls), der Reichsbildberichterstatter u. a. Es folgten Keitel und seine Adjutanten und die Verbindungsoffiziere des Heeres, der Marine, der Luftwaffe. In der Staffel 2 befanden sich 2 »Ministerwagen« mit Ribbentrop, Lammers und ihren Adjutanten, 1 Wagen für Himmler und seine Adjutanten und Leibwächter, 1 Wagen für den Reichspressechef Dr. Dietrich, 1 Wagen für geladene Gäste, 1 Reservewagen, 1 Gepäckwagen, 1 Feldküchenwagen und 1 Tankwagen.

Die beiden Staffeln, ohnehin gut bewaffnet mit Maschinengewehren, Maschinenpistolen und Pistolen, wurden begleitet von Rommels Führer-Begleit-Bataillon, damals noch »Frontgruppe der FHQu. Truppen« genannt. Vor Hitlers Staffel fuhren ein Kradmelderzug mit fünf Motorradfahrern und zwei Panzerspähwagen, während ein Kradmelderzug sowie zwei Panzerspähwagen der Staffel nachfolgten. Dahinter fuhr der Wagen des Kommandanten des Hauptquartiers mit weiteren fünf Motorradfahrern, einem Nachrichtenzug und einem Flakzug. Diese mittlere Kolonne hieß »Kolonne K«. Mit einem Abstand von 5 Minuten folgte die Staffel 2, die ebenfalls von Teilen der Hauptquartiertruppen geschützt wurde, die »Kolonne M« hießen und aus je einem Pakzug vorn und hinten bestanden und aus Teilen der Nachrichteneinheit.

Die erste Frontreise brachte diesen ganzen Konvoi bis zur Weichsel, wo bei Topolno deutsche Truppen den Fluß überquerten, und dann wieder zurück zu einem neuen Standort des Führersonderzuges. Unterwegs kam der Konvoi durch Neustettin, Preußisch Friedland, Zempelburg und Komierowo, wo Hitler sich von General von Kluge, dem Oberbefehlshaber der 4. Armee, die Lage erläutern ließ. Gewöhnlich waren bei solchen Gelegenheiten, wenigstens in den ersten Kriegsjahren, die Sicherheitsmaßnahmen gering. Alles deutete darauf hin, daß aus der Mitte der Soldaten kein Attentat erwartet wurde und man nicht glaubte, ein Außenseiter würde hier zu einem Anschlag einzudringen versuchen – trotz der Vernichtungspolitik gegen das polnische Volk, die schon bald allen Polen sichtbar wurde. Zwar waren hier und da Einheimische zu sehen, manchmal auch polnische Kriegsgefangene, bei Begegnungen mit Kolonnen polnischer Kriegs- oder Zivilgefangener in Ortsdurchfahrten und auf engen Landstraßen sah es oft gefährlich aus. Aber wo Hitler abstieg, beherrschten deutsche Soldaten das Bild. Bei seinen Besprechungen mit den Armeekommandeuren war er gewöhnlich umringt von Offizieren, dicht in seiner Nähe befanden sich meistens Bormann, Schaub und Keitel. Die acht bis neun SS- und RSD-Leute, die ihn immer begleiteten, standen außerhalb des inneren Gesprächskreises herum, sahen zu, unterhielten sich untereinander und gaben sich in keiner Weise den Anschein, als beobachteten sie die Umgebung, um verdächtige Bewegungen und Gestalten beizeiten zu entdecken. Gewöhnliche Soldaten, die sich bei solchen Gelegenheiten gerade in der Nähe befanden, photographierten Hitler zwanglos und oft aus nächster Nähe.

Nach einem Mittagessen aus der Feldküche (bei dieser wie bei vielen anderen Gelegenheiten gab es irgendein Gemisch mit Bohnen oder Erbsen, das Hitler wie seine Umgebung mit einigen Scheiben Kommißbrot stehend aß) ging es weiter nach Topolno. Einmal mußte angehalten werden, weil wenige Minuten vorher polnische Soldaten eine Sanitätskompanie überfallen hatten, aber man fand keine Anzeichen, daß die Polen noch da waren, und fuhr weiter. Etwa 8 Kilometer vor Crone stieß ein entgegenkommender Lastwagen mit einem der Fahrzeuge des Flakzuges zusammen; keiner der Fahrer war schuld: Der Fahrer des Lastwagens war von einem polnischen Heckenschützen in dem Augenblick durch die Brust geschossen worden, als er den Führer-Konvoi passierte. Auf der Weiterfahrt durch Crone und Brzezno nach Pruszcz wurde der Fieseler »Storch«, der der Kolonne folgte, versehentlich von deutschen Truppen beschossen. Schließlich kam man doch wohlbehalten nach Topolno, wo Hitler dem Übergang deutscher Truppen über die Weichsel zusah und einige unfertig gebliebene polnische Bunker besichtigte. Während er die Bunker ansah, begannen polnische Flugzeuge in zwei bis drei Kilometer Entfernung Bomben abzuwerfen, worauf der Konvoi sich schleunigst über Vandsberg und Flatow nach Plienitz zurückzog, wo der Sonderzug wartete. Auch hier kam man nicht gleich zur Ruhe, der Zug »Amerika« mußte mitten in der Nacht etwa 15 Kilometer nach Süden gezogen werden, weil sich herausgestellt hatte, daß jemand im Auswärtigen Amt ausländischen Diplomaten den Standort des Zuges mitgeteilt hatte.

Am 5. September fuhr der Sonderzug nach Groß-Born, von wo am 6. September die nächste Frontfahrt unternommen wurde, diesmal nach Plewno zum Kommandeur des XIX. Armeekorps, General Guderian, und zur Weichselbrücke bei Graudenz. Der Tag verlief weniger abenteuerlich als der vorige, und auch auf Frontfahrten am 10., 11., 13. und 15. September ereignete sich kaum etwas Aufregendes. Am 10. September wurde zum ersten Mal mit dem Flugzeug an die Front geflogen. Kurz nach 9 Uhr starteten 6 »Ju 52« vom Flugplatz bei Neudorf und brachten Hitler mit seiner Begleitung nach Bialaczow, wo General von Reichenau die 10. Armee führte. Wie gewöhnlich wurden die Flugzeuge von 6 Jagdflugzeugen begleitet. Hitler teilte sein Flugzeug mit der Erkennungsnummer D-AVAU mit Oberst i. G. Schmundt, Brückner, Hauptmann von Below, Hauptmann Engel, Dr. Brandt, Kempka, Linge. Je sechs Mann SS-Begleitkommando und RSD flogen in Maschinen mit den Kennzeichen D-ARET und D-2600. Die drei übrigen »Ju 52« trugen Keitel, Rommel, Bodenschatz, Ribbentrop, Dr. Dietrich, M. Bormann, Schaub, Wünsche, Himmler und andere. Eine der oben beschriebenen entsprechende Autokolonne war schon nach Bialaczow vorausgeschickt worden, von wo aus die Reisenden einen Ausflug nach Konskie und nach Maslow machten.

Wieder waren die Sicherheitsmaßnahmen lax. Auf einer der von den Leuten des Reichsbildberichterstatters aufgenommenen Photographien kann man Hitler mit Reichenau, drei Adjutanten sowie Rommel und Brückner über den Flugplatz zu seiner »Ju 52« gehen sehen, ohne seine Leibwächter. Einmal auf dieser Reise rannte eine Frau zu Hitler hin und faßte seine Hand. Neben und hinter Hitler sind nur Luftwaffenuniformen zu erkennen, aber alle Gesichter einschließlich dessen von Hitler lächeln. Bald danach sah man ihn von Frauen und von Dutzenden von Soldaten umringt, noch immer, ohne daß Leibwächter zu sehen waren, bis endlich

Linge sich mit Hilfe seiner Ellbogen zu seinem Führer durchdrängen und ihm ins Auto helfen konnte. Jetzt erschienen auch die anderen Leibwächter und bahnten langsam eine Durchfahrt für den offenen Mercedes-Benz G 4, während Hitler noch immer sich aus dem Wagen beugend Hände schüttelte. Ähnliche Massenszenen gab es wieder und wieder, wobei Hitlers Auto meistens, wenigstens für kurze Zeit, so umringt wurde, daß es nicht vorwärts oder rückwärts konnte. Oft mußte sich die Kolonne im Schneckentempo durch enge Dorfstraßen und über staubige Landstraßen wälzen, die von Pferdewagen und Lastwagen voll Kriegsgefangener verstopft waren. Mögen auch die Voraussetzungen für geplante und von langer Hand vorbereitete Anschläge gefehlt haben, war doch die Gefahr eines spontanen Anschlages bei solchen Gelegenheiten groß. Vom Standpunkt Hitlers und seiner Umgebung war es leichtsinnig und unverantwortlich, im offenen Wagen an solchen unkontrollierten und unkontrollierbaren Menschenansammlungen fast auf Tuchfühlung und langsam entlangzufahren.

Die Flugzeuge waren nach Maslow vorausgeschickt worden, und von hier flogen die Reisenden nach Neudorf zurück. Mit der Autokolonne kamen sie um 18.15 Uhr in Illnau an, wohin der Führersonderzug sowie Ribbentrops Sonderzug »Westfalen« beordert worden waren. Am 11. September wurde eine der eben geschilderten ähnliche Frontreise unternommen, und zwar nach Boguslawice westlich Tomaszow, wieder mit Flugzeugen, dann in der Autokolonne nach Wola und zurück nach Illnau. Am 12. September fuhr der Zug »Amerika« nach Gogolin, und wieder wurde eine Frontreise teils in der Luft, teils auf Straßen unternommen. Diesmal ließ sich der Führer die Lage von General von Blaskowitz südwestlich von Lodz erklären, von General Ulex nördlich von Lodz und von General von Weichs bei Bratoszewice. Das Tempo war zuviel für die Frontkolonne. Als Hitler mit seiner Begleitung am 15. September um 10 Uhr morgens in Pawlosiow mit dem Flugzeug ankam, war keine Frontkolonne vorhanden. Mehrere Fahrzeuge waren unterwegs auf der 24stündigen ununterbrochenen Fahrt liegengeblieben, und erst um 11 Uhr kam die Kolonne schließlich verstaubt und erschöpft daher. Hitler hatte nicht warten wollen, ein behelfsmäßiger Konvoi war zusammengekratzt worden zur Besichtigung des Übergangs von Truppen über den San. Aber als die Frontkolonne eingetroffen war, wurde sie sofort wieder in Dienst genommen. Am Nachmittag des gleichen Tages wurde sie nach Krakau weitergeschickt, wo sie für eine Frontfahrt am 16. September zur Verfügung stehen sollte, die jedoch im letzten Moment abgesagt und auf den 17. September verlegt wurde. Übrigens hatten die Erfahrungen der vergangenen

Tage gezeigt, daß die zur Begleitung Hitlers eingesetzten Heereseinheiten zu gering waren. Am 16. September flog Rommel nach Berlin, um dort die zuständigen Militärs zur Aufstellung eines regulären Führer-Begleit-Bataillons zu überreden.

Am 18. September gegen Mitternacht verließ der Führersonderzug »Amerika« Gogolin in Richtung Lauenburg, über Breslau, Frankfurt/Oder, Küstrin und Stargard; das neue Hauptquartier wurde in der Bahnstation Goddentow-Lanz errichtet. Am 19. September sollte entweder eine Front-fahrt oder eine Fahrt nach Danzig stattfinden – »je nach Lage an der Front bezw. Wetterlage« –; Hitler entschied sich für den Besuch in Danzig[18]. Die Frontkolonne der FHQu.-Truppen begleitete ihn nur bis Zoppot, dem Grenzort, wo er von Gauleiter Forster begrüßt wurde. Von hier bis Danzig und zurück wurden die Sicherheitsmaßnahmen hauptsächlich von Polizei-einheiten durchgeführt. Zahllose Blumen wurden geworfen, die Straßen waren völlig von Blumen übersät, und große Volksmengen standen auf den Bürgersteigen, in den Fenstern und auf Balkonen. Dabei hatte der »Völkische Beobachter« erst am 12. September folgende Mitteilung veröf-fentlicht: »Berlin, 11. September. Die Adjutantur des Führers gibt bekannt: Der Führer wird für die Dauer des Krieges auf seinen Fahrten keinerlei Blumen entgegennehmen. Die ihm von der Bevölkerung zugedachten Blumen sollen den Soldaten der deutschen Wehrmacht gegeben werden.« Als Hitler die Front einer Ehrenkompanie abschritt, war von seinen SS-Adjutanten nur Schaub bei ihm, SS- und RSD-Leute waren nicht zu sehen. In Zoppot, Oliva und Langfuhr bildeten Mitglieder lokaler NSDAP-For-mationen das Ehrenspalier an den Straßen, zwischen den Ortschaften waren die Straßen durch Polizei abgesperrt. Zu Hitlers Programm gehörten Besichtigungen, Empfänge und Ansprachen in Danzig; eine Fahrt zur Westerplatte auf einem Minenräumboot wurde auf den 21. September verschoben, und eine für den 20. September geplante Fahrt zu einer ge-sprengten Brücke bei Dirschau auf den 22. September. An diesem Tag beobachtete Hitler von einem Kirchturm aus die Artilleriebeschießung von Praga, der Vorstadt von Warschau, und fuhr dann mit seiner Auto-kolonne weiter nach Wyskow, von wo man nach Danzig zurückflog, um im »Casino Hotel« in Zoppot zu übernachten. Am 25. September begab sich der Führer noch einmal auf eine Reise zu mehreren Armeehaupt-quartieren. Am 26. September fuhr er im Zug »Amerika« von Goddentow nach Berlin, wo er um 17.05 Uhr am Stettiner Bahnhof ankam. Nach einem kurzen Besuch in Wilhelmshaven am 28. September flog er am 5. Oktober nach Warschau zur großen Siegesparade. Am Flugplatz wurde er von den siegreichen und wie angekündigt ruhmbedeckten Generalen

von Brauchitsch, Milch, Rundstedt, Blaskowitz und Cochenhausen empfangen und zur Abnahme der zweieinhalbstündigen Parade zu einer Tribüne gegenüber der holländischen Botschaft geleitet. Danach wollte er
mit den Generalen zu Mittag essen, was in Anbetracht des außerordent-
lichen und hocherfreulichen Anlasses ein bißchen festlicher als sonst
arrangiert war. Doch als Hitler die feldmäßigen, aber mit weißen Tisch-
tüchern gedeckten Tische sah, drehte er um, ging zornig über den unmili-
tärischen »Luxus« ohne Mittagessen davon und flog nach Berlin zurück.

Vielleicht hatte er die Gelegenheit benutzt, um seinen Ärger über den
Widerstand »der Generale« gegen sein Verlangen nach sofortigem Angriff
auf Frankreich loszuwerden, jedenfalls hatte er kaum Zeit für eine ge-
mütliche Siegesfeier. Am nächsten Tag wollte er schon im Reichstag eine
große Rede halten und womöglich Großbritannien zum Einlenken bewegen; während der Rede wurden Flakbatterien des Führer-Begleit-Bataillons
um die Krolloper stationiert, damit das perfide Albion nicht die Friedens-
schalmeien mit Bombenkrachen übertönte.

Die nächsten Frontreisen fallen, abgesehen von Weihnachtbesuchen
bei den Westwall-Truppen, erst in die Zeit des Westfeldzuges. Den ganzen
April über, während der Besetzung von Dänemark und Norwegen (»We-
serübung«), blieb Hitler in Berlin. Neu war an den Reisen in den Westen
hauptsächlich der verstärkte Schutz und die verbesserte Geheimhaltung,
ferner die inzwischen erfolgte Einrichtung fester Hauptquartiere (die in
einem besonderen Kapitel beschrieben werden). Bei der Abreise an die
Front, wenige Stunden vor dem Angriffstermin, wurde den Sekretärinnen
befohlen, sich am 9. Mai für eine Reise bereitzuhalten, ohne Angabe,
wohin es gehen sollte und wie lange die Reise dauern würde. Zur festgelegten Zeit wurden sie zum Flugplatz Staaken gebracht, aber nur zum
Schein; die Autos fuhren gleich weiter zum Führersonderzug. Dieser fuhr
zunächst in nördlicher Richtung ab, so daß man sich zu fragen begann,
ob es denn nun nach Norwegen gehen solle, und als man Hitler fragte,
widersprach er nicht. In der Nähe von Uelzen aber, mitten in der Nacht,
wurde die Fahrtrichtung geändert, und früh am Morgen des 10. Mai 1940,
um 4.25 Uhr, kam der Zug in Euskirchen an. Der Führer ließ sich sogleich mit seiner Begleitung in das vorbereitete Führerhauptquartier »Felsennest« bei Rodert bringen [19]. Teile des Führer-Begleit-Bataillons (FBB),
die die Bahnstation Euskirchen bewachen mußten, hatten Befehl, erst
eine halbe Stunde vor Ankunft des Sonderzuges Posten zu fassen.

Für Frontreisen wurden drei Autokonvois bereitgehalten, so daß mit
noch weniger Zeitverlust als bisher dieser oder jener Frontabschnitt mit
dem Flugzeug angeflogen und dann mit Autos abgefahren werden konnte.

Eine typische »Frontgruppe« des FBB bestand im Mai 1940 aus Teilen einer Infanteriekompanie, einer Nachrichteneinheit, einem Kradzug, einem Panzerspähzug mit Funkwagen, einem Maschinengewehrwagen, 2 Wagen mit 2-Zentimeter-Kanonen, 2 Flakzügen, 2 Feldküchen, 2 Tankwagen und Teilen einer Troßabteilung. Diese kleine Armee hatte 15 Autos zu schützen, die jetzt als »Graue Kolonne« bezeichnet wurden und Hitler und seine Begleitung transportierten. Die beiden anderen Autokonvois bestanden aus weiteren Teilen der Grauen Kolonne, und zwar aus 19 bzw. 14 Wagen. Beiden waren ungefähr dieselben Schutzkräfte beigegeben, zuzüglich eines Fieseler »Storch«. Sie standen mit dem Rest des FBB, der in den festen Hauptquartieren eingesetzt war, unter dem Befehl von Oberstleutnant Thomas, der inzwischen Rommels Nachfolger geworden war. Wenn der Führer irgendwo über Nacht blieb, mußten besonders strenge Vorschriften für die Behandlung des Gepäcks beobachtet werden, offenbar eine Folge des Elser-Attentats, die vom Kommandeur des Reichssicherheitsdienstes Rattenhuber unter dem 14. Dezember 1939 als Merkblatt herausgegeben worden waren: »Um bei Reisen des Führers zu verhindern, daß falsches oder evtl. sogar gefährliches Gepäck sowohl in das Flugzeug wie in das Auto bzw. in den Sonderzug gebracht werden kann«, sei von sofort an das Gepäck der Mitfahrenden immer durch 3 Mann des SS-Begleitkommandos in den Wohnungen bzw. Hotels abzuholen. 1 Mann hatte beim Wagen zu bleiben und aufzupassen, die anderen 2 hatten das Gepäck aus den Zimmern zu holen. Das Gepäck war in einem besonderen Raum der Führerwohnung in der Reichskanzlei bzw. in einem eigens dafür vorzusehenden Raum im Hotel zu sammeln und zu kontrollieren und dann »ausschließlich durch das SS-Begleitkommando« zum Bahnhof bzw. Flugplatz zu bringen. »Gepäckstücke, die nicht persönlich oder durch das SS-Begleitkommando des Führers zum Zug gebracht werden, müssen in Zukunft vom Transport ausgeschlossen werden.« Und: »Die Abstellung nicht benötigten Gepäcks erfolgt stets in dem dem Führerwagen entferntesten Gepäckwagen. Der Verschluß erfolgt in Zusammenarbeit von SS-Begleitkommando und Kriminalkommando.«

Einige Tage vergingen, ehe Hitler seine neuesten Eroberungen inspizieren konnte. Der am 10. Mai in den frühen Morgenstunden begonnene Angriff im Westen durch Luxemburg, Belgien und die Niederlande führte in wenigen Wochen, in ungeheurem Kontrast zu den vier Jahren blutigen Stellungskrieges 1914–1918, zum Abschluß des Waffenstillstandes im Wald von Compiègne. Aber in den ersten Tagen des Feldzuges waren die Straßen in Belgien und Frankreich voller Minen oder von Truppen und Nachschubfahrzeugen verstopft. Am 15., 16. und 18. Mai berichteten ausgesandte Erkundungsabteilungen des FBB, die Straßen westlich Limburg lägen noch unter feindlichem Artilleriefeuer. Aber einer von Hitlers drei-achsigen Mercedes-Wagen stand schon in der Nähe des Flugplatzes Bastogne mit den übrigen Wagen für seine Begleitung; der Führer der Gruppe hatte den Auftrag, sich mit Oberstleutnant i. G. von Tresckow wegen eines sicheren Abstellplatzes in Verbindung zu setzen. (Zwei Jahre später war Tresckow die treibende Kraft einer Verschwörung zur Ermor-dung des Führers im Stab der Heeresgruppe Mitte.)

Die erste Frontfahrt im Westfeldzug fand am 17. Mai statt. Hitler und sein Gefolge flogen nach Bastogne, wo sie mit dem Oberkommandieren-den der Armeegruppe A, Generaloberst von Rundstedt, zusammentrafen. Man fuhr etwas in der Gegend herum und kehrte am Abend nach »Fel-sennest« zurück [20]. Eine etwas längere Reise folgte am 1. und 2. Juni. Meh-rere FBB-Abteilungen wurden zum Brüsseler Flugplatz und nach Tournai vorausgeschickt. Am Flugplatz in Brüssel standen die nötigen Autos bereit, und als Nachtquartier war das Château de Brigode bei Annappes, 6 Kilo-meter östlich von Lille, wo in den südwestlichen Teilen der Stadt am 30. Mai noch gekämpft wurde, »unauffällig« besetzt worden, nachdem man einen Divisionsstab unter dem Kommando von General Kühne an die Luft gesetzt hatte. Einheiten des FBB bezogen sofort Stellung um das Schloß herum.

Hitler und seine Begleitung verließen das Hauptquartier »Felsennest« um 9 Uhr in Richtung Odendorf, von wo sie um 10 Uhr nach Brüssel abflogen. Diesmal wurde mit »Condor«-Maschinen geflogen, wie von jetzt an meistens während des Krieges. Deshalb fanden auch mehr Reisende in einem Flugzeug Platz. Im ersten saßen Hitler, Keitel, Jodl, Schaub, Schmundt, Below, Engel, Dr. Brandt, Kempka, Linge und 5 Mitglieder des Führer-Begleit-Kommandos, im zweiten folgten M. Bormann, Dr. Dietrich, Bodenschatz, Brückner, Konteradmiral von Puttkamer (Marineadjutant Hitlers), H. Hoffmann, Lorenz (Vertreter Dr. Dietrichs), Hauptmann Ga-briel, Hewel (Verbindungsmann Ribbentrops), im dritten Dr. Morell (Leib-arzt), SS-Obersturmführer Pfeiffer und Schulze (SS-Adjutanten) und ein weiterer Photograph. Das vierte Flugzeug enthielt weitere Mitglieder des Führer-Begleit-Kommandos und zwei Ordonnanzen. In Brüssel wurde Hitler von General von Bock begrüßt und unterrichtet; dann fuhr er mit Gefolge in der schon bekannten Kolonnenzusammenstellung nach Gent, Courtrai und Bisseghem, zu den Schlachtfeldern und Soldatenfriedhöfen von Ypern und Langemarck und endlich zum Übernachten zum Château de Brigode. Am nächsten Tag ging die Fahrt nach Avelin, Vimy, Arras, Douai, Bouchai und Cambrai, von wo die Reisenden nach Charleville flogen. Überall berichteten die jeweils zuständigen Armeekommandeure. Um 18.30 Uhr kam man wieder im »Felsennest« an.

Von einem neuen, näher an der Front gelegenen Hauptquartier, »Wolfschlucht« in Brûly-de-Pesche, wohin das Führerhauptquartier am 6. Juni umgezogen war, unternahm Hitler eine Reise mit dem Sonderzug nach München, um dort am 18. Juni den Duce zu treffen. Die Franzosen hatten über Spanien um Waffenstillstand gebeten, und die Achsenpartner mußten sich beraten, nachdem Italien in den nunmehr vielversprechenden Krieg eingetreten war. Hitler flog also am 17. Juni vom nächstgelegenen Flugplatz Gros Caillou nach Frankfurt/Main, bestieg dort seinen Sonderzug »Amerika«, war am 18. in München und kam am 19. Juni wieder zurück. Unterwegs wurde der Zug bei einem Halt in Wassertrüdingen auf der Strecke Gunzenhausen–Nördlingen von einer Volksmenge völlig eingekeilt, während Hitler zum offenen Fenster heraussah. Eine Zeitlang waren die Sicherungskräfte außerstande, die Menge in Schach zu halten. Nach Hitlers Rückkehr nach »Wolfschlucht« wurde der Sonderzug nach Heusenstamm gezogen, wo er schon vorher abgestellt gewesen war[21].

Zwei Tage später, am 21. Juni, flog Hitler mit Gefolge zum Wald von Compiègne. Hier sollten dem französischen Oberkommando die deutschen Waffenstillstandsbedingungen übergeben werden, und zwar in demselben Eisenbahnwagen, in dem 1918 die deutsche Waffenstillstandskommission die alliierten Bedingungen hatte entgegennehmen müssen. Eigens wurde der Eisenbahnwagen aus dem Museum herangeholt, wo man zuerst eine Wand niederreißen mußte[22]. (Der Wagen kam dann nach Berlin, wo er später bei einem Luftangriff der RAF zerstört wurde.) In Gegenwart Hitlers und der drei Oberbefehlshaber der Wehrmachtteile eröffnete Keitel die Verhandlungen durch Verlesen der Präambel der deutschen Bedingungen. Dann kehrten Hitler und seine Begleiter zur »Wolfschlucht« zurück. Der Waffenstillstand wurde am 22. Juni unterzeichnet und trat am 25. Juni in Kraft.

In Paris sollte eine große Siegesparade abgehalten werden, die nach mehrfachem Aufschub schließlich am 20. Juli abgesagt wurde. Einen kurzen Besuch in Paris hatte Hitler sich aber als sentimentale Reise schon am 23. Juni gegönnt.[23] Es sollte eine Kunstreise sein, weshalb nur wenige der üblichen Begleiter Hitlers mitkamen, dafür aber die Architekten Albert Speer und Hermann Giesler sowie der Bildhauer Arno Breker. Trotzdem war der Stil des Besuches weder der Würde eines deutschen Staatsoberhaupts noch dem Reichtum der Stadt an Sehenswürdigkeiten und geschichtlichen Erinnerungen angemessen. Um 3.30 Uhr flogen Hitler und seine Begleitung von Gros Caillou nach Le Bourget. In 5 Mercedes-Wagen mit dem üblichen Führer-Begleit-Kommando fuhren sie im Dunst des frühen Morgens durch die menschenleeren Straßen von Paris. Es gab keine Absperrung und kaum sichtbare Sicherungskräfte, wenn man den einen oder anderen französischen Polizisten an einer völlig leeren Kreuzung dafür gelten lassen will. Sofort ging es zur Opéra, deren Grundriß Hitler vom eingehenden Studium her auswendig kannte. Er selbst führte die Gruppe durch das Gebäude und wußte besser Bescheid als ein alter Türschließer, der überall aufmachen mußte und dies mit Würde und Zurückhaltung tat, obwohl er den Besucher erkannte (Hitler wollte ihm Trinkgeld geben lassen, was der Schließer zurückwies). Von der Opéra an wurden die Touristen von einem Vertreter der deutschen Militärregierung in Frankreich auf ihrem weiteren Weg durch Paris begleitet, und zwar von Oberst i. G. Dr. Speidel (der später, von Februar 1943 bis Juli 1944, an den gegen Hitler gerichteten Umsturzversuchen beteiligt war). Man fuhr an der Madeleine vorbei die Champs Elysées hinunter zum Trocadéro und zum Eiffelturm, zum Grab des Unbekannten Soldaten und zum Invalidendom, wo Hitler nachdenklich am Sarkophag Napoleons stand, und wo nur die Siege verzeichnet waren. Dann ging es noch zum Panthéon, Place des Vosges, Louvre, Palais de Justice, Sainte Chapelle, die Rue de Rivoli hinunter und endlich auf den Montmatre. Kurz nach 8 Uhr war der Besuch vorbei, er hatte kaum drei Stunden gedauert und war wie ein Spuk durch Paris gerauscht. Eine Anzahl Passanten hatten Hitler erkannt, aber keine Notiz von ihm genommen oder die Flucht ergriffen; eine Marktfrau hatte geschrien »C'est lui–oh, c'est lui!«, ehe sie mit ein paar anderen wegrannte. Auf die Siegesparade verzichtete Hitler, wie es hieß, weil die Gefahr britischer Bombenangriffe zu groß sei; später sagte er, es sei ihm nicht nach einer Siegesparade zumute, denn er sei noch lange nicht am Ende. Um 11 Uhr vormittags war er wieder in der »Wolfschlucht« und begann sich mit den Plänen für die Invasion Englands und zugleich mit dem Angriff auf Rußland zu beschäftigen. Am 22. Juli 1940 notierte sich Halder, der Chef des Generalstabes des Heeres: »Russisches Problem in Angriff nehmen.«[24]

Hitler besuchte noch einige Schlachtfelder des Ersten Weltkrieges in Frankreich, aber wie beim Besuch in Paris unter minimalen Sicherheitsvorkehrungen. Verließ man sich darauf, daß spontane Attentate nicht oft vorkamen oder war es Leichtsinn, Herausforderung oder der feste Glaube Hitlers, daß organisierter Schutz illusorisch sei, eine Art »Russisches Roulette«, jedenfalls fuhr er in seinem offenen Auto immer wieder an Tausenden kaum bewachter französischer Kriegsgefangenen vorbei, ohne daß über das Übliche hinaus etwas zu seinem persönlichen Schutz unternommen worden wäre.

Weitere Reisen führten Hitler, jeweils im Führersonderzug »Amerika«
und begleitet von Baurs 3 »Condor« sowie Teilen der Grauen Kolonne,
im Oktober 1940 nach Hendaye an der französisch-spanischen Grenze zu
einem Treffen mit General Franco, von da mit kurzem Aufenthalt in
München nach Florenz zu einer Besprechung mit Mussolini. Am 12. April
1941 traf Hitler mit seinem Sonderzug an einem vorbereiteten Platz bei
Mönichkirchen etwa 35 km südlich Wiener Neustadt ein und gab der
behelfsmäßigen Anlage den Namen »Frühlingssturm«. Er leitete von hier
aus bis 25. April den Balkanfeldzug, der zur Unterstützung des italienischen Feldzuges gegen Griechenland nötig war und den Angriff auf Rußland um sechs Wochen verzögerte. Am 25. April fuhr der Führersonderzug
ab nach Marburg in der südlichen Steiermark. Bei Spielfeld-Straß stieg
Hitler in seine Autokolonne um und fuhr nach Mönichkirchen zurück,
wohin auch der Sonderzug zurückkehrte. Am 26. April fuhr der Zug
»Amerika« nach Marburg und Graz, und Hitler fuhr in seinem offenen
Mercedes durch die Stadt, zum großen Gaudium der Menge, die lachend
im strömenden Regen stand und von einer geringen und sehr gemischten
Absperrtruppe in Schach gehalten wurde. Hitler nahm sogar einen Strauß
Narzissen von uniformierten Mädchen entgegen, und viele Zuschauer
befleißigten sich der verbotenen Privatphotographiererei. In Marburg
drängte die Menge so sehr an die Autos heran, daß die Führer-Begleit-
Kommando-Leute gezwungen waren, auszusteigen und nebenher zu laufen, um den Wagen genügend Platz zur langsamen Durchfahrt zu schaffen. Einige Male gelang es auch hier Kindern und Frauen, dem Führer
Blumen zu reichen[25]. Über Nacht wurde der Sonderzug in Maria-Saal
abgestellt. Am nächsten Morgen fuhr Hitler mit seinem Zug nach Klagen-
furt und zurück nach Berlin, wo er am 28. April um 18.30 Uhr ankam.

Die deutsche Offensive gegen die Sowjetunion begann am 22. Juni 1941
um 3.05 Uhr zugleich mit dem Angriff finnischer, rumänischer, ungari-
scher und slowakischer Truppen. Am 24. Juni bezog Hitler sein neues
Hauptquartier »Anlage Nord« (Deckname: Chemische Werke Askania),
dem er den Namen »Wolfschanze« gab[26]. Erst am 17. Juli wurden Vorbereitungen für eine Frontreise getroffen. Am 21. Juli um 3.30 Uhr flog
Hitler mit Begleitung zum Hauptquartier der Heeresgruppe Nord, konferierte mit Generalfeldmarschall Ritter von Leeb und traf schon um
10.30 Uhr wieder in der »Wolfschanze« ein. Am 4. August besuchte er
das Hauptquartier der Heeresgruppe Mitte bei Borissow, besprach sich mit
den Generalen von Bock, Guderian und Hoth und kehrte am gleichen Tag
ins Hauptquartier zurück. Eine vollständige Graue Kolonne mit Frontgruppe war eigens für den Tag nach Borissow geschickt worden, obwohl

das Heeresgruppenkommando genügend Fahrzeuge hätte zur Verfügung stellen können. Ähnlich verfuhr man bei einem Frontbesuch in Berditschew am 6. August bei der Heeresgruppe Süd (Rundstedt). Die Sicherheitsmaßnahmen entsprachen den in Polen und Frankreich angewandten.

Besondere Maßnahmen ergriff man nur anläßlich des Duce-Besuches vom 25. bis 28. August. Schwere Flak wurde herangeschafft, und als Hitler seinen Gast mit dem kleinen Nahverkehrszug von »Wolfschanze« nach »Mauerwald«, dem etwa 18 Kilometer entfernt gelegenen Hauptquartier des Generalstabs des Heeres, begleitete, waren die ganze Strecke entlang Posten aufgestellt. Zusammen besuchten Hitler und Mussolini verschiedene Kommandostellen an der russischen Front.

Weitere Reisen, hauptsächlich mit dem Sonderzug und dem Flugzeug führten Hitler zur Marienburg und zum Tannenberg-Denkmal (10. September) und am 24. September wieder zur Heeresgruppe Mitte bei Borissow. Gelegentlich fuhr er mit seinem Zug nach Berlin, verließ abends die »Wolfschanze« und kam nach etwa 36 Stunden zurück. Er nahm sich die Zeit zur Teilnahme an den Erinnerungsfeiern des 8. und 9. November 1941 in München und kehrte anschließend sofort in die »Wolfschanze« zurück. Am 20. November fuhr er mit seinem Zug nach Berlin zum feierlichen Staatsbegräbnis für Generaloberst Udet und war am 22. November wieder im Hauptquartier. Schon am 26. November unternahm er dieselbe Reise noch einmal, diesmal zum Staatsbegräbnis für Oberst Mölders, den erfolgreichsten Jagdflieger der deutschen Luftwaffe, war am 30. November wieder in Ostpreußen, flog am 2. Dezember nach Kiew, Poltawa und Mariupol und fuhr mit seinem Sonderzug am 8. Dezember nach Berlin, um am 11. Dezember im Reichstag den Vereinigten Staaten von Nordamerika den Krieg zu erklären. Am 15. Dezember verließ er Berlin, traf am 16. in der »Wolfschanze« ein und blieb für den Rest des Jahres[27].

In den ersten 6 Monaten des Jahres 1942 machte Hitler 7 Reisen von der »Wolfschanze« nach Berlin, zwei anschließend nach München und Berchtesgaden, alle im Führersonderzug. Einmal flog er in dieser Zeit nach Finnland und zweimal (am 1. Juni und 3. Juli) nach Poltawa zur Heeresgruppe Süd[28]. Bei einem der Flüge nach Poltawa wäre es fast um die Führermaschine geschehen gewesen, obwohl Hitler gerade nicht darin saß. Die »Condor« wurde über dem Flugplatz von Nikolajew von oben von russischen Kampfflugzeugen beschossen, unmittelbar nach dem Start, und einige Schüsse durchschlugen die Flügel. Baur gab soviel Gas, wie er konnte, gewann Höhe und flog kerzengerade auf die russischen Flugzeuge zu, als ob er sie angreifen oder rammen wollte, worauf sie abdrehten.

Eine viel gefährlichere Situation entstand bei einem Frontbesuch Hitlers bei der Heeresgruppe Don (Generalfeldmarschall von Manstein) in Saporoshje, etwa drei Wochen nach dem Fall von Stalingrad, im Februar 1943. Plötzlich, mitten in der Nacht bei einer Lagebesprechung, befahl Hitler die Reise zu Manstein, und um 2 Uhr früh, am 17. Februar, flog man ab. Der Chef des Generalstabes des Heeres, Zeitzler (Nachfolger Halders seit Herbst 1942), Jodl und andere hohe Stabsoffiziere flogen mit von Rastenburg über Winniza nach Saporoshje[29]. Die Verschwörergruppe in der Heeresgruppe Mitte bei Smolensk machte gerade damals jede Anstrengung, Hitler zu einem Besuch zu bewegen, wobei ein Attentat verübt werden sollte, und im Hauptquartier der Heeresgruppe B, die von Generalfeldmarschall von Weichs geführt wurde, in Walki bei Poltawa, war ebenfalls eine Verschwörergruppe am Werk und plante, den Führer bei einem Besuch umzubringen. Die Hauptverschwörer in Smolensk waren Tresckow, Schlabrendorff und Gersdorff, die in Walki General Hubert Lanz, Kommandeur der Armeegruppe Lanz, und sein Chef des Stabes, Generalmajor Dr. Speidel. Der im Oberkommando der Heeresgruppe Mitte ausgeheckte Versuch fand am 13. März 1943 statt, aber der »Plan Lanz«, bei dem der Kommandeur des Panzer-Regiments »Großdeutschland«, Oberst Graf von Strachwitz, Hitler verhaften und bei der zu erwartenden Gegenwehr erschießen wollte, kam über das Planstadium nicht hinaus, weil Hitler nicht in Walki erschien, sondern statt dessen nach Saporoshje flog. Gefährlich war es auch dort, aber aus anderen Gründen.

Baur und die anderen Piloten der Führerstaffel landeten ihre Maschinen etwa um 6 Uhr früh auf dem größeren der beiden bei Saporoshje gelegenen Flugplätze, östlich der Stadt. Die Front war nicht weit, und während Baur und die anderen Flieger auf dem Flugplatz warteten, bis Hitler den Rückflug befehlen würde, kam plötzlich die Kunde, 20 russische Panzer seien im Anmarsch aus Richtung Dnjepropetrowsk, und zwar genau auf der Straße, die unmittelbar am Flugfeld entlangführte. Sofort losgeschickte Jagdflugzeuge konnten wegen Wolken und Nebel nichts ausrichten. Einige der russischen Panzer kamen durch und erschienen am östlichen Ende des Flugplatzes, worauf Baur dringend um Genehmigung zur Überführung der »Condor«-Maschinen auf den südlichen, kleineren Flugplatz bat, aber Hitler ließ sagen, das sei nicht nötig, weil er in Kürze ohnehin zum Abflug bereit sein werde. Also mußte man Vorbereitungen zur Verteidigung des Flugplatzes ergreifen, und während das geschah, kam Hitler, von Kempka chauffiert, stieg ein, und die »Condor« flogen los; zur selben Zeit schwebten mehrere »Gigant«-Transporter mit Pak und anderen Waffen und Geräten ein. Die Sache ging noch einmal gut; später erfuhr man, die russi-

schen Panzer seien nicht mehr weiter vorgerückt, sondern in einer nahen
Kolchose in Stellung gegangen – weil sie kein Benzin mehr hatten. Hätten
sie einen kleinen Kampf riskiert, dann hätten sie auf dem Flugplatz genug
Benzin finden können, aber die mehreren Hundert dort stehenden Flugzeuge berechtigten zu der Annahme, daß besonders hartnäckiger Widerstand geleistet werden würde; ohne Benzin und damit ohne Manövrier-
fähigkeit war für die Panzer eben nichts zu machen. Es ist müßig, sich
auszumalen, zu welchen Schlüssen die Russen gekommen wären, hätten
sie gewußt, welchen Fang sie hätten machen können.

Der nächste Besuch an der Front galt der Heeresgruppe Mitte bei Smolensk am 13. März 1943. Eine Woche zuvor war dort Admiral Canaris,
Chef des Amtes Ausland/Abwehr im OKW, mit seinen Abteilungsleitern
Generalmajor Oster und Oberst Lahousen (Chef der Abteilung II/Sabo-
tage) sowie mit Sonderführer Dr. von Dohnanyi erschienen. Oster und
Dohnanyi gehörten zu den führenden Köpfen der Verschwörung gegen
Hitler, und Canaris und Lahousen wußten von dem Vorhaben und billig-
ten es. Zweck des Besuches war eine allgemeine Konferenz, aber Canaris
und seine Leute brachten auch ein Kistchen Sprengstoff mit. Man hatte
in Berlin schon die Übernahme der Regierungsgewalt durch Besetzung
der Ministerien und sonstiger Machtzentren vorbereitet; im übrigen
Reichsgebiet sollte das gleiche geschehen. Es ist nicht ausgeschlossen, daß
der oberste Polizist des Reiches, Heinrich Himmler, von seinen Spähern
einen Hinweis auf das Vorhaben erhalten hat, vielleicht in verstümmelter
Form [30].

Am 16. Februar warnte ein Telegramm des Deutschen Konsulats in
Lausanne vor einem innerhalb der nächsten zwei Wochen gegen Göring
geplanten Mordanschlag; die Meldung wurde sofort an den Chef des
Amtes VI im RSHA, SS-Standartenführer Schellenberg, weitergegeben. Am
7. März informierte der Chef des Amtes IV (Gestapo) des RSHA, Kaltenbrunner, alle seine Dienststellen und andere in Frage kommende Polizeidienststellen, am 3. März seien kleine Päckchen mit Sprengstoff und
Höllenmaschinen an verschiedene deutsche Dienststellen als Einschreib-
sendungen auf einem Postamt in Warschau aufgegeben worden. In den
Päckchen seien Holzkistchen mit den Maßen 8 × 9 × 21 Zentimeter, die
mit Pioniersprengstoff gefüllt und so hergerichtet seien, daß sie beim Öffnen durch einen elektrischen Kontakt gezündet würden; für den Fall, daß
sie in einer bestimmten Zeit nicht geöffnet würden, seien sie außerdem
mit Zeitzündern versehen. Die Zünder stammten, so hieß es, aus britischer Herstellung. Diese Nachrichten verursachten beträchtliche Nervosi-
tät, und Himmler sorgte dafür, daß nicht nur alle entsprechenden Dienst-

stellen, sondern auch Frau Himmler gewarnt wurden. Mit charakteristischer Pedanterie überprüfte er die Wachsamkeit von Rattenhubers RSD und fand heraus, daß dieser eigens zum Schutz führender Persönlichkeiten organisierte Apparat nicht ordentlich funktioniert hatte. Himmler entdeckte nämlich, daß sein persönliches RSD-Kommando, das auch zur Bewachung seines Hauses in Gmund am Tegernsee eingesetzt war, von der Sprengstoffpäckchengefahr nicht unterrichtet worden war, wenigstens noch nicht am 9. März, obwohl Himmlers erstes Fernschreiben in der Sache vom 6. März datiert war. Am selben Tag hatte er mit Kaltenbrunner telefoniert, u. a. wegen der »Flucht d. engl. Fliegeroffiziere im Warthegau«, und hatte ein »Flugzeug mit Spezialbeamten u. Hunden n. Posen« beordert; zugleich hatte er mit Kaltenbrunner besorgt über eine Grenzsperre und über einen »Autoraub in Warschau« gesprochen. Am 10. März besprach er mit Rattenhuber telefonisch (der RSD-Kommandeur war im Hauptquartier »Wehrwolf« in der Ukraine, wo sich Hitler aufhielt) den »Versand von Sprengstoffpäckchen – Warnung«. Unter dem 11. März endlich unterrichtete Rattenhuber die RSD-Dienststellen und befahl ihnen besondere Aufmerksamkeit und Vorsicht an: Man müsse damit rechnen, daß die Attentäter verschiedene Farben, Größen und Formen von Sprengstoffpäckchen verwenden würden. Etwa eingehende oder entdeckte Päckchen seien daher sofort und unberührt dem RSD zu übergeben, auch in allen Fällen, in denen Pakete oder Päckchen von unbekannten Absendern bei vom RSD geschützten Personen oder Adressen eingingen oder die nicht vorher angekündigt waren. Sonderkuriere mußten die Päckchen der zentralen RSD-Dienststelle überbringen.

Trotz Bemühungen, der Päckchengefahr zu begegnen, gibt es keine Anzeichen für eine wesentliche Verdichtung der Sicherheitsmaßnahmen in der Umgebung des Führers noch dafür, daß Himmler eine Verschärfung absichtlich unterließ, obwohl es zu denken gibt, daß er gerade damals begann, seine Fäden zur Opposition zu knüpfen, daß er über diese gut unterrichtet war und daß in jener Zeit nach der Katastrophe von Stalingrad eine ganze Anzahl Attentatpläne zur Kenntnis der zuständigen Stellen kamen. Es fehlt auch völlig an Anzeichen für eine allgemeine Verschärfung der Vorschriften über Paketempfang in den verschiedenen Residenzen. Noch ein Jahr später, am 29. März 1944, sah sich Rattenhuber veranlaßt, im Zusammenhang mit dem Sicherungsdienst für den Führerbau und den Verwaltungsbau am Königsplatz in München zur Aufmerksamkeit zu mahnen, wenn Paketpost und andere angelieferte Gegenstände entgegengenommen wurden: »Verschiedene Sonderfälle, die sich in letzter Zeit ereignet haben, zwangen wiederum zur Ausarbeitung einer bedeutend genaueren Ergänzungs-Sicherheitsvorschrift«, hieß es in einer Mitteilung der Hausinspektion an den Reichsschatzmeister der NSDAP. Aber es hat, wie zu sehen war, ziemlich lange gedauert, bis Himmlers Mitteilungen von der Sprengstoffpäckchengefahr im März 1943 irgendwelche Folgen zeitigten, und selbst zur eindringlichen Wiederholung des längst bestehenden Verbots, Gegenstände irgendwelcher Art, die nicht zum Gepäck des Führers oder anderer Mitreisender gehörten, in seinem Flugzeug, Auto oder Sonderzug mitzunehmen, ist man offensichtlich nicht durchgedrungen – sonst wäre der Anschlag vom 13. März 1943 bereits durch diese Sicherheitsmaßnahmen vereitelt worden.

Als Hitler am 13. März auf dem Rückflug von Winniza nach Rastenburg in Smolensk landete, wurde er von Generalfeldmarschall von Kluge, von dessen Ia, Generalmajor von Tresckow und anderen Offizieren des Heeresgruppenoberkommandos am Flugplatz empfangen. Seine Graue Kolonne war eigens für die Fahrt vom Flugplatz zum Hauptquartier Kluges und zurück nach Smolensk beordert worden. Jeglicher Eisenbahnverkehr auf einer Strecke, die man auf diesem Weg kreuzte, war für die Dauer des Besuches stillgelegt. Die größtmögliche Geheimhaltung wurde geübt, und die ganze Strecke vom Flugplatz zum Hauptquartier Kluges war von eigens herangebrachten Truppen abgesperrt [31]. Die Leibwachen in feldgrauen SS-Uniformen trugen ihre Maschinenpistolen im Anschlag, sowohl auf der Fahrt als auch auf dem kurzen Weg vom Auto zum Konferenzraum und wieder auf dem einige hundert Meter langen Weg vom Konferenzraum zum Kasinosaal. Auch hier in Kluges Hauptquartier waren überall zusätzliche Wachen eingesetzt.

Aber nicht alle wollten den Führer schützen. Zu den besonders eingesetzten Truppen gehörten Schwadronen des von Oberst von Boeselager kommandierten »Kavallerie-Regiment Mitte«; Boeselager gehörte zu den Verschwörern wie auch sein Bruder, der Ordonnanzoffizier bei Kluge war. Ursprünglich hatten die Verschwörer geplant, Hitler beim Essen kollektiv zu erschießen; dadurch wären psychologische Hemmnisse überwunden worden. Aber Kluge war gegen diesen Plan und meinte, man könne doch den Mann nicht einfach so beim Essen umbringen. Obendrein war eine solche Schießerei für die übrigen Anwesenden gefährlich. Der Alternativplan war, Hitler auf dem Weg zwischen den verschiedenen Gebäuden des Hauptquartiers durch Verschworene unter den Wachtruppen zu erschießen, die von Rittmeister König, dem Kommandeur der 1. Schwadron, geführt wurden. Es scheint, daß dieser Plan nicht ausgeführt werden konnte, weil Hitler andere als die erwarteten Wege ging. Andererseits ist es aber auch möglich, daß der Plan fallengelassen wurde, nachdem

Tresckow sich für das Sprengstoffattentat entschieden hatte, unter anderem, weil ein »unaufklärbarer« Flugzeugabsturz nicht das Heer mit dem Stigma des Mordes am Obersten Befehlshaber belastet hätte. Schon in den Wochen vor dem 13. März hatte Tresckow sich über einen Kontaktmann in Berlin, Hauptmann Ludwig Gehre, und durch Dr. Otto John, Syndikus der Lufthansa, eine vollständige Beschreibung von Hitlers viermotoriger Focke-Wulf 200 »Condor« beschaffen lassen, die ihm am 7. März bei dem Besuch von Canaris, Oster, Lahousen und Dohnanyi überbracht worden sein dürfte. Sein Plan war, eine »Bombe« mit Zeitzünder in das Flugzeug zu schmuggeln, und zwar bei Hitlers Abflug von Smolensk. Er hatte zwei Paar der schon im Zusammenhang mit Gersdorffs Attentatversuch erwähnten »clams« so verpackt, daß sie wie zwei Flaschen Cognac oder Likör aussahen – jedenfalls, wenn man dies als Inhalt angab. Auf diese Weise konnte man jemand bitten, der in Hitlers Flugzeug mitfliegen würde, das Päckchen mitzunehmen. Ein Zeitzünder für dreißig Minuten Verzögerung wurde eingesetzt, der kurz vor der Übergabe durch Zusammendrükken eines Säureröhrchens in Gang zu setzen war. Beim Mittagessen fragte Tresckow Oberst i. G. Brandt, den Ersten Generalstabsoffizier beim Chef der Operationsabteilung im Generalstab des Heeres, Generalleutnant Heusinger, ob er ein Päckchen für Generalmajor Stieff, den Chef der Organisationsabteilung im Generalstab im Lager »Mauerwald« mitnehmen könne, es handle sich um eine Wettschuld, und Brandt sagte zu.

Hitler hatte sich von seiner mitgebrachten Diätköchin sein besonderes Mittagessen bereiten lassen. Ehe er zu essen anfing, mußte Dr. Morell die Gerichte probieren. Das sah natürlich aus, als wollte sich Hitler gegen Vergiftung schützen – das mag auch eine Rolle gespielt haben –, aber die Maßnahme war wegen Hitlers schwachem Magen nötig, der nur eine genau richtige, geringe Menge Salz als Gewürz vertragen konnte. Schlabrendorff und Gersdorff jedoch gewannen als Zeugen des Mittagessens die Überzeugung, es handle sich um eine Sicherheitsmaßnahme, vollends, nachdem sie in einem unbewachten Moment Hitlers Mütze hatten in die Hand nehmen und feststellen können, daß sie »so schwer wie eine Kanonenkugel« war, weil sie eine mehrpfündige Schutzeinlage aus Metall besaß (was Linge und Kempka bestreiten).

Als Hitler und Kluge nach dem Essen zum Flugplatz zurückfuhren, folgte Schlabrendorff mit dem Päckchen in einem anderen Auto, und als er Hitler einsteigen sah, zerdrückte er das Glasröhrchen des Zünders und übergab auf ein Zeichen von Tresckow das Päckchen an Oberst i. G. Brandt, worauf dieser damit in Hitlers Flugzeug stieg. Eine nach der anderen hoben die »Condor« ab, begleitet von mehreren Jagdflugzeugen, wie

gewöhnlich. Wenn alles funktionierte, würde Hitlers Maschine nur bis
etwa Minsk kommen und dort abstürzen, worauf, wie man annahm,
eines der Jagdflugzeuge die Bodenstellen unterrichten würde, daß ein
Unglück geschehen sei. Darauf warteten Tresckow und Schlabrendorff
voller Spannung, aber nichts dergleichen erfolgte, bis man nach etwa zwei
Stunden erfuhr, daß die Flugzeuge wohlbehalten bei Rastenburg gelandet
seien. Schlabrendorff blieb nur übrig, die verräterischen Überbleibsel des
Anschlages unauffällig einzusammeln. Mit einem dienstlichen Auftrag
versehen, flog er nach Rastenburg, holte das Päckchen ein und tauschte es
gegen eines mit zwei echten Flaschen geistigen Inhalts aus mit der Erklärung, es sei eine Verwechslung unterlaufen. Sobald er allein war, untersuchte er die Bombe, indem er das Papier mit einer Rasierklinge auf-
schnitt, den Zünder herausnahm und feststellte, daß der Bolzen richtig
auf die Zündkapsel aufgeschlagen war und diese auch funktioniert haben
mußte, denn innen im Päckchen war alles geschwärzt; aber der Sprengstoff hatte sich nicht entzündet. Es muß angenommen werden, daß die
Temperatur im Flugzeug zu niedrig war. Die Pilotenkabine und der Ge-
päckraum waren nicht geheizt, und im Passagierraum fiel die Warmwas-
serheizung manchmal aus, wie sich Flugkapitän Baur erinnert[32].

Sicherheitsvorkehrungen mögen in der einen oder anderen Weise die
beiden Erschießungspläne vereitelt haben, der Anschlag mit der »Bombe«
im Flugzeug scheiterte nicht an Sicherheitsmaßnahmen. Von keinem
der Pläne aber ist damals den Behörden etwas zu Ohren gekommen. So
ist es nicht verwunderlich, wenn von Verschärfung der Wachsamkeit
nichts festzustellen ist. Hitler setzte seine Frontflüge fort und flog am
27. August 1943 noch einmal nach »Wehrwolf«, am 8. September wieder
nach Saporoshje[33]. Aber seine öffentlichen Auftritte in der Heimat wurden immer seltener. Der Führer, der seinem Volk versprochen hatte, es
werde seine Städte in wenigen Jahren nicht wiedererkennen, so schön
würden sie sein, weigerte sich, die von alliierten Bomben zerstörten Städte
zu besuchen. Er wurde immer genau über die Luftangriffe, Verluste und
Zerstörungen unterrichtet, aber er trauerte nur den zerstörten Opern-
häusern, Brücken und anderen schönen Bauwerken nach, nie hatte er ein
Wort des Mitgefühls für die Bevölkerung und ihre Toten[34]. Nach langer
Pause raffte er sich noch einmal zu einer öffentlichen Ansprache auf, und
zwar anläßlich des 8. November 1943 im »Bürgerbräukeller« in München,
dann verschwand er wieder für lange Zeit ganz aus der Öffentlichkeit.

Auch 1944, als die Alliierten die kaum noch bestrittene Luftherrschaft
über Deutschland errungen hatten, flog Hitler mit seiner »Condor« zwischen Berchtesgaden und der »Wolfschanze« hin und her, z. B. am

20. März und am 9. Juli; am 17. Juni 1944 besuchte er einen Stab hinter der Invasionsfront in Frankreich[35]. 11 Tage zuvor waren gewaltige Kräfte der Alliierten an der Küste der Normandie gelandet, und es zeigte sich bald, daß sie nicht mehr »ins Meer geworfen« werden konnten. Die Situation war kritisch, Hitlers Erscheinen wegen seines persönlichen Führungsstils erforderlich. So flog er mit der »Condor« von Berchtesgaden nach Metz und fuhr von da in der Nacht mit dem Auto in sein Hauptquartier »Wolfschlucht II« bei Margival, das er noch nie benutzt hatte. Hier sollten Besprechungen mit den Generalfeldmarschällen von Rundstedt und Rommel und Unterrichtungen über die Frontlage stattfinden. Beim Mittagessen mit den Feldmarschällen ließ sich Hitler wieder das Essen vor seinen Augen abschmecken, während man hinter seinem Stuhl zwei Männer in SS-Uniform sah. Kurz vor Hitlers Ankunft hatten SS-Truppen die gesamte Hauptquartieranlage vollständig abgeriegelt, in offenem Affront gegenüber den in der Gegend stationierten Heerestruppen. Auch sonst war der Besuch des Führers für alle Beteiligten unangenehm. Hitler beschimpfte die Militärs wegen der andauernden Rückzüge, und Rommel gab zurück, es sei leicht, von einem Schreibtisch aus Operationen zu befehlen, anstatt die Front selbst aufzusuchen und sich ein Bild der Lage zu machen. Die Konferenzen wurden durch Luftalarm unterbrochen, die Teilnehmer zogen sich in den Luftschutzbunker zurück. Hier erklärte Rommel dem Führer, die ganze Normandiefront werde bald zusammenbrechen, ebenso die Front in Italien, die Alliierten würden bald auf deutschem Boden stehen und Deutschland werde vollkommen isoliert sein. Es sei unbedingt erforderlich, den Krieg schnellstens zu beenden. Hitler verwies Rommel seine »Einmischung in die Politik« und befahl ihm, er solle sich um seine Normandiefront kümmern und um sonst nichts.

Für den 19. Juni war ein Besuch Hitlers im Hauptquartier der Heeresgruppe B in La Roche-Guyon vorgesehen. Aber als Generalleutnant Dr. Speidel, Rommels Chef des Generalstabes, mit General Blumentritt, dem Chef des Generalstabes Rundstedts, die nötigen Vorbereitungen besprechen wollte, erhielt er »die unglaubliche Nachricht, daß Hitler schon in der Nacht vom 17. auf 18. Juni nach Berchtesgaden zurückgekehrt« sei. Das war so gekommen: Seit dem 12. Juni, zwei Tage ehe eigentlich alles dazu bereit war, flogen die »V 1«-Raketen nach London. Von 10 zum Beginn abgeschossenen Raketen fielen 4 sofort wieder herunter, 2 verschwanden ohne jede Spur, 3 erreichten nur das weitere Zielgebiet, und 1 zerstörte eine Eisenbahnbrücke in London. Am 14. Juni wurden 244 »V 1« abgeschossen, die in London zahlreiche Brände und nicht unbeträchtliche Zerstörungen verursachten; 500 wurden am 15. Juni abgeschossen, und bis zum 22. Juni waren es insgesamt 1000. Die Raketen waren aber noch ziemlich unzuverlässig und flogen oft woanders hin, als sie sollten; das hatte auch am 17. Juni eine »V 1« getan und war in der Nähe von »Wolfschlucht II« heruntergefallen und explodiert. Darauf war Hitler mit Gefolge abgereist.

Seitdem ist Hitler nur noch wenig gereist. Am 14. Juli zog er mit seinem Hauptquartier zum letzten Mal vom »Berghof« in die »Wolfschanze« um. Er erlebte dort das Attentat von Graf Stauffenberg und anschließend den Zusammenbruch der Normandiefront, die Einnahme von Paris durch alliierte Truppen und die regellose Auflösung der Heeresgruppe Mitte an der Ostfront. Am 20. November 1944, als die Rote Armee zu nahe gerückt war, verließ er sein ostpreußisches Hauptquartier für immer. Er blieb von nun an in Berlin, mit nur noch einer längeren und einer kurzen Unterbrechung. Am 11. Dezember fuhr er mit seinem Sonderzug in das Hauptquartier »Adlerhorst« bei Bad Nauheim, um die Ardennenoffensive zu leiten, und verließ das Hauptquartier wieder – ebenfalls im Sonderzug – am 15. Januar 1945 nach dem völligen Zusammenbruch der Offensive; am 16. Januar um 9.40 Uhr traf der Sonderzug wieder in Berlin ein. Am 11. März 1945, am letzten Heldengedenktag seiner Herrschaft, besuchte Hitler ein Armeekorps-Hauptquartier an der Oder-Front, während in Berlin Göring die fällige Rede halten mußte. Nach diesem letzten Ausflug kehrte Hitler für immer in seinen Bunker im Garten der Reichskanzlei zurück [36].

X. Bewachung der Residenzen

1. Die Reichskanzlei

Jeder Besucher der Reichskanzlei mußte am Eingang Wilhelmstraße 78 mehrere uniformierte Polizeibeamte und SS-Wachen passieren. Auch an den anderen Eingängen, den zwei Hofeinfahrten, standen uniformierte Polizisten. Außerdem gab es eine Ehrenwache der Wehrmacht, die auch im Wechsel mit SS-Wachen vor dem Eingang Wilhelmstraße 78 stand. Im Frühjahr 1936 wurden die Aufgaben der jeweiligen Wachen neu festgelegt, und zwar im Zusammenwirken des Chefs der Reichskanzlei, Staatssekretär Dr. Lammers, des Kommandeurs der Leibstandarte SS »Adolf Hitler« (LSSAH), Sepp Dietrich, des Sicherheitsbeauftragten von Lammers, Polizeihauptmann Deckert, und des Polizeihauptmanns Koplien vom 16. Berliner Polizeirevier [1]. In den Anweisungen hieß es, die Polizeiposten hätten die volle Verantwortung für alle Fragen der Verkehrsregelung und für Personenüberprüfungen, während der SS-Posten die Polizeiposten dabei unterstütze und im übrigen die Kontrolle im Innern der Reichskanzlei ausübe. Am Haupteingang Wilhelmstraße 78, wo Tag und Nacht ein Polizeiposten (Posten I) stand, war nur die unauffällige Überwachung fremder Besucher und Passanten nötig, jedoch keine Personenkontrolle; diese war Sache des Empfangsbeamten im Innern des Gebäudes. Posten II dagegen, der auch Tag und Nacht stand, hatte an der Einfahrt zur Wohnung des Führers und Reichskanzlers und zum Hof (Wilhelmstraße 77) dafür zu sorgen, daß nur ordentlich autorisierte und ausgewiesene Personen einfuhren; wer keinen zur Einfahrt berechtigenden Ausweis hatte, mußte an den Haupteingang verwiesen werden, wo er sich beim Empfang einen Sonderausweis, eine Metallmarke, holen mußte, um danach wieder zum Posten II zurückzukehren. Hier bestand eine Lücke in der Absicherung: Bei lebhaftem Personenverkehr konnten berechtigte und unberechtigte Besucher die Erkennungsmarken vertauschen und damit Unberechtigte Zutritt erhalten, wenn der Posten sich nicht genau erinnerte, wen er zum Haupteingang geschickt hatte, oder wenn der Posten II gerade abgelöst wurde, während jemand sich eine Marke holte. Posten III schließlich mußte selbst alle Personen überprüfen, die im Auto die Haupteinfahrt be-

nutzen wollten, und mit dem Beistand des SS-Postens den Verkehr regeln.
Die Einfahrt war von 21 bis 7 Uhr geschlossen; sie war auch zu schließen,
wenn sich in der Nähe größere Menschenmengen ansammelten. Auch
im Garten der Reichskanzlei patrouillierte ein Polizeiposten, dieser mit
Polizeihund, jedoch nur von 22 bis 5 Uhr. Angehörigen des RSD und
des SS-Begleitkommandos war ausdrücklich gestattet, jeden der vorhandenen Eingänge zu benutzen. Waren sie den Polizeibeamten nicht persönlich bekannt, mußten sie sich ausweisen.

SS-Wachen gab es in und um die Reichskanzlei vom 30. Januar 1933
an, aber im Lauf der Jahre wurden es immer mehr, und sie schienen überall zu sein. Eine Anweisung der LSSAH für den Dienst bei der Reichskanzlei vom 10. August 1938 bestimmte den Einsatz von einem Führer
(Offizier), 3 Unterführern und 39 Mann, wenn Hitler anwesend war, und
von 0:3:33 während seiner Abwesenheit. 13 bzw. 11 Mann hatten jeweils
Wachdienst. Am 15. September 1938 wurde die Stärke der jeweiligen Wache neu festgelegt auf 1:2:12. Posten 1 der SS-Wache stand mit Pistole
bewaffnet an der Adjutantur des Führers, Posten 2 mit Pistole am Vorraum
zur Küche, Posten 3 mit Karabiner an der Gartenfront und Posten 4 mit
Pistole an der Garageneinfahrt an der Hermann-Göring-Straße.

SA-Posten riegelten die Flure und Durchgänge ab, die die Reichskanzlei
mit der angebauten Präsidialkanzlei und mit den Diensträumen des Stabs-
chefs der SA auf den verschiedenen Stockwerken verbanden. Niemand
durfte auf diesen Wegen die Reichskanzlei betreten, wer es versuchte, war
an den offiziellen Eingang Wilhelmstraße 78 zu verweisen. Hier nahm ein
Empfangsbeamter, der zum Sicherheitspersonal der Reichskanzlei gehörte,
die erste Identitätsprüfung der Besucher vor. Fremde Besucher mußten
von ihm oder einem seiner Kollegen zu der Stelle in der Reichskanzlei
geleitet werden, die sie besuchen wollten. In Zeiten mit lebhaftem Be-
sucherverkehr mußten 2 Empfangsbeamte Dienst tun, weitere waren bei
Bedarf hinzuzuziehen. Die Empfangsbeamten wurden strikt angewiesen,
keinerlei Auskünfte über Anwesenheit, Abwesenheit oder Reisen des
Führers oder des Chefs der Reichskanzlei oder irgendwelcher anderer
Beamter zu geben.

Für die persönliche Sicherheit des Führers innerhalb der Reichskanzlei
waren hauptsächlich das SS-Begleitkommando, die Wachen der LSSAH
und der RSD verantwortlich. Ein weiterer besonderer »Sicherheitsdienst
(SD)« innerhalb der Reichskanzlei war zusätzlich eingesetzt zur Verhinderung aller kriminellen Handlungen und Gefahren. Dieser »SD« (nicht zu
verwechseln mit Heydrichs SD der SS) unterstand dem Chef der Reichskanzlei, aber wie beim SS-Begleitkommando hatte auch Rattenhuber Wei-

sungsbefugnisse. Nachts waren zwei »SD«-Posten eingesetzt, bei Tag drei; bei besonderen Anlässen – etwa an Hitlers Geburtstag am 20. April 1936 – wurden diese Zahlen verdoppelt. Posten 1 des »Sicherheitsdienstes« stand in der Eingangshalle im Erdgeschoß beim Aufzug; er mußte die Halle und den Durchgang zum Innenhof überwachen und dafür sorgen, daß nur ordnungsgemäß zugelassene Personen von der Halle aus weitergehen konnten und alle anderen zum Empfangsbeamten zurückgeschickt wurden. Ferner hatte er mit darauf zu achten, daß Besucher ihre Eintrittsmarken abgaben, wenn sie das Gebäude verließen. Posten 2 mußte den Flur im Erdgeschoß überwachen, an dem die verschiedenen Büros lagen; er mußte also patrouillieren und in Zweifelsfällen die Identität und Berechtigung der Personen überprüfen, die er antraf. Posten 3 patrouillierte auf dem ersten Stock und hatte etwa dieselben Aufgaben wie seine Kollegen unten. Zugleich mußte er die nach oben führenden Treppen scharf beaufsichtigen und alle angetroffenen Personen genau kontrollieren. In der Nacht übernahmen die Leute des »Sicherheitsdienstes« von 22 Uhr an zusätzlich die Aufgaben der Empfangsbeamten. Zu dieser Zeit mußten alle Gebäudetüren und -tore verschlossen sein. Posten 1 hatte seinen Platz jetzt in der Pförtnerloge und mußte das Telefon bedienen sowie bei Bedarf – auf ein Klingelsignal des Polizeipostens – die Türen öffnen. Posten 2 patrouillierte im Erdgeschoß und gelegentlich auch in den oberen Stockwerken. Fremde ohne gültige Ausweise mußten auf der Stelle verhaftet und durch Polizeibeamte zum 16. Polizeirevier gebracht werden. Bei ungewöhnlichen Vorfällen war Hauptmann Deckert sofort zu verständigen.

Bei den engen Verhältnissen in der alten Reichskanzlei genügten die oben skizzierten Sicherheitsmaßnahmen nicht, wenn sich viele Menschen drängten, wie an Hitlers Geburtstag oder bei einem festlichen Empfang. Am 30. Januar 1937 kamen zum Beispiel 84 ausländische Diplomaten in die Reichskanzlei, um mit Hitler und seinen Getreuen einen Fackelzug zu genießen. Natürlich gab das ein Gedränge, in dem sich Sicherheitsbeamte kaum bewegen konnten. Mindestens eine Einlaßkarte war ohne den Namen des Berechtigten verschickt worden, woraus sich leicht eine Gefahr hätte ergeben können. Aber wenn etwa zum Staatsbesuch von Admiral Horthy im August 1938 100 zusätzliche SS-Ordonnanzen von der LSSAH (Anzug: schwarze Hose, weiße Jacke mit SS-Insignien) in die Reichskanzlei kamen, entstand ein Bild lückenloser Überwachung.

Es gab aber doch ernste Lücken in den Sicherheitsvorkehrungen. Zum Teil wurden sie durch das Verhalten der für die Sicherheit des Führers Verantwortlichen verursacht. Arische Vorfahren, Parteimitgliedschaft, allgemeine Loyalität und »weltanschauliche Ausrichtung« genügten nicht, um unter den SS-Leibwachen auch Eigenschaften wie Zuverlässigkeit und Wachsamkeit im Schutzdienst zu garantieren. Herkömmliche Kontrollmethoden, die auf dem Prinzip von Belohnung und Strafe beruhten, blieben unentbehrlich. So wurden die SS- und anderen Wachen ihrerseits nicht nur von einem »Sicherheits-Kontrolldienst« überwacht, der im Dezember 1939 nach dem Elser-Attentat eingerichtet wurde, sondern auch, und das schon lange vor 1939, alle paar Stunden von Rondeoffizieren der Leibstandarte[2]. Trotzdem kam es zu Dienstverletzungen und Vorfällen, die sich zum Teil aus einer Art Jugendlichenmentalität erklären lassen. So mußte die Verwaltung der Reichskanzlei im Juni 1935 bei Sepp Dietrich darüber Beschwerde führen, daß seine SS-Leute zum Zeitvertreib mit den Aufzügen auf und ab fuhren und daß seit zwei Jahren immer wieder in der Nacht die Kleiderhaken in Hitlers Vorzimmer abgerissen wurden; auch ließen die SS-Leute zu jeder Tages- und Nachtzeit den Radioapparat in ihrem Wachraum bei offenen Fenstern mit voller Lautstärke spielen. Lammers schrieb an Brückner, der Lärm mache in vielen Büros der Reichskanzlei das Arbeiten unmöglich. Aber es gab auch Beschwerden von seiten der SS. Im Juni 1936 bemängelte einer der Wach-Führer, die SS-Wachen hätten nur 5 Schuß Munition pro Karabiner zur Verfügung, während die Wehrmachtwachen über 2 volle Schachteln pro Person verfügten. Außerdem hätten die SS-Wachen keine Schlüssel zum Tor an der Wilhelmstraße, während andererseits ein vorläufiges Holzgattter unnötigerweise Tag und Nacht offen sei. Einige Tage später beschwerte sich ein SS-Untersturmführer namens Nothdurft darüber, daß trotz vieler Veränderungen in der Reichskanzlei die Wachbestimmungen seit 1934 nicht revidiert worden seien (was nicht stimmte) und eine Mauer des Reichskanzleigartens unbewacht sei, wo man leicht vom höherliegenden Nachbargarten eindringen könne. Tatsächlich waren am Tag vorher, am 8. Juni 1936, zwei Frauen verhaftet worden, die unbemerkt in den Garten der Reichskanzlei eingestiegen waren.

Im Januar 1937 berichtete Deckert an Rattenhuber und Wernicke von einem wesentlich ernsteren Fall: Am 11. Januar 1937 etwa um 14.30 Uhr, am hellichten Tag, war ein arbeitsloser Handelsvertreter über einen Bauzaun an der Voßstraße geklettert, was keine der Wachen bemerkt hatte, und dann durch das offene Fenster einer Toilette in die Reichskanzlei eingestiegen, weil er unbedingt den Führer sprechen wollte, offenbar in der Hoffnung, sein Anliegen mit größerem Erfolg als bisher vorzubringen; er war nämlich schon fünf Jahre arbeitslos und hatte mehrfach bei der Dienststelle des preußischen Ministerpräsidenten erfolglos um Arbeit vorgesprochen. Aber als er am 11. Januar in die Reichskanzlei eindrang und den Führer sehen wollte, führte er eine Scheintodpistole bei sich. Ein Dienstmädchen bemerkte zuerst den Fremden und alarmierte einen Angehörigen des »Sicherheitsdienstes«, der den Eindringling zu einer anderen Wache mitnahm. Nach kurzer Befragung und Überprüfung der Ausweispapiere des Handelsvertreters entschied man, daß er harmlos sei, und ließ ihn laufen. Erst danach, nach 15 Uhr, wurde Deckert von dem Vorfall informiert und ließ den Mann sofort wieder holen und verhaften. Jetzt wurde wenigstens ein zusätzlicher SS-Posten an dem Bauzaun in der Voßstraße aufgestellt [3]. Aber es gab noch mehr solcher Vorfälle.

Am 14. Februar 1937 kurz vor 9 Uhr morgens versuchte ein 33jähriger Metzger namens Franz Kroll mit Gewalt zu Hitler vorzudringen und wurde von Sicherheitsbeamten festgehalten. Er roch nach Alkohol und sagte, die Polizei habe ihn um 135 Reichsmark beraubt. Er wurde dem 16. Polizeirevier übergeben. Ein Buchbinder namens Walter Zeitler schrieb am 17. März 1937 an die Reichskanzlei, er werde am Palmsonntag um 9 Uhr in die Reichskanzlei kommen, um Hitler über seine (Zeitlers) Mission als Göttlicher Retter zu berichten. Er wurde nicht vorgelassen. Ein Geisteskranker namens Josef Thomas aus Elberfeld, der eine Pistole bei sich hatte, wollte im November 1937 Hitler und Göring sprechen. Er wurde am 26. November verhaftet und der Gestapo übergeben. Man weiß freilich nicht, ob Geisteskranke oder leichtsinnige Wachen gefährlicher waren. Am 8. Dezember 1937 um 23.40 Uhr spielte einer der SS-Posten im ersten Stock der Reichskanzlei mit seiner Pistole und schoß aus Versehen in die Wand, und am 23. Januar 1938 spielte ein SA-Posten in der Eingangshalle an der Voßstraße 1 auch mit seiner Pistole und schoß durch die Lehne eines Stuhles, auf dem wenige Augenblicke vorher noch jemand gesessen hatte. Zusammen mit einem weiteren Schuß aus der Pistole eines SS-Postens wurden innerhalb von 4 Wochen mindestens drei Schüsse »aus Versehen« in der Reichskanzlei abgefeuert [4].

Die Reichskanzlei aus Bismarcks Zeit war ehrwürdig, aber für Hitlers Anforderungen ungenügend. Zum Preise von rund 28 360 Reichsmark wurde 1935 an der Alten Reichskanzlei ein Balkon samt Bronzetüren nach den Plänen des Architekten Albert Speer angebaut, so daß der Führer sich den Massen würdig zeigen konnte. Die Balkonbrüstung war mit 8 Millimeter starken Stahlplatten versehen [5]. Aber eine repräsentative Reichskanzlei, die Hitler brauchte, war das noch nicht. Ein völliger Neubau mußte her, allerdings auch nur als Zwischenlösung, bis Berlin die Hauptstadt eines Großgermanischen Reiches sein würde. Dann würde der Regierungssitz ein festungsartiges Gebäude sein, umgeben von den Kasernen der Leibstandarte und anderer Wachtruppen.

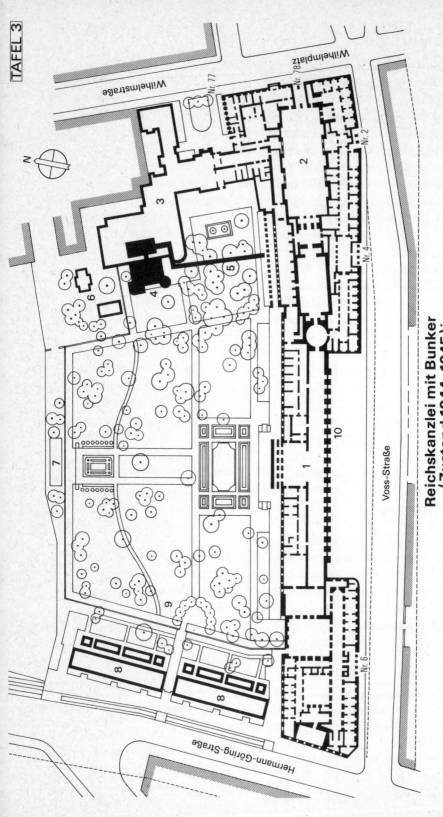

TAFEL 3

N

Wilhelmstraße

Wilhelmplatz

Nr. 77

Nr. 78

Nr. 2

Nr. 4

Nr. 6

Voss-Straße

Hermann-Göring-Straße

**Reichskanzlei mit Bunker
(Zustand 1944–1945)***

1 Hitlers Arbeitszimmer in der Neuen Reichskanzlei
2 Ehrenhof
3 Alte Reichskanzlei
4 Führerbunker mit dem höher gelegenen Vorbunker (rechts)
5 Unterirdischer Verbindungsgang vom Führerbunker
   zu den Bunkern unter der Neuen Reichskanzlei
6 Kempkas Wohnung, Garage
7 Wintergarten
8 Wohnungen für Wachmannschaften, Garagen
9 Fahrerbunker
10 Bunker unter der Neuen Reichskanzlei

* Qu. Seite 320

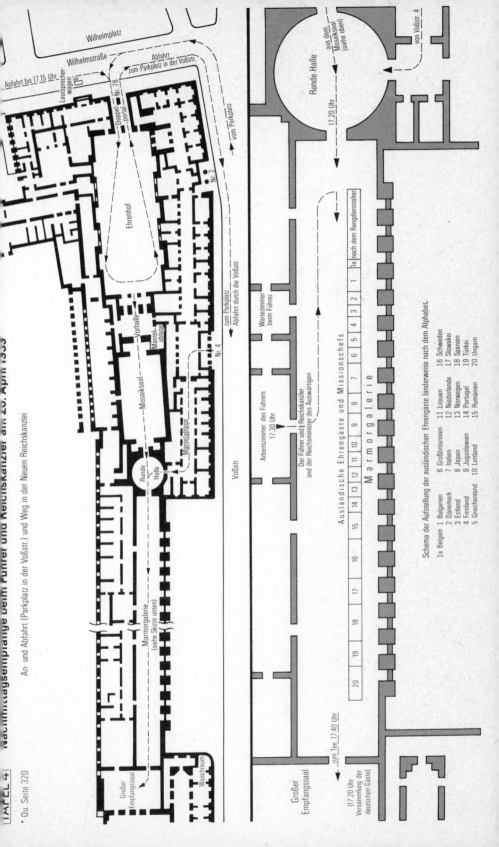

TAFEL 4

Nachmittagsempfänge beim Führer und Reichskanzler am 20. April 1939

* Qu. Seite 320

An- und Abfahrt (Parkplatz in der Voßstr.) und Weg in der Neuen Reichskanzlei

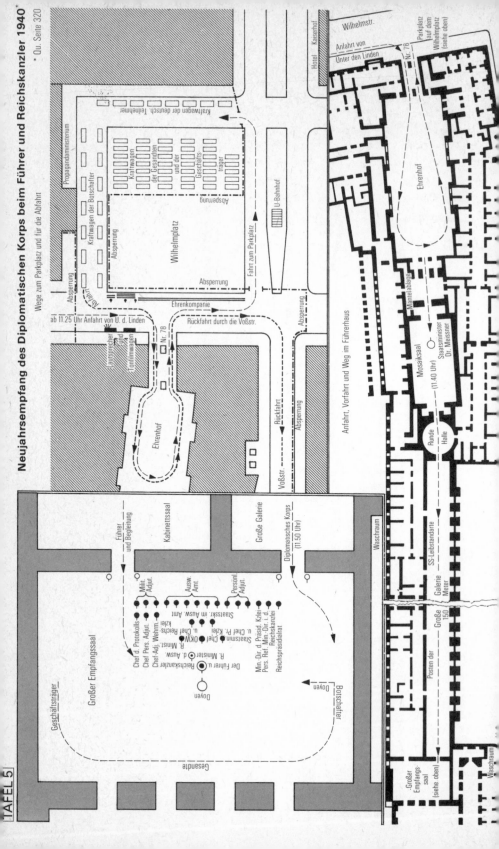

Neujahrsempfang des Diplomatischen Korps beim Führer und Reichskanzler 1940*

Wege zum Parkplatz und für die Abfahrt

* Qu. Seite 320

TAFEL 5

Albert Speer, inzwischen Generalbauinspektor, brachte es fertig, die Neue Reichskanzlei in weniger als einem Jahr nach dem Beginn der Planungen bezugsfertig am 7. Januar 1939 dem erfreuten Bauherrn zu übergeben [6]. Da herrschten andere Dimensionen als im alten Bau, riesige Räume und Hallen standen zur systematischen Einschüchterung vor allen der kleineren Potentaten zur Verfügung. Besucher fuhren, wenn sie feierlich empfangen wurden, durch zwei riesige Tore in den Hof ein, wurden einige Stufen zu einer »kleinen« Empfangshalle hinaufgeleitet, durch eine 5 Meter hohe Doppeltür in eine weitere Halle, wieder einige Stufen hinauf durch eine runde Kuppelhalle geführt, dann erst begannen sie den Marsch durch die 145 Meter lange Galerie (zweimal so lang wie der Versailler Spiegelsaal). Nach einer Strecke von insgesamt 220 Metern kamen sie in gebührender Gemütsverfassung schließlich in Hitlers Vorhalle an. Dann wurden sie in Hitlers übergroßes Arbeitszimmer geführt.

Die Sicherheitsbestimmungen waren hier eher noch schärfer als im alten Bau, dafür ließen aber mit dem Überhandnehmen der neuen Elite und dem Versinken des alten Beamtenstammes Gründlichkeit und Disziplin nach. Wenigstens 40 oder 50 Personen hatten ständig freien Zutritt zur Neuen Reichskanzlei, wenn sie mit dem Führer zu Mittag essen wollten, sie brauchten sich nur bei einem Adjutanten anzusagen [7]. Die meisten der häufigen Gäste waren Reichsleiter und Gauleiter der NSDAP, einige waren Minister, andere gehörten zum engeren Kreis um Hitler, wie z. B. Albert Speer. Ein Mann wie Speer konnte einfach mit seinem Auto in die Einfahrt an der Wilhelmstraße fahren, wo 2 SS-Posten bewegungslos mit ihren Gewehren standen und der diensttuende Polizeibeamte ihn erkennen und ohne weiteres einlassen würde. Speer konnte dann im Hof parken und in Hitlers Wohnung gehen, die an die Neue Reichskanzlei anschloß. Hier traf er auf einige Angehörige des SS-Begleitkommandos, die ihn gewöhnlich auch einfach durchließen, worauf er in einen Vorraum kam, in dem Hitlers Gäste standen, saßen und sich unterhielten, etwa eine Viertelstunde vor der Essenszeit, und wo sie auf das Erscheinen Hitlers warteten. Wenn Hitler kam, aus der Wohnung oder aus den Amtsräumen der Reichskanzlei, unterhielt er sich einige Minuten mit seinen Gästen oder las ein paar Nachrichtenzusammenfassungen, dann ging man in den Speisesaal. Solch freier Zugang bestand für die wenigen Privilegierten auch noch in den ersten Kriegsjahren; nach dem 20. Juli 1944 mußten aber auch Bevorzugte, mit Ausnahme etwa von Himmler, Speer, Goebbels oder Göring, ihre Aktentaschen vorzeigen und sich sogar Leibesvisitationen gefallen lassen, wie unten noch zu sehen sein wird.

Wenigstens ebenso viele Personen hatten aus dienstlichen Gründen die

Möglichkeit, fast täglich in Hitlers unmittelbare Nähe zu kommen, wenn sie es mußten oder wollten. Zu ihnen gehörte Dr. Erich Kordt, Leiter von Ribbentrops »Ministerbüro«, und er gedachte dies zu einem von ihm für den 11. November 1939 geplanten Attentat auszunutzen, das dann wegen Verschiebung der Westoffensive, und weil nach Elsers Attentat alle Sicherheitsvorkehrungen verschärft wurden, nicht ausgeführt wurde [8].

Auch in der Neuen Reichskanzlei gab es trotz Vermehrung der Wachen Sicherheitslücken. Wie berichtet, wurde großer Wert auf Geheimhaltung der Anwesenheit oder Abwesenheit des Führers gelegt. Die Empfangsbeamten durften niemand darüber Auskunft geben, der RSD mußte alle Ausfahrten und Reisen geheimhalten, und selbst das unmittelbar zum persönlichen Schutz eingesetzte Begleitpersonal erfuhr meist erst wenige Minuten vorher von einer Ausfahrt, etwa zu einem Opernbesuch. Aber war schon dem »Völkischen Beobachter« oft genug zu entnehmen, wo sich Hitler ungefähr aufhielt, so gaben seine Bewacher selbst ein unnötiges, aber völlig sicheres Signal. Die Wachen der Leibstandarte hatten nämlich Anweisung, die »Führerstandarte« auf der Reichskanzlei in dem Moment zu hissen, in dem Hitlers Auto durch das Haupttor in den Hof der Reichskanzlei einfuhr; die Standarte blieb gehißt, solange Hitler anwesend war, und wurde eingeholt, wenn er das Gebäude verließ [9].

Einige Tage nach der Einweihung der Neuen Reichskanzlei, am 18. Januar 1939, wurde ein ständiger Doppelposten der Wehrmacht am Eingang der Präsidialkanzlei an der Voßstraße 4 eingerichtet, der vom Wachregiment Berlin (später »Großdeutschland« genannt) gestellt wurde. Ein Unteroffizier und 6 Mann bildeten die Wache, die sich alle paar Stunden ablöste, 2 Mann standen immer vor dem Eingang, mit Karabinern in den Händen. Zunächst hatte diese »Wache Führer« oder »Wache Reichskanzlei« mit gewissen Schwierigkeiten zu kämpfen. So gab es nicht genug Betten für die jeweils wachfreien Schichten, und im Mai 1939 mußte das Wachregiment Berlin Schlimmeres beanstanden: »Betr.: Meldung über Wanzen auf Wache Führer: Da die Meldungen über die Wanzenplage auf Wache Führer anhalten, bittet das Regiment erneut unter Bezugnahme auf o. a. Schreiben um weitere Veranlassung.« [10] Auch das in den Innenhof führende Haupttor wurde damals von Wehrmachtposten bewacht, neben dem ständig anwesenden Polizeibeamten. Aber Wehrmacht- und SS-Wachen standen nicht immer an denselben Eingängen, es gab wiederholt Änderungen. Im März 1939 entschied Hitler, daß auf Reisen Angehörige der SS-Verfügungstruppe, also der LSSAH, vor seinem Hotel oder sonstigen Absteigequartier Wache stehen mußten; dies war ohnehin seit einigen Jahren die vorwiegende Übung. Am Tag der Wehrmacht in Nürnberg dagegen hatte die Wehrmacht die Ehrenwache zu stellen, wie in den Führerquartieren im Fall der Mobilmachung, d. h. im Kriegsfall. Natürlich patrouillierten auch in der Neuen Reichskanzlei RSD-Beamte ständig im Gebäude, und überall wurden SS-Wachen aufgestellt, die gelegentlich zu einer Belästigung wurden. Die SS-Wache, die im Garten der Reichskanzlei patrouillierte, mußte wiederholt ermahnt werden, nicht zu nahe an den Fenstern und Türen des Wintergartens vorbeizugehen, um nicht Konferenzen und Gespräche dadurch zu stören, daß sie zuhörte oder neugierig durch die Fenster blickte [11]. Am Eingang zur Privatwohnung Hitlers stand ein weiterer SS-Posten, zwei standen im Ehrenhof am Eingang zur Neuen Reichskanzlei, zwei in der Großen Halle am Eingang zu Hitlers Arbeitszimmer (tags mit Karabiner, nachts mit Pistolen), einer am Eingang zum Kuppelsaal und einer am Seiteneingang zur Großen Galerie (dieser und der am Kuppelssal wurden später durch RSD-Beamte ersetzt). Ferner stand je ein Doppelposten (SS oder Wehrmacht) an den Eingängen Voßstraße 4 und 6; an der Voßstraße 2 stand ein Doppelposten der SA. Bei besonderen Anlässen wurden Einzelposten zu Doppelposten gemacht. Außer all diesen sichtbaren SS-Wachen gab es überall weniger auffällige Streifen, teils in Uniform, teils in Zivil, die immer in Hitlers Nähe waren und stets dienstbereit sein mußten, ob er fremde Staatsmänner empfing oder im Garten der Reichskanzlei Eichhörnchen fütterte und mehr Nüsse brauchte. Bei so lückenloser Bewachung konnte schwerlich jemand ohne Erlaubnis eindringen, es sei denn, die Wachen schliefen, und auch das kam vor, zum Beispiel am 19. März 1939 (Hitler war zu dieser Zeit in der Reichskanzlei), wie im Wachbuch der »Wache Reichskanzlei« der LSSAH festgehalten: »Um 0.45 Uhr wurde der SS Rttf. Nowotzek auf Posten 16 vom Führer vom Dienst, SS Ostuf. Nothdurft, schlafend angetroffen.« [12] Vom Standpunkt eines Eindringlings aus bot aber ein echter oder gefälschter Ausweis zum Betreten der Reichskanzlei, etwa für Reparatur- oder Wartungsdienste, bessere Erfolgsaussichten.

Zwar wurden schon wenige Tage nach der Einweihung der Neuen Reichskanzlei im Januar 1939 Befehle zur Herstellung neuer Ausweise zum Betreten der verschiedenen Gebäudeteile gegeben, aber die vielen Lücken im Berechtigungssystem ließen sich nie ganz schließen, weder die von einem Mangel an Reglementierung herrührenden noch die durch Überreglementierung verursachten. Oft wollten altgediente Beamte oder Angestellte sich neuen Anordnungen nicht fügen, oft zeigten sich die Wachen Prominenten gegenüber allzu großzügig und beflissen. Dazu kamen glatte Durchbrechungen der in den Wachvorschriften aufgestellten Prinzipien. Im April 1939 zum Beispiel wurde folgende Ausnahmerege-

lung im Wachbuch der »Wache Reichskanzlei« der LSSAH niedergelegt:
»*Auf mündl. Befehl* von SS Stubaf. Wernigke sind Ausweisträger berechtigt, Personen mit in die Reichskanzlei zu nehmen. Die Ordonnanzen
bringen Besucher der Reichskanzlei an ihren Bestimmungsort und kehren
selbständig zurück. Die weitere Verantwortung trägt der jeweilige Emp-
fänger.«[13] Mehrere Arten der für die Alte Reichskanzlei ausgestellten
Ausweise wurden von den Wachen noch lange anerkannt, und sogar mit
für den »Berghof« ausgestellten Ausweisen konnte man unter Umständen
in die Reichskanzlei kommen, wenn sie ausdrücklich zum Betreten von
Hitlers Privaträumen berechtigten. Im Juli 1939 entdeckte ein SS-Posten,
daß der Polizeibeamte am (SS-)Posten 8 häufig seinen Standort verließ, so
daß die Einfahrt zum alten Hof an der Wilhelmstraße 77 unbewacht war;
als darauf in der Nacht zum 13. Juli und am folgenden Morgen die SS-
Wache niemand ohne gültigen Ausweis durchließ, mußten so viele in der
Reichskanzlei tätige Beamte und Angestellte draußen bleiben, daß nichts
anderes übrigblieb, wenn die Amtsgeschäfte weitergehen sollten, als sieben oder mehr verschiedene Arten alter Ausweise bis zur Ausstellung
von neuen für gültig zu erklären. So wurden abgelaufene oder für ungültig
erklärte Ausweise für Photographen, zur Begleitung Hitlers oder für Reparaturarbeiter noch einmal gültig und brauchbar. Einer von Hitlers Adjutanten zählte nicht weniger als 9 Sorten solcher Ausweise. Anfang August
war noch immer keine Ordnung geschaffen, aber als von seiten der Leibstandarte auf diesen unmöglichen Zustand hingewiesen wurde, konnte
der angesprochene Persönliche Adjutant, NSKK-Oberführer A. B. Albrecht
lediglich mitteilen, daß sich bis September nichts ändern werde, weil die
für die Ausarbeitung neuer Richtlinien zuständigen Beamten vorher nicht
in Berlin zurückerwartet würden. Der bevorstehende Krieg scheint die
Angelegenheit dann beschleunigt zu haben.

Am 1. September 1939 traten neue Ausweisvorschriften in Kraft zum
Betreten der Wohnung des Führers, der Neuen Reichskanzlei, der Präsidialkanzlei, der Kanzlei des Führers der NSDAP und der Obersten SA-
Führung. Für Hitlers Privaträume galt eine graue Leinenkarte mit dem
Paßbild des Inhabers und einem Dienstsiegel in Gold auf der Vorderseite
sowie einem gelben Diagonalstreifen auf der Innenseite; die Karte war
mit der Unterschrift des Chefadjutanten des Führers, SA-Obergruppenführer Brückner, versehen. Alle Ausweise wurden vom RSD ausgestellt.
Wer ohne Ausweis Zutritt suchte, mußte von einem SS-Posten oder Polizeibeamten zum Wachoffizier im Vorzimmer zu Hitlers Räumen gebracht
werden[14]. Ausweise zum Betreten der anderen Gebäudeteile und Räume
der Reichskanzlei wurden von der Reichskanzlei ausgegeben und entwe-

der von Lammers oder Brückner unterzeichnet. Der RSD bekam eine Liste aller dieser Ausweise, die wie die vorher beschriebenen aussahen, aber ohne den gelben Diagonalstreifen. Ausweise für Arbeiter und Wartungspersonal wurden ebenfalls von der Reichskanzlei ausgegeben, und auch hier bekam der RSD eine entsprechende Liste. Die Arbeiterausweise waren weiße Halbleinenkarten, die von Lammers unterschrieben und nur nach vorheriger Überprüfung der Inhaber durch die Gestapo vergeben wurden. Wenn in einem Notfall (Wasserrohrbruch u. dgl.) sofortiger Zutritt für Reparaturarbeiter nötig war, mußten diese von Sicherheitsbeamten beaufsichtigt werden, solange sie im Gebäude waren. Wer die Neue Reichskanzlei bloß besichtigen wollte, mußte sich von Brückner, SS-Sturmbannführer Wernicke, Ministerial-Bürodirektor Ostertag oder dessen Vertreter Major der Polizei Deckert Erlaubnis holen; der RSD war zu informieren. Die Garage an der Hermann-Göring-Straße schließlich konnte nur von Personen betreten werden, die einen Zusatzausweis in grüner Farbe besaßen, der von SS-Sturmbannführer Kempka unterzeichnet war. Der Garageneingang wurde, wie schon erwähnt, von einem SS-Posten bewacht. Verlust oder Diebstahl von Ausweisen mußte sofort dem Kommando des RSD gemeldet werden. Arbeiter, die zeitweise zugelassen waren, mußten nach Abschluß der Arbeiten ihre Ausweise abgeben, aber gerade diese Bestimmung war schwer durchzuführen. Wiederholt mußten solche Ausweise angemahnt und gesucht oder schließlich für ungültig erklärt werden; solange sie jedoch in unberechtigten Händen waren, bestand eine Gefahrensituation, und je mehr die Zahl abhanden gekommener Ausweise zunahm, desto schwieriger wurde die Kontrolle. Jedesmal, wenn ein Arbeiter kam, mußte eine Liste ungültiger Ausweise nachgesehen werden. Andererseits konnte man nicht immer, wenn einige Ausweise fehlten, lauter neue ausgeben [15].

Im Juni 1939 verlor Heinz Linge, »Chef des Persönlichen Dienstes beim Führer«, seinen Ausweis und versäumte anscheinend die Unterrichtung der zuständigen Stellen. Im November 1939 sah sich Rattenhuber gezwungen, an die LSSAH (zu der Linge gehörte), an die Berliner Polizei, an alle RSD-Dienststellen, an die Gestapo, an das Wachregiment der Wehrmacht, an die Oberste SA-Führung und an den Chef der Reichskanzlei zu schreiben, um Linges alten Ausweis für ungültig zu erklären, der, wie Rattenhuber schrieb, unter nicht mehr feststellbaren Umständen verloren gegangen sei. Bis zum 3. November war der Verlust anscheinend nicht gemeldet worden, und Rattenhuber erinnerte alle Angehörigen des SS-Begleitkommandos eindringlich an die Pflicht, verlorene Ausweise sofort zu melden [16].

Bis Ende 1940 waren mehr als 1000 Ausweise zum Betreten von Hitlers Privatwohnung in der Reichskanzlei ausgegeben worden; mehrere Hundert waren ständig im Gebrauch, und man kann sich nicht vorstellen, wie Verluste und Mißbrauch vermieden werden sollten. Nach Einführung der Ausweise mit Lichtbild zum Betreten der Privaträume und der Neuen Reichskanzlei sind in den ersten 6 Monaten 8 Ausweise als gestohlen oder verloren gemeldet worden, kein einziger hat sich wiedergefunden. Es gibt keine Unterlagen darüber, wie viele Ausweise verloren und nicht gemeldet wurden. Rattenhuber schrieb in einem besorgten Rundschreiben vom 22. Februar 1940, es bestünde die Gefahr, daß die Ausweise »zu Attentatszwecken« verwendet würden. Es mußte also ein neues System eingeführt werden, mit dessen Hilfe die Gültigkeitsdauer verkürzt und so die Benutzung der Ausweise besser kontrolliert werden konnte. Der RSD gab von da an jeden Monat Marken aus, die in die Ausweise zu kleben waren [17]. Die ersten Marken galten für März 1940. Sie wurden kollektiv an verschiedene Dienststellen versandt, an die Adjutantur des Führers, an den Chef der Reichskanzlei, an den Chef der Präsidialkanzlei, an die Kanzlei des Führers der NSDAP und an die Oberste SA-Führung. Von diesen Dienststellen wurden die Marken an die einzelnen Berechtigten verteilt, die jedesmal beim Empfang ihrer Marke unterschreiben mußten. Auch Fräulein Eva Braun mußte für ihren Ausweis jeden Monat eine Marke abholen. Aber Sepp Dietrich hat seine Unterschrift weder im März noch im April noch im Mai geleistet, und einmal hat Albert Bormann für ihn unterschrieben. Im April und Mai 1940 wurde Sepp Dietrichs Marke nicht einmal abgeholt. Fräulein Christa Schröder, eine von Hitlers Sekretärinnen, unterschrieb einmal für Albert Bormann und je einmal für ihre Kolleginnen Fräulein Gerda Daranowski und Fräulein Johanna Wolf; Fräulein Daranowski unterschrieb einmal für Fräulein Schröder. Aber es gab noch gefährlichere Lücken. Anfang 1940 wurde auf dem dritten Stock der Reichskanzlei eine Fernschreibmaschine installiert und von wechselnden weiblichen Postangestellten des Haupttelegraphenamts bedient. Auf Vorzeigen eines Lichtbildausweises des Telegraphenamts hin erhielten die Frauen, die abends um 20 Uhr kamen und morgens um 7 Uhr wieder gingen, einen Ausweis für die Nacht, den sie nach ihrem Dienst wieder abgeben mußten. Die Mißbrauchsmöglichkeiten kann man sich ausmalen.

Seit Beginn des Krieges verstärkte man die Bemühungen zur Schließung der Sicherheitslücken, und die allmähliche Entwicklung der Reichskanzlei zur »Festung« schritt voran. Am 21. September 1939 bestimmte ein Befehl der SS-Adjutantur, daß die Gehwege an der Neuen Reichskanzlei in der Voßstraße und Wilhelmstraße von Fußgängern nicht mehr benützt wer-

den durften. Besonders nachts durften Personen, die in die Reichskanzlei
wollten, diese nur noch betreten, indem sie im rechten Winkel zum Gehweg der gegenüberliegenden Straßenseite direkt auf den betreffenden Eingang zugingen. Am nächsten Tag fügte Rattenhuber weitere Einzelheiten
hinzu: Mehrere zusätzliche Polizeiposten wurden eingesetzt, zwei davon
in vierundzwanzigstündigem Dienst an den schmiedeeisernen Toren, die
zu Hitlers Wohnung führten (Wilhelmstraße 77), einer innen und einer
außen; auch das große Bronzedoppeltor zum Ehrenhof (Wilhelmstraße 78)
wurde Tag und Nacht zusätzlich von Polizeibeamten bewacht und durfte
nur mit besonderer Genehmigung der Adjutanten des Führers geöffnet
werden. Die Wachen waren durch das Südtor der Alten Reichskanzlei
zu wechseln. Ein Polizeibeamter mußte an der Ecke Wilhelm- und Voßstraße die Fußgänger vom Gehweg an der Reichskanzlei auf die andere
Seite weisen. Der Notausstieg des Luftschutzkellers konnte nicht fest
geschlossen werden, ohne seine Funktion zu zerstören, also mußte er
vierundzwanzig Stunden bewacht werden. SA-, Wehrmacht- und SS-Wachen standen nach wie vor an den Eingängen Voßstraße 2, 4 und 6 bei
Tag und Nacht, und ein SS-Posten patrouillierte außen an der großen
Wandelhalle [18]. Außer den genannten uniformierten Polizeibeamten patrouillierten ständig zwei Gestapobeamte auf den Gehwegen der Südseite
der Voßstraße und ebenso auf der der Hermann-Göring-Straße zugewandten Seite der Reichskanzlei. Auch an der Ecke Voß- und Hermann-
Göring-Straße verwies ein Polizist die Fußgänger auf den gegenüberliegenden Gehweg. Im Garten der Neuen Reichskanzlei waren zwei SS-Streifen
für die Ost- und Westseite verantwortlich; nach Einbruch der Dunkelheit
wurden sechs SS-Leute im Garten stationiert, die im Ostteil noch durch
einen Polizisten mit Polizeihund verstärkt wurden. Endlich mußte der
Tunnel der Untergrundbahn vom Potsdamer Platz nach Nordosten unter
dem Leipziger Platz und zur Voßstraße, dann unter der Voßstraße nach
Osten zum Wilhelmsplatz und zur Station Kaiserhof besonders bewacht
werden, um »Sabotageakte« zu verhindern. Viele dieser Maßnahmen
sind als Folge des Elser-Attentats ergriffen worden und waren zweifellos
geeignet, einen ähnlichen Anschlag in der Reichskanzlei sehr zu erschweren.

Nach dem Elser-Attentat reagierte zuerst Meißner, der immer eifrige
Staatsminister und Chef der Präsidialkanzlei des Führers und Reichskanzlers (der sich nie Reichspräsident nannte, sondern nur am 2. August 1934
dessen Befugnisse übernommen hatte), mit neuen Sicherheitsmaßnahmen, die im wesentlichen dieselben waren, die auch für die Neue Reichskanzlei galten. Wehrmacht-, SS- und SA-Wachen waren außen verantwort-

lich, SS und RSD innen, besonders an den Fluren, die zur Reichskanzlei
führten. Kein Besucher durfte ungeleitet in der Präsidialkanzlei sein [19].
Zwei Tage darauf, am 18. November 1939, gab der SS-Adjutant Wünsche
neue Anweisungen heraus [20]. Einige Posten, die bisher nicht oder nur bei
Hitlers Anwesenheit von RSD- oder SS-Begleitkommando-Leuten besetzt
waren, mußten nun ständig von einem dieser beiden Sicherheitsorgane
besetzt werden.

Während die Kriegsverhältnisse zur Intensivierung der Sicherheitsvorkehrungen führten, ließen sie zugleich neue Gefahrenquellen entstehen.
Auch wenn Polizisten, Schergen, Kontrollen allgegenwärtig schienen,
machten doch die großen Bevölkerungsbewegungen, Evakuierungen aus
bombengefährdeten Städten, Umsiedlungen von »Volksdeutschen«, Truppenbewegungen sowie die Anwesenheit von Millionen gezwungener oder
freiwillig gekommener ausländischer Arbeiter und von Millionen von
Kriegsgefangenen die wirksame Kontrolle und Überwachung der im
Reichsgebiet sich aufhaltenden Menschen fast unmöglich. Sicherlich
nahm auch die Bereitschaft und Tendenz zu vorschriftsmäßigem Verhalten immer mehr ab mit der Zunahme der Mobilität, der Anonymität,
unter dem Schutz der militärischen Uniformen, und vielleicht vor allem
durch die ständige Bedrohung des eigenen Lebens. Wie die allgemeine
Situation wurde auch die spezielle in der Reichskanzlei von den veränder-
ten Verhältnissen berührt und erforderte neue Regelungen, zum Beispiel
für den Fall eines Luftangriffs.

Die Luftschutzräume der Neuen Reichskanzlei mußten durch ein Speisezimmer, einen Salon und durch Hitlers Vorzimmer betreten werden. Im
Falle eines Luftangriffs mußten alle zur Zeit wachfreien in der Reichskanzlei eingesetzten Wachen des Wachbataillons Berlin diesen Weg nehmen; ein RSD-Beamter mußte sie in der Eingangshalle zu Hitlers Wohnung
durch die richtigen Türen weisen. Die nicht wachfreien SS-, Wehrmacht-
und SA-Posten mußten – mit einer Ausnahme – auch bei Luftangriffen
auf ihren Posten bleiben. Schwierig war es, das natürliche und funktionelle
Schutzbedürfnis dieser Wachen mit der erhöhten Schutzbedürftigkeit der
Reichskanzlei gerade bei einem Luftangriff zu vereinbaren [21]. Luftangriffe
waren günstige Gelegenheiten für Attentäter und Bombenleger, wenn die
Wachsamkeit der Sicherheitsorgane nachließ. So wurden die RSD-Beamten angewiesen, bei Bombenalarm ein Tor zu verschließen und die dort
eingesetzten zwei Beamten in den Luftschutzkeller zu schicken, aber die
anderen mußten bleiben und durften sich lediglich zum Schutz gegen
Splitter unterstellen, wenn die Flakbatterie auf dem Dach der Reichskanzlei zu schießen anfing. Andererseits mußten die RSD-Beamten auch bereit

sein, Brandbomben, die das Gebäude trafen, sofort zu entdecken und zu löschen bzw. deren Löschung zu veranlassen. Immerhin waren die Wachen während eines Luftangriffes alle halbe Stunden abzulösen.

Seit Anfang Februar 1942 wurde ein neugebauter Flakturm für die Reichskanzlei von Angehörigen der 1. Flak-Division bemannt. Der Kommandostab zog in das oberste Geschoß der Neuen Reichskanzlei an der Voßstraße 2 ein, das bedeutete, 154 Personen einschließlich Meldegängern, Ordonnanzen usw. konnten den ganzen Tag und die ganze Nacht den Eingang Voßstraße 2 benützen, und Rattenhuber mußte am 5. März 1942 neue Richtlinien für die »Sicherheit der Reichskanzlei und der Führerwohnung« erlassen, in denen er zunächst konstatierte: »Infolge dieser neugestalteten Lage ergab sich in der letzten Zeit, daß sich eine einwandfreie Kontrolle nicht mehr durchführen läßt, und deshalb eine große Gefahr für die Sicherheit der Reichskanzlei und der Führerwohnung gegeben ist.« »Um diesem Zustande zu begegnen«, der einen Monat lang angedauert hatte, wurde angeordnet, daß der Kommandostab der Flak-Abteilung zum nächstmöglichen Termin anderweitig untergebracht werden solle, wodurch die Zahl »der zur Zeit in der Reichskanzlei ein- u. ausgehenden Personen, bzw. Angehörigen der Flak.-Division auf die Bedienung der 2 Geschütze eingeschränkt« würde; bei der Wache der Obersten SA-Führung am Eingang Voßstraße 2 wurde eine Namenliste der Flak-Angehörigen geführt, an Hand deren die Eintrittsberechtigung überprüft werden mußte; in der Liste nicht aufgeführte einlaßbegehrende Angehörige der Flak-Abteilung konnten hineinkommen, wenn sie durch Läufer der Flak-Abteilung am Eingang abgeholt und wieder hingebracht wurden; nur Flak-Angehörige durften das Dach der Reichskanzlei betreten, Besichtigungen durch andere Personen waren verboten; auch die Räume der Flak-Abteilung durften nur von den Flak-Angehörigen betreten werden; die Männer der Flak-Abteilung mußten beim Betreten der Reichskanzlei unaufgefordert ihr Soldbuch vorlegen; die Flakangehörigen bekamen also keine besonderen Ausweise, etwa Arbeiterausweise, »da mit einem solchen Ausweis der Inhaber die gesamten Räume der Reichskanzlei betreten könnte, was durchaus unerwünscht wäre«; ihr Ausweis war lediglich die Übereinstimmung von Soldbuch und Namenliste. Zum Schluß gab Rattenhuber noch einmal seinen auf einer langen Reihe von Vorkommnissen beruhenden Besorgnissen im Zusammenhang mit der Ausweisfrage Ausdruck: »Außerdem birgt die unnötige Erweiterung des Personenkreises, der zum Betreten der Reichskanzlei berechtigt ist und der zwangsläufig infolge des öfteren Wechsels der Flak.-Abteilung immer wieder ausgedehnt werden müßte, eine weitere Gefährdung des gesamten

Gebäudekomplexes (Führerwohnung) in sich. Zudem ist insbesondere mit der Gefahr des weiteren Verlustes von Ausweisen zu rechnen.«[22]

Ende Dezember 1940 hatte Rattenhuber Richtlinien herausgegeben, die eigentlich schon längst hätten gültig sein müssen. »Um ev. Anschläge auf den Führer selbst bzw. auf dessen Wohnung unter allen Umständen zu vermeiden bzw. schon in der Vorbereitung zu verhindern«, durften Blumen und andere Geschenke für den Führer nicht mehr unmittelbar in seiner Wohnung in der Reichskanzlei oder auf dem Obersalzberg abgegeben werden. Bis dahin waren sie gewöhnlich in der Kleinen Vorhalle der Reichskanzlei (Wilhelmstraße 77) von einem Diener, Koch oder Dienstmädchen oder von einem Angehörigen des SS-Begleitkommandos angenommen worden[23]. Briefpost, Depeschen des Deutschen Nachrichtenbüros, Zeitungen und Filme waren nach wie vor beim SS-Begleitkommando in der Kleinen Vorhalle abzugeben, aber Geschenke, Pakete aller Art, Blumen und dergleichen an der Voßstraße 4; hier mußte die Wache sofort einen RSD-Beamten herbeirufen, der in der Führerwohnung Dienst tat und der den angenommenen Gegenstand in der Gegenwart von SS-Sturmführer Wernicke oder SA-Sturmführer Rotte in einem dafür vorgesehenen Raum zu untersuchen hatte. Besonders war darauf zu achten, wie Rattenhuber betonte, daß ein Raum verwendet wurde, der von Hitlers Wohnung möglichst weit entfernt lag. Falls diese Richtlinien nicht befolgt würden, so schloß der RSD-Kommandeur, könne er keine Verantwortung übernehmen. Die RSD-Beamten waren angewiesen, jede Untersuchung eines Pakets oder anderen Gegenstandes mit Datum, Zeitpunkt, Inhalt und Absender schriftlich festzuhalten. In einer späteren von Högl (Leiter der Dienststelle 1 und Vertreter Rattenhubers) und dem Persönlichen Adjutanten Albrecht unterzeichneten Anweisung wurde die Bestimmung insofern wieder gelockert, als es hieß, ein RSD-Beamter sei, »wenn notwendig«, zuzuziehen; danach waren die Sendungen an die »einschlägige Stelle (Adjutantur des Führers, Kanzlei des Führers, Hausintendantur usw.)« zu überweisen. Außerhalb der Dienststunden allerdings war die Hinzuziehung des diensttuenden RSD-Beamten Vorschrift. Sendungen für andere Personen als Hitler und von unbekannten Absendern mußten von der SS-Wache an der Küche aufbewahrt werden, bis der Adressat gefragt werden konnte, ob er die Sendung erwarte und ob er mit einer Überprüfung durch RSD-Beamte, eventuell in seiner Gegenwart, einverstanden sei. Briefpost war von diesen Regelungen ausgenommen, man rechnete offenbar nicht mit »Briefbomben« oder mit Briefen mit giftigem Staub und dergleichen. Für die täglich nötigen Lieferungen an die Küche waren die oben skizzierten Verfahren zu umständlich, es wäre schwierig gewesen, einen Salatkopf oder eine Flasche Himbeersyrup zu überprüfen. Deshalb hoffte man, die Sicherheit durch Überprüfung der Lieferanten, der Herkunft der Sendung und der Namen der Überbringer zu gewährleisten. Vertragsfirmen mußten Listen ihrer Boten und Fahrer einreichen, die bei der Hausintendantur und beim RSD hinterlegt und jeweils mit den Personalien des Überbringers verglichen wurden, wenn er nicht der Hausintendantur schon bekannt war. In dringenden Fällen konnte der RSD auch telefonisch von der Lieferfirma über die Personalien eines bisher unbekannten Überbringers verständigt werden. Doch mußten Nahrungsmittel und Getränke unbekannter Herkunft von dem Tisch Hitlers und seiner Gäste ferngehalten werden, »da diese von den Beamten auf ihre Ungefährlichkeit nicht überprüft werden können«. Ehe neue Firmen mit Lieferungen beauftragt wurden, war die Zustimmung von M. Bormann einzuholen.

Am 30. Juli 1944, zehn Tage nach Stauffenbergs Attentat in der »Wolfschanze«, schrieb Bormann an Himmler unter der Überschrift »Maßnahmen für die Sicherheit des Führers« (»Geheime Reichssache! Persönlich! Eigenhändig!«), sämtliche Dinge, die zum Verbrauch in Hitlers Wohnungen auf dem »Berghof«, in München, in Berlin, in der »Wolfschanze« und im Führersonderzug gekauft würden, seien »einer eingehenden Nachprüfung unterzogen« worden [24]. »Dabei ergab sich, daß in mancher Beziehung unter den gegenwärtigen Umständen Änderungen in der Art des Bezuges und der Beförderung der Waren vom Hersteller beziehungsweise Händler zur Küche vorgenommen werden müssen.« Gemüse, Früchte und Kartoffeln für Hitlers Diätküche wurden entweder unter Bormanns Kontrolle in Gärten und Treibhäusern der Verwaltung Obersalzberg gezogen oder in solchen Mengen eingekauft, »daß nach menschlichem Ermessen Gefahrenquellen nicht bestehen«. Aber einige andere Lebensmittel und Kochzutaten waren »Mangelware, die teilweise nur auf besondere Bezugscheine, Rezepte oder gegenwärtig an Verbraucher überhaupt nicht abgegeben werden. Infolgedessen waren die für den Einkauf Verantwortlichen bisher vielfach darauf angewiesen, diese Waren nur in sehr kleinen Mengen oder dort einzukaufen, wo man gerade für diese Zwecke noch einen gewissen Vorrat bereit hielt, aus dem oft an Andere nichts abgegeben wurde. Eines ist im Hinblick auf die Sicherheit des Führers so wenig tragbar wie das andere.« Das Verfahren sollte deshalb nun demjenigen angeglichen werden, das schon für die Arznei- und Heilmittelbezüge von Dr. Morell galt: Künftig würde die Sanitätszeugmeisterei der Waffen-SS die fraglichen Waren in größeren Mengen besorgen und lagern, und bei Bedarf würden sie von der Diätküche angefordert und von Kurieren abgeholt: »Selbstverständlich müssen sowohl hinsichtlich der mit dieser Aufgabe zu betrauenden Personen als auch bezüglich des Einkaufes und der Aufbewahrung der Waren alle nur denkbaren Sicherungsgarantien gegeben sein.« Amtsfremde Personen, auch Angehörige anderer Behörden, wurden schon durch einen Erlaß des Rechnungshofes des Deutschen Reiches vom März 1922 ferngehalten und Dr. Lammers verwies im Januar 1939 ausdrücklich darauf: die Bewirtschaftung und bauliche Unterhaltung (einschließlich Müllabfuhr, Reinigung der Gebäude, Höfe, Bürgersteige, Bedienung und Belieferung der Heizung, Schornsteinreinigung, Ungeziefervertilgung) der von der Reichskanzlei benutzten oder mitbenutzten Anlagen lag allein in den Händen der Reichskanzleiverwaltung – nicht wie bei anderen dem Reich gehörenden Bauwerken in der Kompetenz des Reichsministeriums der Finanzen bzw. eines Liegenschaftsamtes. Dennoch kamen immer wieder Unbefugte ohne ordentliche Ausweise und sogar unbegleitet in die Neue Reichskanzlei hinein, und z. B. im März 1942 mußte erneut an die Ausweisbestimmungen erinnert werden.[25] Am 11. März 1942 waren zwei vor der Neuen Reichskanzlei mit Telefonkabelarbeiten beschäftigte Arbeiter in ihren blauen Anzügen einfach in die Reichskanzlei gegangen und hatten auf Fragen behauptet, sie suchten einen Arbeitskollegen. Sie hatten mit nicht weniger als zwei Wachposten gesprochen, die sie zwar an andere Eingänge verwiesen, aber nicht begleitet hatten. So konnten die beiden Arbeiter lange im Untergeschoß verschiedener Teile der Neuen Reichskanzlei herumstreichen, ehe sie schließlich im Hof von einem dritten Posten angehalten wurden. Rattenhuber drohte, weitere Vorfälle dieser Art in Zukunft M. Bormann zu melden. Aber bei der »oben« herrschenden Kumpanei, die im Fall des Kommandeurs des SS-Begleitkommandos und im Fall der Ausweismarken sichtbar geworden ist, war der Erfolg zweifelhaft.

Später, in den letzten Monaten des Großdeutschen Reiches, wurde die Reichskanzlei noch einmal zur Kommandozentrale des Regimes, und die Sicherheitsvorkehrungen wurden soweit irgend möglich verdichtet und verbessert. Davon wird im nächsten Kapitel zu berichten sein.

2. In München

Hitler zog im Mai 1913 von Wien nach München, um dem österreichischen Militärdienst zu entgehen. Zuerst wohnte er in München in Untermiete bei dem Schneidermeister Josef Popp in der Schleißheimerstraße 34. Im August 1914 meldete er sich freiwillig zum bayerischen Heer und blieb in der Armee bis Ende März 1920. Vom 1. Mai 1920 an war er als in der Thierschstraße 41 wohnhaft gemeldet, wo er im ersten Stock zwei Zimmer in Untermiete bewohnte [26].

Am 13. September 1929 beantragte Hitler bei der Münchner Stadtverwaltung die Genehmigung zum Bezug größerer Räume; er bezeichnete sich als Maler und Schriftsteller, der aus beruflichen Gründen nach München gekommen sei. Hitler wollte 9 Räume zuzüglich Küche, Besenkammer, Bad usw. (eine weitere Küche und ein zweites Bad, die zu der Wohnung gehörten, nannte der Antrag nicht) im vornehmen Wohnviertel Bogenhausen im Hause Prinzregentenplatz 16 im zweiten Stock mieten. Der Mietvertrag gab die Jahresmiete mit 4176 Mark an und war schon am 10. September mit dem Kaufmann Hugo Schühle abgeschlossen worden [27]. Die Stadt gab am 18. September ihre Genehmigung »mit Rücksicht auf die politische u. soziale Stellung des Antragstellers«, der am 1. Oktober 1929 einzog und die repräsentative Wohnung bis Kriegsende behielt. Im November 1938 kaufte Hitler das Haus und beglich eine Hypothek von 175 000 Mark. Im Münchner Adreßbuch für 1931, 1932 und 1933 ist der Parteiführer noch als »Hitler Adolf Schriftsteller« eingetragen, vermutlich aus Steuergründen. In der Ausgabe 1934 erscheint er als Reichskanzler, zusammen mit dem »Küchenmeister« Ernst Zaske (NSDAP-Mitglied seit 1923 und nun RSD-Beamter) und dem »Dietrich Jos. Kaufmann« (Sepp Dietrich, Kommandeur der Leibstandarte SS »Adolf Hitler«, früher Expedient beim Eher-Verlag). Zaske steht auch noch in der Ausgabe 1935, aber weder Hitler noch Dietrich werden hier erwähnt, und nach 1935 wurden überhaupt keine Namen mehr aus Hitlers Umgebung im Adreßbuch angeführt, obwohl nach wie vor Hitler wie auch einige seiner ständigen Begleiter – wenigstens zeitweise – am Prinzregentenplatz wohnten. Dafür wurde die Liste der Bewohner des Hauses überhaupt von Jahr zu Jahr kürzer, je mehr RSD- und SS-Begleitkommando-Leute ins Haus gelegt wurden [28].

Bei Hitlers Besuchen mußte der RSD 14 Beamte zur Verfügung stellen, um die Straße vom Friedensengel bis zum Haus Prinzregentenplatz 16 zu sichern. Weitere RSD-Beamte hatten dafür zu sorgen, daß die Gehwege frei waren, wenn Hitlers Wagen vorfuhr, so daß er ungehindert vom Auto ins Haus gehen konnte. Doch mußte sanft und höflich geräumt werden, und wenn es dabei zu einem unerfreulichen Vorfall kam, mußte Rattenhuber seine Leute eindringlich ermahnen: »Ich verlange von jedem Angehörigen des Reichssicherheitsdienstes, daß er bei notwendig werdendem Einschreiten sofort unterscheiden kann, ob es sich hier um einen Staatsfeind handelt, der mit allen Mitteln vom Führer abzuhalten ist, oder um eine nur harmlose Person, die dem Führer zujubelt und, aus dieser spon-

tanen Begeisterung heraus, an den Führer heranzukommen versucht.« Die
RSD-Beamten durften nicht, wenn der Führer kam oder ging, wie bei
einer Razzia über die Leute herfallen, die oft ahnungslose Passanten waren; sie brauchten auch nicht den Führer zu grüßen, sondern sie sollten
sich dem Publikum zuwenden und jede »tatsächliche Belästigung« vom
Führer fernhalten[29].

Auch bei Hitlers Abwesenheit war das Haus innen und außen ständig
unter Bewachung. Insgesamt 14 RSD-Beamte waren zugeteilt, von denen
ständig 7 im Dienst waren. Wenn Hitler im Haus oder überhaupt in München war, mußten ein Münchner Polizeibeamter und ein Mann des SS-
Begleitkommandos vor dem Haus Wache stehen; wenn Hitler abwesend
war, patrouillierten Beamte in Zivil um das Haus, teilweise mit Hunden.
Das Dach konnte von den Dächern der Nachbarhäuser aus erreicht werden und wurde von einem RSD-Beamten ständig bewacht. In den Kami-
nen wurden Stangen und Gitter angebracht, um das Hineinwerfen von
Sprengkörpern zu verhindern. Im Erdgeschoß wurde ein Wachraum eingerichtet, von dem aus der Eingangsflur und die Straße beobachtet werden
konnten, so daß niemand unbemerkt herein oder hinaus konnte. Wer
nicht im Hause wohnte und hinein wollte, mußte sich ausweisen und
nachweisen, daß er von einem Hausbewohner erwartet wurde. Die Wachen konnten jeden Bewohner telefonisch erreichen und fragen, ob der
Besucher erwartet wurde oder bekannt war. Wenn Hitler im Hause war,
wurde von den Bewohnern erwartet, daß sie keine Besucher empfingen,
wenn es sich vermeiden ließ. Bis November 1939 konnten die Hausbewohner noch ihre Haustürschlüssel benützen, obwohl sie von den Wachen erkannt und durchgelassen werden mußten. Seit dem Elser-Attentat
jedoch mußten sie klingeln und wurden nur von den Wachen eingelassen.

Im Krieg wurde zu Hitlers Sicherheit ein holzgetäfelter Luftschutzkeller
eingerichtet, mit direkten Telefonleitungen nach Berlin, die noch heute
benutzbar sind[30].

3. Auf dem Obersalzberg

Durch den Dichter und frühen Förderer der NSDAP Dietrich Eckart ist
Hitler im Winter 1922/23 mit der Berchtesgadener Gegend näher bekannt
geworden. Eckart war auf der Flucht und verbarg sich hier. Hitler wohnte
immer wieder in verschiedenen Gasthöfen auf dem Obersalzberg, zeitweise wohnte er mehr hier als woanders, besonders nach seiner Entlassung
aus der Festung Landsberg[31].

1928 mietete Hitler das Landhaus »Haus Wachenfeld« in Salzberg bei Berchtesgaden, das später als »Berghof« bekannt wurde. Nicht lange danach wurde das Haus Hitlers Eigentum [32]. Den Münchner Steuerbehörden erklärte Hitler 1930 und 1931, er verbringe nur wenige Tage im Jahr hier, vom Dezember 1929 bis Dezember 1930 sei er nur 11 Tage hier gewesen und er habe das Haus überhaupt nur für seine Schwester Paula gemietet (die ihm wie Frau Raubal 1932–1936 hier eine Zeitlang den Haushalt führte). Aber beim zuständigen Finanzamt München-Ost wußte man spätestens 1931, daß der Parteiführer das Haus kaufen wollte, wenn er es nicht schon gekauft hatte, und die Behörden von Salzberg berichteten, daß Herr Hitler seine Hunde hier halte und *ihres* Wissens im Jahr 1929 wenigstens 28 Tage hier verbracht habe [33].

Schwer war es, in dem hügeligen Gelände des Obersalzberges den Schutz des Führers jederzeit und ohne übermäßige Belästigung zu gewährleisten. Daß es nötig war, zeigte sich schon 1933, als ein Mann in SA-Führer-Uniform Hitler ermorden wollte, aber durch sein unsicheres Benehmen auf sich aufmerksam machte und festgenommen wurde. Man fand eine geladene Pistole bei ihm [34]. Bis etwa 1936 benutzte Hitler noch häufig die öffentlichen Spazierwege durch die Wälder und Wiesen, begleitet von seinen Gästen, wie Göring, Speer, Bormann, Dr. Dietrich, Eva Braun u. a. sowie von 3 oder 4 RSD-Beamten und einigen Angehörigen des SS-Begleitkommandos. Anstrengende Wanderungen lagen Hitler nicht, er ging gewöhnlich bergab oder den Weg zu einem Teehaus und ließ sich hinauf oder zurück fahren. Bei den Spaziergängen pflegte Hitler an der Spitze der kleinen Kolonne zu gehen und sich mit einem seiner Begleiter zu unterhalten. Nach einer halben Stunde etwa wurde der so Ausgezeichnete nach hinten geschickt mit dem Auftrag, den Pressechef oder Bormann oder sonst jemand nach vorn zu schicken, womit der bisherige Gesprächspartner zum Troß zurückversetzt war [35].

Leicht hätte Hitler bei diesen Ausflügen von einem Attentäter erschossen werden können, zumal mit einem Gewehr mit Zielfernrohr aus einem Baum oder Gebüsch in einiger Entfernung. Die Leibwachen konnten höchstens durch ihre Anwesenheit abschreckend wirken und potentiellen Attentätern die Wahrscheinlichkeit, gefaßt zu werden, vor Augen führen. Zuviel Bewachung war Hitler auch lästig. Da blieb nichts übrig, als einen weiten Sicherheitsring, besser mehrere, um das ganze von Hitler benutzte Gebiet zu ziehen. Allmählich entstanden so Sicherungszonen und äußere und innere Zäune und Wachgebiete [36].

Manchmal begegnete Hitler in den dreißiger Jahren noch Gruppen anderer Spaziergänger und gelegentlich liefen solche Mengen zusammen, daß die Begleiter den Führer nur mit Mühe aus der Umzingelung befreien konnten [37]. Allmählich aber wurden Hitlers öffentliche Auftritte auf dem Obersalzberg sorgfältig arrangierte Routineriten, die mehr und mehr Einschränkungen unterworfen waren. Bis etwa 1937 wurde täglich bis zu 2000 Personen erlaubt, sich innerhalb des Sicherungskreises nahe dem »Berghof« zu versammeln und auf den Führer zu warten, der auf seinem Spaziergang, gewöhnlich nach dem Mittagessen, an ihnen vorbeischreiten würde oder die Besucher aus allen Teilen des Reiches an sich vorbeiziehen ließ. Gelegentlich richtete er ein freundliches Wort an einzelne Besucher, legte seine Hand auf den Kopf eines kleinen blonden Mädchens oder auf den Arm eines nicht mehr so kleinen Mädchens, während der Reichsbildberichterstatter und seine Leute ihre Aufnahmen machten. Die für Hitlers persönliche Sicherheit Verantwortlichen hielten die Gefahr bei solchen Auftritten für erheblich größer als die bei den unberechenbaren und unangesagten Spaziergängen. Andererseits war ein mit Geduld und Umsicht sein Opfer verfolgender Attentäter in der Wildnis der Berge doch wohl eine größere Bedrohung als einer, der sich in der von SS-Leuten abgesperrten und mit SS-Leuten gut gemischten begeisterten Menge verbarg. So oder so waren die Sicherheitsmaßnahmen in den dreißiger Jahren auf dem Obersalzberg ungenügend.

Rattenhuber machte sich Sorgen und schrieb darüber im November 1937 an M. Bormann und Brückner, nachdem Hitler die Einziehung einer Anzahl von SS-Posten der LSSAH befohlen hatte, es sei nun jedermann möglich, überall auf dem Obersalzberg mit dem Auto herumzufahren, auch wenn der Führer anwesend sei.[38] Auch nutzten die zahlreichen SS-Patrouillen nicht viel, solange noch 3 Eingangssperren mit Arbeiterposten bemannt seien, die keine genügende Autorität für ihre wichtige Aufgabe hätten. Es handelte sich um Posten 1 am Schlagbaum am »Platterhof«, um Posten 2 beim »Hintereck« und Posten 8 bei der Zufahrtstraße zum neuen Gutshof. Besonders wichtig war der Kontrollpunkt am »Platterhof«, weil sich hier Besucher sammelten, die oft »unerwünschte Zeugen« von unliebsamen Auftritten zwischen Arbeiterposten und Leuten wurden, die sich deren Anweisungen nicht fügen wollten. Rattenhuber schlug vor, die drei Kontrollstellen von »Dienstbeschädigten der 3 aktiven Standarten oder der SS-Totenkopfverbände« besetzen zu lassen, damit die aktiven SS-Standarten nicht zu sehr belastet würden.

Als der Schweizer Theologiestudent Maurice Bavaud im Oktober 1938 nach geeigneten Lücken in den Sicherheitsringen suchte, fand er keine. Trotzdem gelang es ihm, Hitler mehrere Tage lang (nicht drei Monate, wie Hitler 1942 in einem Tischgespräch meinte) aufzulauern und nachzuspüren, ohne jemals angehalten und kontrolliert zu werden[39]. Er kam am 25. Oktober 1938 nach Berchtesgaden und nahm ein Zimmer im Hotel »Stiftskeller«. Die RSD-Dienststelle 9, die eingerichtet war, »um zur Sicherung des Führers u. a. die Fremdenkontrolle und Überwachung im Gebiete des Bezirksamtes Berchtesgaden und in Bad Reichenhall durchzuführen«, merkte nichts. Maurice Bavaud begab sich auf lange Spaziergänge in die Umgebung, um mit seiner Pistole Zielübungen zu machen und aus sieben bis acht Meter Entfernung auf Bäume zu schießen. Er verschoß mindestens 25 Schuß ohne Schalldämpfer, und die RSD-Dienststelle 9 merkte dennoch nichts. Einmal fragte Bavaud einen Polizisten, wie er näher an den »Berghof« herankommen könnte, mußte sich aber sagen lassen, niemand dürfe durch die Tore oder Zäune gelassen werden. Den Versuch hat Bavaud nicht unternommen. Dafür machte er in einem Café in Berchtesgaden die Bekanntschaft zweier Lehrer und fragte sie, wie er dem Führer begegnen könnte, den er bewundere. Da mischte sich von einem Nachbartisch der für Sicherheitsfragen in der Reichskanzlei verantwortliche Polizeimajor Deckert ein und empfahl die Feiern am 8. und 9. November in München als günstige Gelegenheit. Tatsächlich machte Bavaud in der Gegend von Berchtesgaden sozusagen Versuche am untauglichen Objekt, denn der Führer war meistens nicht anwesend, als er ihm nachstellte. Am 25., 26. und 27. Oktober war Hitler unterwegs, kam am 28. zurück und verließ den Obersalzberg wieder am 1. November, um erst am 11. November zurückzukehren. Bavaud kam nach seinem oben (S. 117) geschilderten mißlungenen Versuch in München am 10. November noch einmal nach Berchtesgaden, nahm ein Taxi zum Obersalzberg, wurde aber am Schlagbaum Schießstättbrücke nicht durchgelassen, obwohl er der Wache sagte, er habe einen persönlichen Brief des ehemaligen französischen Ministerpräsidenten Flandin an Hitler direkt aus Paris zu überbringen. Darauf telefonierte die Wache und gab Bescheid, Hitler sei nicht anwesend, was stimmte, aber nicht hätte bekanntgegeben werden dürfen. Bavaud fuhr schnurstracks nach München zurück, versuchte Hitler im Braunen Haus zu erreichen und erfuhr, der Führer sei gerade nach Berchtesgaden zurückgereist. Bavaud wandte sich also noch einmal nach Süden, diesmal zur Ferien-Reichskanzlei in Bischofswiesen, um womöglich ein Interview mit Hitler zu arrangieren, wie man ihm im Braunen Haus geraten hatte. Er war am Ende seiner Mittel und machte sich zu Fuß auf den Weg, aber es wurde dunkel, und es dämmerte dem Attentäter, daß es Samstag war und zu dieser späten Stunde kaum noch jemand zu sprechen sein würde. Er gab also seinen Plan für diesmal auf und beschloß, das Land zu verlassen und sich neue Geldmittel zu beschaffen. Dazu

kam es nicht, weil er in Augsburg ohne gültige Fahrkarte aus dem Schnellzug geholt wurde, worauf die ganze Sache herauskam.

Unterdessen hatte Martin Bormann, der u. a. die Verwaltung des Obersalzbergs leitete, ziemlich alles an das Anwesen »Haus Wachenfeld« angrenzende Land aufgekauft, oft mit Hilfe brutalen Druckes. Jahrhunderte-
alte Bauernhöfe mußten von ihren Eigentümern verkauft und verlassen
werden, damit Hitler sich auf dem »Berg« einrichten konnte, wie es ihm
paßte. 1935 beschloß er, sein verhältnismäßig bescheidenes Ferienhaus
zu dem imposanten »Berghof« umzubauen und zu erweitern. Damit begannen zehn Jahre fast ununterbrochener Bauzeit auf dem Obersalzberg.
Das Innere des Hauses wurde nach dem Ende der ersten Phase beherrscht
von dem großen, vollständig versenkbaren Fenster, das einen atembe-
raubenden Blick auf die Berge bot. Am 6. Juli 1936 war dieser erste Bauab-
schnitt beendet. Ein Anbau wurde im April 1938 fertig [40]. Nun gab es im
ersten Stock aneinander angrenzende Wohnungen für Hitler und Fräulein
Braun, die nur von der einen oder anderen Seite durch je eine Türe betreten werden konnten. Auch die Terrasse wurde vergrößert, von der aus
Hitler im Sommer oft die unten vorbeigehenden Mädchen beobachtete;
wenn er eines sah, das ihm gefiel, schickte er Linge hinunter, damit der
es in ein Gespräch verwickle und zum Führer zum Tee einlade. Auch hier
hätte sich einem unternehmungslustigen Attentäter eine schöne Gelegenheit geboten. Ebenfalls auf der Terrasse empfing Hitler in der Neujahrs-
nacht die Glückwünsche der Berchtesgadener Böllerschützen, die mit ihren
uralten Donnerbüchsen erschienen und das Neue Jahr einschossen [41].

Im Lauf der Jahre entstanden neue Gebäude und Anlagen. Es gab Garagen, SS-Kasernen, Wachhäuser, Gästehäuser und eigene Häuser für Prominente wie Göring, Goebbels, Bormann und Speer. Das frühere Hotel
»Zum Türken« wurde RSD-Hauptquartier, es gab einen neuen Gutshof,
ein großes Treibhaus und eine Pilzzucht, und Straßen aus Beton und
Asphalt zerschnitten die Alpenlandschaft. Allmählich brachte Bormann
7 Quadratkilometer Land in den Besitz des Führers. Ein innerer Zaun von
3 Kilometer Länge und ein äußerer von etwa 14 Kilometer Länge um-
schlossen »Hoheitsgebiet« und äußere Schutzzone. Innen lagen die Häuser Hitlers und Bormanns (u. a.), SS- und RSD-Wachen waren für den
Schutz und die Sicherheit des Sperrkreises verantwortlich. Die äußere
Zone wurde von Arbeiterposten mitbewacht. Bald hörte man nur noch
den Lärm der Lastwagen und Baumaschinen, die donnernden Sprengun-
gen bei Ausschachtungen und beim Tunnelbau, und über allem schwebten riesige Staubwolken. Die Landschaft war mit Baumateriallagern, Hau-
fen von Röhren, Brettern, Isoliermaterial, Gerüsten, Steinen und häßli-

chen Baubaracken bedeckt, die Gegend wimmelte jahrelang von bis zu 5000 Bauarbeitern. An manchen Baustellen hörten Lärm und Arbeit Tag und Nacht nicht auf, was Bormann überhaupt nicht störte, im Gegenteil, wenn der infernalische Baulärm einmal nachließ oder gar aufhörte, und sei es mitten in der Nacht, fuhr er mit dem Kopf aus einem Fenster und verlangte in rüdem Kommandoton zu wissen, was diese unerhörte Verzögerung der Arbeiten zu bedeuten habe und wer dafür verantwortlich sei [42].

Hitler sagte wohl gelegentlich, wenn alles fertig sei, werde er sich ein kleines Häuschen in einem ruhigen, abgeschiedenen Tal bauen, wo er endlich seine Ruhe hätte. Aber er sagte auch, Bormann sei für die ganze Bauerei zuständig und er mische sich nicht ein. Niemals waren die Bauten beendet, Bormann fiel immer etwas Neues ein, und mehr denn je wurde seit Beginn des Krieges gebaut; denn nun brauchte man auf dem Obersalzberg wie überall, wo Hitler sich aufhielt, ein komplettes Haupt- und Regierungsquartier, das heißt Kasernen und Gebäude für Adjutanten, Stabsabteilungen, Nachrichtentruppen, Führer-Begleit-Bataillon, SS-Truppen. Ausblicke auf unerhörte Bauprogramme eröffneten sich, vielleicht würde es Bormann sogar gelingen, den Reichsbaumeister Speer in den Schatten zu stellen. Die Kasernen der Gebirgstruppen in Strub bei Berchtesgaden wurden mit Beschlag belegt, ein neues Lager wurde bei Winkl gebaut; ein weiteres in einem Wald bei Winkl, genannt »Beseler«, wurde erst im Februar 1945 fertig.

Im März 1942 befahl Hitler auf Verlangen von Speer, der inzwischen Minister für Munitionsbeschaffung geworden war und zugleich noch immer die oberste Hoch- und Tiefbaubehörde des Reiches leitete, die Einstellung aller Bauten auf dem Obersalzberg mit Ausnahme der fast fertigen. Speer hatte Hitler erklärt, wenn der Krieg nicht bis Oktober 1942 gewonnen sein werde, könne er überhaupt nicht gewonnen werden, und wenn er gewonnen werden solle, so müsse es mit den im Jahre 1942 zur Verfügung gestellten Waffen und Material geschehen, nicht mit dem, was vielleicht im Jahr 1943 produziert werden könnte; folglich dürften weder Arbeitskräfte noch Material für nicht kriegswichtige Vorhaben aufgewandt werden. Aber schon nach wenigen Tagen verschaffte sich Bormann einen »Führerbefehl«, der ihm gestattete, sein aufwendiges und sinnloses Bauprogramm weiterzuführen, das bis fast zum Ende des Krieges nicht aufhörte. Noch im Juni 1944 waren insgesamt 28 000 Arbeiter mit dem Bau von Führerhauptquartieren einschließlich der Bauten auf dem Obersalzberg beschäftigt. Es war sinnlos für die oberste Führung des Reiches, in den Bergen und in unterirdischen Bunkern Bombenangriffe zu überleben, wenn der Luftraum über dem Reichsgebiet von Flugzeugen der Alliierten beherrscht war, die deutsche Kriegsproduktion zerstört wurde und daher der Krieg weder zu gewinnen noch glimpflich zu beenden war. Im wohlverstandenen Interesse Hitlers wäre es nützlicher gewesen, sich auf die Kontrolle des deutschen Luftraums zu konzentrieren und so eventuelle Angriffe vom Obersalzberg fernzuhalten. Speer ging nochmals zu Hitler und verlangte die Einstellung aller Bautätigkeit auf dem Obersalzberg, aber die Bauerei hörte nicht auf [43].

Im Sommer 1943 fing das unterirdische Bunkerbauprogramm erst richtig an. Es wurden Bunker gebaut für Hitler und seine unmittelbare Umgebung, für die Adjutanten, für Fräulein Braun, für die Diener und für das Hauspersonal, ferner für Bormann, seine Familie und seine Adjutanten. Man plante auch ein Bunkersystem für Göring und seinen engsten Stab, aber Göring, der 1940 die Schlacht um England verloren hatte, war den anderen in der Erkenntnis der Zeichen der Zeit weit voraus und hatte sich 1941 Bunker mit 3 Meter starken Stahlbetonwänden und -decken bauen lassen. Weitere Bunker wurden für die Bewohner des »Platterhofs«, der SS-Kasernen, für die Treibhausarbeiter und schließlich auch für die Bauarbeiter gebaut, die die Bunker bauten, mit Entwässerungssystemen, Heizanlagen, Gas- und Luftdruckschutzkammern. Die Ausstattung sollte auf das Nötige beschränkt bleiben, doch bald forderten die Architekten Marmor, Holztäfelung, Klimaanlagen, Teppiche; die Sicherheitsbeamten und das SS-Begleitkommando verlangten Maschinengewehrstände sogar innerhalb der Bunkersysteme (wo sie noch heute zu sehen sind); die Hausmeister verlangten Besenkammern und Abstellräume; der Hundewärter brauchte einen Zwinger; die Köche brauchten Küchen und Speisekammern. Als schließlich die Hauptbunker beinahe fertig waren, kam die Flak-Leitstelle und verlangte einen eigenen Bunker; alle Kabel mußten neu angeschlossen, verlegt und zum Teil zuerst wieder ausgegraben werden. So entstanden im Lauf der kurzen Zeit bis Kriegsende 79 unterirdische Bunker, eigentlich ausgebaute Stollen, von etwa 2775 Metern Länge und 4120 Quadratmetern Bodenfläche (vgl. Tafel 8a).

Die dadurch geschaffenen Sicherheitsvorteile waren, wie gesagt, höchst zweifelhaft. Die riesigen Arbeiterheere mußten zwangsläufig die Sicherheit unterminieren, für deren Verbesserung sie eingesetzt waren. Je mehr Menschen zu dem zu schützenden Gebiet Zugang hatten, desto größer war die Wahrscheinlichkeit, daß sich Agenten, Saboteure und Attentäter einschlichen. Nur etwa 30 % der Arbeiter auf dem Obersalzberg waren 1943 noch Deutsche, die übrigen, hauptsächlich Hilfsarbeiter, waren Tschechen und Italiener. Sowjetrussische Kriegsgefangene durften weder im »Hoheitsgebiet« noch im weiteren »Führerschutzgebiet« beschäftigt werden, gleichgültig für welche Arbeiten. Für die vielen Bauten der Wehrmacht und für den Bau gewisser Autobahnstrecken waren aber Kriegsgefangene unersetzlich, und die französischen reichten nicht aus. Bis November 1941 war das »Führerschutzgebiet« noch verhältnismäßig klein und umfaßte im wesentlichen nur den Bezirk Hallein; im November 1941 erweiterte der Leiter der Staatspolizeistelle Salzburg das »Führerschutzgebiet«, so daß die ganze Stadt und der Gerichtsbezirk Salzburg im Landkreis dazugehörten, ferner der Gerichtsbezirk Thalgau (Landkreis Salzburg) und die Gerichtsbezirke Hallein und Golling im Landkreis Hallein [44]. Nun reichte die Grenze des »Führerschutzgebiets« bis Reichenhall im Westen, einige Kilometer südlich von Golling, fast an den Mondsee und den Wolfgangsee im Osten und bis Seekirchen und Freilassing im Norden. Der Präsident des Landesarbeitsamtes Alpenland protestierte beim Reichsarbeitsministerium gegen eine Folge dieser Erweiterung, nämlich die Verbannung sowjetischer Kriegsgefangener aus dem bezeichneten Gebiet; er könne unmöglich alle hier beschäftigten sowjetischen Kriegsgefangenen durch französische ersetzen, im Gegenteil müsse er für die laufenden Bauvorhaben und Arbeiten (Kasernenbau, Autobahn Salzburg–Wien, Arbeiten bei der Reichsbahn) noch mehr sowjetische Kriegsgefangene einsetzen. Das Reichsarbeitsministerium verhandelte mit dem Reichssicherheitshauptamt, man holte die Entscheidung des Führers ein, und endlich erging über die Staatspolizeistelle Salzburg am 1. Dezember 1941 folgender Bescheid: »Auf Anordnung des Führers dürfen nunmehr innerhalb des Führerschutzgebietes SU-Kgf. bei entsprechender Bewachung eingesetzt werden. Unter sinngemäßer Anwendung dieser Anordnung bestehen auch gegen einen Einsatz von Kr.Gef. anderer Nationalität innerhalb des Führerschutzgebietes im Gau Salzburg keine Bedenken mehr. SU-Zivilarbeiter dürfen im Führerschutzgebiet jedoch nicht eingesetzt werden.«

Hitler verbrachte einen großen Teil der Jahre 1941 und 1942 in seinen militärischen Hauptquartieren »Wolfschanze« bei Rastenburg und »Wehrwolf« bei Winniza in der Ukraine. In »Wehrwolf« hielt er sich u. a. vom 16. Juli bis 1. November 1942 und vom 19. Februar bis 13. März 1943 auf. Im übrigen war er in der »Wolfschanze«, mit Unterbrechungen durch Reisen nach Berlin, München und zum Obersalzberg. Am 22. März 1943 kam er für länger zum »Berghof« zurück – er blieb bis Ende Juni –, und so mußten neue Sicherheitsrichtlinien ausgegeben werden [45]. Außer den überall sichtbaren SS-Leuten patrouillierte in dreistündigen Schichten immer ein RSD-Beamter in SS-Uniform vor dem »Berghof«, ein weiterer (mit Pistole und Schlüsselring) als Streife in der unmittelbaren Umgebung des Hauses, zwei ebenso bewaffnete RSD-Beamte gingen von 8 bis

20 Uhr täglich Streife in genau festgelegten Geländeabschnitten in der Nähe des Hauses, einer mußte immer telefonisch im Büro oder in seinem Schlafraum im Haus der Dienststelle 1 (»Haus Türken«) zu erreichen sein.

Eine besondere RSD-Wache wurde in ein Berchtesgadener Hotel, das »Haus Emma«, gelegt, wo sie in sechsstündigem Wechsel Dienst tat. Vorschrift war: »Gute einwandfreie Zivilkleidung (keine Trachten), Pistole 7.65 und Taschenlampe.« Im »Haus Emma« waren die Stenographen einquartiert, die seit Herbst 1942 auf Hitlers Befehl jedes Wort stenographieren und mit der Schreibmaschine festhalten mußten, das bei den militärischen Lagebesprechungen in Gegenwart des Führers bzw. von ihm selbst gesprochen wurde[46]. Die RSD-Beamten im »Haus Emma« mußten dafür sorgen, daß nur die Stenographen und ihre Maschinenschreiberinnen sowie 15 auf einer besonderen Liste aufgeführte Personen die Räume des Stenographischen Dienstes betreten konnten und niemand sonst so nahe herankam, daß er das Diktat der Stenographen mithören konnte (elektronische Abhörgeräte mit einer Reichweite von mehr als einigen Metern waren damals noch nicht bekannt). Die Fenster mußten geschlossen bleiben. Ein RSD-Beamter mußte sich ständig im Flur auf dem ersten Stock aufhalten, wo vier Zimmer als Arbeitsräume benutzt wurden; er mußte alle Türen ständig im Auge behalten und durfte auf keinen Fall seinen Posten verlassen. Sollte es etwa wegen plötzlicher Krankheit nötig sein, so mußte er den Leiter des Stenographischen Dienstes, Dr. Peschel, bitten, bei der RSD-Dienststelle telefonisch Ersatz anzufordern. Die Wache durfte sich hinsetzen, auch nichtalkoholische Getränke konsumieren, da die Überwachung so unauffällig wie möglich sein sollte, nur durfte die Überwachung keinen Augenblick aussetzen. Den RSD-Beamten war verboten, mit Gästen oder Hotelpersonal zu sprechen. Außer den Stenographen und Schreiberinnen hatten Zutritt die Gebrüder Bormann, Schaub, Oberst d. G. Scherff (Beauftragter des Führers für die Geschichtschreibung des Krieges), Dr. Brandt oder sein Vertreter, Dr. Morell, Abschnittsleiter Kronmüller, Oberstleutnant Engel und Oberstleutnant von Below, die SS-Hauptsturmführer Schulze-Kossens und Pfeiffer, die Diener Linge und Junge, SS-Untersturmführer Günsche und SS-Sturmbannführer Darges.

An den äußeren Kontrollpunkten des Schutzgebietes um den »Berghof«, wo bisher Arbeiterposten gestanden hatten – Teugelbrunn, Antenberg, Klingeck und Au – wurde nun ein Sonderkommando Obersalzberg des RSD von 16 Beamten eingesetzt, wodurch eine der gefährlichsten Sicherheitslücken geschlossen wurde[47]. Die RSD-Beamten mußten alle Personen und ihre Ausweise überprüfen; die Ausweise mußten wöchentlich ausge-

gebene Marken tragen (statt wie früher monatlich ausgegebene). Tagesausweise konnten auf Anweisung oder Ermächtigung der RSD-Dienststelle 1 ausgegeben werden, für Besucher des Landhauses Göring auf Ermächtigung durch einen Angehörigen der RSD-Dienststelle 2, der immer
dort stationiert war. Natürlich mußten Namen und Ein- und Ausgangs-
zeiten in Listen festgehalten werden.

Die Tage von Hitlers mehr oder weniger freundlichen Kontakten mit
der Bevölkerung, so auch mit den Besuchern des Obersalzbergs, waren
spätestens seit der großen Niederlage von Stalingrad (Januar 1943) vorbei.
Jetzt hieß es: »Ansammlungen von Spaziergängern (Kurgästen aus Berchtesgaden und Umgebung) an den Toren sind unter allen Umständen zu
verhindern. Es ist den Posten unmöglich, den Kontrolldienst einwandfrei
auszuführen, wenn sie stets von neugierigen Fragern umlagert sind.
Außerdem ist es nicht erwünscht, daß solche Personen jedes ein- und
ausfahrende Fahrzeug förmlich durchsuchen. Außer den jeweiligen Posten
hat an den Toren und in der näheren Umgebung niemand etwas zu suchen.« Es wurde festgelegt, wer mit dem Auto von der Schießstättbrücke
zum Obersalzberg hinauffahren durfte: zum »Berghof« oder zum Landhaus Göring, zu Bormanns oder Speers Haus gehörende Fahrzeuge, Autos
des Reichspressechefs Dr. Dietrich, des Gesandten Hewel, des Reichsbildberichterstatters, Dr. Brandts, der Verwaltung Obersalzberg, der SS-Ver-
waltung, des RSD; ferner durften fahren die Dienstautos der SS-Wach-
truppen, des Lazaretts im »Platterhof«, der Flak-Abteilung Obersalzberg,
der Reichspost (Schulbus), die Lieferautos des Hotels »Platterhof« und des
Lagers Antenberg, die Versorgungsfahrzeuge des Elektrizitätswerks Berchtesgaden und des Straßen- und Flußbauamtes, des beim Gutshof tätigen
Veterinärs, in Notfällen die Autos von Ärzten, Hebammen und Erste-
Hilfe-Trupps, ferner die Fahrzeuge der Anwohner. Andere, auch offizielle
Besucher einer Dienststelle oder Person auf dem Obersalzberg, konnten
nur fahren, wenn es von der betreffenden Dienststelle und vom RSD ausdrücklich genehmigt wurde. Auch hier gab es wieder Sicherheitslücken,
wenn nicht jedesmal die durchzulassenden Lastwagen völlig abgeladen
wurden; Ausweiskontrollen allein genügten nicht. Aber man verließ sich
hauptsächlich auf die Kontrolle von Papieren, die die Verwaltung Obersalzberg in typischer Bormann-Prosa in einer Direktive vom 21. Februar
1942 sogar bei Autos verlangte, die aussahen wie das Fahrzeug Hitlers
oder dasjenige Görings[48]: »Wenn die Torposten auf das Hupen eines
Wagens hin die Tore öffnen, so ist das bodenloser Leichtsinn, denn Hupen
ist kein Ausweis. Alle Wagen haben künftig vor den Toren anzuhalten,
damit die Posten die Ausweise ihnen evtl. unbekannter Wageninsassen

kontrollieren und tatsächlich feststellen können, ob dem Wagen Durchfahrt zu gestatten ist. Posten, die ohne genaue Kontrolle die Tore öffnen, nur weil ein Wagen unserer Typen kommt, sind unbrauchbar und augenblicklich abzulösen. Eine Uniform ist noch lange kein Ausweis, gleichgültig ob es sich um die Uniform eines SS-Gruppenführers, Gauleiters oder Reichsministers handelt.« Aber ein Ausweis war auch kein Ausweis, wenn er gefälscht und von einem Doppelgänger eines Gauleiters oder SS-Gruppenführers benützt wurde[49]. Natürlich hätten hier wie überall legitim Zugang findende Attentäter unter Umständen ihren Zweck erreichen können.

Hauptmann von dem Bussche, der zur Verschwörung um Tresckow gehörte, wollte Ende Dezember 1943 bei einer Vorführung neuer Uniformen und Ausrüstungen Hitler ermorden, indem er eine Sprengladung auf seinem Körper trug, einen Handgranatenzünder in der Tasche abzog und während der viereinhalb Sekunden bis zur Detonation Hitler umfaßt hielt. In solchen Fällen sorgten RSD-Beamte und das SS-Begleitkommando dafür, daß keine geladenen Waffen oder Magazine vorgeführt wurden. Wegen Luftangriffen kam es nicht zur Vorführung, Bussche mußte zurück an die Rußlandfront und verlor im Kampf ein Bein; ein »Ersatzmann«, Leutnant Ewald von Kleist, kam auch nicht zum Zuge[50]. Im März 1944 unternahm Rittmeister von Breitenbuch einen Versuch auf dem »Berghof«, als er Generalfeldmarschall Busch als Ordonnanzoffizier zu einer Besprechung bei Hitler begleitete. Breitenbuch wollte den Führer mit der Pistole erschießen, wurde aber nicht mit ins Besprechungszimmer gelassen.

Ein dritter und ein vierter Anlauf zur Ermordung Hitlers auf dem »Berghof« wurden von Oberst i. G. Graf von Stauffenberg, dem Chef des Stabes beim Befehlshaber des Ersatzheeres Generaloberst Fromm, am 6. und 11. Juli 1944, unternommen. Stauffenberg wollte in Hitlers Nähe Sprengstoff mit Zeitzünder deponieren. Da Göring und Himmler abwesend waren, unternahm Stauffenberg seinen Anschlag nicht[51]. (Alle diese Versuche sind ausführlich geschildert in Hoffmann, Widerstand..., in Kap. X und XI.) Am 14. Juli zog Hitler mit dem Hauptquartier wieder nach Ostpreußen; die beiden nächsten Versuche gehören deshalb in den Zusammenhang der »Wolfschanze«.

Sicherheitsvorkehrungen mögen im Falle Breitenbuch eine Rolle gespielt haben, doch ist das ungewiß; in den Fällen Bussche und Kleist ist es sehr unwahrscheinlich; im Fall Stauffenberg (11. Juli) spielten sie keine Rolle. Stauffenberg hatte alle Sicherheitshindernisse überwunden, und zwar mit Hilfe seiner perfekten »Tarnung«: Er kam nicht unter Vorwänden, nicht unter Vorspiegelung einer anderen als seiner wirklichen Identität, er mußte sich nicht heimlich einschleichen, sondern kam mit echtem dienstlichem Auftrag.

Es gab übrigens noch subtilere Sicherheitsmaßnahmen als die bisher beschriebenen, die unter Umständen wirksamer waren als Stacheldrahtzäune, Sperrkreise und schwarzuniformierte Wachen mit Totenkopfinsignien und Maschinenpistolen. Auf Stauffenberg hatten sie keinen Einfluß, wohl aber auf manchen anderen, der Hitler den Tod wünschte und auch Zugang zu ihm hatte. Als 1938 die Sudetenkrise langsam ihrem Siedepunkt zureifte, meinte Hitlers damaliger Adjutant Hauptmann Wiedemann zu einem Freund, dem Persönlichen Referenten des Reichsministers der Justiz, Dr. Hans von Dohnanyi, im Zusammenhang mit Hitlers Kriegspolitik: »Gegen den Mann hilft nur noch der Revolver! Aber wer soll es machen? Ich bin hier in einer Vertrauensstellung!« [52] Auf Loyalität dieser Art baute Hitler und verlangte Eidestreue bis in den Tod.

Hitlers Diener mußten ständig Pistolen tragen, auch wenn sie beim Essen servierten oder wenn Hitler beim Tee im engsten Kreise saß. Regelmäßig mußten sie in einer der SS-Kasernen Schießübungen machen, in Wannsee oder Lichterfelde. Zwar behauptet der Diener Wilhelm Schneider, sie hätten den Befehl, ihre Pistolen immer zu tragen, während der Bedienung bei Tisch nicht befolgt [53]. Das wäre eine ernste Mißachtung der Befehle des Führers gewesen, ist also wenig wahrscheinlich. Nach allem, was bekannt ist, muß man zu dem Schluß kommen, daß die Diener ebenso wie die übrigen Leibwachen bereit waren, ihr Leben zum Schutze Hitlers einzusetzen, wie einst Emil Maurice und Ulrich Graf, auch wenn sie wußten, daß ihr Einsatz ein Attentat unter Umständen nicht verhindern konnte. Linge hat sich einmal mit Kempka darüber verständigt, daß sie sich im Ernstfall mit ihren Körpern vor den Führer werfen wollten. Dabei hätten gerade sie oder die Köchinnen, Hausmeister, SS-Begleitkommando-Leute usw. jede denkbare Gelegenheit zu Attentaten gehabt. Aber die Diener hatten daran kein Interesse, sie hatten kein Motiv – nicht einmal die jüdische Diätköchin, die lange Zeit bei Hitler beschäftigt war. Sie wohnten gut, für ihre Familien war gesorgt, sie wurden gut bezahlt, sie bekamen gleiches Essen wie die Gäste des Führers, bei Hochzeiten und anderen Familienereignissen gab Hitler großzügige Geschenke, an seinem Geburtstag wurden die Kinder und Frauen der Angestellten und der übrigen unmittelbaren Umgebung von ihm bewirtet. Selbst der unterste Diener durfte stets das Gefühl haben, daß er beim Führer in hoher Gnade stehe – wie sollte er da an Attentate denken, zumal ihn im Zweifelsfall seine unmittelbare Beziehung zu Hitler viel mehr berührte und beeinflußte als die Politik und der Krieg, die er nicht verstand, deren Folgen er vielleicht nicht einmal aus eigener Anschauung kannte. Die meisten waren zugleich von stolzem Selbstgefühl erfüllt, weil sie der Macht so nahe standen und unmittelbare Zeugen bedeutender Vorgänge waren.

Man kann sich kaum vorstellen, daß die Oberkommandos und Geheimdienste der Alliierten nicht jederzeit wußten, wo sich der deutsche Führer gerade aufhielt. Jedenfalls waren sie über die Lage des »Berghofs«, der Reichskanzlei, der »Wolfsschanze« genau unterrichtet[54]. Jedoch gibt es keine Anzeichen dafür, daß man in den alliierten Oberkommandos ernsthaft versucht hat, die deutsche Führung durch Luftangriffe auf Hitlers Residenzen oder Feldhauptquartiere auszuschalten. Von Hitlers nationalsozialistischen Nachfolgern war die Kapitulation nicht eher zu erwarten als von ihm selbst und da die Alliierten sich stets weigerten, einem nach Attentat und Staatsstreich aufgerichteten Anti-Hitler-Regime bessere Bedingungen in Aussicht zu stellen als dem Hitler-Regime selbst, hatten sie auch keinen Grund, anders nach der Beseitigung des Regimes zu streben als durch militärischen Sieg. Vom militärischen Standpunkt aus war der Versuch, die Führung zu beseitigen durchaus ratsam; doch schienen auch gerade militärische Erwägungen direkte Angriffe auf Hitlers Hauptquartiere verhindert zu haben. Jedenfalls sind Luftangriffe oder die Landung von Fallschirmtruppen gegen Hitlers Hauptquartiere und Residenzen niemals versucht worden. Vielmehr konnte die Flak-Abteilung »B« des SS-Kommandos Obersalzberg noch unter dem 30. Juni 1944 berichten: »Direkte Angriffe auf das Objekt sind bisher nicht erfolgt. Bei mehreren Überflügen wurde das Feuer eröffnet. Die Trefferlage war im allgemeinen gut.«[55] Die Abteilung für Geschichtforschung der amerikanischen Luftwaffe weiß allerdings von einem alliierten Versuch, Hitler zu töten. Am 4. November 1944 warfen 4 P-47-Maschinen der Mediterranean Allied Tactical Air Forces Bomben auf ein Hotel in Mailand, in dem Hitler sich – wie sich herausstellte, unzutreffenden – Berichten zufolge aufhalten sollte. Das Hotel wurde zerstört. Aber ein Angriff auf ein fest eingerichtetes Hauptquartier was das eben nicht.

Zwei Gründe scheinen solche Angriffe verhindert zu haben. Erstens meinten die Militärs, daß Angriffe auf wohlbewachte und weit von den Aufstiegsflugplätzen entfernt liegende Hauptquartiere oder Residenzen wegen der zu erwartenden starken Luft- und Bodenabwehr zu verlustreich wären. Als einer der Gehilfen des amerikanischen Chefs des Luftwaffenstabes in einem Memorandum vom 14. November 1944 gegen die von Flüchtlingsvertretern aus humanitären Gründen gewünschte Bombardierung der Fabrikanlagen des Konzentrationslagers Auschwitz votierte, führ-

te er außer der militärisch geringen Bedeutung des Objekts auch die Entfernung von fast 2000 Meilen an, die die Bomber ohne Jagdschutz (wegen
des geringeren Aktionsradius der Jäger) und über feindliches Gebiet hätten
fliegen müssen. Die sowjetische Luftwaffe hätte zwar einen recht kurzen
Anflugweg zur »Wolfschanze« gehabt; aber vielleicht beleuchtet der zweite
(amerikanische) Hauptgrund für die Unterlassung der Angriffe zugleich
westliche Überlegungen hinsichtlich des »Berghofs« und sowjetische in
Bezug auf die »Wolfschanze«: Der (anscheinend britische) Vorschlag an
das amerikanische Bomberkommando im Juni 1944, Hitlers Zuflucht
»Berghof« zu vernichten, wurde mit der Begründung abgelehnt, daß die
Mission voraussichtlich zu verlustreich wäre und auch die Loyalität der
Deutschen gegenüber Hitler eher stärken würde, da der Führer den Angriff
sicherlich (in seinem Bunker) überleben würde. Als einige Zeit später, im
September 1944, der Befehl erging, so viel wie möglich von Berlin in einem
gemeinsamen englisch-amerikanischen Tagesangriff mit allen verfügbaren
Bombern zu vernichten, wurde er nicht ausgeführt, weil Jagdschutz nicht
in genügendem Umfang zur Verfügung gestellt werden konnte, während
die alliierten Luftwaffen in der Schlacht um Frankreich alle Kräfte gebunden hatten.

Auf dem Obersalzberg war auch die Gefahr einer Landung feindlicher
Truppen aus der Luft gering, weil das Gelände viel zu bergig war. Gleichwohl waren schon 1935 Vorsichtsmaßnahmen ergriffen und Flak-Batterien in der Nähe des »Berghofs« eingerichtet worden. Von 1940 an waren
um den »Berghof« herum stets Waffen-SS-Einheiten in Alarmbereitschaft.
Als Hitler während der dritten großen Bauphase der »Wolfschanze«
(Februar–Juli 1944) länger auf dem »Berghof« wohnte, wurden besondere
Alarmübungen für die Truppen auf dem Obersalzberg und in der Umgebung angeordnet. Das Stichwort »Ente« galt für Übungsalarme, »Geier«
bedeutete einen echten feindlichen Angriff. Innerhalb 5 Minuten mußten
alle Einheiten kampfbereit mit Stahlhelmen, Handgranaten und Feuerwaffen stehen [56].

Spätestens seit 1943 rechnete Hitler mit Bombenangriffen auf seine
Hauptquartiere und ließ die Gegenmaßnahmen intensivieren (vgl. unten
S. 288). Eine SS-Nebel-Abteilung wurde eingesetzt, um notfalls den Obersalzberg unsichtbar zu machen. Bei einer Übung 1944 wurden einige
Flak-Batterien so eingenebelt, daß sie selbst nichts mehr sahen und in höhere Stellungen verlegt werden mußten, wo jedoch im Winter nur Maul-
tiere die Versorgung aufrechterhalten konnten [57]. Im Juli 1944 waren 12
10,5-Zentimeter-Flak auf und um den Obersalzberg stationiert, ferner 18
8,8-Zentimeter-Kanonen, 27 3,7-Zentimeter-Kanonen, 6 2-Zentimeter-Ka-

nonen, und 6 2-Zentimeter-Vierlingskanonen. Die größte der Batterien, auf dem Roßfeld, wurde von 500 Männern der Waffen-SS bedient.

Die Bomben kamen schließlich doch noch, während Hitler im Bunker in Berlin saß, am 25. April 1945. Die den Obersalzberg angreifenden Bomberflugzeuge flogen niedrig an und nutzten die Deckung gegen das Flak-Feuer hinter den Bergen bis fast zum Schluß aus; sie warfen ihre Bomben zunächst auf die Flak-Batterien, die nach dem zweiten Anflug zum Schweigen gebracht waren. Danach wurden die Gebäude des Obersalzberges in rauchende Ruinen und Schutthaufen verwandelt. Was übrig war, wurde von der Bevölkerung der Umgebung in den Stunden zwischen dem Abzug der letzten deutschen Militäreinheiten und der Ankunft der amerikanischen Truppen am 4. Mai 1945 geplündert[58]. Einige Stunden lang paßte niemand auf die Bunker auf, die jahrelang zu den am besten bewachten Anlagen der Welt gehört hatten und in denen nun zwar kein Endkampf geliefert wurde, die aber die für Jahre genügenden Lebensmittelvorräte der Bormann und Göring enthielten. Diese wie auch Papiere, Kunstgegenstände, Einrichtungssachen, Kleidung und was sonst beweglich war, wurden wagenladungsweise von den Einwohnern der Umgegend weggefahren. Dann kam die 101. US. Luftlande-Division mit beigeordneten Geheimdienstabteilungen und begann, die Hinterlassenschaft des Regimes zu untersuchen.

Am 4. Mai 1945 hatten die letzten SS-Truppen noch den »Berghof« in Brand gesteckt, aber wie bei den meisten Gebäuden auf dem Obersalzberg blieb eine ansehnliche Ruine stehen. Endlich beschlossen die amerikanischen Militärbehörden und die bayerische Regierung, alle Gebäude völlig zu beseitigen, die vielleicht einmal zu nationalsozialistischen Wallfahrtstätten werden könnten, ehe der Obersalzberg wieder der Öffentlichkeit zugänglich gemacht wurde. So wurde der Rest des »Berghofes« am 30. April 1952 mit Dynamit in die Luft gejagt und der übrigbleibende Schutt entfernt. Nur noch Betonfundamente mit etwas Tarnmaterial aus Draht und Plastikstreifen sind zu sehen. Die Häuser Görings und Bormanns wurden von ähnlichen Schicksalen ereilt. Aber die unterirdischen »Bunker« sind alle noch da. Die meisten sind zugemauert, doch ein Teil kann besichtigt werden. Der Eingang ist am Haus »Zum Türken«, vormals RSD-Hauptquartier, jetzt wieder Gasthaus.

XI. Die Führerhauptquartiere

1. Von Bad Polzin bis Mönichkirchen

Hitlers erstes Kriegshauptquartier war eine Bahnstation, in der der Sonderzug »Amerika« hielt: Bad Polzin (Tafel 9). Die Station wurde von Truppen des Infanterie-Regiments »Großdeutschland« aus Berlin bewacht, zu dem auch das Berliner Wachbataillon gehörte [1]. Außer dem Stab bestanden die Schutztruppen aus einem Nachrichtenzug von der Heeresnachrichtenschule in Halle, einer Sicherungskompanie mit zwei Krad-Zügen, einem Panzerspähzug, einem Pak-Zug, 2 Wachzügen, einer Nachschubabteilung und 2 Eisenbahn-Flak-Zügen. Nur der Stab, die 2 Wachzüge und die Nachschubabteilung kamen ursprünglich vom Regiment »Großdeutschland«, die übrigen Einheiten aus Heeresschulen und vom Regiment »General Göring«. In der Erwartung des Angriffs gegen Polen, der am 26. August beginnen sollte, wurden die Hauptquartiereinheiten am 23. August mobil gemacht, aber die meisten bezogen ihre Stellungen in und um Bad Polzin erst am 31. August, wenige Stunden vor dem tatsächlichen Angriffsbeginn. Sie standen unter dem Befehl von Oberst Erwin Rommel, der später in den Kämpfen in Nordafrika berühmt wurde; am 25. August 1939 wurde er von Hitler persönlich zum Generalmajor befördert.

Die Schutztruppen waren in drei Teile gegliedert: Sicherungsgruppe 1 mußte die Bahnstation und einen äußeren Schutzkreis bewachen; Sicherungsgruppe 2 war in Reserve; eine Frontgruppe hatte den Führer und evtl. Reichsminister auf Frontfahrten zu begleiten (1 Krad-Zug, 1/2 Panzerspähzug, 1 Nachrichtenzug, 1 Flak-Zug, 1/2 Pak-Zug und Teile der Nachschubabteilung). Bald fand man, daß die Truppe nicht ausreichte. Für den äußeren Sperrkreis wurden zusätzlich Polizeitruppen von mindestens Kompaniestärke gebraucht. Am Tag vor dem Angriff wurde den Hauptquartiertruppen noch eine Kompanie Feldpolizei (100 Mann) und eine Kompanie regulärer Polizei (50 Mann) zugeteilt; die Feldpolizeikompanie wurde bald durch eine Landespolizeieinheit ersetzt.

Zur äußeren Sicherung waren Panzerabwehrkanonen (Pak) eingesetzt, ferner Fliegerabwehrkanonen (Flak), eine Staffel Jagdflugzeuge und Teile der schon erwähnten Hilfstruppen der Polizei. Ein Sicherheitsbezirk im

Radius von 500 Metern um die Bahnstation wurde abgesperrt, aber wer
innerhalb des Radius wohnte, konnte passieren und wurde lediglich angewiesen, den Sonderzügen und der Bahnstation fernzubleiben bzw. nur
bezeichnete Straßen und Wege zu benutzen. Innerhalb des äußeren Sicherungskreises wurden die Züge von Wachzügen des Infanterie-Regiments »Großdeutschland« gesichert, die auch Hitlers Weg vom Zug zum
Auto und umgekehrt absperren mußten. Innerhalb des inneren von
»Großdeutschland« gebildeten Kreises war der RSD für die Sicherheit verantwortlich. Niemand außer den unmittelbaren Angehörigen des Hauptquartiers durfte den inneren Sperrbezirk ohne Begleitung durch einen
RSD-Beamten betreten [2].

Das Bad Polziner Führerhauptquartier war von Anfang an nur als Be-
helfseinrichtung gedacht; durch den Vormarsch ins Innere Polens lag es
bald zu weit hinter der Front. So wurden keine Bauten errichtet, und der
Warteraum dritter Klasse in der Bahnstation diente dem Kommandanten
des Hauptquartiers als Gefechtsstand [3].

Am 14. September 1939 begann Rommel mit der Bildung eines besonderen Führer-Begleit-Bataillons (FBB); am 28. September erhielt es von Hitler
eine eigene Standarte verliehen. Im November kamen dazu Ärmelbänder
mit der Aufschrift »Führerhauptquartier«, die von allen Angehörigen des
FBB am rechten Ärmel oberhalb des Handgelenks zu tragen waren. Diese
allgemeine Übung wurde am 15. Januar 1941 dahin modifiziert, daß die
Ärmelbänder nur zu tragen waren, wenn die betreffenden FBB-Angehöri-
gen sich auf Urlaub oder aus anderen Gründen nicht im unmittelbaren
Hauptquartierdienst befanden, damit die Geheimhaltung der Lage des
Führerhauptquartiers nicht gefährdet wurde. Ein Befehl des Befehlshabers
des Ersatzheeres und Chefs der Heeresrüstung (BdE u Chef H Rüst) vom
19. September 1940 bestimmte überdies, daß die zum Heere gehörenden
Angehörigen des FBB am linken Unterarm ein Ärmelband mit dem Text
»Großdeutschland« zu tragen hatten [4]. Der größere Teil des im September
1939 neugebildeten FBB stand unter dem Befehl von Major von Rhaden:
der Bataillonsstab, 1 Wachkompanie, 1 schnelle Kompanie, 1 schwere
Kompanie, der Troß, 1 Flak-Batterie. Ein Teil des Stabes, der Nachrichtenzug und die Eisenbahn-Flak-Züge wurden unmittelbar von Generalmajor
Rommel befehligt.

Hitler kam am 4. September 1939 mit seinem Sonderzug in Bad Polzin
an. Ein zweiter Sonderzug, der »Ministerzug«, traf eine Viertelstunde später ein [5]. Während Hitler mit Gefolge noch am selben Morgen mit der
Autokolonne auf die erste Frontfahrt ging, wurden die Züge nach Plienitz
gezogen, wo sie später wieder bestiegen werden sollten. Um Mitternacht

in der Nacht vom 4. zum 5. September mußte der Standort von Hitlers Zug (wie oben S. 151 berichtet wurde) noch einmal geändert werden, weil das Auswärtige Amt den Standort Plienitz ausländischen Diplomaten bekanntgegeben hatte. Am 5. September fuhren beide Sonderzüge nach Groß-Born, etwa 30 Kilometer südöstlich von Bad Polzin, wo das Führerhauptquartier ebenfalls nur vorläufig mit im wesentlichen unveränderten Sicherheitsvorkehrungen eingerichtet wurde. Am 9. September fuhren die Sonderzüge weit nach Süden, nach Illnau bei Oppeln in Schlesien, am 12. September nach Gogolin etwa 30 Kilometer südlich von Oppeln, und am 18. September erreichten sie Goddentow-Lanz bei Lauenburg, etwa 40 Kilometer nordwestlich von Danzig. Für ein paar Tage wurde das »Casino Hotel« in Zoppot Hitlers Hauptquartier. Am 26. September verließ der Führersonderzug Goddentow-Lanz in Richtung Berlin. Das Führerhauptquartier war jetzt in der Reichskanzlei; ein Zug des FBB wurde hier stationiert als »Wache ›Führer‹«.

Schon am 10. Oktober 1939, noch ehe der polnische Feldzug zu Ende war, erhielt Rommel den Befehl, sich im Westen nach einem geeigneten Hauptquartier für den Feldzug gegen Frankreich umzusehen. Auf Anweisung Hitlers waren auch Schmundt, Engel, Below, Puttkamer, Dr. Todt und Speer dabei; alle trugen zur Tarnung des Vorhabens Zivil. Auf ihren Bericht hin wurden Todt und Speer angewiesen, Schloß Ziegenberg bei Bad Nauheim als Führerhauptquartier einzurichten, und in der Nähe des Schlosses wurden Bunker und Baracken erbaut (Tafel 10). Aber nachdem dieses Hauptquartier »A« Millionen von Reichsmark verschlungen hatte, nachdem Hunderte von Kilometern Telefonleitungen verlegt, die besten damals verfügbaren Nachrichtengeräte eingebaut waren, erklärte Hitler, das Hauptquartier sei für ihn viel zu luxuriös. In Kriegszeiten müsse er im allereinfachsten Stil leben, sein Ruf als Führer mit bescheidenen persönlichen Ansprüchen stehe auf dem Spiel und die Volksgenossen, die später einmal Wallfahrten zum früheren Führerhauptquartier machen würden (wozu es, von vereinzelten Ausnahmen abgesehen, bis heute nicht gekommen ist), würden solchen Luxus niemals verstehen. Also mußte ein neues Hauptquartier gebaut werden. Später, im Dezember 1944, benutzte Generalfeldmarschall von Rundstedt Ziegenberg (»Adlerhorst«) als Hauptquartier für die Ardennenoffensive, Hitler und sein engerer Stab wohnten jedoch in Bunkern, die 2 km nördlich in Wiesental lagen; sie waren schon 1939/40 gebaut worden (Tafel 10)[6].

Bei dem Dorf Rodert bei Münstereifel, etwa 65 Kilometer südwestlich von Bonn und nur etwa 45 Kilometer von der belgischen Grenze entfernt, gab es ein paar Flak-Stellungen mit Baracken; der nächstgelegene Flug-

platz befand sich bei Euskirchen, etwa 15 Kilometer nach Norden. Diese
bescheidenen Einrichtungen sollten nun, nach erneuter Erkundung, in ein
angemesseneres Führerhauptquartier umgestaltet werden, und zwar so
schnell wie möglich. Der Angriff im Westen war auf den 12. November
angesetzt, dann auf den 19. November verschoben, auf den 3. Dezember,
auf den 17. Januar, und schließlich begann er erst am 10. Mai 1940. Aber
bis Januar 1940 drängte Hitler auf einen möglichst frühen Termin. Am
14. November wurde der Gefechtsstand »Rodert« von Teilen des FBB
übernommen und als Anlage »R«, dann als Anlage »F« (»Felsennest«)
bezeichnet. Am 16. Dezember 1939 wurde die Anlage »F« von der Bau-
aufsicht in Bonn den Vertretern des FBB übergeben (Tafel 11).[7]

Allerdings war noch viel zu tun, ehe die Anlage bezugsfertig war. So
bescheiden sie sein sollte, ohne Fußstege ging es nicht, sonst hätten die
Bewohner durch Schlamm waten müssen. Auch wurden Zäune um die
Anlage gezogen, die Tarnung mit künstlichem Tarnmaterial verbessert,
Wasserrohre und sanitäre Einrichtungen wurden dringend gebraucht, eine
Klimaanlage in den Bunkern für unbedingt nötig erachtet, weil man es
in den feuchten Verliezen nicht hätte aushalten können. Schwierigkeiten
ergaben sich bei der Beschaffung und Installation von Öfen, elektrischen
Anlagen, Licht, Ersatz zerbrochener Fensterscheiben, Wandreparaturen,
Stühlen und Tischen, Verdunkelungsvorhängen, Waschbecken, Kalen-
dern, gemalten Schildern; denn die zuständigen Architekten waren die
meiste Zeit nicht da, und Rommels Vertreter mußte schließlich mit einem
eingehenden Bericht an die höheren Instanzen drohen. Anfangs waren
auch keine Wacheinheiten des FBB zur Verfügung, die nötigen Wachen
mußten von in der Gegend stationierten Einheiten ausgeliehen werden.
Sicher war es schwierig, manche Handwerksarbeiten bei Temperaturen
von minus 25 Grad Celsius auszuführen, aber das Fehlen einer Abteilung
des FBB bis zum 4. März 1940 ist unverständlich. Schließlich wurde doch
alles rechtzeitig fertig, und das Ergebnis sah wenigstens bescheiden aus.
Hitlers persönliches Quartier bestand aus einem winzigen Bunker mit
Arbeitsraum, Schlafraum, zwei kleinen Räumen für den Adjutanten
von Puttkamer und den Diener Linge, Küche und Bad. Allerdings verbrachten Hitler und sein Stab einen großen Teil der Tage während des
Aufenthalts in »Felsennest« im Freien.

Unter dem Datum des 19. Dezember 1939 gab SS-Standartenführer
Rattenhuber Befehle zur Sicherung des Führerhauptquartiers »Adlerhorst«
bei Bad Nauheim heraus[8]. Die Maßnahme diente sicherlich nicht nur
dem Schutz einer einmal vorhandenen wertvollen Anlage, sondern wurde
in Erwartung eines Angrifftermins vor der Fertigstellung von »Felsennest«

ergriffen. Auch gehörten die neugebauten, bescheideneren Bunker in der Anlage »Wiesental« zu »Adlerhorst«. Da die Vorkehrungen andererseits sehr massiv, beinahe auffällig waren, mögen sie zugleich zur Irreführung von Spionen gedient haben. 19 RSD-Beamte, 103 Polizeibeamte und 3 Gendarmen mußten das Hauptquartiergebiet in 6 Sicherheitsabschnitten bewachen, zu denen mehr als 20 Gemeinden um Bad Nauheim gehörten. Am 15. Januar mußten die RSD-Beamten zum Dienst antreten, jeder mit einer 7.65-Millimeter- und einer 6.35-Millimeter-Pistole mit je 50 Schuß Munition bewaffnet und sowohl mit Zivil- wie mit feldgrauer Kleidung ausgerüstet. Sie mußten sich bei Kriminalkommissar Friedrich Schmidt melden, der das Kommando bis zum Eintreffen Rattenhubers – also auch Hitlers – führte. Alles schien auf baldige Benutzung dieses Hauptquartiers für die Leitung der Westoffensive hinzudeuten. Die Aufgaben des RSD waren die üblichen: unauffälliger Begleitdienst für den Führer und andere hochgestellte Persönlichkeiten, Fernhalten Unbefugter, Überwachung anderer Sicherheitsorgane, Überprüfung der Hauswirte, bei denen Angehörige des Führerhauptquartiers untergebracht wurden, Ausweisüberprüfungen zur Feststellung, ob Uniformträger zu Recht Uniform trugen, Überwachung und Beschattung aller Militärattachés neutraler Länder (die der feindlichen waren natürlich nicht mehr im Lande) sowie anderer militärischer Vertreter des Auslandes, Überwachung der deutschen und ausländischen Kriegsberichterstatter und Photographen, Sammlung und Beschlagnahme etwa gefundenen feindlichen Propagandamaterials, Gegenspionage gegen etwaige Versuche der Eisenbahnspionage, gegen Fallschirmagenten oder Materialabwürfe für Agenten, Meldung aller Lichtsignale, aller systematisch aussehenden Brieftaubenflüge, »Beobachtung freifliegender kleiner Gasballone (heimlicher Meldedienst zum Feinde), Beobachtung von Gasballonen (*vom* Feinde kommend), die Propagandamaterial ausstreuen«. Kriegsgefangene und andere Ausländer durften in der Umgebung des Hauptquartiers weder wohnen noch arbeiten. Ausweise zum Betreten des Hauptquartiers waren schon ausgestellt und mußten alle von den zuständigen Adjutanten bei Kriminalkommissar Högl in der Kanonierstraße 40 in Berlin vorgelegt werden, wo sie einen grünen Diagonalstempel eingedrückt bekamen [9].

In den ersten Maitagen des Jahres 1940 war die Luft voll Erwartung des Beginns der Offensive und der Ankunft Hitlers in seinem Feldhauptquartier, aber nun doch nicht in Ziegenberg, sondern in Rodert. Das Stichwort hieß »Pfingsturlaub genehmigt«; wenn es durchkam, wurde der Führersonderzug in Euskirchen erwartet, wo Hitler und sein Gefolge vom Autokonvoi abzuholen waren [10]. Der neue Kommandant des Hauptquartiers,

Oberstleutnant Thomas (Rommel führte seit 15. Februar die 7. Pz. Div.), hatte alles vorbereitet. Am 9. Mai um 13 Uhr kam das Stichwort telefonisch durch, um 16.38 Uhr fuhr der Führersonderzug in Berlin ab, und eine Frontgruppe des FBB bezog kurz vor 1 Uhr am 10. Mai Stellung unter Deckung beim Bahnhof Euskirchen. Erst um 4.25 Uhr nahm sie Aufstellung auf dem Bahnhofsvorplatz, genau im Augenblick der Einfahrt des Sonderzuges. Um 4.30 Uhr fuhr die Frontgruppe schon in Richtung Münstereifel und Rodert davon. Der Sonderzug und die Flak-Abteilung wurden über Bonn, Mainz und Frankfurt/M. nach Heusenstamm gezogen, wo der Zug abgestellt wurde. Um 5 Uhr früh am 10. Mai 1940 war Hitler in seinem »Felsennest« und besichtigte die ganze Anlage eingehend. Um 5.35 Uhr begannen die deutschen Armeen ihren Angriff im Westen.

Den für Hitlers Sicherheit Verantwortlichen kam es in den Sinn, vielleicht angesichts der erstaunlichen Erfolge deutscher Fallschirmtruppen in den Niederlanden, daß französische und englische Truppen einen Handstreich auf das Führerhauptquartier versuchen könnten, und so ergriffen sie entsprechende Vorsichtsmaßnahmen. Am 23. Mai wurde eine Sicherungs-Kompanie von 10 Offizieren und 224 Mann einschließlich zweier Stoßtrupps zur Fallschirmjägerbekämpfung aufgestellt[11]. Die Truppe war in Rodert, Münstereifel, Kreuzweingarten und im Führerhauptquartier selbst stationiert und mit schweren und leichten Maschinengewehren, Karabinern, Handgranaten und Pistolen ausgerüstet. Die Gegend um das Hauptquartier wurde in Geländeabschnitte mit Decknamen eingeteilt: »Anton« im Osten, »Emil« im Nordwesten, usw. Das Alarmstichwort würde den Namen des Abschnitts und das Wort »Fallschirmjäger« enthalten; war kein Abschnitt genannt, so mußten die alarmierten Truppen die Abschnitte Anton, Bruno, Cäsar (3. Zug), Dora (2. Zug), Emil (Stoßtrupp Ebering) besetzen, ferner vorbereitete Stellungen beim Gefechtsstand des Kommandanten (Schwere-Maschinengewehr-Gruppe), alles umzäunte Gebiet (Wachzug), die unmittelbare Umgebung des Gästehauses (Gruppe Koch), während der Stoßtrupp Neumann und der Troß in ihren Quartieren in Bereitschaft blieben. »Auftrag für alle Einheiten: Restlose Vernichtung des Feindes. Verhinderung des Eindringens in das umzäunte Gelände, in das Gästehaus und in Baracke L [Ort der Lagebesprechungen; Tafel 11] ... Nicht abziehen lassen!« Möglichst sollten die etwaigen Feinde außerhalb der Umzäunung bleiben: »Die an den fünf Toren des Zaunes liegenden Schützen des Wachzuges haben Torschlüssel. Sie öffnen nur zum Ein- und Auslassen der kämpfenden Truppe auf Befehl des nächsten Führers; sonst bleiben die Schlüssel abgezogen.« Gegebenenfalls mußten um die Gebäude und um die Parkplätze herum Igelstellungen gebildet

werden. Die Außenposten 1, 3, 5, 6 und die Waldstreife sollten als Beobachter auf ihren Posten bleiben, feindliche Angriffe melden (rote Leucht-
kugeln, Telefon) und sich evtl. kämpfend zum Zaun oder zum Gästehaus
zurückziehen. Von Minenfeldern, äußeren Zäunen und Verteidigungs-
linien, die in späteren Jahren in allen Hauptquartieren eingerichtet wurden, ist in den Befehlen keine Rede. Bei einem ernsthaften Angriff wären
die Maßnahmen ungenügend gewesen.

Jedoch wurden schon im Oktober 1939 Luftwarnmaßnahmen ergriffen,
die sich als nützlich erwiesen, obwohl kein ernsthafter Angriff gegen das
Hauptquartier stattfand. In der Hauptsache bestand das Luftwarnsystem
aus einer Reihe von Beobachtungs- und Warnposten entlang einer Linie
westlich von Bad Nauheim, später westlich von Münstereifel. Nach dem
Beginn der Westoffensive wurde das Führerhauptquartier oft von feindlichen Flugzeugen überflogen[12]. Am 25. Mai 1940, kurz nach Mitternacht,
feuerte eine Flak-Batterie des Führerhauptquartiers 19 Schüsse gegen ein
vorüberfliegendes Flugzeug. In der nächsten Nacht wurde »starke feindliche Fliegertätigkeit im Raume der Anlage ›F‹« festgestellt, und die Flak-
Batterien des Führerhauptquartiers feuerten 384 Schüsse ab. Die Flakgruppe Münstereifel meldete feindliche Bomber und Jagdflugzeuge und
verschoß 570 Schuß Maschinengewehrmunition und 41 Schuß aus 2-Zen-
timeter-Kanonen. Ein Flugzeug wurde getroffen, worauf ein anderes einige
Bomben abwarf, die aber keinen Schaden anrichteten. In der darauffolgen-
den Nacht verschoß man 640 Schuß Maschinengewehrmunition und
32 Schuß aus 2-Zentimeter-Kanonen, ein Bomber wurde von einer be-
nachbarten 8.8-Zentimeter-Batterie abgeschossen. Kurz nach Mitternacht
am 27. Mai verschossen Flak-Batterien des Führerhauptquartiers 249 Schuß
und hatten einen Treffer zu verzeichnen. Im August 1940 wurden in der
Nacht vom 10. auf den 11. über »Adlerhorst« feindliche Propaganda-
flugblätter abgeworfen, die vom RSD eingesammelt wurden (Hitler war
weder in diesem noch in einem anderen Feldhauptquartier). Etwa um
1 Uhr früh am 12. August warfen feindliche Flugzeuge Phosphorbrand-
bomben auf einen Flugplatz in der Nähe von »Adlerhorst«, und dieselbe
Anlage wurde in den nächsten Tagen noch sechsmal überflogen und
fünfmal im September, wobei zusammen 2638 Schuß abgefeuert wurden[13].

Schon kurze Zeit nach dem Angriff im Westen wurde eine Gruppe des
FBB zur Maginot-Linie entsandt, östlich von Avesnes, um mit Dr. Todt
die dortigen Bunker auf ihre Brauchbarkeit für ein neues Führerhauptquartier zu untersuchen, jedoch mit negativem Ergebnis[14]. Am 22. Mai
suchte Oberstleutnant Thomas mit Oberst i. G. Schmundt, Hauptmann
Engel und Dr. Todt einen geeigneten Platz aus: Brûly-de-Pesche, 6 Kilo-

meter südwestlich von Couvin in Belgien; der nächste Flugplatz lag bei
Gros Caillou. In Brûly-de-Pesche sollten 6 Baracken gebaut werden, dar-
unter eine für den Führer, eine als Speiseraum und eine für den WFSt.
Die Anlage wurde zunächst »Waldwiese« genannt und mit Stacheldraht,
Wachen des FBB und mit Flak-Batterien einschließlich der Reserve-Flak-
Abteilung 604 umgeben und geschützt. Das Dorf Brûly-de-Pesche wurde
vollständig evakuiert sowie auch die Häuser in einem gewissen Umkreis;
der kleine Kirchturm wurde abgetragen, um die Erkennung aus der Luft
zu erschweren. Am 6. Juni zog Hitler hier ein und taufte das neue Quartier
»Wolfschlucht«, in Anlehnung an den Decknamen »Herr Wolf«, den er
in den zwanziger Jahren oft benützt hatte (Tafel 12) [15].

Der Stab und die Sicherungstruppen benutzten die Gebäude des Dorfes
einschließlich der Kirche, Hitler wohnte in einer einfachen Holzhütte, die
schnell aufgestellt worden war. Die Organisation Todt (OT) mußte noch
einen kleinen Luftschutzbunker für Hitler bauen, den dieser aber nie benutzte, obwohl die Anlage immer wieder von feindlichen Flugzeugen
überflogen und einmal sogar mit Brandbomben beworfen wurde, die auf
die Quartiere des SS-Begleitkommandos und des RSD fielen [16].

In Frankreich wurde bei Margival noch ein weiteres Führerhauptquartier gebaut, »W 2«, später »Wolfschlucht II« genannt (Tafel 13). Es
hatte einen sehr starken Bunker, und ein Eisenbahntunnel erhielt Stahl-
türen, so daß der Sonderzug sicher geparkt werden konnte. Das Hauptquartier wurde erst nach der alliierten Invasion der Normandie im Juni
1944 für einen kurzen Besuch Hitlers benutzt, der schon erwähnt worden ist [17].

Vom Hauptquartier »Wolfschlucht« in Brûly-de-Pesche zog Hitler am
28. Juni mit Gefolge in die Anlage »T« (»Tannenberg«) auf dem Kniebis
bei Freudenstadt im Schwarzwald (Tafel 14). Die Gegend war feucht-kühl,
die Bunker unangenehm und eigentlich unbewohnbar, aber es war Sommer,
und Hitler und seine Gehilfen verbrachten viel Zeit im Freien und auf
Fahrten zu den alten Schlachtfeldern des Ersten Weltkrieges im Elsaß.
Das Hauptquartier bestand aus wenigen Bunkern, einigen Baracken, einer
Veranda und ein paar Morgen sumpfiger Lichtungen, die von hohen Tan-
nen umgeben waren. Stacheldrahthindernisse schützten die Anlage gegen
Eindringlinge, wie auch das FBB, der RSD und das SS-Begleitkommando
wie stets auf dem Posten waren [18]. Am Tag des Einzugs in »Tannenberg«
wurde der Umzug nach »Adlerhorst« vorbereitet, aber Hitler kehrte am
5. Juli nach Berlin zurück. Danach wurden alle Hauptquartiereinheiten
nach »Adlerhorst« verlegt. »Felsennest« wurde einer Wachkompanie des
VI. Armeekorps übergeben, »Wolfschlucht« der OT und »Tannenberg«

dem Korps-Kommando V in Stuttgart. In »Adlerhorst« blieben die FBB-
Truppen bis 25. November 1940 und kehrten dann in die Kaserne des
Regiments »General Göring« in Döberitz zurück. »Felsennest« wurde im
Dezember 1940 noch einmal kurz von Hitler benutzt, als er auf seiner
Weihnachtfrontreise durchkam; am 31. Januar 1941 übergaben Schmundt
und Thomas die Anlage der NSDAP, und Hitler kam nie mehr her[19].

Das nächste Feldhauptquartier war ein Stück Eisenbahnstrecke für die
Sonderzüge Hitlers, Görings, Himmlers, Ribbentrops und des Wehrmachtführungsstabes (WFSt) bei Mönichkirchen, etwa 35 Kilometer südlich von
Wiener Neustadt (Tafel 15), von wo vom 12. bis 25. April 1941 die
Balkanoffensive geleitet wurde, während die Lokomotive des Führersonderzuges ständig unter Dampf war, um jederzeit den Zug auf dieser nicht
elektrifizierten Strecke in den Nordteil des nahen Tunnels ziehen zu
können. Im Südteil sollte der Zug »Atlas« des WFSt Platz finden; Görings
Sonderzug »Asien« in einem Tunnel nördlich Friedberg, etwa 15 Kilometer südlich von Mönichkirchen; Himmlers Zug wurde in Bruck/Mur
abgestellt. Am 6. April um 5.45 Uhr begann die Offensive gegen Jugoslawien; gleichzeitig besetzten FBB-Truppen Kampfstellungen um das Gebiet
bei Mönichkirchen. Am 11. April wurden sie in den Ort Mönichkirchen
und in die unmittelbare Umgebung des Tunnels zurückgezogen. Hitler
kam mit seinem Zug am 12. April um 7.20 Uhr an. Entsprechend der seit
Beginn des Krieges entstandenen Tradition gab er bei seiner Ankunft dem
neuen Hauptquartier den Namen »Frühlingssturm«[20].

2. »Wolfschanze«

Während die deutsche Militärmaschine den größten und katastrophalsten
Feldzug ihres Führers vorbereitete, wurde 8 Kilometer östlich von Rastenburg in Ostpreußen (heute Kętrzyn in Polen) das berühmteste Führerhauptquartier unter dem Decknamen Chemische Werke »Askania« als »bom-
bensichere Rüstungsanlage« gebaut (Tafeln 16). Der Platz im Rastenburger
Stadtwald (Forst Görlitz), inmitten von Seen, Sumpfgebieten und Misch-
wald, war auf besonderen Befehl Hitlers im November 1940 von Dr. Todt,
Hitlers Heeresadjutant Oberstleutnant Engel und anderen Stabsangehöri-
gen und Bausachverständigen ausgesucht worden. Schon damals wollte
Hitler sein ständiges Hauptquartier, vorläufig auch als »Anlage Nord«
bezeichnet, für die kommenden Feldzüge einrichten. Weitere »Gefechts-
stände« zur zeitweiligen Benützung mußten in Polen und Galizien als
»Anlage Mitte« (bei Tomaszow) und »Anlage Süd« (bei Krosno) »in höch-

ster Eile« gebaut werden. Die Anlagen mußten »nach Gesichtspunkten für Tarnung, aber auch Sicherung gegen Fallschirmabsprünge« eingerichtet werden. Während die »Anlage Mitte« und die »Anlage Süd« nur aus künstlichen Tunnels zum Unterstellen der Sonderzüge (siehe Tafel 47) und aus wenigen Baracken bestanden, wurde bei Rastenburg von vornherein auf Dauer geplant und gebaut. Die Gegend empfahl sich durch natürlichen Schutz gegen Sicht von oben und gegen Fallschirmlandungen (Wald, Seen, Sümpfe) und durch landschaftliche Schönheit. Eine eingleisige Eisenbahnstrecke führte durch die Anlage und verband Rastenburg mit Angerburg und Lötzen, wo weitere militärische Stäbe einquartiert wurden, außerdem gab es zahlreiche schmale Landstraßen.

Anfangs wurden nur die am dringendsten benötigten Gebäude errichtet – einige Baracken, aber auch schon mehrere Bunker. Man fällte gerade genug Bäume, um für Hütten und Bunker Platz zu machen. Nach Fertigstellung der Bauten mußte die Stuttgarter Gartengestalterfirma Seidenspinner künstliche Bäume, Tarnnetze und Moos anbringen, wo Lücken entstanden waren, so daß von oben wieder alles wie dichter Wald aussah. Mit Hilfe von Luftaufnahmen (die allerdings nicht allzu eingehend analysiert werden durften, vgl. Tafeln 49), wurde die Wirksamkeit der Tarnung überprüft. Selbst der Führersonderzug hielt unter einem Dach von Tarnnetzen und Tarnbäumen, wenn er in der »Wolfschanze« war [21].

Natürlich versuchte man, den Ort des neuen Führerhauptquartiers geheimzuhalten, wie überhaupt den ganzen Aufmarsch gegen die Sowjetunion. Aber ebenso wie sich Hitler klar war, daß die Vorbereitungen zum Feldzug gegen Rußland nicht verborgen bleiben würden – er kalkulierte sogar das Erkennen durch den sowjetischen Nachrichtendienst ein und wollte von der dann erfolgenden Reaktion bestimmte weitere Entschlüsse abhängig machen –, konnten auch der Bau des Hauptquartiers und sein Zweck nicht völlig geheim bleiben, schon weil so viele Menschen für die Arbeiten eingesetzt werden mußten. Doch wahrte man möglichst lange den Schein der Chemischen Werke »Askania«, und mit den Vorbereitungen befaßte Angehörige der Hauptquartiertruppe erhielten Zivilpässe. Andererseits wurden in einem kleinen Friedhof innerhalb der Anlage noch am 4. Januar 1942 – lange, nachdem Hitler eingezogen war – Verstorbene beerdigt; die Grabsteine sind noch zu sehen. Bis zum Juni 1941 flog täglich das russische Linienflugzeug zwischen Moskau und Berlin über die »Anlage Nord«. In einer Zusammenstellung des Nachrichtendienstes des amerikanischen War Department über die Kriegsgliederung des deutschen Heeres vom Februar 1944 heißt es: »Das Feldhauptquartier des OKW .. ist als Führerhauptquartier bekannt ... Es befindet sich jetzt (Januar 1944)

wahrscheinlich bei Rastenburg in Ostpreußen.« Auch der schweizerische
Geheimdienst wußte spätestens 1944 über die Lage des Hauptquartiers
Bescheid [22]. Ehemalige Hauptquartierangehörige wundern sich heute noch,
warum nie ein ernster Luftangriff auf das Hauptquartier stattgefunden
habe; denn sie wissen, wie wenig lückenlos die Geheimhaltung war.

Um die Anlage herum zog sich ein weiter Sicherungsring, der hauptsächlich von Einheiten des Führer-Begleit-Bataillons kontrolliert wurde.
Besucher konnten nach Rastenburg fliegen und vom Flugplatz mit dem
Auto in die Anlage fahren oder auf einer der anderen Autostraßen oder
mit der Eisenbahn (bis Rastenburg, dem »Gegenbahnhof 21«) gefahren
kommen. Sie befanden sich dann im weiteren Sperrbezirk; auf der Straße
oder mit der Zubringerbahn durchfuhren sie einen 50 Meter breiten Minengürtel (von dem noch Reste übrig sind), Stacheldrahthindernisse mit
Verteidigungsstellungen und eine Wache mit Schlagbaum; dann mußten
sie noch 1–2 Kilometer fahren, je nach der Richtung, aus der sie kamen,
bis sie an einen der inneren Sperrbezirke gelangten, wo sie noch einmal
überprüft wurden, ehe sie Einlaß fanden. Am 9. Juli 1942 stieg ein polnischer Zivilarbeiter über das äußere Drahthindernis und wurde von den
Wachen erschossen. Hitler war damals im Hauptquartier. Der Pole hatte
einen Brotbeutel mit etwas Brot und Fleisch bei sich sowie ein Klapp-
messer [23]. Im August 1943 betrat eine Polin unbemerkt den äußeren Sperrkreis bei der Wache Ost während des Wechsels zwischen Tag- und Nachtaufstellung der Wachen; sie ging den Schienen entlang westwärts und
wurde erst an der Wache West festgenommen.

Im Sperrkreis II war ein besonders eingezäuntes Gebiet südlich der
Straße Rastenburg–Angerburg, das in der Hauptsache die einstöckigen
Beton- und Backsteinhäuser des Wehrmachtführungsstabes (WFSt) und
des Kommandanten des Führerhauptquartiers enthielt. Außerdem gab es
ein Kasino, Heizhäuser und eine Nachrichtenzentrale (Fernschreibzen-
trale). Ebenfalls im Sperrkreis II, noch südlich der Straße, lagen u. a.
die Beton- und Backsteinhäuser der Verbindungsdienststellen der Marine
und Luftwaffe, ein zweistöckiges (mit Garagen im Untergeschoß) für die
Fahrbereitschaft und später zwei große oberirdische Luftschutzbunker.
Ferner lagen innerhalb des äußeren Zaunes, aber außerhalb der beiden
inneren Sperrkreise die Unterkünfte des FBB sowie Flak-, Pak- und Maschinengewehrstellungen, sowohl südlich wie nördlich der Straße. Schließlich lag nördlich der Straße der Sperrkreis I. Hier standen die Bunker
Hitlers, Keitels, Dr. Dietrichs, M. Bormanns und der Telefonzentrale,
dann die Beton- und Backsteinhäuser Jodls, Görings, des Heerespersonalamts, der Persönlichen Adjutantur und der Wehrmachtadjutantur, der

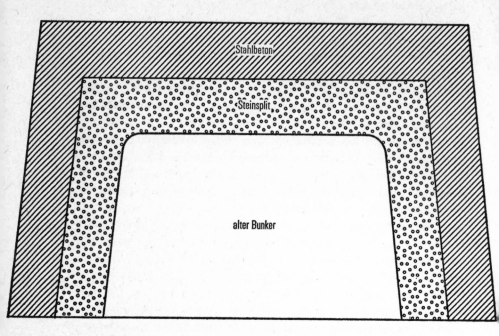

Stahlbeton

Steinsplit

alter Bunker

Führerhauptquartier „Wolfschanze"
1941–1944

Schematische Darstellung des Schalenbunkers

* Qu. Seite 320

Ärzte, der Gäste, des RSD, des SS-Begleitkommandos, der Stenographen
und schließlich ein Kasino, ein Teehaus, Garagen, ein allgemeiner Luftschutzbunker, ein Heizhaus, eine Sauna. Unterirdische Räume, Gänge
oder sonstige Bauten gab es nicht, von einigen kleinen Munitionsdepots
oder Unterständen abgesehen.

Die Entwicklung der »Wolfschanze« läßt sich in drei Phasen teilen:
1940/41, 1942/43, und 1944 [24]. In der ersten Phase wurden außer einigen
hölzernen Baracken Beton- und Backsteinhäuser mit Fensterläden aus
Stahl gebaut (im Sperrkreis I: Reichspressechef, Gäste, RSD und SS-Begleitkommando, Diener, Bormann, Hitler, Nachrichtenzentrale, Generale
und Friseur, Persönliche Adjutantur, Wehrmachtadjutantur, Garage, Heizhaus, Kasino, Keitel). In der zweiten Phase wurden, um mehr Büroräume
zu schaffen und die Arbeitsbedingungen zu verbessern, hauptsächlich
mehr hölzerne Baracken gebaut bzw. an bestehende Bunker angebaut und
später mit Backsteinwänden und Betondecken zum Schutz gegen Splitter
ummantelt. Zu dieser Gebäudekategorie gehörten die Gästehäuser, die
Stenographenbaracke, das Neue Teehaus, eine Marineverbindungsdienst-
stelle, ein zweites Kasino, Büros für Jodl und für Göring, ein Filmtheater
sowie die hölzernen Anbauten an die Bunker Hitlers, Keitels, Dr. Dietrichs
und des Heerespersonalamts. Auch südlich der Straße, also außerhalb des
Sperrkreises I, entstanden solche zusätzlichen Gebäude, darunter eines für
die Verbindungsdienststelle des Auswärtigen Amts, für Dr. Todt und später Speer, für das Oberkommando der Marine und für das Oberkommando
der Luftwaffe. Auch Himmler hatte seinen Verbindungsmann, Fegelein,
im Führerhauptquartier, der aber nicht über ein eigenes Gebäude verfügte.
In der letzten Bauphase wurden einige der bestehenden Bunker verstärkt
und einige neu erbaut. Mehrere Bunker wurden mit einem neuen und
diesmal fensterlosen Mantel aus Stahlbeton umgeben, so der Gästebunker,
der Nachrichtenbunker (auch der im Sperrkreis II), Bormanns Bunker und
der Führerbunker (dessen Ummantelung erst im Herbst 1944 fertig wurde).
Bei allen Bauten und Einrichtungen wurde auf möglichste Einfachheit
gesehen; denn im Feldhauptquartier sollten soldatische Tugenden an den
Tag gelegt und Frontkommandeure beeindruckt werden, wie Hitler betonte [25]. Zu den in der dritten Bauphase neu errichteten Bunkern gehörten
der für Göring in der Südostecke des Sperrkreises I und die beiden großen
Luftschutzbunker südlich der Straße. Auch diese Bunker wurden nach
dem Prinzip der Ummantelung gebaut: Ein innerer Bunkerkern wurde
mit einem äußeren Bunker umbaut, mit einem Zwischenraum von etwa
1 Meter zwischen der Innenwand des äußeren und der Außenwand des
inneren Bunkers; der Zwischenraum wurde mit Steinsplit gefüllt, der im

Falle eines Volltreffers die Wucht federnd abfangen und so den Bruch des inneren Bunkers verhindern sollte. Die äußeren Ummantelungen waren, wie heute noch an den Ruinen nachzumessen ist, mindestens 4 Meter stark. Bei Hitlers Bunker betrug die Deckenstärke der äußeren Ummantelung 5 Meter, die Decken- und Wandstärke des Bunkers der ersten Bauphase kam dazu mit etwa 2 Metern. So waren die Bunker auch gegen die größten damals bekannten Fliegerbomben mehr als ausreichend geschützt. Nur theoretisch wäre es möglich gewesen, durch anhaltende Bombardierung mit 10-Tonnen-Bomben unmittelbar neben den Bunkern so große Krater entstehen zu lassen, daß die Bunker hineingekippt, die unterirdischen Fernmeldekabel zerstört und so die Bunkerinsassen lebendig begraben worden wären. Aber dafür lag die »Wolfschanze« zu weit von den alliierten Operationsbasen entfernt, und der dichte Flak-Ring um das Hauptquartier hätte das Eindringen vieler Bomber wohl verhindert. Jedoch wurde der Versuch gar nicht unternommen, auch nicht in kleinerem Maßstab, obwohl nach dem Beginn des Angriffs gegen die Sowjetunion die »Wolfschanze« häufig von fremden bzw. feindlichen Flugzeugen überflogen wurde, besonders 1944. Keine einzige Bombe fiel in den eigentlichen Hauptquartierbereich, nur einmal warfen russische Flugzeuge offenbar wahllos 3 Bomben in der weiteren Umgebung ab[26]. 1945 ist es den deutschen Pioniertruppen, die beim Rückzug das Hauptquartier zerstören sollten, nicht gelungen, alle Bunker gründlich zu sprengen. Die Ruinen werden jedes Jahr von Zehntausenden polnischer und ausländischer Touristen besichtigt.

Wie auf dem Obersalzberg hat die ständige Bautätigkeit, durch die vor allem die Sicherheit gegen Feindeinwirkung erhöht werden sollte, auch in der »Wolfschanze« zur Verringerung der inneren Sicherheit beigetragen. Im Juni 1944 waren 28 000 Arbeiter mit dem Bau von Führerhauptquartieren beschäftigt, Hunderte kamen täglich in den Sperrkreis I der »Wolfschanze«, um am Führerbunker zu arbeiten. Am 20. Juli 1944 fiel der erste Verdacht auf Arbeiter der Organisation Todt, und Goebbels fragte, was denn Schutzmaßnahmen für einen Zweck hätten, wenn es so leicht sei, in das bestbewachte Sperrgebiet der Welt einzudringen[27].

In Entfernungen zwischen 18 und 70 Kilometer von der »Wolfschanze« wurden mehrere Hauptquartiere anderer Führungszentralen errichtet. Hitlers militärische Berater hatten sich mit Erfolg bemüht, Ribbentrop, Himmler u. a. aus dem »Großen Hauptquartier« fernzuhalten; bei Bormann gelang es ihnen nicht, er hatte sich schon längst in Hitlers unmittelbarer Umgebung für die Dauer eingerichtet, insbesondere seit Heß' Flug nach England. Görings Hauptquartier »Robinson« bei Rominten war hauptsächlich Abstellplatz für Görings Sonderzug; Ribbentrop wohnte gern in Schlössern (bei »Adlerhorst« war für ihn Schloß Kransberg eingerichtet worden) und hatte sich in Schloß Steinort am Mauersee einquartiert, das dem Grafen Lehndorff gehörte; Himmler hatte seine »Feldkommandostelle« aus starken Bunkern und Baracken, die er »Hochwald« taufte, in einem schönen Waldstück unmittelbar nördlich von Großgarten (heute Pozezdrze), wo die Bunkerruinen noch zu sehen sind. Die größte Anlage der Gegend war nach der »Wolfschanze« das Hauptquartier des Oberkommandos und Generalstabes des Heeres, »Mauerwald«, etwa 18 Kilometer nordöstlich der »Wolfschanze« beim Gut Mauerwald am Mauersee, inmitten eines großen, dichten Waldgebietes, wo die meisten Bunker noch erhalten sind (Tafel 17). Die Bahn Rastenburg–Angerburg führte hier durch, jedoch war sie für den allgemeinen Verkehr gesperrt und diente nur der Verbindung der Hauptquartiere untereinander bzw. zwischen den Hauptquartieren und Berlin [28]. »Mauerwald« bestand aus zwei Teilen – »Fritz« und »Quelle« –, die durch die Landstraße Rosengarten–Angerburg getrennt wurden. Die Dienststellen des Generalstabes waren im Lager »Fritz«, die Nachschub- und Verwaltungsdienststellen im Lager »Quelle«. Einige Dienststellen oder Teile davon waren in Kasernen in Angerburg, Lötzen und anderen Nachbarorten untergebracht, um durch Dezentralisierung das Kommandozentrum gegen Luftangriffe möglichst unempfindlich zu machen. Rund 1500 Stabsangehörige arbeiteten in den Lagern »Fritz« und »Quelle«, und die meisten kamen wochenlang nicht heraus, außer zu kurzen Erholungsstunden am See. Ein Wachbataillon sorgte für Sicherheit vor allem nach außen, im Innern überwachten etwa 60 Angehörige der Geheimen Feldpolizei sowie Agenten der Abwehr die Büros und Quartiere der wichtigsten Stabsabteilungen bei Tag und Nacht.

Alle diese Hauptquartiere waren in das Vorwarnsystem der Luftflotte »Reich« eingegliedert, und die dem Stellvertretenden Generalkommando und Wehrkreiskommando I in Königsberg unterstehenden Ersatzeinheiten standen zur allgemeinen Verteidigung der Hauptquartiere zur Verfügung. Für die »Wolfschanze« wachte noch die Führer-Luft-Nachrichten-Abteilung, um auch Einzeleinflüge in den Luftraum im Radius von 80 bis 100 Kilometern um die »Wolfschanze« zu melden, in welchem Falle bestimmte Dienststellen sofort zu benachrichtigen waren (u. a. der Kommandant des FHQu und Himmler). Ferner standen die Batterien der Führer-Flak-Abteilung bereit sowie die Führer-Nachrichten-Abteilung und das immer mehr verstärkte Führer-Begleit-Bataillon, das später zum Führer-Begleit-Regiment bzw. zur Führer-Begleit-Brigade anwuchs. Die Feuerkraft der Schutztruppen wechselte, aber im Durchschnitt nahm sie mit den

Jahren zu. Von Mai bis September 1941 waren in der »Wolfschanze« und
an ihrem äußeren 3 Meter tiefen Drahthindernis entlang gewöhnlich
30 2-Zentimeter-Flak eingesetzt, von Oktober 1941 bis März 1942 22 oder
weniger, im Juli 1942 waren es 31. Von Mai 1941 bis Juli 1942 erhöhte sich
die Zahl der eingesetzten leichten Maschinengewehre 34 von 70 auf 110;
von Juni bis August 1941 waren zwischen 29 und 32 leichte MG 38 vorhanden, sowie zwischen 21 und 16 3.7-Zentimeter-Kampfwagen-Kano-
nen 38 und 2 5-Zentimeter-Pak 38. Von Mai 1941 bis Juli 1941 gab es immer 2 bis 3 schwere MG, 7 bis 9 2-Zentimeter-Kampfwagen-Kanonen 38,
4 bis 9 Panzer-Büchsen 39. Bis September 1941 standen auch 4 3.7-Zentime-
ter Pak zur Verfügung, die dann durch 13 5-Zentimeter-Kampfwagen-Ka-
nonen 38 ersetzt wurden, sowie 4 5-Zentimeter-Kampfwagen-Kanonen 38
Langrohr und 4 5-Zentimeter-Pak 38. Feuerbereite Panzer standen innerhalb und außerhalb des äußeren Zaunes. Die erhaltenen Teile des Kriegs-
tagebuchs des Führerhauptquartiers und damit entsprechend genaue Feststellungen reichen nur bis Juli 1942, aber aus Berichten ehemaliger FBB-
Angehöriger ist zu entnehmen, daß die Feuerkraft in den folgenden zwei
Jahren noch wesentlich zunahm. Auch die Stärke der Einheiten wuchs
ständig, von zunächst (April 1941) 1277 auf 1567 Offiziere und Mannschaften, nachdem im Mai 1941 eine Panzer-Kompanie dazugekommen
war.

Das FBB war vor allem für die Sicherheit an den Drahthindernissen
der Sperrkreise I und II verantwortlich; je ein Zug der drei Wachkompa-
nien war immer auf Posten (vgl. Tafel 16 c). Rattenhuber und sein Vertreter
Högl leiteten die Sicherheitsvorkehrungen im Sperrkreis I und ihre Anwendung, doch trat um die Wende des Jahres 1942 auf 1943 eine leichte
Schwerpunktverschiebung in der Richtung auf stärkere SS-Kontrolle ein.
Die »Dienststelle I des Reichssicherheitsdienstes – Kriminalbegleitkom-
mando« wurde für die unmittelbare persönliche Sicherheit des Führers
»in Zusammenarbeit mit dem SS-Begleitkommando« verantwortlich erklärt. Aber ein nicht zum RSD gehörender SS-Führer wachte über den
pünktlichen Wechsel und Einsatz der Wachen beider Dienste, über die
Bewachung des Filmtheaters, über Waffen und Ausrüstung der Wachen
und Streifen, über die Ausgabe der Parolen und über den vorschrifts-
mäßigen Aufenthalt der Bereitschaftsmannschaften beider Dienste in
ihren jeweiligen Quartieren vor ihren Dienstschichten[29]. Außer dem FBB
und den Hitler stets begleitenden RSD- und SS-Leuten wurden folgende
Wachen innerhalb des Sperrkreises I aufgestellt: 1 Mann SS-Begleitkommando vor dem Führerbunker Tag und Nacht; 1 RSD-Beamter in ständi-
gem Streifengang um den Führerbunker, ebenfalls Tag und Nacht, be-

waffnet mit Pistole 7.65 und nachts dazu mit Leuchtzielpistole 7.65; ein
RSD-Beamter, ebenso bewaffnet, als Wache Tag und Nacht vor der Steno-
graphenbaracke; ein weiterer RSD-Beamter, ebenso bewaffnet, als ständige
Streife im Sperrkreis I von 10 bis 18 Uhr.

Der RSD-Beamte, der um den Führerbunker Streife ging, war beauftragt,
alle Eingänge einschließlich der Tür zum Kohlenkeller ständig zu überwachen. Er mußte Störungen jeder Art verhindern, insbesondere Lärm,
sowie den Zutritt unbefugter Personen zum Bunker. Er mußte die Arbeit
des Heizers überwachen sowie die Tätigkeit aller Handwerker, die im und
am Bunker arbeiteten. Wenn während der mittäglichen Lagebesprechungen der zweite, durch den hölzernen Anbau führende Eingang zu Hitlers
Bunker offen war oder bei Nebel und Dunkelheit, oder wenn irgendwelche
Arbeiten zu beaufsichtigen waren, dann durfte der vielbeschäftigte Beamte seinen Posten überhaupt nicht verlassen; sonst durften Hitlers Persönliche Adjutanten (Schaub, A. Bormann, Schmundt, Schulze-Kossens,
Günsche) den RSD-Beamten auch zu kleinen Botengängen einsetzen, und
der RSD-Beamte mußte sich dazu bei dem SS-Begleitkommando-Mann
abmelden. Wenn der RSD-Beamte anwesend war, mußte er dafür sorgen,
daß niemand unnötig in der Nähe Hitlers umherging, zum Beispiel wenn
der Führer einen Spaziergang machte. Man wohnte ja recht nah beisam-
men, und Hitler wollte nicht dauernd beliebigen Angehörigen des Hauptquartiers in den Weg laufen. Ein ehemaliger Feldwebel, der bei Keitel als
Ordonnanz Dienst getan hat, erinnert sich, daß er jedesmal besondere
Erlaubnis einholen mußte, wenn er sich in dienstlichem Auftrag von
Keitels zu Hitlers Bunker begeben wollte [30]. Wer dem RSD-Beamten am
Führerbunker nicht persönlich bekannt war, mußte in höflicher Form
nach seinen Ausweisen gefragt werden; wurde jemand anscheinend ziel-
los oder verirrt umherwandernd angetroffen, so mußte er nach genauer
Prüfung seiner Personalien zu der gesuchten Dienststelle gebracht oder
gewiesen bzw. von dort abgeholt werden: »Werden Personen ohne Ausweis angetroffen, so sind diese umgehend unter Beachtung aller Vorsichtsmaßnahmen durch eine bekannte Person identifizieren zu lassen oder
umgehend dem Führer v. Dienst zuzuführen.« Rattenhuber oder sein Vertreter mußten in allen solchen Fällen sofort unterrichtet werden.

Trotz der strengen Vorschriften gelang es bis Ende 1942 immer wieder
diesem oder jenem Offizier, der aus Renommiergründen einmal in der
»Wolfschanze« gewesen sein wollte, ohne Berechtigungsausweis Zugang
zu finden. Auch aus Versehen konnte man in das innerste Heiligtum
der obersten Führung des Großdeutschen Reiches hineinstolpern. Im
Jahre 1942 passierte es einem Oberst, der nach »Mauerwald« wollte, aber

zu früh aus dem Zubringerzug ausgestiegen war. Er wanderte unbehelligt in den Sperrkreis I, suchte ein Kasino und wurde beim Frühstück
sitzend von Hitlers Marineadjutant, Konteradmiral von Puttkamer, entdeckt. Er wollte nicht glauben, daß er in der »Wolfschanze« sei, und ließ
sich erst überzeugen, als Puttkamer ihm aus einiger Entfernung den
leibhaftigen Führer zeigen konnte, der sich bemühte, seinen Hund zum
Überspringen eines kleinen Hindernisses zu überreden [31].

Bis September 1942 hatte Hitler die Gewohnheit, in seinen Hauptquartieren wie in der Reichskanzlei eine erhebliche Anzahl Gäste beim Mittagessen mit seinen Monologen zu traktieren. Zu den Gästen gehörten
regelmäßig Bormann, Schaub, Baur, Schmundt, Dr. Dietrich, Hewel, Keitel, Jodl sowie Offiziere des FBB, des SS-Begleitkommandos und Besucher
des Hauptquartiers. Nach einem ärgerlichen Wortwechsel zwischen Hitler
und Jodl in den ersten Septembertagen des Jahres 1942 im Hauptquartier
»Wehrwolf« bei Winniza in der Ukraine aß Hitler nur noch allein oder
mit ganz wenigen Vertrauten zu Mittag [32]. Hitler fand auch, daß seine
mündlichen Äußerungen und Befehle oft unrichtig zitiert und ausgelegt
wurden, sowohl die beim Essen als auch die bei den Lagebesprechungen
geäußerten, und daß seine Befehle manchmal einfach ignoriert wurden.
Deshalb ließ er durch M. Bormann einen Stenographendienst einrichten,
damit jedes von ihm oder anderen in den militärischen Konferenzen ge-
sprochene Wort genau festgehalten würde. Beim Essen war das Mitschrei-
ben von Hitler ausdrücklich verboten; Bormann setzte sich darüber hin-
weg, und das Resultat, »Hitlers Tischgespräche im Führerhauptquartier
1941–1942« bzw. die etwas vollständigeren »Secret Conversations 1941–
1942«, läßt das Verbot verständlich erscheinen. Für die am 12. und 14.
September für die militärischen Konferenzen vereidigten Stenographen
wurden jedoch Einrichtungen geschaffen, die für die Geheimhaltung des
bei den Konferenzen Gesprochenen sorgen sollten. Das Bewachungssystem
in Berchtesgaden wurde oben (S. 198) beschrieben; in dem ohnehin scharf
bewachten Führerhauptquartier »Wolfschanze«, im nochmals gesondert
bewachten Sperrkreis I, wurden die Stenographen wiederum eigens unter
Bewachung gestellt. Nach der Rückkehr des Hauptquartiers aus Winniza
am 1. November 1942 bekamen sie ihr eigenes Beton- und Backsteinhaus
mit einem hohen Maschen- und Stacheldrahtzaun darum herum. Dieses
Haus durfte von niemand betreten werden außer von den Stenographen
und ihren Schreiberinnen, von A. und M. Bormann, Schaub, Dr. Brandt
oder seinem Vertreter, Dr. Morell, SS-Obersturmbannführer Dr. Heim
(Stenograph und Kunstexperte), SS-Obersturmbannführer Dr. Bankert,
Major Engel, Major von Below, SS-Hauptsturmführer Schulze-Kossens,

SS-Hauptsturmführer Pfeiffer und den Dienern Linge und Junge. Eine eigene RSD-Wache wurde am Zaun aufgestellt mit dem Auftrag, niemand so nahe herankommen zu lassen, daß er hören konnte, was im Haus gesprochen wurde, und auf keinen Fall Unbefugte hineinzulassen. Bei Schwierigkeiten war sofort der SS-Führer vom Dienst anzurufen. Solche Vorsichtsmaßnahmen hielt man auch in diesem inneren Führungskreis noch für erforderlich, auch hier galt der Führerbefehl Nr. 1 (niemand darf erfahren, was er nicht zur Erfüllung seiner Aufgabe wissen muß) und war vielleicht nötiger als anderswo; denn im Hauptquartier herrschte bei aller Geheimhaltung eine Atmosphäre kameradschaftlicher, vertrauter Laxheit.

Hitler wußte, daß ihm auch hier Gefahren drohten, und nicht nur von seinen erklärten Feinden. So lebte er in ständiger Furcht vor Vergiftung. Als Marschall Antonescu ihm Kaviar und Konfekt schicken ließ, befahl er die sofortige Vernichtung. Linge aß trotzdem von den Geschenken vom Balkan und holte sich eine schwere Magenverstimmung, mit der er tagelang darniederlag. Auch in der Heimat, meinte Hitler Mitte November 1942 gegenüber Schmundt, Jodl und Engel, »seien Gruppen tätig, um ihn und sein Werk zu zerstören, er wisse auch, daß man ihm nach dem Leben trachte; bisher habe er es aber seinen Häschern sauer gemacht. Das traurige sei, daß dies nicht etwa fanatische Kommunisten seien, sondern in erster Linie Intelligenz, sogenannte Priester und auch hohe Offiziere.« [33] So war selbst im innersten Sperrbezirk des Führerhauptquartiers höchste Wachsamkeit nötig, die immer wieder erlahmte und immer wieder durch erneute Anweisungen aufgefrischt werden mußte.

Die RSD-Beamten waren allgemein angewiesen, nicht zusammen zu stehen oder zu gehen, nicht unnötig miteinander zu reden und insbesondere den Führerbunker nicht zu betreten außer zur Überwachung der Arbeit des Heizers oder eines Handwerkers. Nachrichten und Sendungen für den Führerbunker mußten am Eingang an eine Ordonnanz übergeben werden; während der Nachtzeit mußten sie in ein Fenster gelegt werden, das eigens zu diesem Zweck offenblieb. Aber: »Das Öffnen der Panzertüre zu dem ehem. Schlafraum des SS-Gruppenführer Schaub ist unter allen Umständen verboten!« (Vermutlich, weil Hitlers Panzerschrank darin stand, in dem alle geheimen Papiere aufbewahrt wurden und zu dem nur Hitler und Schaub Schlüssel hatten [34].) Wenn der Führer außerhalb des Bunkers oder in dessen Nähe war, hatte sich der RSD-Beamte so weit vom Bunker zurückzuziehen und zugleich vom Führer, daß er andere Personen vom Führer fernhalten konnte und selbst den Führer und sein Gespräch nicht störte.

Diese Vorschrift galt auch, wenn der Führer seinen Hund ausführte.

Die RSD-Beamten mußten daran denken, daß jede Bewegung zu vermeiden war, die den Hund vom Führer ablenken konnte, unter gar keinen
Umständen durfte der Hund angesprochen oder gar gelockt, noch durfte
die Tür für ihn geöffnet werden [35].

Nach der Katastrophe von Stalingrad, nach der Verkündung der Forderung nach bedingungsloser Kapitulation durch Churchill und Roosevelt
in Casablanca im Januar 1943 und nach dem Zusammenbruch der Afrika-
front wurden die Sicherheitsvorkehrungen in der »Wolfschanze« wie auf
dem »Berghof« gestrafft und intensiviert. Die Geheimhaltung machte noch
immer große Sorgen, besonders nach der Aufdeckung und Zerschlagung
der Spionageorganisation »Rote Kapelle« im Herbst 1942. Am 31. Juli 1943
schrieb Schmundt an alle Dienststellen der Sperrkreise I und II – Chef
OKW, Chef WFSt, Chef des Heeresstabes (Buhle), Verbindungsoffizier
des Oberbefehlshabers der Luftwaffe (General Bodenschatz), Verbindungsoffizier des Ob. der Marine (Konteradmiral Voß), Oberst d. G. Scherff,
Wehrmacht-Nachrichten-Offizier (Oberstleutnant Sander), M. Bormann,
Persönliche Adjutantur, Reichspressechef, Botschafter Hewel, Kommandeur des RSD (Rattenhuber), ferner Morell, Brandt, Baur, Blaschke (Den-
tist des Führers), Reichsbildberichterstatter, Oberleutnant Frentz und andere Photographen, sämtliche 45 Angehörigen des 1. Zuges der SS-Sonder-
kolonne im Führerhauptquartier, ferner alle Ordonnanzen und anderes
Personal im Kasino 1 und im Sonderzug »Brandenburg« (Führersonderzug). In dem Befehl Schmundts stand: »Der Führer hat befohlen, daß über
Themen, die beim Führer bei den Lage- und sonstigen Besprechungen
behandelt werden, im Kasino nicht gesprochen werden darf. Außerdem
wünscht der Führer, daß alle im Führerhauptquartier anwesenden Herren
nochmals auf besondere Geheimhaltung auf allen Gebieten, besonders
auf dem militärischen und politischen Sektor, hingewiesen werden. Es
wird gebeten, von diesem Befehl des Führers Kenntnis zu nehmen und
ihn allen Herren des jeweiligen Dienstbereichs zu übermitteln.« [36] Im
Januar 1944 wurden die beiden Telefonhauptanschlüsse der »Wolfschanze«
mit Wirkung vom 1. Februar 1944 in Rastenburg 895 und 827 geändert,
um unbefugte Telefonanrufe ins Führerhauptquartier zu verhindern. Bis
dahin hatten viele Anrufer die Telefonnummern einfach beim Rastenburger Postamt erfragt und auch bekommen. Nun erhielten 15 Dienststellen die Mitteilung von der Änderung mit dem Ersuchen an ihre Chefs,
die Kenntnis der Nummern auf diejenigen zu beschränken, die unbedingt
darüber verfügen mußten [37].

Am 20. September 1943 gaben Generalleutnant Schmundt und NSKK-
Gruppenführer Albert Bormann neue Direktiven zur Erhöhung der Sicher-

heit im Sperrkreis I heraus[38]. Vor allem wurde innerhalb des Sperrkreises I
der neue Sperrkreis A geschaffen, zu dem die Bunker und Holzanbauten
Keitels (7), der Persönlichen Adjutantur (8), des Kasino I mit Teehaus (10),
des Führers (11), Bormanns (12) sowie des Heerespersonalamtes und der
Wehrmachtadjutantur des Führers (13 und 8/13) gehörten: »Der Sperrkreis A ist auf Grund einer Anordnung des Führers gebildet worden. Der
Führer hat befohlen: Die Geheimhaltung von Ereignissen, Absichten, Besprechungen usw., die sich bei ihm und in seiner nächsten Umgebung im
Führerhauptquartier abspielen, ist mit allen Mitteln sicherzustellen. Der
Führer hat angeordnet, daß Personen, die anderen gegenüber von geheim-
zuhaltenden Dingen sprechen, über die diese nicht unterrichtet sein müssen, ihm persönlich zur disziplinaren Bestrafung zu melden sind. Neben
der Geheimhaltung ist für die Schaffung des Sperrkreises A die Sicherheit
der Person des Führers maßgebend. Die Befehle des Führers zwingen zu
scharfen Maßnahmen, die für den einen oder anderen Härten mit sich
bringen. Der Forderung nach erhöhter Sicherheit und Geheimhaltung
gegenüber muß jeder persönliche Wunsch zurücktreten.« Nur wer beim
Führer persönlich oder in einer der im Sperrkreis A liegenden Dienststellen beschäftigt war, durfte regelmäßig hinein, mußte aber einen neuen,
besonderen Ausweis für den Sperrkreis im Sperrkreis haben. Weitere Ausweise konnten vom Kommandanten des Führerhauptquartiers ausgegeben
werden, aber nur mit Genehmigung des Chefadjutanten der Wehrmacht
beim Führer, Schmundt, oder seines Vertreters und nach Absprache mit
Schaub oder dessen Vertreter. Tagesausweise durften von einer Wache
ausgegeben werden, wenn ein persönlicher oder militärischer Adjutant
des Führers seine Zustimmung gegeben hatte. Ohne Ausweis durfte niemand in den Sperrkreis A, auch nicht in Begleitung eines Ausweisbesit-
zers, außer in ganz dringenden Fällen, in denen ein RSD-Beamter den
Betreffenden begleiten mußte; nur der RSD-Beamte am Eingang hatte die
Befugnis zu solchen Ausnahmen. Der Besucher mußte bis zu seinem Ziel
und wieder zurück geleitet werden oder einen Ausweis bekommen. Wer
ohne gültigen Ausweis allein im Sperrkreis A vorgefunden würde, so hieß
es weiter (obzwar doch eigentlich niemand hereinkonnte, ohne über den
Zaun zu steigen), war sofort zu verhaften oder hinauszuweisen (vermutlich dann, wenn es sich um einen höheren Offizier handelte). Autos
durften nur hineinfahren, wenn sie Reichsministern, Reichsführern oder
Feldmarschällen gehörten; die Fahrer und andere Mitfahrer mußten im
Besitz gültiger Ausweise für den Sperrkreis A sein. Auch Versorgungs-
autos durften unter dieser Bedingung hereinfahren, ebenso Autos von im
Sperrkreis A wohnenden Offizieren. Die 3 Tore zum Sperrkreis A wurden

mit je einem Unteroffizier des FBB und einem RSD-Beamten besetzt. Der Unteroffizier mußte die Ausweise überprüfen, der RSD-Beamte hatte ihm Hilfe zu leisten, vor allem in Zweifelsfällen. Für Boten- und Meldegängerdienste mußten immer dieselben Soldaten verwendet werden, damit nicht zu viele Ausweise ausgegeben werden mußten. Ein RSD-Beamter ging ständig Streife im Sperrkreis A. Die Liste der ständigen Essensgäste im Speiseraum 1 des Kasino 1 wurde auf Hitlers unmittelbare Umgebung beschränkt: Keitel, die Brüder Bormann, Dr. Dietrich, Hewel, Jodl, Bodenschatz, Schaub, Buhle, Schmundt, Voß, Puttkamer, Scherff, Dr. Brandt, Dr. von Hasselbach, Dr. Morell, Professor Hoffmann, Stabsleiter Sündermann (Propagandaministerium), Rattenhuber, Baur, Gaim (Pilot), Sander, Engel, Below, Doldi (Pilot), Major Weiß, Major Betz (Flieger), Major Waizenegger (Jodls I a), Major John von Freyend (Keitels Adjutant), SS-Sturmbannführer Darges, Högl, Kempka, Hauptmann Fuchs, Hauptmann von Szymonski, SS-Hauptsturmführer Pfeiffer, Oberlandesgerichtsrat Müller, Oberbereichsleiter Lorenz, Oberleutnant Frentz, zusammen 38 Personen. Weitere Gäste konnten auf Einladung des Führers bzw. der Adjutanten Schaub oder Schmundt nach Erlaubnis des Führers kommen; Anträge waren rechtzeitig zu stellen. Wer sonst in den Sperrkreis A befohlen wurde, mußte im Kasino 2 im Sperrkreis I, jedoch außerhalb des Sperrkreises A warten. Im Speiseraum 2 des Kasinos 1 im Sperrkreis A aßen außerdem noch 23 Adjutanten, Diener und Stenotypistinnen sowie die 10 Stenographen und ihre Maschinenschreiberinnen, zusammen 43 Personen.

Einige Tage nach dem Befehl über den Sperrkreis A gab der Kommandant des Führerhauptquartiers neue Anweisungen für Alarme heraus: Alarmbereitschaft, Alarm, Gasalarm, Feueralarm[39]. Alarmbereitschaft wurde ohne Sirenen, nur telefonisch und durch Meldegänger durchgegeben, um das Hauptquartier für einen erwarteten Angriff durch Flugzeuge, Fallschirmtruppen, Luftlandetruppen oder Saboteure in Bereitschaft zu setzen. Alle Verteidigungsstellungen waren dann zu besetzen, Wachen und Patrouillen zu verdoppeln, alle von außen sichtbaren Beleuchtungskörper zentral abzuschalten, die Fahrzeuge der Grauen Kolonne und des WFSt in die vorbereiteten Schutzplätze zu fahren, der Autoverkehr in den Sperrkreis I wurde während des Alarms ganz unterbunden, die allgemeine Aufmerksamkeit mußte erhöht werden. Die nächste Alarmstufe würde durch Sirenen, Telefon, Flak-Feuer oder fallende Bomben ausgelöst, sie galt für Luftangriffe und für Fallschirmjägerlandungen; jedermann mußte in seinen zuständigen Luftschutzbunker gehen, an jedem Holzbau mußten zwei Ordonnanzen oder andere Soldaten die Splitterlöcher und -gräben besetzen und den Ausbruch von Bränden sofort melden bzw. die Brände löschen. Jeder mußte die Parole und die an dem jeweiligen Tag geltende Tragweise der Armbinden kennen, nach Einbruch der Dunkelheit waren die Armbinden im Alarmfall sofort anzulegen: »Wer sich nach der Sirenenwarnung ohne Alarmbinden im Freien bewegt, wird als Feind angesehen und niedergeschossen!« Gasalarme würden durch Gong, Telefon, Pfeifpatronen oder durch den Ruf »Gas!« ausgelöst, worauf man ruhig zu bleiben und die Gasmaske anzulegen hatte. Im übrigen waren die sonstigen Alarmvorschriften zu befolgen. Ähnlich hielt man es mit Feueralarmen; das Alarmzeichen bestand hauptsächlich in Telefonanrufen bzw. dem Ruf »Feuer!«

Unter dem 5. Mai 1944 wurden die oben skizzierten Anweisungen leicht abgewandelt, hauptsächlich durch Einführung einer neuen Alarmstufe [40]. »Alarmbereitschaft still«, nur für Hauptquartiertruppen, wurde durch Fernsprecher oder Melder ausgelöst bei Fallschirmjäger- oder Luftlandetruppen-Landung, »in *weiterer* Umgebung der Anlage, im Sicherungsbereich oder in dessen Umgebung fallenden Schüssen, deren Ursache nicht sofort erkennbar ist«, an der Hauptkampflinie (am äußeren Zaun) »bzw. sonstigen in Frage kommenden Stellen hochgehenden Minen oder Schreckladungen, soweit Einwirkung von Wild oder Sturm nicht von vornherein klar feststeht, u. Ä.«. »Alarmbereitschaft (Voralarm)« wurde bei entfernter Annäherung feindlicher Flugzeuge wie im Reichsgebiet durch Sirenen ausgelöst »unter Zugrundelegung eines besonderen Vorwarn- und Warnringes«. »Alarm« wurde wie bisher durch an- und abschwellenden Sirenenton ausgelöst, Gasalarm und Feueralarm wie schon im vergangenen Jahr angeordnet. Vorentwarnung wurde durch dreimal eine Minute andauernden gleichbleibenden Sirenenton gegeben, Entwarnung durch einen eine Minute dauernden Sirenenton gleicher Tonlage. Zwischen Bomben- und Luftlandetruppenalarm wurde kein Unterschied gemacht, weil man beim Anflug von Flugzeugen nicht wissen konnte, was sie abwerfen würden, man mußte auf alles gefaßt sein. Vielleicht war im Sommer die Gefahr von Fallschirm- oder Luftlandetruppenlandungen in dem Gebiet von Seen, Hochwäldern und Sümpfen nicht sehr groß; auch waren Tausende von Minen um die Anlage herum ausgelegt. Aber im Winter hätten Angreifer auf den festgefrorenen Seen landen können; man baute deshalb an entsprechenden Stellen Flak-Batterien so ein, daß sie solche Angreifer unter direkten Beschuß nehmen konnten. Eine weitere Neuerung gegenüber den Richtlinien vom Oktober 1943 betraf die Sonderzüge; sie waren bei Voralarm sofort aus der Anlage herauszuziehen, natürlich auch bei Alarm.

Wie sehr man mit Fallschirmjägerangriffen rechnete, zeigen die vielen und strengen Anweisungen in dem »Merkblatt über das Verhalten bei Alarm«, das der Kommandant des Führerhauptquartiers, Oberstleutnant Streve, der Nachfolger von Oberst Thomas, im Mai 1944 herausgab. Man vertraute nicht mehr darauf, daß die deutsche Luftwaffe feindliche Flugzeuge fernhalten konnte. So hieß es in dem Merkblatt: »Bei Fallschirmjägerabsprung in den Kern der Anlage werden Abwehrwaffen auch mit Schußrichtung nach innen eingesetzt. Deshalb Schutzraum nicht verlassen, bevor Vorentwarnung gegeben wurde! Lebensgefahr!! Wer sich nach Sirenenwarnung bei Dunkelheit in der Anlage ohne Alarmbinde im Freien bewegt, wird als Feind angesehen und niedergeschossen!« In Goldap, etwa 70 Kilometer nordöstlich der »Wolfschanze«, war ein Bataillon Luftlandetruppen stationiert, die für den Fall feindlichen Eindringens in das Hauptquartier hergeflogen und direkt in den Kern der Anlage abgesetzt werden sollten, gleichgültig, ob die Eindringlinge Luftlandetruppen, Fallschirmtruppen, Partisanen oder Vorausabteilungen einer heranrückenden Front waren. Später wurde bei Insterburg ein Bataillon Fallschirmjäger für den gleichen Zweck stationiert[41]. Noch am 15. Juli 1944 brachte Himmler in einer Besprechung einen »Angriff durch Fallschirmspringer auf F. H. Qu.« als drohende Gefahr zu Sprache. In einer Lagebesprechung am 17. September 1944 in der »Wolfschanze« gab Hitler seinen Sorgen wegen der Gefahr eines Handstreiches auf das Hauptquartier Ausdruck: »Der Führer: Die Sache ist immerhin so gefährlich, daß man sich klar sein muß: Wenn hier eine Schweinerei passiert – hier sitze ich, hier sitzt mein ganzes Oberkommando, hier sitzt der Reichsmarschall, es sitzt hier das OKH, es sitzt hier der Reichsführer SS, es sitzt hier der Reichsaußenminister! Also, das ist der Fang, der sich am meisten lohnt, das ist ganz klar. Ich würde hier ohne weiteres zwei Fallschirmdivisionen [sic] riskieren, wenn ich mit einem Schlag die ganze russische Führung in die Hand kriegte. Keitel: Die ganze deutsche Führung!«

Unter dem 23. Juli 1944, aber ohne Zusammenhang mit dem Attentat des 20. Juli 1944, wurden die Alarmrichtlinien weiter ergänzt und verfeinert[42]. Der Kommandant des FHQu oder sein Vertreter, der Adjutant der Luftwaffe beim Führer oder Vertreter und der Generalstabsoffizier der Luftwaffe beim WFSt oder Vertreter wurden von nun an ständig über die jeweilige Luftlage orientiert. Alarm war durch den Offizier vom Dienst auf Anweisung der Flakgruppe Masuren mit Sirene auszulösen, wenn der Einflug feindlicher Flugzeuge gemeldet wurde. Voralarm wurde gegeben, wenn feindliche Aufklärungsflugzeuge, Störflugzeuge (nicht mehr als 3 gleichzeitig und nicht konzentrisch das Objekt anfliegend) oder

Einzeljäger (bis zu 9) auf 50 Kilometer oder weniger herankamen; Alarm galt bei mehr als 3 Störflugzeugen oder konzentrischem Anflug auf 50 oder weniger Kilometer, bei Einflügen von Jagdverbänden von östlichen Absprungräumen auf 70 Kilometer Entfernung oder von Bomberverbänden auf 100 Kilometer Entfernung, und bei Einflügen aus westlichen Absprungräumen von Jagdverbänden auf 150 Kilometer, von Bomberverbänden mit Bomben auf 200 Kilometer und ohne Bomben auf 150 Kilometer Entfernung. Bei plötzlichen Tieffliegerangriffen würde Alarm bzw. Voralarm »durch Führer-Flak-Abteilung als örtliche Flak-Untergruppe ausgelöst«, ebenso bei Ausfall der Nachrichtenverbindungen zwischen Flakgruppe Masuren und Anlage »Wolfschanze«. Die Hauptquartiere des Reichsaußenministers und des Reichsführers SS waren mit ihren Sirenen direkt an das Warnsystem der Flakgruppe Masuren angeschlossen; das Hauptquartier Görings (»Robinson«) und sein Sonderzug (»Asien«) wurden von der Untergruppe Goldap aus gewarnt. (Vgl. oben S. 202–203.)

Einem Anschlag wie dem des Obersten Graf von Stauffenberg waren alle die oben beschriebenen inneren und äußeren Sicherheitsmaßnahmen nicht gewachsen. Stauffenberg, der von 1940 bis 1942 in der Ib-Abteilung des Generalstabes tätig gewesen, dann im April 1943 im Afrika-Korps schwer verwundet und nach dem Verlust eines Auges, einer Hand, zweier Finger der anderen Hand und einer Kniescheibe als hoffnungslos aufgegeben worden, aber erstaunlicherweise wieder genesen war, hatte sich anscheinend im Lazarett entschlossen, Hitler zur Rettung Deutschlands zu beseitigen. Er schloß sich aktiv an die schon lange bestehende Verschwörung zum Sturze Hitlers an und wurde bald führend in der Organisation des Staatsstreiches [43]. Im Juni 1944 erhielt er durch seine Ernennung zum Chef des Stabes des Befehlshabers des Ersatzheeres Zugang zum Führerhauptquartier und sogar zu Hitler. Darauf entschloß er sich, das Attentat selbst auszuführen, als sich niemand sonst dafür fand.

Da Stauffenberg nach dem Attentat wieder nach Berlin zurückmußte, weil auch niemand sonst fähig war, den Staatsstreich zu führen, wollte er Hitler mit einer Aktentasche voll Sprengstoff mit Zeitzünder ermorden, die er während einer Konferenz in Hitlers Nähe abstellen wollte, um sich dann zu entfernen. Ein Pistolenattentat kam für den schwer verkrüppelten Offizier nicht in Frage, von der daraus sich ergebenden Unmöglichkeit zu entkommen abgesehen. Die ersten Versuche auf dem »Berghof« und am 15. Juli in der »Wolfschanze« scheiterten vor allem an der Überzeugung der älteren Verschwörer, daß zugleich mit Hitler auch Göring und Himmler beseitigt werden müßten. Immerhin verdient die Tatsache festgehalten zu werden, daß Stauffenberg mit einer Aktentasche voll

Sprengstoff mehrfach unbehelligt im Führerhauptquartier ein und aus gehen konnte. Die Vorgänge des 20. Juli sind vom Verf. an anderer Stelle ausführlich geschildert worden (Widerstand ..., Kap. XI). Hier möge daher ein knapper Überblick über die Sicherheitsaspekte genügen.

Am 20. Juli kam Stauffenberg von Berlin in die »Wolfschanze« zu Konferenzen und zur Teilnahme an der Lagebesprechung. Eine vorangehende Besprechung bei Keitel dauerte bis kurz vor Beginn der Mittagslagebesprechung. Etwa um 12.30 Uhr wurde Keitel mitgeteilt, Generalleutnant Heusinger, der über die Lage an der Ostfront vorzutragen hatte, sei soeben mit dem Triebwagen aus »Mauerwald« angekommen, worauf Keitel aufsprang und sagte, es sei höchste Zeit, zur Lagebesprechung zu gehen. Stauffenberg sollte auch mit, sagte aber, er wolle sich noch etwas frisch machen, und Keitels Adjutant zeigte ihm ein Zimmer dafür. Stauffenberg kam schnell wieder heraus und suchte nach seinem Ordonnanzoffizier Oberleutnant von Haeften, der den Sprengstoff verwahrte. Haeften hatte sich allein vom Sperrkreis II zum OKW-Bunker im Sperrkreis I begeben, wo man ihn in einen Aufenthaltsraum gesetzt hatte. Den mitgebrachten Sprengstoff, zweimal zwei Pfund, in Ölpapier und Zeltstoff verpackt, hatte er im Flur außerhalb des Aufenthaltsraumes auf den Boden gelegt, vielleicht um bei einer Kontrolle nicht damit in Verbindung gebracht zu werden. Eine Ordonnanz Keitels, ein Feldwebel, bemerkte das Paket und fragte Haeften danach, dieser erwiderte, Graf Stauffenberg werde das Material bei der Lagebesprechung brauchen. Das war ungefähr um 11.45 Uhr; als die Ordonnanz wieder in den Flur kam, war das Paket verschwunden [44].

Nach dem Ende der Besprechung bei Keitel im OKW-Bunker gingen die Teilnehmer vor den Bunker hinaus und warteten auf Stauffenberg. Dieser hatte inzwischen Haeften im Aufenthaltsraum gefunden, und beide machten sich daran, die Zünder für den Sprengstoff in Gang zu setzen und die Pakete in Stauffenbergs Aktentasche zu packen. Während Haeften eines der beiden 2-Pfund-Pakete in den Händen hielt, zerdrückte Stauffenberg mit einer eigens für seine drei Finger zurechtgebogenen Flachzange den Säurezünder, der nach 10 Minuten die Ladung zur Explosion bringen mußte. In diesem Augenblick ging die Tür auf und der schon erwähnte Feldwebel stand im Rahmen; er sagte, Keitel mahne zur Eile, und Stauffenberg antwortete abrupt, er komme schon. Dann hörte man Keitels Adjutanten, Major d. G. John von Freyend, vom Bunkereingang rufen: »Stauffenberg, so kommen Sie doch!« Der Feldwebel stand noch immer im Flur vor der Tür, die offenblieb. Was mochte in diesen Sekunden durch Stauffenbergs Kopf gegangen sein? Es wäre seltsam, wenn er nicht jeden Augenblick mit der Entdeckung seines Tuns und Vorhabens gerechnet hätte. Jedenfalls verließ er Haeften und den Aufenthaltsraum mit nur einem der beiden Sprengstoffpakete in seiner Aktentasche. Alles deutet darauf hin, daß beide verwendet werden sollten, es gibt sonst keine plausible Erklärung für das zweite Paket. Die Fachleute der Untersuchungskommission waren sich einig, daß die doppelte Sprengstoffmenge mit hoher Wahrscheinlichkeit alle im Lageraum Anwesenden getötet hätte. Nur dies aber konnte das Ziel des Attentäters sein, der nicht wissen konnte, an welcher Stelle des Raumes Hitler im Augenblick der Explosion stehen würde, und der ihm auch nicht mit der Tasche in der Hand hätte nachlaufen können, wenn er im Raum geblieben wäre.

Als Stauffenberg die Gruppe der auf ihn Wartenden eingeholt hatte, war Keitel schon zur Lagebaracke vorausgegangen. Der Sperrkreis A war nicht mehr in Funktion, seit Hitler im Frühjahr zum »Berghof« gezogen war und die Verstärkungsarbeiten der letzten Bauphase an seinem Bunker begonnen hatten. Nur die Baustelle selbst war vom übrigen Sperrkreis I abgezäunt. Seit 14. Juli wohnte Hitler im Gästebunker, dessen Ummantelung schon fertig war; da der Bunker nur kleine Räume hatte, wurde die Mittagslagebesprechung seit der Rückkehr des Hauptquartiers immer in einem großen Raum der beim Gästebunker gelegenen, mit Backsteinmauern und einer Betondecke verstärkten Baracke abgehalten. Gästebunker und Lagebaracke lagen in einem kleinen Sondersperrkreis mit Zaun und Tor und mit RSD- und SS-Begleitkommando-Wachen am Eingang, vor dem Bunker, vor der Lagebaracke und als Streife im Gelände des Sondersperrkreises. Der Kreis derer, die Zutritt zu diesem »Führersperrkreis« hatten, war noch kleiner als beim alten Sperrkreis A; auch hier waren besondere Ausweise erforderlich.

Keitels Adjutant, John von Freyend, hatte auf dem Weg zur Lagebracke Stauffenbergs Aktentasche tragen wollen, aber der einhändige Oberst hatte energisch abgelehnt, bis man an den Eingang der Lagebaracke gekommen war. Hier gab er John die Tasche und bat ihn um einen Platz möglichst nahe beim Führer, damit er trotz seiner Hörbehinderung alles mitbekomme und für seinen nachfolgenden Vortrag auf dem laufenden sein werde. John plazierte Stauffenberg rechts von Hitler, mit nur etwa zwei Personen Zwischenraum (das wechselte im Lauf einer Stehkonferenz immer ein wenig), und stellte ihm vor seinen Platz die Aktentasche unter den großen Kartentisch, an dem die Konferenzteilnehmer standen. Im Lageraum sah man 2 SS-Uniformen, die zu Personen der ständigen Umgebung Hitlers gehörten, aber es waren keine eigentlichen Leibwachen da, weder vom RSD noch vom SS-Begleitkommando, nur draußen stand eine

SS-Wache und um die Hütte strich ein RSD-Beamter. Von den übrigen einundzwanzig Anwesenden waren alle außer dreien Militärs, Hitler nicht mitgerechnet.

Niemand kam auf den Gedanken, Stauffenberg zum Vorzeigen seiner Aktentasche zu veranlassen, das war nicht üblich. Aktentaschen waren nichts Besonderes, viele brachten sie ständig mit. Auch wurden die Konferenzteilnehmer bis dahin nie nach Waffen durchsucht; es war nur üblich, Mützen und Gürtel (mit oder ohne Pistolen) draußen in der Garderobe zu lassen. Es gab keinen Grund zum Verdacht gegen Stauffenberg, wie die Untersuchungskommission des RSHA ein paar Tage später feststellte: »Ein Versagen der *vorgesehenen* Sicherheitsmaßnahmen gegen ein Attentat kann nicht festgestellt werden, da die Möglichkeit, daß ein zur Lagebesprechung befohlener Generalstabsoffizier sich selbst für ein derartiges Verbrechen hergeben würde, überhaupt nicht in Rechnung gestellt war.«[45]

Etwa eine oder zwei Minuten nach seiner Ankunft murmelte Stauffenberg etwas von einem Telefongespräch und verließ den Raum. Seine Aktentasche ließ er unter dem schweren Kartentisch stehen. Er ging hinüber zum Gebäude 8/13, wo sein Ordonnanzoffizier und General Fellgiebel bei dem Auto standen, das ihn und Haeften zum Flugplatz bringen sollte. Nach wenigen Augenblicken vernahmen die Offiziere eine gewaltige Explosion aus der Richtung der Lagebaracke, und Stauffenberg und Haeften stiegen sofort in das Auto und ließen sich aus dem Hauptquartier fahren. Als sie an der Lagebaracke vorbeikamen, sahen sie Leute hin und her laufen, Rauch und Papierfetzen erfüllten die Luft. Stauffenberg hatte den Eindruck, wie er später seinen Mitverschworenen in Berlin sagte, als ob eine 15-Zentimeter-Granate eingeschlagen hätte und kaum noch jemand am Leben sein könnte. Auf der Fahrt zum Flugplatz mußten die Flüchtenden zwei Sperren überwinden. Am Südwestausgang des Sperrkreises I kamen sie leicht durch, indem Stauffenberg etwas von Führerbefehl schnarrte. Die Wachen hätten ihn dennoch nicht durchlassen dürfen, nachdem sie die Explosion gehört hatten, aber sie ließen ihn passieren. An der Außenwache Süd dagegen, an der Südgrenze der Gesamtanlage »Wolfschanze«, waren die Schwierigkeiten erheblich. Hier war alles geschlossen und mit spanischen Reitern verbarrikadiert, als das Auto mit Stauffenberg und Haeften gefahren kam, der inzwischen ausgelöste Alarm war sofort befolgt worden. Der Wachhabende, ein Feldwebel des FBB, weigerte sich, irgend jemand durchzulassen. Stauffenberg mußte schließlich aussteigen, in das Wachlokal gehen und mit jemand telefonieren, der dem Feldwebel Befehl zum Durchlaß geben konnte. Er erreichte Rittmeister von Möllendorf, den IIa Streves, den er am Morgen beim Frühstück gesehen hatte. Möllendorf befahl der Wache, Stauffenberg passieren zu lassen, und Stauffenberg flog nach Berlin zurück. Man sieht, wie alles an einem Glücksfaden hing. Sicherlich spielten Stauffenbergs schwere Verwundung, sein Rang und sein kriegerisches Aussehen eine erhebliche Rolle bei seinem Entkommen aus dem Hauptquartier; nach den bestehenden Vorschriften hätte es ihm nicht gelingen dürfen, die »Tarnung« durch einen offiziellen Auftrag hätte nach einer Explosion in Gegenwart Hitlers niemanden mehr schützen dürfen.

Im Lageraum wurde die Explosion als grellgelbe Stichflamme und betäubender Knall empfunden, die Konferenzteilnehmer wurden zu Boden geworfen und erlitten Prellungen, Schürfungen und Verbrennungen, auch Schlimmeres. Die meisten kamen rasch wieder auf die Beine und stolperten hinaus, einige kletterten durch die sechs offenen Fenster des Raumes. Der Stenograph Berger starb noch am Nachmittag, Oberst i. G. Brandt und General Korten starben am 22. Juli, Schmundt am 1. Oktober; sie waren der Aktentasche am nächsten gewesen. Die übrigen waren mehr oder minder verletzt. Hitler hatte Prellungen und wie die meisten anderen geplatzte Trommelfelle, war aber sonst wohlauf. Er war in der Lage, noch am selben Nachmittag wie vorgesehen Mussolini und dessen Gefolge in der »Wolfschanze« zu empfangen.

Im Führerhauptquartier reagierte man auf das Attentat zunächst mit Mußmaßungen und einigen Sicherheitsmaßnahmen. Doch was sollte man tun, wenn man nicht wußte, wo die Lücke war? RSD-Beamte riegelten die Lagebaracke ab, der von Hitler bewohnte Gästebunker wurde nach Sprengstoff durchsucht, Telefon- und Fernschreibverbindungen wurden gesperrt und der Alarmzustand wurde aufrechterhalten bzw. – wie sich Generaloberst Jodl ein Jahr später erinnerte – von dem herbeigeeilten Högl erst richtig ausgelöst. General Fellgiebel stand in der ersten halben Stunde nach dem Attentat vor dem Gästebunker, und einige Zeugen berichteten, er habe Hitler zu seiner Errettung gratuliert. Wenn er sich schon dort aufhielt, mußte er das wohl; er wollte sich von der Wirkung des Attentats überzeugen, um seinen Mitverschworenen in Berlin berichten zu können. Jodl sah ihn stehen und ging hin, um ebenfalls etwas über Hitlers Ergehen zu erfahren, wie er nach dem Krieg niederschrieb: »Ja, ja, hörte ich ihn [Fellgiebel] wie von weither sagen, das kommt davon, wenn man sich so nahe hinter der Front aufhält. Nein, erwiderte ich wütend, das kommt davon, wenn das Hauptquartier eine Baustelle ist.« Jodl war zunächst wie wohl die meisten im Hauptquartier überzeugt, daß sich ein Kommunist unter die OT-Arbeiter geschlichen und die Bombe gelegt habe. Auch Hitler selbst glaubte das anfangs – während einer der Hauptver-

schwörer vor seinem Bunker stand und ihn hätte erschießen oder eine
Handgranate werfen können, wenn Hitler in dem engen Vorraum beim
Bunkereingang war [46]. Hitler erklärte seine Errettung zu einem Wunder.
Wenige Tage nach dem Attentat sagte er zu General Koller: »›Ich bin heil
aus dem Weltkrieg gekommen, ich habe so manchen schweren Flug,
auch gefährliche Autofahrten mitgemacht, und mir ist nichts geschehen.
Aber dieses ist jetzt das größte Wunder. Es ist wirklich ein Wunder.‹« [47]
Es war keine der vielen Sicherheitsmaßnahmen, die Stauffenbergs Täter-
schaft ans Licht brachte, sondern der Verdacht eines Telefonisten vor dem
Lageraum, dann das unerklärliche Verschwinden des Obersten und
schließlich der sich aus den aus Berlin kommenden Fernschreiben er-
gebende Zusammenhang mit dem Putsch. Die Tatortkommission des
Reichssicherheitshauptamtes kam zu dem Ergebnis: »Der Vorfall zwingt
jedoch dazu, zukünftig bei den Schutzmaßnahmen für den Führer auch
die letzte Möglichkeit zu berücksichtigen. Bezüglich der Sicherungsmaßnahmen werden daher im Einvernehmen mit dem Reichssicherheitshauptamt gesondert Vorschläge unterbreitet werden.« [48] Worin sie bestanden,
läßt sich aus der weiteren Entwicklung in der »Wolfschanze« und später
in der Reichskanzlei entnehmen.

Zunächst wurden in der »Wolfschanze« an allen Eingängen und Kontrollen ebenso viele SS-Wachen wie Führer-Begleit-Bataillon-Wachen eingesetzt. In der »Geschichte des Panzerkorps Großdeutschland«, zu dem das
FBB wie das Wachbataillon »Berlin« gehörte, heißt es: »Im Hauptquartier
in der Anlage Wolfsschanze sind, wie berichtet, kurz nach Mitternacht
zum 21. 7. 1944 erste Einheiten der Leibstandarte SS Adolf Hitler einge-
troffen und haben alle wichtigen Punkte innerhalb des Objektes besetzt.
Eine ganze SS-Kompanie schließt den Sperrkreis I hermetisch ab; am
Sperrkreis II und auf den Feldwachen stehen bald jeweils GD-Männer des
F. Begl. Btl. zusammen mit SS-Männern Wache... Als schließlich die
Waffen-SS noch einen Alarmzug in den Sperrkreis I unter Führung eines
Hpt.-Sturmführers verlegt, kommt es zu Reibereien zwischen dem dort
bereits liegenden Alarm-Zug/F. Begl. Btl. unter Lt. Jaenicke und den SS-
Männern.« [49] Schließlich gelang es Schmundt und Streve, den Führer dazu zu überreden, die vielen SS-Leute nach einer Woche wenigstens aus
dem Inneren der Sperrkreise abziehen zu lassen. Nach weiteren zwei Wochen wurden sie ganz abgezogen. Zur Verhinderung weiterer Attentate
erging auch die Anweisung, daß künftig alle bei Hitler erscheinenden Offiziere und anderen Besucher ihre Aktentaschen untersuchen lassen mußten. Kurz nach dem 20. Juli gab es einmal große Aufregung, als die Aktentasche des Adjutanten Ribbentrops, Hauptmann Ötting, untersucht wurde.

Es gab nämlich eine Vorschrift für die Vorbereitung der Vernichtung Geheimer Reichssachen bei Gefahr, und so hatte Ötting, pflichtbewußt, regelmäßig eine Handgranate und eine Flasche Benzin in seiner Aktentasche, und das jagte nun den Wachen einen gehörigen Schrecken ein. Die Aktentasche mußte bei den RSD-Beamten zurückgelassen werden und Ötting verzichtete in Zukunft auf die genaue Einhaltung der Vernichtungsvorschriften.

Am 22. Juli 1944 wurde Dr. Giesing, ein im Reservelazarett Lötzen tätiger HNO-Arzt, plötzlich zu Hitler befohlen[50]. Hitler klagte über Ohrenschmerzen und Ohrenblutungen. Dr. Brandt brachte Dr. Giesing durch die vielen Kontrollen und Wachen zum Führersperrkreis im Sperrkreis I und führte ihn zu einem Zelt hinter dem Gästebunker. Hier wurde Dr. Giesings Instrumententasche ausgeleert und ihr Inhalt genauestens untersucht, jedes Instrument geprüft, sogar die Birne der Ohrenuntersuchungslampe wurde herausgeschraubt und wieder eingeschraubt. Zwei Fläschchen mit Flüssigkeiten – 2 %ige Pantokainlösung zur Lokalanästhesie und sterile physiologische Natriumchloridlösung – wurden beiseite gestellt. Dr. Giesing mußte seine Mütze und seinen Dolch zurücklassen (eine Pistole trug er nicht), den Inhalt seiner Hosen- und Jackentaschen auf den Tisch leeren und die Taschen von innen nach außen kehren. Taschentuch und Schlüssel bekam er zurück, Füllfederhalter, Bleistift und Taschenmesser blieben bis nach der Konsultation auf dem Tisch im Zelt. Schließlich wurde eine Leibesvisitation mit Abtasten von oben bis unten vorgenommen. Dann kam Dr. Brandt vom Bunker und holte den Arzt ab. Dr. Giesing sagte, er brauche die Fläschchen, Dr. Brandt sagte einem der Sicherheitsbeamten, es sei in Ordnung, und darauf trug ein RSD-Beamter die Instrumententasche und die beiden Fläschchen hinter den Ärzten her in den Bunker, wo Linge und zwei andere Männer in SS-Uniformen warteten. Linge übernahm Tasche und Fläschchen, bat Dr. Giesing in das Speisezimmer und ging mit den Sachen davon. Nach einigen Minuten kam er nur mit der Tasche wieder und fragte, ob die Fläschchen wirklich gebraucht würden. Dr. Giesing sagte, er brauche sie, wenn die Untersuchung dem Führer Schmerzen bereite, Linge meinte, er werde sie dann gerne holen, aber sie wurden nicht gebraucht und blieben in einem Vorraum. Nach der Konsultation wurde Dr. Giesing wieder hinausgeleitet und an jedem Kontrollpunkt und Schlagbaum wie beim Kommen seine Identität peinlich genau überprüft.

Am 23. Juli mußte Dr. Giesing wiederkommen. Diesmal war ein Tagesausweis für ihn vorbereitet und wurde an der ersten zu passierenden Wache bereitgehalten, so daß die Kontrollen auf der Rastenburg–Angerbur-

ger Straße innerhalb des Sperrkreises II, am Südwesteingang zum Sperrkreis I und am Eingang zum Führersperrkreis (auch »Zone A«) etwas
rascher vonstatten gingen. Im übrigen mußte sich Dr. Giesing den gleichen umständlichen Prozeduren wie am Vortag unterziehen. Nur die
Fläschchen machten diesmal keine Schwierigkeiten; Dr. Giesing hatte
sie nicht mehr mitgebracht.

Derart komplizierten Sicherheitsmaßnahmen stand eine Vernachlässi-
gung von Vorsichtsmaßnahmen bei anderen Gelegenheiten gegenüber.
Als Hitler zwischen 20. und 29. Juli die beim Attentat Verletzten im
Rastenburger Reservelazarett Carlshof besuchte, kam er anscheinend unan-
gemeldet mit seinem Autokonvoi im offenen Wagen angefahren, ohne daß
sichtbare Vorsichtsmaßnahmen ergriffen waren[51]. Als er aus seinem Auto
stieg, wurde er sofort von Patienten umringt, die hier spazierengingen,
einige von ihnen auf Krücken. Hitler sprach mit ihnen, mehrere hatten
Kameras und machten Aufnahmen vom Führer, der sich ein paarmal
lächelnd den Photographen zuwandte. Jeder der verwundeten oder verkrüppelten Soldaten, die vielleicht eben noch den Krieg und womöglich
den Führer verflucht hatten, hätte Hitler hier töten können. Statt dessen
jubelten sie ihm zu.

Im September 1944 fühlte sich Hitler sehr krank. Am 19. September
ließ er sich wieder zum Reservelazarett Carlshof fahren, um sich einer
Röntgenuntersuchung zu unterziehen. Diesmal waren SS- und RSD-Wachen eine Stunde vorher am Eingang des Lazaretts und an den Türen im
Innern postiert, die Hitler zu passieren hatte. Weitere RSD-Beamte durchsuchten den Röntgenraum und anschließende Räume nach verborgenem
Sprengstoff. Hitler kam etwa um 18.30 Uhr in seinem Auto an, gefahren
von Kempka, begleitet von Linge, dem Chirurgen Dr. von Hasselbach und
den SS-Adjutanten Günsche und Schulze-Kossens. Weitere RSD- und SS-
Leute folgten in zwei weiteren Wagen. Die Untersuchung verlief ohne
Zwischenfälle[52]. Am 1. Oktober mußte Dr. Giesing noch einmal zu Hitler
kommen. Auf dem Nachttisch des Führers sah er eine Pistole liegen.
Als Linge merkte, daß der Arzt hinsah, nahm er die Pistole weg und legte
sie in einen Schrank.

Am 11. Oktober 1944 trafen sich zu einer Konferenz in der »Wolfschanze« Rattenhuber und SS-Untersturmführer Münkner vom RSD, Ingenieur Welker und Oberinspektor Krause von der OT sowie SS-Sturmbannführer Dr. Widmann und SS-Untersturmführer Sachs vom Kriminal-
technischen Institut des RSHA[53]. Es wurde vorgeschlagen, Röntgenstrah-
len einzusetzen zur Feststellung von »Höllenmaschinen, Sprengkörpern
u. dergl.«, die etwa in Paketen verborgen sein könnten, die in den Führer-

hauptquartieren und auf dem »Berghof« abgeliefert wurden. Dr. Widmann schickte Rattenhuber auch ein Exemplar eines britischen Sprengkörpers, der so konstruiert war, daß er in einer bestimmten Höhe explodierte.

Bezeichnend für die zunehmende Besorgnis im Hauptquartier ist die Ernennung von Oberst Remer, der bei der Niederschlagung des Putsches am 20. Juli in Berlin eine Rolle gespielt hatte, zum Kampfkommandanten des Führerhauptquartiers (1. September 1944): »Er ist für die innere und äußere militärische Sicherung des Führerhauptquartiers verantwortlich.« Streve war nur noch »Lagerkommandant«[54]. Schon eine Woche vorher hatte Streve in einem Befehl darauf hingewiesen, daß jetzt mit der Verteidigung Ernst gemacht würde, die Wachen würden sofort schießen und nicht mehr lange fragen, wenn jemand – besonders nachts – außerhalb der regulären Wege und Straßen angetroffen würde, vor allem in der Nähe des Flandernzaunes, der die Hauptkampflinie markierte. Das war guter Rat; denn es war Sommer, und, Kriegslage hin oder her, manches Paar konnte auf der Suche nach einem verschwiegenen Winkel in Gefahr geraten.

Im Oktober 1944 mußten sich die Fachleute mit dem Problem der Sauerstoffversorgung des inzwischen fertiggestellten und bezogenen Führerbunkers in der »Wolfschanze« befassen[55]. Am 11. Oktober 1944 hatten die oben erwähnten Experten festgestellt, das dem in Unterseebooten gebrauchten gleichende Sauerstoffsystem berge im Falle des hermetischen Verschlusses des Bunkers, also bei einem Gasangriff, gewisse Gefahren. Die Stahlflaschen mit Sauerstoff waren nicht im Beisein von Angehörigen des RSD abgefüllt und überprüft worden, was auf der Danziger Werft nachgeholt werden mußte (die nächstliegende dazu geeignete Einrichtung in Königsberg bei der Firma Oster & Co. war durch Luftangriffe zerstört). Die Experten entdeckten, daß der Sauerstoffzufluß nicht nach dem jeweiligen Bedarf reguliert werden konnte. Ein separates Sauerstoffsystem für Hitlers Arbeitszimmer wies undichte Stellen auf, und es fehlten bisher nicht beschaffte Einzelteile. Kurzum, bei einem Gasangriff war die Sicherheit der Bunkerinsassen mehr als zweifelhaft. Noch gefährlicher schien den Experten, daß die Klimaanlage für das Lagezimmer im Führerbunker mit einer neuartigen und nicht genügend ausprobierten Methode arbeitete, wobei die zu kühlende und zu reinigende Luft durch ein chemisches Flüssigkeitsbad geleitet wurde. Es mußte festgestellt werden, »ob bei Austritt des Kühlmittels Frigen (Difluorchlormethan) schädliche Gase im chemischen Bade erzeugt werden«. Es war auch nicht klar, ob alles Frigen in dem Bade der Luft entzogen würde; denn die chemische Zusammensetzung der Reinigungsflüssigkeit war Firmengeheimnis. In diesem Zusam-

menhang wurde darauf hingewiesen, daß der »Geldmann der Firma« (La
Pureza, Paul Rummel & Co., Kommanditgesellschaft, Berlin-Friedrichs-
felde, Alt-Friedrichsfelde 10a) Herr Wilhelm Streve sei, ein Bruder des
Lagerkommandanten des FHQu, und Herr Rummel 38 Jahre lang in Südamerika tätig gewesen sei. Man wollte wohl andeuten, daß Herr Wilhelm
Streve vielleicht zur Preisgabe des Firmengeheimnisses bewogen werden
könnte; der Hinweis auf Südamerika erscheint allerdings weniger relevant.

Am 22. Oktober 1944 konnte Dr. Widmanns Mitarbeiter Sachs berichten, daß alle Sauerstoffflaschen überprüft und in Ordnung befunden worden seien, von einer kleinen undichten Stelle abgesehen, die am 2. November konstatiert wurde. Die Experten rieten, den Vorrat der Sauerstoffflaschen von 6 auf 30 zu erhöhen, damit sie für etwa 30 Tage ausreichten.
Jedoch zeigte sich, daß das zum Schutz gegen Kampfgase eingebaute Filter-
system einen unter Umständen entscheidenden Mangel aufwies: Man
wußte nicht, wann im Ernstfall ein Filter verbraucht war. Die einzige
sichere Methode, um dies festzustellen, wäre der Einsatz einer besonders
feinen Nase gewesen oder von Kanarienvögeln, die sterben würden, ehe
die in der Luft vorhandene Gasmenge für Menschen gefährlich wurde:
»Da nicht anzunehmen ist, daß der Führer in seinen Räumen Kanarien-
vögel halten will, ist die Anweisung [der Herstellerfirma] sehr mangelhaft;
denn man muß damit rechnen, daß dann, wenn einmal Gasgeruch festgestellt wird, bereits eine ernsthafte Vergiftung eingetreten sein kann.« Die
Experten schlugen deshalb vor, die Herstellerfirma zur Lieferung von Gas-
spürröhrchen zu veranlassen, mit denen der Zustand der Filter jeweils
überprüft werden könnte, und Tabellen in der Nähe der Filter anzubringen, in denen die Zeiten eingetragen würden, während denen die Filter
in Betrieb waren. Auf entsprechende Anschreiben antwortete die Herstellerfirma (Drägerwerk in Lübeck) unter dem 28. November 1944: »Eine
Vergiftungsgefahr besteht für die Schutzrauminsassen nicht, solange man
von einer geruchstüchtigen und zuverlässigen Person die aus dem Filter
austretende Luft dadurch überwachen läßt, indem man diesem Riech-
posten einen Teilstrom der gefilterten Luft dauernd ins Gesicht bläst.«

Das war nicht gerade ermutigend, aber dafür wurde festgestellt, daß
wenigstens die Klimaanlage ungefährlich war. Zwar fehlten noch Einzelteile, auch Werkzeuge zum Wechseln der Preßluftflaschen waren nicht
vorhanden, und das Bunkerpersonal wußte nicht mit der Anlage umzuge-
hen. Aber die Klimaanlage wurde am 10. November für ungefährlich
erklärt, abgesehen davon, daß sie bei Stromausfall einfach aufhören würde
zu arbeiten. Die Untersuchungen in Dr. Widmanns Labor hatten ergeben,
daß zwar Frigen austreten würde, wenn die Röhren brachen, und der

Frigengeruch so schwach war, daß man ihn vielleicht nicht bemerken würde, aber auch, daß Frigen anscheinend durch den Kontakt mit der Reinigungsflüssigkeit nicht chemisch verändert wurde. Eine weitere gute Nachricht war, daß die höchste denkbare Konzentration von Frigen in der Bunkerluft 0,15 % betragen würde, wenn alles Frigen entwich, daß aber zwei weiße Mäuse eine Konzentration von 0,3 % während 105 Minuten und von 5,0 % während 45 Minuten überlebt hatten. So bestand kaum die Gefahr, daß der Führer eine Frigenvergiftung erleiden würde.

Am 20. November 1944 verließ Hitler die »Wolfschanze« und kam nicht mehr zurück. Gleichzeitig wurde ein Sprengkalender für die »Wolfschanze«-Bunker aufgestellt (»Inselsprung«). Aber noch am 4. Dezember befahl Keitel, die Anlage so zu sichern und instand zu halten, daß sie jederzeit belegbar blieb. Der Herstellerfirma der Gasschutzanlage war schon im November 1944 die Überprüfung und Kontrolle der Anlage zur Pflicht gemacht worden, jedoch wurde, ehe weiteres geschah, die schriftliche Stellungnahme der Firma eingeholt. Als diese vorlag, schrieb Ingenieur Welker von der OT (Oberbauleitung Rastenburg/Bauleitung Wolfschanze) unter dem 15. Dezember 1944 an Dr. Widmann: »Infolge der augenblicklichen Verhältnisse möchte ich Sie bitten, sofern der Ausbau [der Gasschutzanlage] noch besonders erwünscht ist, mir einen Auftrag zur Bestellung und Einbau [sic] der Anlage zu erteilen, da Arbeiten nur noch auf besonderes Verlangen ausgeführt werden.« Trotz der deutlichen Skepsis von Ingenieur Welker empfahl Dr. Widmann in einem als »Geheime Reichssache!« bezeichneten Aktenvermerk vom 9. Januar 1945 Maßnahmen und stellte fest: »Bei verschiedenen Besuchen im FHQ (Wolfschanze) wurde festgestellt, daß die Bedienung der Kampfstoffilteranlage im Führerbunker in Frage gestellt wird durch Kleinigkeiten, welche nicht in Ordnung sind. Etwas Ähnliches wurde in dem Stollen auf dem Obersalzberg beobachtet.« Aber zu den Maßnahmen kam es nicht mehr. Ein paar Tage nach Dr. Widmanns Aktenvermerk jagten deutsche Pioniere die Anlage »Wolfschanze« in die Luft.

3. Der Reichskanzlei-Bunker

Nach seiner Rückkehr in die Reichskanzlei am 20. November 1944 verließ Hitler die Stadt Berlin nur noch zweimal[56]. Am 10. Dezember um 17 Uhr fuhr der Führersonderzug »Brandenburg« zum Hauptquartier »Adlerhorst«, von wo aus Hitler die Ardennenoffensive leitete. Hitler wohnte in

einem Bunkerquartier, jetzt »Amt 500« genannt, 2 Kilometer vom Schloß
Ziegenberg bei Bad Nauheim, das er 1939 als zu luxuriös abgelehnt hatte.
Die ganze Offensive erscheint widersinnig, da die Russen im Begriff waren, Ostpreußen und bald das übrige ostdeutsche Reichsgebiet zu über-
rennen; am 12. Januar 1945 begannen sie ihre Offensive und ihren unauf-
haltsamen Vormarsch.

Am 15. Januar 1945 verließ Hitler »Amt 500« in seinem Sonderzug
und traf am 16. Januar um 9.40 Uhr in Berlin-Grunewald ein, von wo er
mit seinem Autokonvoi zur Reichskanzlei fuhr. Um 11 Uhr empfing er
Generaloberst Guderian, den Chef des Generalstabes des Heeres, zu einer
Lagebesprechung; um 13.20 Uhr erhielt SS-Gruppenführer Krüger von
seinem gescheiterten Obersten Befehlshaber einen Orden, und nach dem
Mittagessen bekam auch Generaloberst Schörner einen. Dann wurde die
Wochenschau vorgeführt.

Hitler wohnte seit seiner Rückkehr von »Amt 500« bis etwa Mitte
Februar in der Führerwohnung in der Alten Reichskanzlei, dann im Bunker unter dem Garten der Alten Reichskanzlei. Mahlzeiten nahm er noch
bis etwa Mitte März in der Führerwohnung ein; die Lagebesprechungen
fanden bis Ende März in dem großen Arbeitszimmer in der Neuen
Reichskanzlei statt. Seit Anfang April verbrachte Hitler seine Tage und
Nächte im Bunker (Tafel 19).[57] Hitler hatte hier Schlaf- und Wohnzimmer, ein Bad, ein Lagezimmer. Ferner gab es Schlafzimmer für Eva
Braun, Goebbels, die Diener, einige der Leibwachen, einer der Leibärzte
sowie einige Büros (Bormann, Goebbels), eine Telefonzentrale, einen Heiz-
raum. In Hitlers Wohnzimmer, auch Arbeitszimmer genannt, hing ein großes Bild von Friedrich dem Großen, den Hitler selbst in diesen letzten
Wochen sozusagen darstellte, indem er tief gebeugt wie vom Rheuma ge-
plagt herumschlurfte, obwohl er auch normal gehen konnte. Sein Leibarzt,
Dr. Morell, der es wissen mußte, bezeichnete Hitlers Gebeugtheit und sein
Zittern als hysterisch[58]. Oberhalb des Führerbunkers, der ein Bunkerunter-
geschoß war, befand sich ein größerer Bunker mit 3 Meter Deckenstärke,
in dem Wachen, Hitlers Diätküche und Angehörige der engeren Umgebung
Hitlers untergebracht waren. Im großen Luftschutzraum unter der Neuen
Reichskanzlei befanden sich Lazarett- und Entbindungsräume (Dr. Haase,
Dr. Stumpfegger), der Gefechtsstand des Kampfkommandanten bzw. spä-
ter der »Kampfgruppe Mohnke«, sowie die Unterkünfte von M. Bormann,
Generalleutnant Burgdorf, Dr. Naumann, Hewel, Konteradmiral Voß u. a.;
ferner wurden hier, entsprechend einem schon 1940 von Hitler gegebenen
Befehl, allabendlich zahlreiche Kinder untergebracht.

Die Bautätigkeit am Führerbunker ging immer weiter, noch im April wurden kleinere Bunker und Unterstände, Geschütz- und Maschinengewehrstellungen gebaut. Der Führerbunker war wie die Bunker in der »Wolfschanze« und der Stollen auf dem Obersalzberg mit Gasschutzkammern ausgestattet, die jedoch auch hier ihre Schwächen hatten. Speer wollte sie, wie er nach dem Krieg berichtet hat, im Februar 1945 zur Ermordung Hitlers durch Gas benutzen, angeblich, weil er Hitlers Befehl der Zerstörung lebenswichtiger Anlagen sabotieren wollte.[59] Jedoch sei der günstige Moment eines Filterwechsels verpaßt worden; außerdem standen überall Wachposten. Mit riesigen Scheinwerfern konnte auch das ganze Reichskanzleigelände bei Nacht taghell erleuchtet werden. Für den Fall, daß die Scheinwerfer ausfielen, waren vierläufige Leuchtpistolen installiert, mit denen das Gelände einige Minuten lang erhellt werden konnte. Wo die kleinen Luftschächte gewesen waren, ragten jetzt hohe Betonkamine, damit Kampfgase, die schwerer als Luft waren, nicht hineinsikkern konnten. Diese Änderungen waren auf Befehl Hitlers vorgenommen worden, der seit dem Ersten Weltkrieg viel Respekt vor Giftgasen und wenig Vertrauen zu Gasfiltern hatte. Vor allem befürchtete er, die Russen würden ein Gas verwenden, das Menschen für etwa 24 Stunden lähmte, so daß sie ihn lebend fangen könnten. Tatsächlich erwiesen sich die Gas- und Luftfilter als der Situation nicht gewachsen. Am 25. April mußten die Ventilatoren des oberen Bunkers für 15 Minuten völlig abgeschaltet werden, weil sie mehr Rauch, Schwefelgase und Staub einsogen als Luft, während russische Artilleriegranaten in der Reichskanzlei detonierten.

Speer hätte, wie er selbst sagt, Hitler mit der Pistole erschießen können; das sei ihm wegen der noch immer wirkenden Faszination, die von Hitler ausging, nicht möglich gewesen. Tatsächlich spricht aber vieles dafür, so Speers Abschiedsbesuch bei Hitler unter vier Augen im April, daß nun in Speers Gefühlen für Hitler allenfalls eine langsame Distanzierung eintrat. Nach wie vor aber wurde Speer nicht kontrolliert, er hätte Hitler auch mit Sprengstoff töten können.[60]

Obwohl Hitler wußte, daß sein Tod nicht fern war, wenn nicht ein Wunder geschah, woran er höchstens in Augenblicken glaubte, beschäftigten ihn die Attentatfurcht und das Bangen um seine Sicherheit wie in all den Jahren zuvor. Als Berlin fast täglich von Bombenangriffen heimgesucht wurde, verfiel er in die Angst, sein Bunker, der im Grundwasser stand, könnte so getroffen werden, daß das Wasser eindrang und er, Hitler, im Bett ertrank. Deshalb stand er besonders schnell und auch eine Stunde vor seiner gewöhnlichen Zeit auf, wenn, wie es oft geschah, gegen 11 Uhr morgens die Sirenen ertönten[61]. Besucher wurden immer strengeren Kontrollen und Durchsuchungen unterworfen, damit sie keinen Sprengstoff oder irgendwelche Feuerwaffen mitbringen konnten. SS- und RSD-Wachen waren mehr als je allgegenwärtig.

Offiziere des Generalstabes des Heeres, der Frontstäbe, der Luftwaffe und der Marine, die zu Hitler befohlen wurden, mußten die Neue Reichskanzlei durch den Eingang an der Voßstraße 4 betreten und innen mußten sie sich ausweisen.[62] Rittmeister Boldt berichtet, freilich mit gewissen Übertreibungen, über die Prozedur, die er als Erster Ordonnanzoffizier von Generaloberst Guderian erlebte, wenn er ihn seit Anfang Februar zusammen mit dem Adjutanten Major Freiherr Freytag von Loringhoven regelmäßig vom Hauptquartier des Generalstabes in Zossen zur Lagebesprechung in der Reichskanzlei begleitete. Vom Eingang her gelangten Guderian, Boldt und Freytag von Loringhoven wegen der starken Beschädigung der Reichskanzlei auf langen Umwegen zu Hitlers Arbeitszimmer. An jedem Durchgang standen SS-Wachen, und bei jedem Durchgang mußten sich die Besucher ausweisen. In der Nähe von Hitlers Arbeitszimmer war der Boden sauber und glänzend gebohnert, an den Wänden hingen Gemälde und es gab noch Teppiche. Am Vorraum wurden Guderian und seine Begleiter von mehreren SS-Leuten in feldgrauen SS-Uniformen empfangen und mußten ihre Waffen ablegen. Zwei der SS-Leute nahmen die Aktentaschen ab und durchsuchten diese aufs genaueste. Eine Leibesvisitation wurde nicht vorgenommen. Der Chef des Generalstabes oder einer seiner Begleiter hätten also trotzdem ein Quantum bildsamen, flachgepreßten Plastiksprengstoffs oder auch ein langes, scharfes Messer im Stiefelschaft mitbringen können. Erst nach der Untersuchung durften sie den Vorraum betreten. Hier waren schon 3 SS-Ordonnanzen versammelt, die darauf warteten, Erfrischungen anzubieten; an der Tür zu Hitlers Arbeitszimmer standen weitere Wachen in feldgrauen SS-Uniformen. Bald kam der SS-Adjutant Günsche heraus und sagte, es werde nur noch ein paar Minuten dauern, Bormann konferiere gerade mit dem Führer. Dann wurden Boldt und Freytag von Loringhoven hereingebeten, um die für den Vortrag Guderians nötigen Karten in der richtigen Reihenfolge auf dem Schreibtisch zurechtzulegen; Günsche blieb im Raum und half wohl auch beim Auslegen der Karten. Danach kehrten sie zum Vorraum zurück, wo inzwischen andere Konferenzteilnehmer warteten – Keitel, Jodl, Dönitz, M. Bormann, ihre Adjutanten, Himmler, Fegelein, Kaltenbrunner (Chef des RSHA), Dr. Dietrichs Vertreter Lorenz und Bormanns Adjutant Zander, Göring und die Generale Koller und Christian (Luftwaffe) sowie Burgdorf (Nachfolger des im Herbst 1944 verstorbenen Schmundt).

Endlich ging Burgdorf hinein, erschien wieder und sagte, der Führer sei bereit, die Herren zu empfangen. Göring schritt zuerst hinein, dann folgten die anderen dem Rang nach. Der Lagevortrag enthielt nichts Erfreuliches – Umgruppierungen im Westen, einzelne Heldentaten, Rückzug in Italien, die katastrophale Lage im Osten, wo man die Front geschwächt hatte, um Kräfte für die Ardennenoffensive freizubekommen, und wo die Russen fast ganz Ostpreußen und das ganze Generalgouvernement überrannt und schon Küstrin erreicht hatten. Die Luftlage war hoffnungslos, und von den Meeren konnten nur unbedeutende Scharmützel berichtet werden. 23 deutsche Divisionen waren auf der Landseite von Kurland eingeschlossen. Dann war die Lagebesprechung zuende. Guderian und seine beiden Gehilfen machten sich auf den langen Marsch durch die Reichskanzlei, vorbei an allen Wachen und Posten, und fuhren zurück nach Zossen.

Inzwischen näherte sich die Front unaufhaltsam der Reichskanzlei selbst. Man traf Vorbereitungen zur Verteidigung, die nur den Zweck haben konnten, Hitler auf alle Fälle Zeit zum Selbstmord zu sichern. Ein »Kampfkommandant der Reichskanzlei« wurde eingesetzt, zunächst Oberstleutnant Pick [63]. Von Anfang März bis 22. April war SS-Sturmbannführer Günsche Kampfkommandant. Das Führer-Begleit-Bataillon war auf Divisionsstärke angewachsen, befand sich aber ständig an der Westfront. Eine noch in Lichterfelde liegende Kompanie wurde von Günsche im März in die Reichskanzlei verlegt, ebenso wurde das Begleitkommando verstärkt und die »Wache Reichskanzlei« der LSSAH war auch noch da; so konnte die Außenfront des Reichskanzleikomplexes einigermaßen gesichert werden. Die Umgebung wurde durch Zerstörungen immer unübersichtlicher, Zäune und Mauern waren vielfach durchbrochen und nur durch schärfste Aufmerksamkeit konnten etwaige Eindringlinge rechtzeitig entdeckt werden. Als Hitlers Sekretärinnen sich einmal beim Führer über die rauhe Behandlung durch die Wachen beschwerten, sagte Hitler Günsche, soviel Schutz sei nicht nötig, sein Schutz liege in anderen Händen. Am 22. April entfiel die Stellung des Kampfkommandanten. Es wurde nun eine »Kampfgruppe Mohnke« gebildet unter Führung von SS-Brigadeführer Mohnke, die das Regierungsviertel zu verteidigen hatte – obgleich selbst Hitler jetzt offen den Krieg verloren gab.[64] Die Kampfgruppe bestand aus dem Wachbataillon der LSSAH unter SS-Sturmbannführer Kaschulay (es hatte bis 22. April noch in Lichterfelde gelegen); aus dem Ausbildungs- und Ersatzbataillon der LSSAH, das aus Spreenhagen nach Berlin hereingezogen wurde, unter SS-Obersturmbannführer Klingemeyer; ferner aus der schon erwähnten Führer-Begleit-Kompanie sowie aus Versprengten aller Wehrmachtteile, die sich in Berlin befanden.

Aber auch, als alles um ihn herum zusammenbrach, konnte sich Hitler nicht dazu durchringen, wenigstens einigen tausend Menschen durch seinen Abgang das Leben zu retten.

Selbst als die Russen nur noch 500 Meter oder weniger von der Reichskanzlei entfernt standen, wollte Hitler nicht aufgeben. Erst als er weitere Tausende von Soldaten und bloßen Kindern aus der Hitlerjugend für sein eigenes Leben geopfert hatte, begann er seine Flucht aus der Verantwortung. Freilich konnte er nicht mehr, wie Ludendorff 1918, zurücktreten und ins Ausland gehen. Endlich, tief unter der Erde, wo er die Schreie der gequälten und vergewaltigten Frauen und Kinder, der verwundeten und verstümmelten Soldaten nicht hören konnte, schoß er sich am 30. April in die Schläfe, wie sein letzter SS-Adjutant Günsche berichtet (nach anderen Aussagen schoß er sich in den Mund), während die nunmehrige Eva Hitler auf ihre Zyankalikapsel biß [65].

XII. Schlußbetrachtungen

Hitler endete, wie er 1919 begonnen hatte: als Spieler um so hohe Einsätze, daß ihm der Erfolg, dessen Wahrscheinlichkeit mit der Höhe und Art des Einsatzes immer geringer wurde, nebensächlich, wo nicht gleichgültig sein mußte. Aus dieser Beurteilung heraus hatten ihm die Männer und Frauen der deutschen Widerstandsbewegung jahrelang nach dem Leben getrachtet und hatten, im Widerstreit mit ihrer Herkunft und Erziehung, zahlreiche Mordanschläge gegen ihn vorbereitet. Einer von denen, die Hitler nach dem 20. Juli 1944 aufhängen ließ, hatte seine Einschätzung Hitlers vor dem Volksgerichtshof so formuliert: »Nach der Auffassung, die ich von der weltgeschichtlichen Rolle des Führers habe, nehme ich an, daß er ein großer Vollstrecker des Bösen ist...«[1] Vielleicht konnte Hitler seine zerstörerischen Triebe nicht kontrollieren, vielleicht hat er es nie versucht noch sie erkannt. Er wußte aber, was er tat, wie er einmal seiner Sekretärin, Fräulein Schröder, sagte. Sie berichtete nach dem Kriege: »Als ich ihm eines Tages im Laufe eines Gespräches zu verstehen gab, daß man die über das viele Unrecht verzweifelten Leute oft sagen höre: ›Wenn das der Führer wüßte!‹, entgegnete er mit eisigem Blick: ›Das ist dumm. Ich weiß alles.‹«[2]

Hitler war in dem Wahn befangen, für die Menschheit sei es nötig, im ständigen Kampf zu leben, und daß aus diesem Kampf eine Herrenrasse hervorgehen müsse, die dann die Welt beherrschte; die Vernichtung der Juden hielt Hitler für eine Hauptvoraussetzung dazu und betrachtete sie als Teil seiner welthistorischen Mission. Er hielt sich für von der »Vorsehung« ausersehen, dieses Programm durchzuführen. Er bezeichnete als Tag seiner Berufung den Tag im November 1918, als er von einem Gasangriff bei La Montagne am 15. Oktober erblindet im Lazarett in Pasewalk lag, als er von der Revolution erfuhr und an der Gesundung Deutschlands wie der eigenen gleichermaßen verzweifelte, während eine Krankenschwester ihm gütig zusprach: »Und es vollzieht sich ein Wunder. Dieser der ewigen Nacht Geweihte, der sein Golgatha durchlitten in dieser Stunde, seelische und körperliche Kreuzigung, erbarmungslosen Kreuzestod bei wachen Sin-

nen, der Ärmsten einer aus der gewaltigen Schar zerbrochener Helden –
dieser wird *sehend!* « [3] Wie er später sagte, hielt er sich fortan für ein gött-
liches Werkzeug und glaubte, unter dem besonderen Schutz einer höheren Macht zu stehen. Nach der Errettung vor den Kugeln der Bayerischen
Landespolizei am 9. November 1923 schrieb er in »Mein Kampf«: »So
glaube ich heute im Sinne des allmächtigen Schöpfers zu handeln: *Indem
ich mich des Juden erwehre, kämpfe ich für das Werk des Herrn.*« In einer
Rede am 7. September 1932 in München heißt es: »Ich habe auch die
Überzeugung und das sichere Gefühl, daß mir nichts zustoßen kann, weil
ich weiß, daß ich von der Vorsehung zur Erfüllung meiner Aufgabe bestimmt bin.« Und in Wien am 9. April 1938: »Es gibt eine höhere Bestimmung, und wir alle sind nichts anderes als ihre Werkzeuge. Als am 9. März
Herr Schuschnigg sein Abkommen brach, da fühlte ich in dieser Sekunde,
daß nun der Ruf der Vorsehung an mich ergangen war. Und was sich
dann abspielte in drei Tagen, war auch nur denkbar im Vollzug eines
Wunsches und Willens dieser Vorsehung.« [4]

Der Kampf als Lebensprinzip, wie Hitler ihn verstand, konnte nicht
»Erfolg« haben. Der Sieg einer »Rasse« oder eines Volkes würde durch
den Widerstand der übrigen Menschheit verhindert werden, also zur Niederlage führen. Sollte der Widerstand unwahrscheinlicher Weise zu überwinden sein, so war aber auch der Kampf zu Ende und damit das Prinzip
des Kampfes selbst besiegt. Oder aber der Kampf mußte innerhalb der
siegreichen »Rasse« weitergehen, bis ein Teil den anderen und zugleich
die übrige Menschheit unter seine Gewalt gebracht hätte, und so weiter.
Hitler hat die für das Prinzip vernichtenden Widersprüche nicht gesehen –
oder aber er hat sie gewollt und gesucht. Seine Reden sind voll dunkler
Anspielungen auf schließliche Niederlage und Untergang, schon seit den
frühesten Tagen seines Kampfes um die Macht. In einer Rede am
13. August 1920 rief er zur Vernichtung der Juden auf und erklärte: »Sollten wir siegen und dessen sind wir überzeugt, so mögen wir bettelarm zu
Grunde gehen – wir haben doch mitgeholfen an der größten Bewegung,
die jetzt über Europa und die ganze Welt hinziehen *wird.*« Am 23. November 1939, nach dem siegreichen Blitzkrieg gegen Polen und in dem
Bemühen, die Generale von der Notwendigkeit des raschen Angriffs gegen Frankreich zu überzeugen, sagte er: »Wenn wir den Kampf erfolgreich
bestehen – und wir werden ihn bestehen –, wird unsere Zeit eingehen in
die Geschichte unseres Volkes. Ich werde in diesem Kampf stehen oder
fallen. Ich werde die Niederlage meines Volkes nicht überleben. Nach
außen keine Kapitulation, nach innen keine Revolution.« [5]

Zu Hitlers Leitmotiven gehört das alles oder nichts, das stete und totale

Wagnis der Existenz seiner selbst und anderer. Auch die unermüdliche Wiederholung der morbiden Beschwörung der Vernichtung, der Niederlage, gehört dazu. Psychologen mögen Hitlers Verhalten mit dem Drang erklären, traumatische frühere Erlebnisse zu wiederholen. Der Historiker muß sich darauf beschränken, das rätselhafte Element der Selbstzerstörung im Leben des Diktators zu konstatieren, das als fundamentaler Widerspruch überall durch die Oberfläche der Gestalt Hitlers und seiner Herrschaft bricht, stets verbunden mit der Zerstörung von Menschenleben. Aber er achtete auch sein eigenes Leben gering, obwohl er es zu schützen suchte. Hitlers Verhalten in Fragen seiner persönlichen Sicherheit belegt bis ins einzelne den Zug zum Wagnis und zum Existenzrisiko, ja zur Selbstvernichtung.

Spieler werden in ihrem Glauben an ihr »Glück« durch »Treffer« bestätigt. Hitlers »Treffer« waren seine Erfolge im Kampf um die Macht, in seiner stets risikoreichen Außenpolitik, und seine Errettungen vor zahlreichen Anschlägen auf sein Leben, wie am 9. November 1923, am 8. November 1939 oder am 20. Juli 1944. Er schrieb diese Errettungen zweifellos ernsthaft der »Vorsehung« zu. Im Plan der Vorsehung lauerte jedoch ein böser Widerspruch, der Hitler bewußt, aber unerklärlich war: »Ich kann aber jederzeit von einem Verbrecher, von einem Idioten beseitigt werden.«[6]

Nahezu alle der im Vergleich zum Umfang der Sicherheitsmaßnahmen zahlreichen Attentatversuche, die dem Erfolg nahe kamen, sind gescheitert, *nachdem* die Schutzmaßnahmen von den Attentätern umgangen und überwunden waren. Hitler selbst wußte, wie er in einem Tischgespräch im Mai 1942 sagte, »daß er bei den Attentaten, die sein Leben wirklich ernsthaft gefährdet hätten, nicht durch die Polizei, sondern durch ausgesprochene Zufälle gerettet worden sei«. Und am 20. August 1942: »Ich habe mein Leben tausendmal riskiert, und ich verdanke mein Überleben einfach meinem Glück.«[7]

Im Zusammenhang der Untersuchung ist auch deutlich geworden, daß Hitler sich eingehend und während seiner ganzen Laufbahn mit Maßnahmen für seinen persönlichen Schutz befaßt hat, gleichgültig, ob seine Äußerungen darüber sorglos oder besorgt waren, und daß er selbst die über alles bisher Bekannte hinausgehenden Maßnahmen immer wieder gutgeheißen, autorisiert, verlangt und befohlen hat. Zugleich durchbrach er selbst immer wieder die zu seinem Schutz getroffenen Maßnahmen, teils aus Sorglosigkeit, teils aus dem offenbaren Drang, etwas zu riskieren, und sei es das eigene Leben.

Andererseits hat sich gezeigt, daß auch bei völlig sicherheitsgemäßem Verhalten Hitlers seinem Schutz Grenzen gesetzt waren, die wohl in einer

Richtung überschritten werden konnten, aber nur um den Preis der Beeinträchtigung der allgemeinen Effektivität des Geschützten, also um den
Preis seiner Isolierung von den Massen, den Heeren und der Regierung,
die er führte, und um den Preis der gleichzeitigen Erhöhung des Sicherheitsrisikos, zum Beispiel durch die Anwesenheit kaum kontrollierbarer
Arbeiterheere oder durch ein Gewirr sich gegenseitig lahmlegender Siche-
rungsorgane. Jenseits der so gesteckten Grenzen enthielt jede Erhöhung
der Sicherheit, wie zu sehen war, ihre eigene Negation.

Linge, Schulze-Kossens, Kempka u. a. neigen dazu, die zum Schutze
Hitlers vor allem vor dem Krieg ergriffenen Sicherheitsmaßnahmen für
gering, unzureichend, wenn nicht gar stümperhaft zu erklären. Sie sehen
darin keine Herabsetzung ihrer eigenen Funktionen. Denn, so argumen-
tieren sie, erstens habe sich Adolf Hitler umfangreiche störende Sicherheitsmaßnahmen vor dem Kriege verbeten, weil er den möglichst unmittelbaren Kontakt mit der Bevölkerung brauchte, weil er die Überraschung
für die beste Sicherheitsmaßnahme hielt und endlich in der Überzeugung,
daß eigentlich das ganze Volk nur Begeisterung für ihn empfand und
gegen die wenigen Irren und Feinde doch keine Vorkehrungen helfen;
zweitens seien umfangreiche Maßnahmen allenfalls gegen Begeisterungs-
ausbrüche, nicht gegen etwaige Attentate nötig gewesen, jeder Einzel-
attentäter habe gewußt, daß ihn die Menge sofort in Stücke reißen würde;
schließlich habe Hitler immer gesagt, daß gegen einen methodisch vorge-
henden Einzeltäter, der ihn etwa aus sicherer Entfernung mit einem Zielfernrohr aufs Korn nehme, ohnehin nichts zu machen sei. An alldem ist
Richtiges, aber ganz richtig ist es nicht.

Gegen Hitlers angebliche Gleichgültigkeit gegenüber Sicherheitsmaßnahmen zum Schutz seiner Person sprechen die objektiv festgestellten,
von ihm selbst befohlenen, gutgeheißenen oder zumindest geduldeten
Maßnahmen, auch schon in den dreißiger Jahren, und die Zeugnisse für
Hitlers Besorgnis um seine persönliche Sicherheit. Dagegen spricht auch
die stete Intensivierung der Maßnahmen im Lauf der Jahre, zumal nach
Anschlägen, insbesondere nach dem 8. November 1939 und nach dem
20. Juli 1944. Auch die Nachstellungen des Schweizer Theologiestudenten
Maurice Bavaud haben Hitler zu denken gegeben; denn er war sich klar,
und er sprach das auch aus, daß er sein Leben mehr dem Zufall und die
Festnahme des Attentäters eher der Aufmerksamkeit eines Eisenbahn-
beamten verdankte als den Sicherheitsorganen. Bei solchen Überlegungen
trat immer Hitlers Glaube an die Vorsehung und an seine Auserwähltheit
in die Bresche. »Es ist wirklich ein Wunder«, hatte er nach dem Attentat
des 20. Juli 1944 gesagt. Jeder mißlungene Attentatversuch bestärkte

Hitler in dem Glauben, Sicherheitsmaßnahmen seien schließlich nutzlos und sogar überflüssig, während sie zugleich dauernd intensiviert wurden und Hitlers hypochondrische Besorgnisse zunahmen.

Also kommt man zu dem widersprüchlichen Ergebnis, daß Hitler zwar meistens sehr gut bewacht und geschützt war, daß aber auch reichlich Möglichkeiten für erfolgreiche Attentate bestanden. Ebenso widerspruchsvoll ist die Tatsache, daß eine Handvoll Verschwörer, die Hitler den Tod wünschten, ihn auch hätten umbringen können, wenn sie dazu psychisch fähig gewesen wären. Andererseits scheiterten diejenigen, die Versuche wirklich unternahmen, weniger an den Sicherheitsvorkehrungen als an bizarren Zufällen.

Hitler selbst trieb die Widersprüche auf die Spitze. Einerseits versuchte oder plante er, die Grenzen der Sicherheitsvorkehrungen gegen alle Vernunft und Brauchbarkeit auszudehnen; andererseits blieb er seiner Rolle als Spieler treu und suchte die Gefahr.

Als er 1939 mit Speer die Pläne für die künftige Gestaltung Berlins besprach, meinte er: »Es ist doch nicht ausgeschlossen, daß ich einmal gezwungen bin, unpopuläre Maßnahmen zu treffen. Vielleicht gibt es dann einen Aufruhr.« Für diesen Fall müsse vorgesorgt werden: Alle Gebäude am künftigen Adolf-Hitler-Platz, wo der Führerpalast stehen sollte, müssen »schwere stählerne, schußsichere Schiebeläden« und Türen bekommen, der einzige Zugang zum Platz werde durch ein schweres eisernes Gitter abgeschlossen: »Das Zentrum des Reiches muß wie eine Festung verteidigt werden können.« Die Front des Führerpalastes selbst sollte überhaupt keine Fenster haben, nur eine riesige, schwere Stahltür und eine Tür zu einem kleinen Balkon in der Höhe des fünften Stockwerkes gewöhnlicher Häuser. Die Kasernen der Leibstandarte SS »Adolf Hitler« sollten dicht beim Palast liegen, noch dichter aber die Kaserne des Berliner Wachregiments »Großdeutschland« [8]. Hitler scheute sich also nicht, seiner geistigen Verfassung, die die eines Festungsinsassen war, beredten Ausdruck zu geben, aber auch der Mentalität des Spielers, der für sich alle anderen aufs Spiel setzt, der auch in hoffnungsloser Situation immer auf eine Wendung des Glücks hofft und das Ende so lange wie möglich hinauszögert. 1933 hatte er Speer die Geschichte eines der Architekten der Wiener Oper erzählt, der am Vorabend der Eröffnung geglaubt hatte, der Bau sei völlig mißlungen und der sich deshalb erschossen hatte; als die Oper eröffnet worden sei, habe jeder den Architekten gelobt, und der Bau sei sein größter Triumph geworden. Moral: »Man dürfe nie aufgeben.« Wie oft sei er, Hitler, schon in schwierigen Situationen gewesen, und immer habe ihn eine glückliche Wendung gerettet. Ob die finanziellen

Mittel der Partei völlig erschöpft und ohne Aussicht auf neuen Zufluß waren oder ob er 1945 im Führerbunker in Berlin saß, immer rechnete er damit, daß die Vorsehung ihm heraushelfen würde [9].

Schließlich war Hitler als dämonischer Spieler im letzten Grunde gleichgültig gegenüber Erfolg oder Mißerfolg. Ende März 1945 sagte er zu Speer, in eisigem Ton, wie dieser berichtet: »Wenn der Krieg verlorengeht, wird auch das Volk verloren sein. Es ist nicht notwendig, auf die Grundlagen, die das deutsche Volk zu seinem primitivsten Weiterleben braucht, Rücksicht zu nehmen. Im Gegenteil ist es besser, selbst diese Dinge zu zerstören. Denn das Volk hat sich als das schwächere erwiesen, und dem stärkeren Ostvolk gehört ausschließlich die Zukunft. Was nach diesem Kampf übrigbleibt, sind ohnehin nur die Minderwertigen, denn die Guten sind gefallen!« [10]

Am 30. April 1945 ließ Hitler seinen treuen Piloten Hans Baur kommen und sagte ihm: »Ich habe noch zwei Möglichkeiten: Ich könnte in die Berge gehen oder zu Dönitz nach Flensburg. Vierzehn Tage später aber wäre ich genau so weit wie heute, ich stände vor der gleichen Alternative. Der Krieg geht mit Berlin zu Ende, ich stehe und falle mit Berlin. Man muß den Mut haben, die Konsequenzen zu ziehen – ich mache Schluß! Ich weiß, morgen schon werden mich Millionen Menschen verfluchen – das Schicksal wollte es nicht anders.« [11]

Wie um noch zum Schluß einen letzten, absurden Widerspruch in den »Sicherheitsmaßnahmen« zu schaffen, ließ Hitler die Hinrichtungen derer, die ihm jahrelang nach dem Leben getrachtet hatten, bis zum letzten möglichen Augenblick, bis zur Besetzung der Gefängnisse und Exekutionsstätten durch die Rote Armee weitergehen – während er selbst sich für seinen Selbstmord vorbereitete. An des Führers letztem Geburtstag, am 20. April 1945, wurden nicht etwa Verurteilte begnadigt, sondern es wurden 28 zum Tode Verurteilte im Zuchthaus Brandenburg an der Havel hingerichtet. Am 23. April 1945 wurden der Gewerkschaftsführer Johannes Albers sowie Wilhelm Schmidt und Rittmeister Dr. Paul van Husen vom Gefängnis Lehrter Straße zur Strafanstalt Plötzensee gebracht, wo sie hingerichtet werden sollten. Sie wurden in der letzten Minute durch die Ankunft von Einheiten der Roten Armee vor dem Tode errettet und befreit. 16 andere Insassen des Gefängnisses Lehrter Straße wurden am selben Tag von SS-Leuten abgeholt und auf dem nahen ULAP-Ausstellungsgelände durch Genickschuß ermordet [12].

Während noch immer der Krieg weiterging, während Kinder, Frauen, Männer um ihn herum starben, damit er sein Leben noch fristen konnte, beging Hitler in einem letzten Hohn und Widerspruch Selbstmord.

Tabelle der Attentate und Attentatversuche

Jahr	Ort	Täter	Seite
1921	München	?	16
1923	Leipzig	?	31
1932	Zug München– Weimar	?	31
1932	Stralsund	?	31
1932	Nürnberg	?	31
1933	verschiedene	? (etwa 10 Versuche)	38–40
1933	Obersalzberg	Unbekannter in SA-Uniform	191
1934	verschiedene	? (etwa 4 Versuche)	38
1936	Nürnberg	Helmut Hirsch	42
1937	?	Emigrantengruppen	42–43
1937	Berlin	Josef Thomas	173
1938	?	Emigrantengruppen	42
1938	Berlin	Friedrich Wilhelm Heinz u. a.	143
1938	Obersalzberg/ München	Maurice Bavaud (mindestens 3 Versuche)	43, 116–118, 193–194
1938/39	Berlin	Noel Mason–MacFarlane	43, 113–114
1939	München	Georg Elser	43, 79, 119–125
1939	Berlin	Erich Kordt	178
1939	Berlin	Franz Halder	
1943	Walki	Hubert Lanz, Hans Speidel, Hyazinth Graf Strachwitz	122–123 161
1943	Smolensk	Friedrich König	164
1943	Smolensk	Henning von Tresckow, Fabian von Schlabrendorff, Rudolf- Christoph Freiherr von Gersdorff	136, 162–166
1943	Berlin	Rudolf-Christoph Freiherr von Gersdorff	136–137
1943	»Wolfschanze«	Axel Freiherr von dem Bussche-Streithorst	200

Anmerkungen

I. Gegenstand, Sinn und Zweck der Untersuchung

1 Werner Maser: Adolf Hitler. Legende, Mythos, Wirklichkeit. München/Esslingen 1971, S. 141 f.; ders.: Die Frühgeschichte der NSDAP. Hitlers Weg bis 1924. Frankfurt/Bonn 1965, S. 287, 458–461; Documents on British Foreign Policy (DBFP). Third Series, Bd. VII, London 1954, no. 314; Akten zur deutschen auswärtigen Politik (ADAP). Serie D, Bd. VII, Baden-Baden 1956, Nr. 192 (Wiedergabe der Ansprache vom 22. 8. 1939); vgl. dazu Winfried Baumgart: Zur Ansprache Hitlers vor den Führern der Wehrmacht am 22. August 1939. Eine quellenkritische Untersuchung. In: Vierteljahrshefte für Zeitgeschichte (VfZ), 16 (1968), S. 120–149; Ernst Deuerlein: Hitlers Eintritt in die Politik und die Reichswehr. In: VfZ, 7 (1959), S. 177–227; ders. (Hrsg.): Der Hitler-Putsch. Bayerische Dokumente zum 8./9. November 1923. Stuttgart 1962, S. 709 ff.; Ernst Hanfstaengl: Zwischen Weißem und Braunem Haus. München 1970, S. 67 f.; Harold J. Gordon, Jr.: Hitler and the Beer Hall Putsch. Princeton 1972, S. 364; Ernst Röhm: Die Geschichte eines Hochverräters. München 1928, S. 227 ff.
2 Trial of the Major War Criminals before the International Military Tribunal Nuremberg 14 November 1945 – 1 October 1946. Bd. XXVI, Nürnberg 1947, S. 339; Max Domarus: Hitler. Reden und Proklamationen 1932–1945. 2 Bde. Neustadt a. d. Aisch 1962/63, Bd. II, S. 1056 ff.; vgl. Maser, Hitler, (Anm. 1), S. 253 f., 265 f. Zur programmatischen Gewalttätigkeit der NSDAP vgl. die zahlreichen Darstellungen über »Rollkommandos«, Versammlungssprengungen und andere Kämpfe, z. B. in Joseph Goebbels: Kampf um Berlin. München [18]1940; Julius K. v. Engelbrechten: Eine braune Armee entsteht. München 1937; ferner Hitlers eigene Äußerungen dazu in: Adolf Hitler: Mein Kampf. München 1930, z. B. S. 563–567, 597, 610 f., 613; und die öffentliche Solidarisierung der NSDAP-Führung mit den Mördern Konrad Pietzuchs 1932 (vgl. Paul Kluke: Der Fall Potempa. In: VfZ, 5 (1957), S. 279–297).
3 Otto Dietrich: 12 Jahre mit Hitler. München 1955, S. 183 f.; National Archives, Washington (NA), Record Group HL–242, Filmrollen ML 941, 942 (Sammlung von Kleinbildserien, aufgenommen von Reichsbildberichterstatter Prof. Heinrich Hoffmann und seinen Gehilfen), fortan zit.: NA RG HL–242; Völkischer Beobachter, 10.–12. November 1933–1938.
4 Elisabeth Hannover-Drück und Heinrich Hannover: Der Mord an Rosa Luxemburg und Karl Liebknecht. Dokumentation eines politischen Verbrechens. Frankfurt/M. 1967, passim; E. J. Gumbel: Vier Jahre politischer Mord. Berlin-Fichtenau 1922, S. 81; Bruno Gebhardt: Handbuch der deutschen Geschichte. Bd. 4, Stuttgart [2]1961, S. 97 ff.
5 M[atthias] Erzberger: Erlebnisse im Weltkrieg. Stuttgart/Berlin 1920, S. 383;

siehe auch Klaus Epstein: Matthias Erzberger and the Dilemma of German Democracy. Princeton 1959; Ernst von Salomon: Die Geächteten. Gütersloh [1930], S. 294–315, 353–365; ders.: Der Fragebogen. Hamburg 1951, S. 129–139; Röhm, a.a.O. (Anm. 1), S. 125, 136 f.; Hans Langemann: Das Attentat. Hamburg [1956], S. 140–173, 237–241.

II. Vor 1933

1 Adolf Hitler: Mein Kampf. München 1930, S. 563–567, 597, 610 f., 613.

2 Bruno Gebhardt: Handbuch der deutschen Geschichte. Bd. 4, Stuttgart ²1961, S. 128 ff.; Ernst Deuerlein: Hitlers Eintritt in die Politik und die Reichswehr. In: VfZ, 7 (1959), S. 219–222; Völkischer Beobachter vom 9. Nov. 1921; Werner Maser: Die Frühgeschichte der NSDAP. Hitlers Weg bis 1924. Frankfurt/Bonn 1965, S. 301–306; Reichsgesetzblatt (RGBl.), Teil I, 1922, S. 585.

3 Hitler, a.a.O. (Anm. 1), S. 614–618; Hans Volz: Daten der Geschichte der NSDAP. Berlin/Leipzig ¹¹1943, S. 10; Maser, a.a.O. (Anm. 2), S. 357 ff.

4 Hitler, a.a.O. (Anm. 1), S. 391 f.; Joachim C. Fest: Hitler. Eine Biographie. Frankfurt/Berlin/Wien 1973, S. 189; Maser, a.a.O. (Anm. 2), S. 223, 254 ff.; Michael H. Kater: Zur Soziographie der frühen NSDAP. In: VfZ, 19 (1971), S. 124–159; Ernst Röhm: Die Geschichte eines Hochverräters. München 1928, S. 100 f.; Deuerlein, a.a.O. (Anm. 2), S. 178–184, 187–190, 201–205.

5 Röhm, a.a.O. (Anm. 4), S. 13–74, 88–114, 122 f., 161, 163 f., 239, 283–289.

6 Mitgliederliste der NSDAP im Bundesarchiv Koblenz (BA) NS 26/230. Röhm war also Mitglied Nr. 123, nicht unter Nr. 70, wie er in seinen Memoiren schrieb (S. 107); vgl. Maser, a.a.O. (Anm. 2), S. 167, 192. Einem bei Deuerlein, a.a.O. (Anm. 2), S. 188 abgedruckten Versammlungskalender zufolge war das Datum der 16. Januar 1920. Röhm, a.a.O. (Anm. 4), S. 107 f. Das Wehrgesetz vom 23. März 1921 verbot in seinem § 36 jede politische Tätigkeit von Soldaten sowie ihre Mitgliedschaft und Teilnahme in politischen Vereinen und an Versammlungen (RGBl. I, 1921, S. 329).

7 Röhm, a.a.O. (Anm. 4), S. 140–143, 150 f., 154–158, 164 ff., 175, 191–202. Die »Reichskriegsflagge« hatte sich von der »Reichsflagge« abgespalten, deren Reste hielten zu Kahr. Heinrich Bennecke: Hitler und die SA. München 1962, S. 81; Röhm, a.a.O. (Anm. 4), S. 212–216 und Photo im Anhang; Bradley F. Smith: Heinrich Himmler. A Nazi in the Making, 1900–1926. Stanford, Calif. 1971, S. 131–136.

8 Hierzu und zum Folgenden: Hitler, a.a.O. (Anm. 1), S. 549 f.; Röhm, a.a.O. (Anm. 4), S. 221; Gunter d'Alquen: Die SS. Geschichte, Aufgabe und Organisation der Schutzstaffeln der NSDAP. Berlin 1939, S. 6 f.; Ernst Hanfstaengl: Zwischen Weißem und Braunem Haus. München 1970, S. 50 ff., 232 f.; Maser, a.a.O. (Anm. 2), S. 287, 303. Heß ist in Nürnberg zu lebenslänglicher Gefängnisstrafe verurteilt worden und ist in Spandau inhaftiert; Weber kam in den Wirren bei Kriegsende um; Schreck starb 1936 (vgl. dazu Himmlers Befehl vom 18. Mai 1936, NA T-354, Rolle 194). Berlin Document Center (BDC), SS-Offizier (SSO)- und Rasse- und Siedlungs-Hauptamt (RuSHA)-Akten. Vgl. auch Abschrift der Liste der Ordnungsmänner der N.S.D.A.P. 1919/20 (Hoover Institution NSDAP-Hauptarchiv, Rolle 1, no. 215).

9 Hitler, a.a.O. (Anm. 1), S. 40 ff.
10 Hitler, a.a.O. (Anm. 1), S. 551; vgl. Völkischer Beobachter vom 9. Febr. 1921,
   zitiert bei Maser, a.a.O. (Anm. 2), S. 288; Bennecke, a.a.O. (Anm. 7), S. 30–33.
11 Röhm, a.a.O. (Anm. 4), S. 108 f.; Volz, a.a.O. (Anm. 3), S. 119 f.; Ernst Deuerlein (Hrsg.): Der Hitler-Putsch. Bayerische Dokumente zum 8./9. November
   1923. Stuttgart 1962, S. 706 f.; vgl. Dietrich Orlow: The History of the Nazi
   Party 1919–1933. Pittsburgh 1969, S. 41; Hanfstaengl, a.a.O. (Anm. 8), S. 123;
   Bennecke, a.a.O. (Anm. 7), S. 28–31; Maser, a.a.O. (Anm. 2), S. 307 ff., 363.
12 Harold J. Gordon, Jr.: Hitler and the Beer Hall Putsch. Princeton 1972, S. 36.
13 Röhm, a.a.O. (Anm. 4), S. 108 f., 141; Maser, a.a.O. (Anm. 2), S. 307 f., 363;
   Gabriele Krüger: Die Brigade Ehrhardt. Hamburg 1971, S. 105–108; Johannes
   Erger: Der Kapp-Lüttwitz-Putsch. Düsseldorf 1967, passim; Bennecke, a.a.O.
   (Anm. 7), S. 29; Hanfstaengl, a.a.O. (Anm. 8), S. 123.
14 Röhm vertrat in seinen Memoiren durchweg diesen Standpunkt des Primats
   des Soldaten. Vgl. Bennecke, a.a.O. (Anm. 7), passim und besonders S. 28–75,
   84, 109.
15 Siehe Anm. 3; Hitler, a.a.O. (Anm. 1), S. 562–567, 613–617; Volz, a.a.O.
   (Anm. 3), S. 9, 119. Bennecke, a.a.O. (Anm. 7), S. 32, zeigt, daß Hitlers Zahl
   von 800 Schlachtteilnehmern wenigstens das Doppelte der wirklichen Zahl
   darstellt. Vgl. auch Völkischer Beobachter 9. Nov. 1921.
16 [Erich] Ludendorff: Auf dem Weg zur Feldherrnhalle. München 1937, S. 68;
   Hitler, a.a.O. (Anm. 1), S. 564 f.; d'Alquen, a.a.O. (Anm. 8), S. 7. Siehe unten S. 54, 61.
17 Röhm, a.a.O. (Anm. 4), S. 162; Bennecke, a.a.O. (Anm. 7), S. 45, 63; d'Alquen,
   a.a.O. (Anm. 8), S. 6; Volz, a.a.O. (Anm. 3), S. 120; Shlomo Aronson: Reinhard Heydrich und die Frühgeschichte von Gestapo und SD. Stuttgart 1971,
   S. 48, 264 f., Anm. 57; Gordon, a.a.O. (Anm. 12), S. 63 f.
18 Stadtarchiv München, Zim. 116; Röhm, a.a.O. (Anm. 4), S. 100, 109, 118, 158,
   160, 170; Liste der Ordnungsmänner, a.a.O. (Anm. 8); Gordon, a.a.O. (Anm.
   12), S. 363.
19 Röhm, a.a.O. (Anm. 4), S. 221 f.; [Alfred Rosenberg]: Das politische Tagebuch
   Alfred Rosenbergs aus den Jahren 1934/35 und 1939/40. Göttingen 1956, S. 88;
   Ludendorff, a.a.O. (Anm. 16), S. 61, 75; Hanfstaengl, a.a.O. (Anm. 8), S. 131 ff.;
   Gordon, a.a.O. (Anm. 12), S. 285 f., 353.
20 Gordon, a.a.O. (Anm. 12), S. 353–365.
21 Gordon, a.a.O. (Anm. 12), S. 364, 464; Hanfstaengel, a.a.O. (Anm. 8), S. 147 f.;
   Philipp Bouhler: Kampf um Deutschland. Berlin 1938, S. 68; Volz, a.a.O.
   (Anm. 3), S. 14.
22 Hierzu und zum Folgenden: Röhm, a.a.O. (Anm. 4), S. 272, 289–325, 334–341;
   Maser, a.a.O. (Anm. 2), S. 455; siehe Photo in: Werner Maser: Adolf Hitler.
   Legende, Mythos, Wirklichkeit. München/Esslingen, 3. Aufl., nach S. 320;
   Hitler's Secret Conversations. New York 1953, S. 138 (nicht in Henry Picker:
   Hitlers Tischgespräche im Führerhauptquartier 1941–1942. Stuttgart ²1965);
   Volz, a.a.O. (Anm. 3), S. 20, 121; Bennecke, a.a.O. (Anm. 7), S. 114, 119, 125;
   d'Alquen, a.a.O. (Anm. 8), S. 6 f.
23 Volz, a.a.O. (Anm. 3), S. 122; Bennecke, a.a.O. (Anm. 7), S. 128–131, 214.
24 Charles Drage: The Amiable Prussian. London 1958, S. 69; Bennecke, a.a.O.
   (Anm. 7), S. 137, 140, 154, 213 f.

25 Bennecke, a.a.O. (Anm. 7), S. 141 f.; Thilo Vogelsang: Reichswehr, Staat und NSDAP. Stuttgart 1962, S. 116; vgl. Drage, a.a.O. (Anm. 24), S. 69 f.; Orlow, a.a.O. (Anm. 11), S. 211 f.

26 Bennecke, a.a.O. (Anm. 7), S. 147 ff.; Orlow, a.a.O. (Anm. 11), S. 211 f.; Drage, a.a.O. (Anm. 24), S. 72–76; Peter Hüttenberger: Die Gauleiter. Stuttgart 1969, S. 221–224; Karl Dietrich-Bracher – Wolfgang Sauer – Gerhard Schulz: Die nationalsozialistische Machtergreifung. Köln/Opladen ²1962, S. 848 f.; Volz, a.a.O. (Anm. 3), S. 124; Vogelsang, a.a.O. (Anm. 25), S. 116.

27 Bennecke, a.a.O. (Anm. 7), S. 149; Orlow, a.a.O. (Anm. 11), S. 212; Drage, a.a.O. (Anm. 24), S. 74–77; Volz, a.a.O. (Anm. 3), S. 124.

28 [Ernst Röhm: Briefe an Dr. Heimsoth], Privatdruck, Berlin 1932; vgl. Röhm, a.a.O. (Anm. 4), S. 236 f.; Drage, a.a.O. (Anm. 24), S. 81 f.; Stennes, Brief an den Verfasser vom 3. April 1974; Bennecke, a.a.O. (Anm. 7), S. 149–152; Orlow, a.a.O. (Anm. 11), S. 213 (mit irrigen Angaben über Röhms Aufenthalt in Bolivien) u. S. 215 (Beschwerden von Parteifunktionären über Röhms Homosexualität); Erlaß Nr. 1 des OSAF (Hitler) vom 3. Febr. 1931 (in: Bennecke, a.a.O. [Anm. 7], S. 253).

29 Hitler's Secret Conversations, (Anm. 22), S. 138 (nicht in Picker); Volz, a.a.O. (Anm. 3), S. 122; SS-Inspekteur für Statistik an Himmler vom 1. März 1943, NA T–580, Rolle 88; d'Alquen, a.a.O. (Anm. 8), S. 7; Edgar Erwin Knoebel: Racial Illusion and Military Necessity. Ph. D. Thesis, University of Colorado 1965, S. 1–18, 376; Maser, a.a.O. (Anm. 22), S. 296; Bracher–Sauer–Schulz, a.a.O. (Anm. 26), S. 838; Befehl Himmlers vom 18. Mai 1936 zum Tod von Schreck, NA T–354, Rolle 194.

30 Bennecke, a.a.O. (Anm. 7), S. 239 f. druckt den Befehl ab; Bracher–Sauer–Schulz, a.a.O. (Anm. 26), S. 850; Heinz Höhne: Der Orden unter dem Totenkopf. Gütersloh 1967, S. 28 ff., auch zum Folgenden.

31 Höhne, a.a.O. (Anm. 30), S. 30 f.

32 Röhm, a.a.O. (Anm. 4), S. 216; Volz, a.a.O. (Anm. 3), S. 122; Höhne, a.a.O. (Anm. 30), S. 43 ff.; vgl. Bennecke, a.a.O. (Anm. 7), S. 54; Smith, a.a.O. (Anm. 7), S. 131–136, 152, 167.

33 Hierzu und zum Folgenden: Höhne, a.a.O. (Anm. 30), S. 34–38, 40 f., 44–48; Smith, a.a.O. (Anm. 7), S. 20–34, 47 ff., 77–129. Vgl. die Liste einer Himmleriana-Sammlung in Hermann-Otto und Elfriede Winiarski: 3. Tradition Auktion. Törwang ü. Rosenheim (1973), Nr. 2368; Hitler's Secret Conversations, (Anm. 22), S. 138 (nicht in Picker); Knoebel, a.a.O. (Anm. 29), S. 11–14.

34 Hierzu und zum Folgenden: Bennecke, a.a.O. (Anm. 7), S. 153; Knoebel, a.a.O. (Anm. 29), S. 15 f.; Höhne, a.a.O. (Anm. 30), S. 58; vgl. Hitler's Secret Conversations, (Anm. 22), S. 138 (nicht bei Picker); Volz, a.a.O. (Anm. 3), S. 124, 128.

35 Knoebel, a.a.O. (Anm. 29), S. 15 f., 376; Himmler an OSAF am 2. Okt. 1931, NA T–580, Rolle 88.

36 Höhne, a.a.O. (Anm. 30), S. 60, 62; Bracher–Sauer–Schulz, a.a.O. (Anm. 26), S. 848 f.; Drage, a.a.O. (Anm. 24), S. 74; Aronson, a.a.O. (Anm. 17), S. 51 f.

37 Drage, a.a.O. (Anm. 24), S. 70, 72, 81–89; Stennes, Brief; nach Höhne, a.a.O. (Anm. 30), S. 66, hatte Stennes in dieser Revolte eine noch aktivere Rolle; vgl. Völkischer Beobachter vom 1.–4. April 1931; Vogelsang, a.a.O. (Anm. 25), S. 119 f.; Bracher–Sauer–Schulz, a.a.O. (Anm. 26), S. 852 f.

38 Stennes, Brief; Drage, a.a.O. (Anm. 24), S. 90–104; Volz, a.a.O. (Anm. 3), S. 30; Rudolf Diels: Lucifer ante Portas. Zwischen Severing und Heydrich. Zürich o. J., S. 184 f.

39 Volz, a.a.O. (Anm. 3), S. 124; Höhne, a.a.O. (Anm. 30), S. 67.

40 Volz, a.a.O. (Anm. 3), S. 125; Aronson, a.a.O. (Anm. 17), S. 55 (der Heydrichs Ernennung zum Leiter des Ic-Dienstes in den August 1931 legt).

41 Hans Baur: Ich flog Mächtige der Erde. Kempten 1956, S. 81; Otto Dietrich: Mit Hitler in die Macht. München [11]1934, S. 52 f., 83 f., 109; Joseph Goebbels: Vom Kaiserhof zur Reichskanzlei. München 1934, S. 64, 135.

42 Baur, a.a.O. (Anm. 41), S. 84, 88 f., 91; Dietrich, a.a.O. (Anm. 41), S. 77, 169; Hanfstaengl, a.a.O. (Anm. 8), S. 262, 279; Hildegard Kutzke, Dr. Julius Lippert, Josef Berchtold, Gunther d'Alquen u. a.: Wir fliegen mit Hitler. Berlin-Schöneberg [1934], S. 31, 46 f., 68.

43 Grieben Reiseführer, Band 19: München und Umgebung. Berlin [41]1936, S. 59; Bouhler, a.a.O. (Anm. 21), S. 81; Volz, a.a.O. (Anm. 3), S. 30, 32; Karl Fiehler: München baut auf. München o. J., S. 63 und Photo; Adolf Dresler: Das Braune Haus und die Verwaltungsgebäude der Reichsleitung der NSDAP. in München. München [2]1937, S. 10, 13.

44 Vorschrift für den Sicherheitsdienst im Braunen Haus (S.D.V.), von Röhm unterzeichnet, München 18. Sept. 1931; OSAF-Befehle Qu. Nr. 114/32; Stabsbefehl (Neuregelung des Sicherheitsdienstes im Braunen Haus), BA Slg Schumacher O.434; Erich Czech-Jochberg: Wie Adolf Hitler der Führer wurde. Leipzig [1933], S. 68.

45 Volz, a.a.O. (Anm. 3), S. 29, 37, 42, 125; vgl. Julius K. v. Engelbrechten: Eine braune Armee entsteht. München 1937, S. 129 ff., über »Verbotsuniformen«.

46 Höhne, a.a.O. (Anm. 30), S. 71 ff., auch zum Folgenden.

47 Orlow, a.a.O. (Anm. 11), S. 282; vgl. Vogelsang, a.a.O. (Anm. 25), S. 308 f. Rosenberg, a.a.O. (Anm. 19), S. 47, erwähnt unter den beim »Röhm-Putsch« Erschossenen »auch *die* von der Wache im Braunen Haus, die R.[eichs]-Schatzmeister [der NSDAP] Schwarz, Buch u. a. zu erschießen berufen waren«; Höhne, a.a.O. (Anm. 30), S. 71 ff.

48 Dresler, a.a.O. (Anm. 43), S. 14 f.

III. Hitler Regierungschef

1 Polizeipräsident [von Berlin]: Richtlinien für die Sicherung der Reichskanzlei vom 25. Sept. 1923; Niederschrift über eine Besprechung in der Reichskanzlei am 1. Aug. 1922 [zwischen] Staatssekretär Dr. Hemmer, Reichskommissar Kuenzer, Staatskommissar Weismann, Oberregierungsrat Weiss, Geheimer Regierungsrat Wever; Dienstanweisung für die in der Reichskanzlei tätigen Beamten der [polit.] Abteilung I A [des Pol. Präs.] [Sept. 1923]; Schutzpolizei Berlin: Abänderung der Erweiterung der Wachtvorschrift für die Reichskanzleiwache vom 27. 9. 1923, BA R 43 II/990.

2 Polizeipräsident/Abt. IA an Reichskanzlei vom 27. 4. 1931, BA R 43 II/990.

3 Staatssekretär d. Reichskanzlei an Pol.-Präs. 25. Nov. 1932, BA R 43 II/990.

4 BA R 43 II/990; Henry Picker: Hitlers Tischgespräche im Führerhauptquartier 1941–1942. Stuttgart [2]1965, S. 307 f.; Rudolf Diels: Lucifer ante Portas. Zwischen Severing und Heydrich. Zürich o. J., S. 51.

5 BA R 43 II/990.
6 Hierzu und zum Folgenden: Diels, a.a.O. (Anm. 4), S. 51–54, 176–179; Joseph Goebbels: Vom Kaiserhof zur Reichskanzlei. München 1934, S. 272; Fritz Tobias: Der Reichstagsbrand. Rastatt 1962, S. 132–138, 626.
7 Tobias, a.a.O. (Anm. 6), passim; Hans Mommsen: Der Reichstagsbrand und seine politischen Folgen. In: VfZ, 12 (1964), S. 351–413; Walther Hofer – Edouard Calic – Karl Stephan – Friedrich Zipfel (Hrsg.): Der Reichstagsbrand. Eine wissenschaftliche Dokumentation. Bd. I, Berlin [1972], versuchen Tobias und Mommsen zu widerlegen; RGBl. I, 1933, S. 83; Strafgesetzbuch für das Deutsche Reich mit Nebengesetzen. Berlin/Leipzig ²⁹1930, § 44.
8 Oberreichsanwalt an Reichsminister der Justiz vom 1. Juni 1933, BA R 43 II/1519; Max Domarus: Hitler. Reden und Proklamationen 1932–1945. 2 Bde. Neustadt a. d. Aisch 1962/1963, S. 216 f.
9 BA RG 1010/3183, R 43 II/990, R 43 II/991, NS 29/vorl. 435.
10 Vgl. Karl Dietrich Bracher – Wolfgang Sauer – Gerhard Schulz: Die national-sozialistische Machtergreifung. Köln/Opladen ²1962, S. 830–855, 897–966; Diels, a.a.O. (Anm. 4), S. 277 f.; Heinrich Bennecke: Hitler und die SA. München 1962, S. 216; ders.: Die Reichswehr und der »Röhm Putsch«. München/Wien [1964], S. 31–35, 42 ff., 48 f.; vgl. Hermann Mau: Die »Zweite Revolution« – der 30. Juni 1934. In: VfZ, 1 (1953), S. 119–137.
11 Diels, a.a.O. (Anm. 4), S. 51, 252–255, 279, 282; vgl. Bracher–Sauer–Schulz, a.a.O. (Anm. 10), S. 961.
12 Bracher–Sauer–Schulz, a.a.O. (Anm. 10), S. 959–966; vgl. die Liste bei Bennecke, Reichswehr, (Anm. 10), S. 87 f.
13 [Alfred Rosenberg]: Das politische Tagebuch Alfred Rosenbergs aus den Jahren 1934/35 und 1939/40. Göttingen 1956, S. 44–49; Das Archiv, Juni und Juli 1934, S. 327, 470; Heinz Höhne: Der Orden unter dem Totenkopf. Gütersloh 1967, S. 108 f.; Bennecke, Reichswehr, (Anm. 10), S. 56 ff.; Bracher–Sauer–Schulz, a.a.O. (Anm. 10), S. 961; Erich Kempka, mündl. Mitteilung vom 24. Aug. 1974; Bruno Gesche, mündl. Mitteilung vom 12. Nov. 1974. Zum Einsatz der LSSAH beim »Röhm-Putsch« vgl. James J. Weingartner: Sepp Dietrich, Heinrich Himmler and the *Leibstandarte SS Adolf Hitler*, 1933–1938. In: Central European History 1 (1968), S. 276 ff.; Goebbels (Tagebücher aus den Jahren 1942–43. Zürich 1948, S. 262) notierte unter dem 9. März 1943: »Sepp Dietrich hat ja in der Stennes-Revolte schon einmal einen Aufstand niedergeschlagen; wie viel besser würde er das jetzt machen.«
14 Rosenberg, a.a.O. (Anm. 12), S. 45 f.; Das Archiv, Juli 1934, S. 470; vgl. Hans Baur: Ich flog Mächtige der Erde. Kempten 1956, S. 118–122; Höhne, a.a.O. (Anm. 12), S. 109.
15 Rosenberg, a.a.O. (Anm. 12), S. 46; Shlomo Aronson: Reinhard Heydrich und die Frühgeschichte von Gestapo und SD. Stuttgart 1971, S. 193; Bracher–Sauer–Schulz, a.a.O. (Anm. 10), S. 961; Eicke an Himmler vom 10. August 1936, NA T–580, Rolle 88.
16 Bennecke, Reichswehr, (Anm. 10), S. 58; Hans Volz: Daten der Geschichte der NSDAP. Berlin/Leipzig ¹¹1943, S. 128; Bracher–Sauer–Schulz, a.a.O. (Anm. 10), S. 960–965; Fritz Wiedemann: Der Mann der Feldherr werden wollte. Velbert/Kettwig 1964, S. 64 f.
17 Peter Hoffmann: Widerstand, Staatsstreich, Attentat. München ²1970, S. 297

bis 302; vgl. Wolfgang Abendroth: Das Problem der Widerstandstätigkeit der Schwarzen Front. In: VfZ, 8 (1960), S. 186 f.; BA RG 1010/3183, R 43 II/1101 b; Auswärtiges Amt/Politisches Archiv 83–69 A.g.; BA NS 29/vorl. 435; vgl. Wolfgang Diewerge: Der Fall Gustloff. München 1936, passim; David Frankfurter: I kill a Nazi Gauleiter. Memoir of a Jewish Assassin. In: Commentary 9 (1950), S. 133–141; Auswärtiges Amt/Politisches Archiv 83–69g. 21.4. (111 g); Alexander Foote: Handbook for Spies. London ²1953, S. 30–33; Johann Georg Elser: Autobiographie eines Attentäters. Stuttgart 1970, passim; Anton Hoch: Das Attentat auf Hitler im Münchner Bürgerbräukeller 1939. In: VfZ, 17 (1969), S. 383–413.

IV. Der Reichssicherheitsdienst

1 Die Bezeichnung I A stammt von 1921 (Karl Dietrich Bracher – Wolfgang Sauer – Gerhard Schulz: Die nationalsozialistische Machtergreifung. Köln/Opladen ²1962, S. 537); Hans Buchheim: Die SS – das Herrschaftsinstrument. Befehl und Gehorsam. München 1967, S. 35.

2 Hierzu und zum Folgenden: Buchheim, a.a.O. (Anm. 1), S. 36–39, 42 f., 49; Stennes, Brief an den Verf. vom 3. April 1974; Cuno Horkenbach (Hrsg.): Handbuch der Reichs- und Staatsbehörden, Körperschaften und Organisationen. Berlin 1935, S. 99; Bracher–Sauer–Schulz, a.a.O. (Anm. 1), S. 439–442, 601 ff.; Heinz Höhne: Der Orden unter dem Totenkopf. Gütersloh 1967, S. 82 f., 86–89; Rudolf Diels: Lucifer ante Portas. Zwischen Severing und Heydrich. Zürich o. J., S. 13, 187–212, bes. S. 187–190; vgl. Bracher–Sauer–Schulz, S. 862.

3 Hierzu und zum Folgenden: Mündl. Mitteilungen von Gesche und Kempka; NA T–354, Rolle 196/3855273; Himmler (»i. V.« für den Preuß. Ministerpräsidenten und Chef der Geheimen Staatspolizei) an Dr. Lammers vom 31. Mai 1934, BA R 43 II/1103; Der Chef des Reichssicherheitsdienstes [Himmler]: Die Deutsche Polizei, vom 1. Sept. 1944, RSD-Akten, Hoover Institution TS Germany R 352 f.; Abschrift aus einem Bericht des Polizeirats und Personalreferenten Paul Kiesel über den RSD an das Bayer. Staatsministerium für Sonderaufgaben [Nov. 1945], im Besitz von Krim. Dir. a. D. F. Schmidt; Rattenhuber an Reichskanzlei vom 15. Dez. 1938, Himmler an Lammers vom 13. Juni 1940, BA R 43 II/1104; Rattenhuber an Schwerin von Krosigk vom 19. März 1940, mit Vermerk von Schwerin von Krosigk vom 29. März 1940, BA R 2/12160; Frick an Lammers vom 13. Juli 1934, Pfundtner an Schwerin von Krosigk, Lammers, Brückner vom 13. u. 22. Dez. 1934, 6. Febr. 1935, sowie Erbe an dies. vom 8. Jan. 1935, BA R 43 II/1103; vgl. Max Domarus: Hitler. Reden und Proklamationen 1932–1945. 2 Bde. Neustadt a. d. Aisch 1962/1963, S. 463; Shlomo Aronson: Reinhard Heydrich und die Frühgeschichte von Gestapo und SD. Stuttgart 1971, S. 102 f.; Vermerk vom 29. Jan. 1935, BA R 43 II/1103; Vermerk vom 16. Febr. 1935 (unterzeichnet »Scht«), BA R 2/12159; über Rattenhuber und Högl siehe BDC, SSO-Akten; BA R 43 II/1104; mündl. Mitteilungen von Frau Rattenhuber vom 25. Mai 1973; Dienstaltersliste der Schutzstaffel der NSDAP, Stand vom 1. Okt. 1938, NA T–175, Rolle 205, und SS-Personalbefehl Nr. 13 vom 4. Mai 1934, München, NA T–354, Rolle

212; Schutz- und Wachkommandos des Führers und Reichskanzlers und der Reichskanzlei (etwa 13. Dez. 1934), BA R 43 II/1103; Pfundtner notierte am 13. Febr. 1935, das Führerschutzkommando werde hauptsächlich aus Mitteln der Bayerischen Politischen Polizei bezahlt; vgl. Buchheim, a.a.O. (Anm. 1), S. 35–49; Daluege, Generalleutnant der Landespolizei, war Chef der Abt. III (Polizei) im Reichs- und Preußischen Ministerium des Innern; Horkenbach, a.a.O. (Anm. 2), S. 58.

4 Brückner war längst wieder zu Hitler gestoßen, nachdem er 1925 gleichzeitig mit Röhm sein SA-Kommando niedergelegt hatte; er war Hitlers Chefadjutant bis zum Oktober 1940, als er wegen Differenzen mit dem Hausintendanten Kannenberg entlassen wurde; sein Nachfolger war Julius Schaub ([Martin Bormann], Daten aus alten Notizbüchern, 18. Okt. 1940, Hoover Institution, NSDAP Hauptarchiv, Rolle 1).

5 Hierzu und zum Folgenden: Vermerk von »Scht« vom 16. Febr. [1935], BA R 2/12159; Aufzeichnung über die Besprechung betr. das Führerschutzkommando am 15. Febr. 1935 in der Reichskanzlei, Vermerke von St[einmeye]r u. Wienstein vom 13., 16., 18. März, 20. April, 21. Okt. 1935, BA R 43 II/1103; vgl. Domarus, a.a.O. (Anm. 3), S. 490; Rattenhuber, Verzeichnis der Kriminalbeamten des Führerschutzkommandos vom 30. Nov. 1934, BA NS 10/134; Haushalt für Reichssicherheitsdienst (Kommando z. b. V.) 1935, BA R 2/12159; Himmler an Schwerin von Krosigk vom 8. März 1937, BA R 2/12159; Lammers an Himmler vom 22. Okt. 1935, Himmler an Lammers vom 29. Okt. 1935, BA R 43 II/1103; [Himmler], Die Deutsche Polizei.

6 Himmler an Hitler vom 13. Nov. 1935, Lammers an Himmler vom 14. Nov. 1935, Lammers an Heß vom 1. Nov. 1935, Grauert, Vermerk vom 30. März 1936, Lammers an Himmler vom 22. Okt., 13. u. 14. Nov. 1935, BA R 43 II/1103.

7 Dies wurde mehrfach neu bekräftigt, z. B. Lammers an Schwerin von Krosigk [vom 2. Mai 1936], Entwurf BA R 43 II/1103: »... und hat sich der Führer und Reichskanzler vorbehalten, die letzte Entscheidung selbst zu treffen und die Ernennungsurkunden für sämtliche Beamten des Reichssicherheitsdienstes eigenhändig zu vollziehen.« Himmler an Lammers vom 30. Okt. 1935, Lammers an Himmler vom 1. Nov. 1935, BA R 43 II/1103; RGBl. I, 1935, S. 1203; Horkenbach, a.a.O. (Anm. 2), S. 129; Heß' Adjutant Winkler an Lammers vom 5. Nov. 1935, BA R 43 II/1103; vgl. Hans Mommsen: Beamtentum im Dritten Reich. Stuttgart 1967, S. 182–202.

8 Rattenhuber, Befehlsverhältnisse, Febr. 1935, BA R 2/12159; Högl an Brückner vom 20. Nov. 1939, BA NS 10/136; BA NS 10/55, 10/124; Friedrich Schmidt, Briefe vom 8. Febr. 1966, 6. Okt. 1966, 4. Okt. 1967. Himmlers Befehlsgewalt war wenig mehr als formal, obwohl Rattenhuber die Befehlsverhältnisse 1935 folgendermaßen beschrieb: Das Kommando z. b. V. untersteht dem Reichsführer SS Himmler; sein Vertreter ist SS-Gruppenführer Heydrich; der Reichsführer SS, Himmler, überträgt mit Zustimmung des Führers SS-Obersturmbannführer Rattenhuber die Führung des Kommandos z. b. V.; und: »Mit der Führung des Gesamtkommandos ist zugleich der persönliche Sicherheitsdienst beim Führer verbunden.« James Leasor: The Uninvited Envoy. New York/Toronto/London 1962, passim; BDC, Bormann-Akten.

9 BDC, Bormann-Akten; RGBl. I, 1941, S. 295; Horkenbach, a.a.O. (Anm. 2),
S. 129; Albert Bormann, Brief vom 15. Nov. 1964; Albert Speer: Erinnerungen. Frankfurt/Berlin 1969, S. 273, 280, 287, 289 f., 301, 340 f.; Diels, a.a.O.
(Anm. 2), S. 184, 255; Lammers an oberste Reichsbehörden vom 8. Mai 1943,
BA NS 6/159. Hitlers Erlaß vom 12. April 1943 lautete: »Reichsleiter M. Bormann führt als mein persönlicher Sachbearbeiter die Bezeichnung ›Sekretär
des Führers‹.« BA NS 6/159; vgl. Erich Kempka: Ich habe Adolf Hitler verbrannt. München [1950], S. 39–55; M. Bormann an Chef der SS-Personalkanzlei 2. Sept. 1938, BDC, SSO-Akten Darges.
10 Hierzu und zum Folgenden: Vgl. oben S. 21; SS-Standartenführer Rattenhuber an Lammers am 14. Nov. 1935, BA R 43 II/1103. Die Ernennungsurkunden trugen das Datum des 9. November. RGBl. I, 1933, S. 1017; RGBl. I, 1934,
S. 747 u. 785 (Gesetz vom 20. August 1934); Robert J. O'Neill: The German
Army and the Nazi Party, 1933–1939. London 1966, S. 54–61; Hitler an Lammers vom 17. Jan. 1936, BA R 43 II/1103. Himmler konnte diesen offiziellen
Eid nicht abnehmen, weil er noch nicht Beamter war. Wienstein, Vermerk
für Lammers vom 17. Jan. 1936, Rattenhuber an Wienstein vom 23. April u.
18. Juni 1936, Wienstein, Vermerk vom 18. Juni 1936, BA R 43 II/1103;
Lammers, Vermerke vom 3. u. 16. Jan. 1942, BA R 43 II/1104; [Himmler],
Die Deutsche Polizei.
11 Rattenhuber, Befehlsverhältnisse Febr. 1935; [Schwerin von Krosigk], Vermerk Mai 1937, BA R 2/12159; [Himmler], Die Deutsche Polizei; Staatsarchiv
München LRA 31931 (Korresp. betr. Ortsdienststelle Berchtesgaden, 1936).
12 Siehe Anm. 11, auch zum Folgenden; Heydrich an Schwerin von Krosigk
vom 8. März 1937, BA R 2/12159.
13 RSD-Korrespondenz 1935 u. Reichssicherheitsdienst, Verzeichnis über die
Besetzung der Planstellen, Rechnungsjahr 1936, 6. Mai 1936, BA R 43 II/1103;
Rattenhuber, Entwurf zum Haushaltsplan für das Rechnungsjahr 1937 des
Reichsicherheitsdienstes, 28. Febr. 1937, BA R 2/12159; Kiesel a.a.O. (Anm. 3).
14 Vermerk von »Scht« vom 16. Febr. (1935), BA R 2/12159.
15 Friedrich Schmidt, a.a.O. (Anm. 8); Kiesel, a.a.O. (Anm. 3); Kempka, a.a.O.
(Anm. 9), S. 28 f.; Himmler, Ernennungsvorschläge vom 30. Okt. 1935, BA R
43 II/1104; Rattenhuber an Wienstein vom 14. Nov. 1935, Himmler an Lammers vom 13. Nov. 1935, 27. Febr. u. 9. April 1936, 31. März u. 13. Juni 1940
und Ernennungsvorschläge vom 5. März u. 31. März 1936, 28. März u. 13. Juni
1940, BA R 43 II/1103 u. 1104; BA NS 10/134. Der Chef der Sicherheitspolizei
und des SD, [Runderlaß] Nr. 79/41 vom 1. Juli 1941, BA Slg. Schumacher O.
434.
16 Göring an Lammers vom 31. Mai 1934, Himmler an Lammers vom 13. Nov.
1935, Rattenhuber an Wienstein vom 14. Nov. 1935, BA R 43 II/1103; RGBl. I,
1933, S. 175 ff.; Mommsen, a.a.O. (Anm. 7), S. 166–179; RGBl. I, 1936, S. 893
bis 896; vgl. Peter Hoffmann: Hitler's Personal Security. In: Journal of
Contemporary History 8 (1973), no. 2, S. 25–45; RGBl. I, 1933, S. 175 (7. April
1933); RGBl. I, 1935, S. 1145, 1333.
17 NA RG 242–HL ML 941, 942.
18 Keitel, Durchführungsbestimmungen zum Erlaß des Führers und Obersten
Befehlshabers der Wehrmacht vom 24. 8. 1939 betr. Reichssicherheitsdienst,
31. Aug. 1939, und an Rattenhuber vom 6. Nov. 1939, BA R 2/12160; Ratten-

huber, betr.: Sicherung des Führerhauptquartiers vom 19. Dez. 1939, BA NS
10/136; Kiesel, a.a.O. (Anm. 3).

V. *Das SS-Begleitkommando*

1 BDC, SSO- u. RuSHA-Akten/Dietrich; NA T–354, Rolle 195; zum Ganzen
nun auch James J. Weingartner: Hitler's Guard. The Story of the Leibstandarte SS Adolf Hitler 1933–1945. Carbondale/Edwardsville [1974], S.
4–19 (Weingartner weiß allerdings nichts vom SS-Begleitkommando und dessen
Zusammenhang mit der LSSAH).

2 LSSAH-Akten, NA T–354, Rollen 205, 206, 208; Kempka, mündl. Mitteilungen;
Heinz Linge, mündl. Mitteilungen vom 14. Aug. 1974; vgl. unten S. 87–88.

3 Hierzu siehe unten, S. 220 ff.; Albert Speer: Erinnerungen. Frankfurt/Berlin
1969, S. 173.

4 [Göring] an [Levetzow u. a.], vom 22. Sept. 1933, BA R 43 II/1103; vgl. Hans
Buchheim: Die SS – das Herrschaftsinstrument. Befehl und Gehorsam. München 1967, S. 32; Hans Volz: Daten der Geschichte der NSDAP. Berlin/Leip-
zig [11]1943, S. 125 f.; LSSAH-Akten, NA T–354, Rolle 195.

5 Helmut Heiber (Hrsg.): Reichsführer! ... Briefe an und von Himmler. Stuttgart 1968, S. 51, 56; vgl. unten S. 69 f.; Richard Schulze-Kossens an den Verf.
vom 4. März 1974; NA T–175, Rolle 204; James J. Weingartner: Sepp Dietrich,
Heinrich Himmler, and the *Leibstandarte SS Adolf Hitler*, 1933–1938. In:
Central European History 1 (1968), S. 271–275; ders., a.a.O. (Anm. 1), S. 7,
9, 23.

6 Volz, a.a.O. (Anm. 4), S. 119 f.; RGBl. I, 1933, S. 1016.

7 [Göring] an [Levetzow u. a.], vom 22. Sept. 1933, BA R 43 II/1103.

8 Hierzu und zum Folgenden: Grauert und einige seiner Korrespondenten
nannten die Leibstandarte noch Stabswache; Grauert, Erlaß vom 22. Dez.
1933 und Lammers an Schwerin von Krosigk, vom 4. Jan. 1934 (Entwurf),
BA R 43 II/1103; Hsi-heuy Liang: The Berlin Police Force in the Weimar
Republic 1918–1933. Berkeley 1970, S. 172; Heinz Höhne: Der Orden unter
dem Totenkopf. Gütersloh 1967, S. 82; Weingartner, a.a.O. (Anm. 1), S. 5 ff.

9 Siehe Anm. 8.

10 BA R 43 II/1103.

11 Daluege, Die Ordnungspolizei nach dem Stande vom 1. Dezember 1938,
NA T–175, Rolle 241; Himmler, Runderlaß Nr. 79/41, vom 1. Juli 1941, BA
Slg Schumacher O. 434; [Himmler], Polizei.

12 LSSAH, Abt. Sippenforschung an Stab, vom 28. Jan. u. 17. März 1937, NA
T–354, Rolle 208; Himmler, Runderlaß Nr. 79/41 (s. Anm. 11); Heiber, a.a.O.
(Anm. 5), S. 75.

13 BDC, Akten betr. Sepp Dietrich; Statistisches Jahrbuch der Schutzstaffel der
NSDAP, 1937, 1938, S. 83, NA T–175, Rolle 205; LSSAH-Akten, NA T–354,
Rolle 195; BDC, NSDAP-Mitgliederkartei; Schulze-Kossens (während des
Krieges schrieb er sich nur Schulze) an den Verfasser vom 2. April 1974.

14 Hierzu und zum Folgenden: Gesche, Mitteilungen; BDC, SSO- und RuSHA-
Akten/Gesche, Gildisch; Volz, a.a.O. (Anm. 4), S. 45.

15 Organisationsbuch der NSDAP., hrsg. vom Reichsorganisationsleiter der
NSDAP. München [3]1937, Tafel 51.

16 Hierzu und zum Folgenden: [Alfred Rosenberg]: Das politische Tagebuch Alfred Rosenbergs aus den Jahren 1934/35 und 1939/40. Göttingen 1956, S. 44–47; Shlomo Aronson: Reinhard Heydrich und die Frühgeschichte von Gestapo und SD. Stuttgart 1971, S. 193 f.; Liang, a.a.O. (Anm. 8), S. 92, 166, 172; Das Archiv, Juli 1934, S. 470; Buchheim, a.a.O. (Anm. 4), S. 18 f.; NA T–354, Rolle 213; BDC, SSO-Akten/Chr. Weber, Graf, Maurice, Dietrich, Gildisch; Nachtrag zum Reichstags-Handbuch der V. Wahlperiode 1930 [Berlin 1932]; Cuno Horkenbach (Hrsg.): Handbuch der Reichs- und Staatsbehörden, Körperschaften und Organisationen. Berlin 1935, S. 128 ff.; Hildegard Kutzke [u. a.]: Wir fliegen mit Hitler. Berlin-Schöneberg [1934], S. 80 f.

17 Adolf Hitler: Mein Kampf. München 1930, S. 566; BDC, SSO- und RuSHA-Akten/Maurice; Spruchkammerakten Maurice (1948), Amtsgericht München, Registratur S; Harold J. Gordon, Jr: Hitler and the Beer Hall Putsch. Princeton 1972, S. 619. Zur Affäre Maurice – Geli Raubal: Albert Zoller: Hitler privat. Erlebnisbericht seiner Geheimsekretärin [Johanna Wolf]. Düsseldorf 1949, S. 87–91; [Joseph Goebbels]: Das Tagebuch von Joseph Goebbels 1925/26. Stuttgart o. J., S. 105; Heinrich Hoffmann: Hitler wie ich ihn sah. München [1974], S. 216; Neue Zeit vom 26. Mai 1948.

18 BDC, SSO- und RuSHA-Akten/Gesche, Gildisch; Urteil des Schwurgerichts bei dem Landgericht Berlin vom 18. Mai 1953 / (500) 1 Pks. 4.51 (6.53).

19 SS-Untersturmführer Hammersen an I. Btl. LSSAH vom 5. Juni 1936, NA T–354, Rolle 20; Friedrich Schmidt, Briefe; Gregor Karl an den Verfasser am 18. Mai 1966 und 17. Febr. 1968; BDC, SSO-Akten/Gesche; Otto Günsche, mündl. Mitteilungen am 6. Nov. 1972.

20 Der Politische Polizeikommandeur München, Personalkarte Nr. 211, 3. Mai 1934; Gesche, Curriculum vitae (etwa 1935); Fragebogen, ausgefüllt von Gesche 1936; Gesche, Personalangaben (nach Okt. 1939); SS-Stammkarte, Personalkarte und SS-Stammrollenauszug für Gesche 1934; alle in BDC, SSO- und RuSHA-Akten/Gesche, auch zum Folgenden.

21 SS-Gruppe Süd an Himmler, vom 20. Okt. 1932; SS-Amt an Gesche, vom 31. Okt. 1932, Reichsführer SS an Brückner vom 31. Okt. 1932; Brückner an Reichsführer SS, vom 9. Nov. 1932; alle in BDC, a.a.O. (Anm. 20); vgl. Max Domarus: Hitler. Reden und Proklamationen 1932–1945. 2 Bde. Neustadt a. d. Aisch 1962/63, S. 139.

22 Gesche, Mitteilungen vom 12. Nov. 1974; BDC, SSO- und RuSHA-Akten/ Gesche, Kempka.

23 Hierzu und zum Folgenden: BDC, SSO-Akten/Gesche: Rattenhuber an Himmler, vom 1. Juli 1935; Reichsführer SS/SS-Personalkanzlei an Begleitkommando des Führers z. Hd. Rattenhuber, vom 14. Sept. 1938; Gesche, Erklärung vom 26. Sept. 1938; Reichsführer SS/Persönlicher Stab an SS-Personalhauptamt, vom 26. Sept. 1939; Der Reichsführer SS/SS-Personalhauptamt an SS-Führungshauptamt/Kommandoamt der Waffen-SS, vom 14. April 1942; Reichsführer SS/Persönlicher Stab an SS-Führungshauptamt/Kommandoamt der Waffen-SS, vom 13. April 1942; SS-Führungshauptamt/Kommandoamt der Waffen-SS an SS-Panzer-Jäger-Ersatz-Abteilung, Hilversum, vom 27. April 1942; Gesche, Erklärung vom 30. April 1942; SS-Führungshauptamt/Kommandoamt der Waffen-SS an Begleitkommando des Führers, vom 23. April 1942; SS-Führungshauptamt/Kommandoamt der Waffen-SS, Aktennotiz vom

5. Aug. 1942; Wolff, Fernschreiben an SS-Führungshauptamt/Kommandoamt der Waffen-SS, vom 11. Dez. 1942; SS-Führungshauptamt IIa an Persönlicher Stab RF-SS, vom 29. Nov. 1944; Himmler an Gesche vom 20. Dez. 1944. Gesche wurde SS-Obersturmbannführer. Vgl. Heiber, a.a.O. (Anm. 5), passim; Günsche, Mitteilungen vom 6. Nov. 1972 und 12. Nov. 1974; Gesche, Mitteilungen (Anm. 22); RF-SS, Weisung vom 21. Dez. 1937, NA T–354, Rolle 200; Führerbefehl vom 22. Dez. 1942, NA T–175, Rolle 42; Schulze-Kossens an den Verf. am 16. Jan. und 4. März 1974; vgl. Helmut Heiber (Hrsg.): Hitlers Lagebesprechungen. Stuttgart 1962, S. 36; Schulze an Gesche, vom 12. Jan. 1943 (Handakten Schulze-Kossens).

24 BDC, SSO-Akten/Gesche.

25 Siehe Anm. 24; Gesche, Mitt. (Anm. 22); Günsche, Mitt. v. 12. Nov. 1974.

26 BA NS 10/134 und R 43 II/967 b.

27 Hierzu und zum Folgenden: Linge, Mitteilungen (Anm. 2); Kempka, Mitteilungen vom 24. Aug. 1974; BDC, SSO- und RuSHA-Akten/Linge, Krause, Schneider, Junge, Meyer.

28 Himmler an Bormann 25. Nov. 1944. NA T-175, Rolle 28.

VI. Das Führer-Begleit-Kommando und sonstige Sicherungskräfte

1 BDC, Kempka- und Gesche-Akten.

2 [Heinz Linge]: Kronzeuge Linge. In: Revue (München), 1955/56, 4. Folge, S. 46.

3 D[eckert], Dienstanordnung für den Sicherheitsdienst (SD) in der Reichskanzlei, Lammers an Meißner [u. a.], vom 28. März 1935, BA R 43 II/1105; Namenliste mit Waffennummern in Akten des Sicherheitsdienstes, mit Paraphe von Deckert vom 14. Juli (1940), BA R 43 II/1104; Lammers an Schwerin von Krosigk, vom 12. Dez. 1939, Rattenhuber an RSHA, vom 28. Febr. 1940, Dr. Best an Schwerin von Krosigk, vom 18. März 1940, BA R 2/12160; Deckert an Polizeioberwachtmeister a. D. Erich Niedich, Walter Teske, Willi Peter, Arthur Steinicke, vom 22. Dez. 1939 und 9. Jan. 1940, Ostertag, Bescheinigung vom 6. Febr. 1940, BA R 43 II/1104. James J. Weingartner (Hitler's Guard. The Story of the Leibstandarte SS Adolf Hitler. 1933–1945. Carbondale/Edwardsville [1974], S. 4) ist der irrigen Meinung, die LSSAH *allein* sei für die Sicherheit der Reichskanzlei eingesetzt gewesen.

4 Hans Baur: Ich flog Mächtige der Erde. Kempten 1956, S. 124; Rattenhuber an Lammers, vom 4. März 1942, und Lammers an Schwerin von Krosigk, vom 6. April 1942, BA R 2/12160.

5 Helmuth Spaeter: Die Geschichte des Panzerkorps Großdeutschland. Duisburg-Ruhrort 1958, Bd. I, S. 44, 60; Ronald Lewin: Rommel as Military Commander. London/Princeton, N. J. 1968, S. 9. Vgl. unten Kap. IX, Anm. 17.

VII. Hitlers Verkehrsmittel

1 Ernst Hanfstaengl: Zwischen Weißem und Braunem Haus. München 1970, S. 131; Heinz Höhne: Der Orden unter dem Totenkopf. Gütersloh 1967, S. 64.

2 Trial of the Major War Criminals before the International Military Tribunal Nuremberg 14 November 1945 – 1 October 1946, Bd. XXI, Nürnberg 1947, S. 414; Linge, Mitteilungen, erklärte eine anderslautende Bemerkung Hitlers, die in Kronzeuge Linge (in: Revue [München], 1955/56), 2. Folge, S. 41 und 3. Folge, S. 42 u. 44 wiedergegeben ist, für falsch zitiert. Günsche berichtete dem Verf. am 12. Nov. 1974, Hitlers Bemerkung sei nicht auf Gesche gemünzt gewesen, sondern auf Schaub, Hitlers ständigen Begleiter und Adjutanten, dessen Hände immer zitterten.

3 [Adolf Hitler], Hitler's Secret Conversations. New York 1953, S. 366 f.; vgl. Hans Baur: Ich flog Mächtige der Erde, Kempten 1956, S. 106; Henry Picker: Hitlers Tischgespräche im Führerhauptquartier 1941–1942. Stuttgart ²1965, S. 306 f., 505–512; Albert Zoller: Hitler privat. Erlebnisbericht seiner Geheimsekretärin. Düsseldorf 1949, S. 33; Albert Speer an den Verfasser, vom 5. Nov. 1973.

4 Himmler an Lammers, vom 31. Mai 1934, BA R 43 II/1103; Erinnerungsalbum für die Angehörigen des Heeresgruppenstabes der Heeresgruppe »Mitte«, gewidmet von Generalfeldmarschall Günther von Kluge, o. O. o. J. (Archiv Boeselager, Schloß Kreuzberg/Ahr); Linge, Mitteilungen vom 14. August 1974; Kempka, Mitteilungen vom 24. Aug. 1974.

5 Zusammenstellungen und Kommissionsbücher im Archiv der Daimler-Benz A.G., Stuttgart-Untertürkheim; NA RG 242–HL ML 941, 942; Heinrich Hoffmann: Hitler wie ich ihn sah. München 1973, S. 64; auch zum Folgenden.

6 Hierzu und zum Folgenden: NA RG 242–HL ML 941, 942; Picker, a.a.O. (Anm. 3), S. 308, 386; Gesche, Mitteilungen vom 12. Nov. 1974; Günsche, Mitteilungen vom 12. Nov. 1974; Linge, a.a.O. (Anm. 2), 2. Folge, S. 41; Speer an den Verfasser, vom 5. Nov. 1973; Rudolf Semmler: Goebbels – the man next to Hitler. London 1947, S. 61. Kempka (Erich Kempka: Ich habe Adolf Hitler verbrannt. München [1950], S. 21) erinnert sich an folgende Maße: 45 mm Panzerglas, 3,5–4 mm spezialgehärtete Seitenplatten, 9–11 mm starke Bodenplatten (lt. Experiment sicher gegen 500 g Dynamit).

7 Kempka, Mitteilungen vom 19. Aug. 1965 u. 24. Aug. 1974; ders., a.a.O. (Anm. 6), S. 18, 20 f., 138; Daimler-Benz-Archiv; NA RG 242–HL ML 941, 942; Linge, Mitteilungen (Anm. 4) bestätigt Kempka; Fritz Wiedemann: Der Mann der Feldherr werden wollte. Velbert/Kettwig 1964, S. 132.

8 BA NS 10/55.

9 Rattenhuber an Frick, 25. März 1936, BA R 2/12159; Linge, a.a.O. (Anm. 2), 8. Folge, S. 24; Otto Dietrich: 12 Jahre mit Hitler. München 1955, S. 162; Zoller, a.a.O. (Anm. 3), S. 175. Zum Münzenwerfen auch Hoffmann, a.a.O. (Anm. 5), S. 82.

10 Rattenhuber, Entwurf zum Haushaltsplan für das Rechnungsjahr 1937 des Reichssicherheitsdienstes, vom 28. Febr. 1937, BA R 2/12159.

11 Rattenhuber an Frick, vom 25. März 1936, BA R 2/12159; Rattenhuber an Himmler, vom 13. April 1943, BA R 43 II/1104; Picker, a.a.O. (Anm. 3), S.308; Schulze-Kossens an den Verf. vom 16. Jan. 1974; Zoller, a.a.O. (Anm. 3), S. 32.

12 [Regierungsrat] Luchmann, Reisestelle beim Reichsverkehrsministerium, an Brückner, vom 6. Mai 1939, BA NS 10/38; vgl. Paul Dost: Der rote Teppich. Geschichte der Staatszüge und Salonwagen. Stuttgart 1965, S. 50–53, 174–179;

266   *Anmerkungen*

Staatsarchiv München LRA 31931 (Korrespondenz betr. RSD-Ortsdienststelle Berchtesgaden); Zoller, a.a.O. (Anm. 3), S. 22.

13 Schmundt (Nachfolger Hoßbachs als Wehrmacht-Chefadjutant Hitlers) an Brückner, vom 22. Febr. 1939, Wünsche an Schmundt, vom 7. März 1939, BA NS 10/126; Kriegstagebuch Führerhauptquartier (KTB FHQ), passim, NA T–77, Rolle 858, 859 und T–78, Rolle 351; NA RG 242–HL ML 941, 942; Albert Speer: Erinnerungen. Frankfurt/Berlin 1969, S. 259.

14 Picker, a.a.O. (Anm. 3), S. 306 f.; Otto Dietrich: Mit Hitler in die Macht. München [11]1934, S. 17; Dorpmüller an Brückner, vom 10. Sept. 1940, Reichsverkehrsministerium an Brückner, vom 4. Okt. 1940, BA NS 10/38.

15 Hierzu und zum Folgenden: Brückner an Dorpmüller, undatiert, BA NS 10/38; Picker, a.a.O. (Anm. 3), S. 306 f.; Baur, a.a.O. (Anm. 3), S. 106; Dorpmüller an Bahnbevollmächtigte der Reichsbahndirektionen Berlin, Halle/S., Erfurt, Augsburg, Nürnberg und München, vom 26. Sept. 1940, BA NS 10/38.

16 Peter Hoffmann: Widerstand, Staatsstreich, Attentat. München [2]1970, S. 399, 455 f., 805; [Heinrich Himmler], Telephongespräche des Reichsführer-SS am 11.7.1942, NA T–84, Rolle R 25; David Irving: Die Tragödie der Deutschen Luftwaffe. Frankfurt/Berlin/Wien 1970, S. 336; Helmut Heiber (Hrsg.): Hitlers Lagebesprechungen. Stuttgart 1962, S. 662; Korrespondenz des RSHA betr. Sonderzüge 1940–1944 in BA Slg Schumacher O. 474, 1492; KTB FHQ, passim, NA T–77, Rolle 858, 859 und T–78, Rolle 351; Dr. Werner Koeppen, Bericht Nr. 55 über ein Tischgespräch Hitlers vom 6. Nov. 1941, NA T–84, Rolle 387. Siehe auch: Kriegstagebuch des Oberkommandos der Wehrmacht (Wehrmachtführungsstab) 1940–1945 [künftig zit. KTB OKW]. Bd. IV, Frankfurt/M. 1961, S. 1869.

17 Speer, a.a.O. (Anm. 13), S. 259; Zoller, a.a.O. (Anm. 3), S. 32 f., 134 f.; Gerhard Boldt: Die letzten Tage der Reichskanzlei. Hamburg/Stuttgart 1947, S. 33; Gesche, Mitteilungen (Anm. 6); Günsche, Mitteilungen (Anm. 6).

18 Baur, a.a.O. (Anm. 3), S. 81–86.

19 Baur, a.a.O. (Anm. 3), S. 93 f., 124; vgl. Rattenhuber an Lammers, vom 4. März 1942, BA R 2/12160.

20 Baur, a.a.O. (Anm. 3), S. 85, 87, 99 f., 106 f., 124 und Photo der Rohrbach Roland C 1 vor S. 97; Himmler an Schwerin von Krosigk, vom 8. März 1937, BA R 2/12159.

21 Baur, a.a.O. (Anm. 3), S. 127 f. (Baur gibt das zu frühe Jahr 1935 für die erste »Condor«); NA RG 242–HL ML 941, 942; William Green: The Warplanes of the Third Reich. Garden City, N.Y. 1970, S. 223.

22 Baur, a.a.O. (Anm. 3), S. 193; [Karl R. Pawlas]: Hitlers Reisemaschinen. In: Luftfahrt international 8 (März/April 1975) S. 1229–1248; [Fabian von Schlabrendorff]: Offiziere gegen Hitler. Zürich [1946], S. 78 f.; Otto John: Zweimal kam ich heim. Düsseldorf/Wien 1969, S. 117.

23 Baur, a.a.O. (Anm. 3), S. 193, 239, 260 f.; Green, a.a.O. (Anm. 21), S. 224, 504–510.

24 Linge, a.a.O. (Anm. 2), 1. Folge, S. 32; Baur, a.a.O. (Anm. 3), S. 124, 211 f.

25 Hierzu und zum Folgenden: Baur, a.a.O. (Anm. 3), S. 124 f., 200 f., 240, 250; Best, Anweisung für die Überwachung der Regierungsflüge und Bewachung der Regierungsflugzeuge, vom 1. Juni 1935, SS Absperr-Anleitung, S. 53 ff., NA T–611, Rolle 47.

26 Baur, a.a.O. (Anm. 3), S. 134, 164, 201.
27 Baur, a.a.O. (Anm. 3), S. 104 ff., 124; Best, Anweisung, a.a.O. (Anm. 25), S. 53.
28 Baur, a.a.O. (Anm. 3), S. 125, datiert irrtümlich »1934«; Völkischer Beobachter vom 21.–23. März 1935.
29 Baur, a.a.O. (Anm. 3), S. 240 ff.
30 Baur, a.a.O. (Anm. 3), S. 109 ff., 240 ff.; Hanfstaengl, a.a.O. (Anm. 1), S. 265; Max Domarus: Hitler. Reden und Proklamationen 1932–1945. 2 Bde. Neustadt a. d. Aisch 1962/63, S. 1888 ff.
31 Baur, a.a.O. (Anm. 3), S. 168 f.; NA RG 242–HL ML 941, 942; Domarus, a.a.O. (Anm. 30), S. 375, 1127 f.; [Martin Bormann], Daten aus alten Notizbüchern, Hoover Institution, NSDAP Hauptarchiv, Ordner 16, Rolle 1.
32 Baur, a.a.O. (Anm. 3), S. 212.

VIII. In der Öffentlichkeit

1 [Martin Bormann], Daten aus alten Notizbüchern. Hoover Institution, NSDAP Hauptarchiv, Rolle 1; Hans Baur: Ich flog Mächtige der Erde. Kempten 1956, S. 128 f.; Ernst Hanfstaengl: Zwischen Weißem und Braunem Haus. München 1970, S. 334 f.; Albert Speer: Erinnerungen. Frankfurt/Berlin 1969, S. 57; Linge, Mitteilungen vom 14. Aug. 1974.
2 Rudolf Diels: Lucifer ante Portas. Zwischen Severing und Heydrich. Zürich o. J., S. 59 f.; Albert Zoller: Hitler privat. Erlebnisbericht seiner Geheimsekretärin. Düsseldorf 1949, S. 31 f.; Linge (Kronzeuge Linge. In: Revue 1955/56 (München) 10. Folge, S. 26) datiert den Vorgang auf etwa 1935, es könnte also auch Juni 1934 sein, als hier im Hotel die Aktion gegen Röhm ihren Ausgang nahm.
3 Schleswig-Holsteinisches Landesarchiv, Kiel (SHLA) 1 II Fasc. 132; darin: Heß, Anordnung vom 23. Sept. 1934, Frick an Innenminister der Länder, vom 12. Okt. 1934, Frick, Anordnung vom 1. Dez. 1934, Heydrich an die Politischen Polizeien der Länder Anhalt, Baden, Bayern, Braunschweig, Bremen, Hamburg, Hessen, Lübeck, Mecklenburg, Oldenburg, Preußen, Sachsen, Thüringen, Württemberg, vom 12. Dez. 1934; vgl. Verordnungsblatt der Reichsleitung der NSDAP., Folge 82, 4. Jg., Mitte Oktober 1934, Nr. 47/34; Otto Dietrich: Mit Hitler in die Macht. München [11]1934, S. 17; Diels, a.a.O. (Anm. 2), S. 51.
4 Henry Picker: Hitlers Tischgespräche im Führerhauptquartier 1941–1942. Stuttgart [2]1965, S. 306 f.; Rattenhuber an Brückner, vom 26. und 29. Mai 1939, BA NS 10/136; Karl Baedeker: Berlin und Umgebung. Leipzig 1921, S. 4, 26; Hans Severus Ziegler: Adolf Hitler aus dem Erleben dargestellt. Göttingen [1964], S. 53, 56, 70.
5 Heß, Anordnung vom 9. März 1936, SHLA 1 II Fasc. 132; vgl. Verordnungsblatt der Reichsleitung der NSDAP., Folge 116, Mitte März 1936, Nr. 13/36; Hans Volz: Daten der Geschichte der NSDAP, Berlin/Leipzig [11]1943, S. 70.
6 SS Absperr-Anleitung, NA T–611, Rolle 47; Rattenhuber an Brückner, vom 29. Mai 1939, BA NS 10/136.
7 Günther Weisenborn: Der lautlose Aufstand. Hamburg 1962 (rororo-Taschenbuch), S. 30.

8 Rattenhuber an LSSAH und an Kriminalinspektor Forster (Berlin), vom
  29. Jan. 1936, Rattenhuber an Polizeihauptmann Staudinger (Leiter der Bayer.
  Pol. Polizei in Garmisch-Partenkirchen), vom 29. Jan. 1936, Rattenhubers
  Minutenprogramm für den 6. Februar, vom 1. Febr. 1936, alle in NA T–354,
  Rolle 211; Völkischer Beobachter vom 7.–17. Febr. und 2.–17. Aug. 1936;
  Bormann, a.a.O. (Anm. 1), 1936; Fritz Wiedemann: Der Mann der Feldherr
  werden wollte. Velbert-Kettwig 1964, S. 85 f.

9 Wachvorschrift für die SS-Leibstandarte »Adolf Hitler« und Pz. Abw. Abt. 26
  bei der Großen Herbstübung des Gruppenkommandos 2, Schlüchtern, vom
  17. Sept. 1936, Akten der LSSAH, NA T–354, Rolle 206; zu Hitlers Verspre-
  chen an die Reichswehr, sie allein sei Waffenträger der Nation, siehe Robert
  J. O'Neill: The German Army and the Nazi Party, 1933–1939. London 1966,
  S. 41; Gerhard Engel: Heeresadjutant bei Hitler 1938–1943. Stuttgart 1974,
  19. April u. 26. Aug. 1938; SS-Hauptsturmführer Collani, Befehl für die Teilnahme der LSSAH an der Großen Herbstübung 1936, vom 29. Aug. 1936,
  SS-Hauptsturmführer Collani (Adjutant LSSAH), Betr.: Absperrdienst bei der
  Schlußbesprechung am 25. 9. 1936, vom 22. Sept. 1936, NA T–354, Rolle 206.

10 Generalkommando II. Armeekorps (Wehrkreiskommando II) Abtlg. IIa, Minutenprogramm und Sitzordnungen, 15. Aug. 1938, BA – MA WK XIII/240.

11 Hierzu und zum Folgenden: Rattenhuber an Deckert, vom 28. Jan. 1937 und
  Rattenhuber, Betrifft: Feierlichkeiten anläßlich des 30. Januar 1937, vom
  27. Jan. 1937, BA R II 43/1104; Picker, a.a.O. (Anm. 4), S. 307; Max Domarus:
  Hitler. Reden und Proklamationen 1932–1945. 2 Bde. Neustadt a. d. Aisch
  1962/63, gegenüber S. 417; Heinrich Hoffmann: Hitler in seiner Heimat.
  Berlin [1938]; Völkischer Beobachter vom 15./16. Juli 1934, vgl. 31. Jan. u.
  1. Febr. 1937; NA RG 242–HL ML 941, 942.

12 Diels, a.a.O. (Anm. 2), S. 52; Picker, a.a.O. (Anm. 4), S. 307; Wilhelm Treue
  (Hrsg.): Rede Hitlers vor der deutschen Presse (10. November 1938). In: VfZ,
  6 (1958), S. 175–191; NA RG 242–HL ML 941, 942; Runderlaß des Reichs- und
  Preußischen Ministers des Inneren vom 18. 6. 1935 und Himmler an Regie-
  rungspräsidenten, Oberbürgermeister, Kommandeure der Schutzpolizei etc.,
  vom 9. Sept. 1936, SHLA 1 II Fasc. 132.

13 Schulze-Kossens, Brief vom 20. Nov. 1973; NA RG 242–HL ML 941, 942.

14 Hierzu und zum Folgenden: Völkischer Beobachter vom 19.–21. April 1939;
  Kommando der Schutzpolizei, S. 1a, Betr.: Veranstaltung am Vorabend des
  50. Geburtstages des Führers am 19. 4. 1939, und Betr.: Feier des 50. Geburts-
  tages des Führers am 20. April 1939, vom 12. April 1939, BA R 43 II/902;
  Domarus, a.a.O. (Anm. 11), S. 1144–1147; NA RG 242–HL ML 941, 942; vgl.
  Sir Noel Mason-MacFarlane, autobiographische Niederschriften, Imperial
  War Museum, London.

15 Wiedemann, a.a.O. (Anm. 8), S. 126 ff.

16 Sicherheitsanweisungen zum 20. April 1939, BA R 43 II/902; Picker, a.a.O.
  (Anm. 4), S. 307; Dr. Werner Koeppen, Bericht Nr. 28, Führerhauptquartier,
  vom 7. Sept. 1941, NA T–84, Rolle 387.

17 NA RG 242–HL ML 941, 942.

18 Hierzu und zum Folgenden: [Sir Noel Mason-MacFarlane], Entwürfe für Interview mit A. G. S. Wilson vom Daily Express, vom 3. Jan. 1951 und 4. Jan.
  1952, ferner autobiograph. Niederschriften, Imperial War Museum, London;

Auswärtiges Amt, Brief vom 27. März 1973; Imperial War Museum, Brief vom 29. März 1973; vgl. Ewan Butler: ›I talked of plan to kill Hitler‹. In: The Times vom 6. Aug. 1969, S. 1; Helmut Heiber: Der Fall Grünspan. In: VfZ, 5 (1957), S. 134–172.

19 Hierzu und zum Folgenden: [Gauleitung München], 9. November 1936: Verlauf der Veranstaltungen in München und Bemerkungen zum Programm vom 8./9. November 1936, vom 20. Okt. 1936, BA NS 10/124; Bormann, a.a.O. (Anm. 1), 1935–1938; vgl. Harold J. Gordon, Jr.: Hitler and the Beer Hall Putsch. Princeton 1972, S. 184; Schulze-Kossens, Brief vom 2. April 1974; NA RG 242–HL ML 941, 942.

20 Picker, a.a.O. (Anm. 4), S. 306 ff.; Akten im Archiv des Auswärtigen Amtes (AA/PA) R 2318g und R 2597/g; Dossier Maurice Bavaud, Eidgenössisches Politisches Departement (EPD); Peter Hoffmann: Maurice Bavaud's Attempt to Assassinate Hitler in 1938. In: George L. Mosse (Hrsg.): Police Forces in History. London 1975, S. 173–204. Hitler akzeptierte anscheinend Bavauds Erklärung dafür, daß er während des Marsches nicht auf ihn geschossen hatte, siehe Koeppen, Bericht Nr. 28 (irrtümlich 1937 datiert), a.a.O. (Anm. 16).

21 Regie-Programm für den 8./9. November 1939 in München, Gesamtleitung: Gaupropagandaleiter Pg. Karl Wenzl, BA NS 10/126; Völkischer Beobachter vom 10. Nov. 1939; Domarus, a.a.O. (Anm. 11), S. 1414, 1603.

22 Hierzu und zum Folgenden: Johann Georg Elser: Autobiographie eines Attentäters. Stuttgart 1970, S. 71, 77, 79 f.; Anton Hoch: Das Attentat auf Hitler im Münchner Bürgerbräukeller 1939. In: VfZ, 17 (1969), S. 393–413; siehe auch weitere Quellen in: Peter Hoffmann: Widerstand, Staatsstreich, Attentat. München ²1970, S. 754, Anm. 29. Zitate aus Regie-Programm, a.a.O. (Anm. 21) und Hoch, a.a.O. S. 408 ff.

23 Hoch, a.a.O. (Anm. 22), S. 383–393, 404–413; Linge, a.a.O. (Anm. 2), 11. Folge, S. 38; Hoffmann, a.a.O. (Anm. 22), S. 156 f.; Picker, a.a.O. (Anm. 4), S. 211; Helmuth Groscurth: Tagebücher eines Abwehroffiziers 1938–1940. Stuttgart 1970, S. 222 f.

24 Hierzu und zum Folgenden: Elser, a.a.O. (Anm. 22), S. 8 f.; Regie-Programm, a.a.O. (Anm. 21); Hoch, a.a.O. (Anm. 22), S. 410 f.; Völkischer Beobachter vom 7.–10. Nov. 1939; NA RG 242–HL ML 941, 942; Time vom 20. Nov. 1939, S. 21; [Alfred Rosenberg], Das politische Tagebuch Alfred Rosenbergs aus den Jahren 1934/35 und 1939/40. Göttingen 1956, S. 88 (mit falschen Tageszeitangaben); Hoffmann, a.a.O. (Anm. 22), S. 302–305.

25 Hitler bestätigte dies in zwei Tischgesprächen: Koeppen, Bericht Nr. 28, a.a.O. (Anm. 16), für den 7. Sept. 1941, Picker, a.a.O. (Anm. 4), S. 306 für den 3. Mai 1942.

26 Regie-Programm, a.a.O. (Anm. 21); Hoffmann, a.a.O. (Anm. 22), S. 305.

27 Hoch, a.a.O. (Anm. 22), S. 405; Hoffmann, a.a.O. (Anm. 22), S. 306.

28 Heydrich, Betrifft: Sicherungsmaßnahmen zum Schutze führender Persönlichkeiten des Staates und der Partei, vom 9. März 1940, Reichssicherheitshauptamt – Amt IV, Richtlinien für die Handhabung des Sicherungsdienstes, vom Februar 1940, NA T–175, Rolle 383; vgl. Peter Hoffmann: Hitler's Personal Security. In: Journal of Contemporary History 8 (1973), no. 2, S. 32–36; [Himmler], Die Deutsche Polizei, vom 1. Sept. 1944, RSD-Akten, Hoover Institution TS Germany R 352 f.

29 Phonoaufnahme der Ansprache im BA; gedruckt in Picker, a.a.O. (Anm. 4),
S. 493–504, auf Grund von Pickers Aufzeichnungen; KTB FHQ, Nr. 6, NA
T–78, Rolle 351; Sicherheitsanweisungen für den 30. Mai 1942, BA RG
1010/714; vgl. Hoffmann, a.a.O. (Anm. 28), S. 36 ff.; Jan G. Wiener: The
Assassination of Heydrich. New York 1969, S. 87; Befehl Nr. 1 in Hans-Adolf
Jacobsen: 1939–1945. Der 2. Weltkrieg in Chronik und Dokumenten. Darm-
stadt ⁵1961, S. 643.

30 Hierzu und zum Folgenden: Hoffmann, a.a.O. (Anm. 22), S. 335–341; Peter
Hoffmann: The Attempt to Assassinate Hitler on March 21, 1943. In: Ca-
nadian Journal of History/ Annales Canadiennes d'Histoire, II (1967), S. 67
bis 83; Rudolf Semmler: Goebbels – the man next to Hitler. London 1947,
S. 80; Himmler, Terminkalender, NA T–84, Rolle R 25; Bormann, a.a.O.
(Anm. 1); Daily Digest of World Broadcasts (From Germany and German-
occupied territory), Part I, No. 1343, 22 March 1943, BBC Monitoring Service,
London 1943; Field Engineering and Mine Warfare, Pamphlet No. 7: Booby
Traps. The War Office, London 1952, S. 26 ff.

IX. Schutz auf Reisen

1 Otto Dietrich: 12 Jahre mit Hitler. München 1955, S. 162; Heinrich Hoffmann: Hitler wie ich ihn sah. München 1973, S. 82; Friedrich Hoßbach:
Zwischen Wehrmacht und Hitler 1934–1938. Göttingen ²1965, S. 17 f.; [Mar-
tin Bormann], Daten aus alten Notizbüchern, passim, Hoover Institution,
NSDAP Hauptarchiv, Rolle 1; Albert Speer: Erinnerungen. Frankfurt/Berlin
1969, S. 132. Vgl. dazu Hitlers hemmungsloses Kuchenessen, seine Einnahme
von Laxativen zur Gewichtskontrolle und von Opiaten zur Appetithem-
mung (Speer, S. 53, 56, 105); [Heinz Linge], Kronzeuge Linge. In: Revue
(München), 1955/56, 4. Folge, S. 46.

2 Bormann, a.a.O. (Anm. 1), passim; Hans Severus Ziegler: Adolf Hitler aus
dem Erleben dargestellt. Göttingen [1964], passim; Erich Kempka: Ich habe
Adolf Hitler verbrannt. München [1950], S. 27; ders., Mitt. 24. Aug. 1974.

3 Hierzu und zum Folgenden: Hans Volz: Daten der Geschichte der NSDAP.
Berlin/Leipzig ¹¹1943, S. 75; Fritz Wiedemann: Der Mann der Feldherr wer-
den wollte. Velbert-Kettwig 1964, S. 121–124; Bormann, a.a.O. (Anm. 1);
Hans Baur: Ich flog Mächtige der Erde. Kempten 1956, S. 165 f.; Sir Noel
Mason-MacFarlane, Three Curtain Raisers Seen from the Wings, Imperial
War Museum, London; Dieter Wagner – Gerhard Tomkowitz: ›Ein Volk,
ein Reich, ein Führer!‹ Der Anschluß Österreichs 1938. München [1968],
S. 158 f., 213 ff.; Rattenhuber, Befehl für Einteilung der Begleitkommandos,
Berlin, 11. März 1938, NA T–175, Rolle 241; Heinrich Hoffmann: Hitler in
seiner Heimat. Berlin [1938].

4 Hierzu und zum Folgenden: Baur, a.a.O. (Anm. 3), S. 165 f.; Bormann, a.a.O.
(Anm. 1); Wagner–Tomkowitz, a.a.O. (Anm. 3), S. 259 f., 270, 279–285, 287
bis 290, 294 ff., 307–312, 333–346; Max Domarus: Hitler. Reden und Proklamationen 1932–1945. 2 Bde. Neustadt a. d. Aisch 1962/63, S. 817–825; Hoffmann, a.a.O. (Anm. 1), S. 95; Kempka, Mitteilungen vom 24. Aug. 1974;
Henry Picker: Hitlers Tischgespräche im Führerhauptquartier 1941–1942.
Stuttgart ²1965, S. 307 f.

5 Hierzu und zum Folgenden: Domarus, a.a.O. (Anm. 4), S. 856–862; Völkischer Beobachter vom 3.–11. Mai 1938; Baur, a.a.O. (Anm. 3), S. 161 ff.; Wiedemann, a.a.O. (Anm. 3), S. 133–144; vgl. Albert Zoller: Hitler privat. Erlebnisbericht seiner Geheimsekretärin. Düsseldorf 1949, S. 160 (mit falscher Jahresangabe »1937«); NA RG 242–HL ML 941, 942.

6 Major d. Schutzpolizei Titel (RMfVuP), Arbeitsplan zum Staatsbesuch des japanischen Außenministers Matsuoka in Berlin, vom 22. März 1941, BA NS 10/124.

7 Fritz Dreesen (Sohn des Besitzers des »Rheinhotel Dreesen«, wo Hitler gern abstieg) in Linge, a.a.O. (Anm. 1), 10. Folge, S. 24–27 und 11. Folge, S. 16 f., 38; vgl. Speer, a.a.O. (Anm. 1), S. 59.

8 Zoller, a.a.O. (Anm. 5), S. 160; Baur, a.a.O. (Anm. 3), S. 161 ff.; Wiedemann, a.a.O. (Anm. 3), S. 136, 140 ff.

9 Wiedemann, a.a.O. (Anm. 3), S. 137 f.; vgl. Ziegler, a.a.O. (Anm. 2), S. 56 (mit falscher Datierung).

10 Trial of the Major War Criminals before the International Military Tribunal Nuremberg 14 November 1945 – 1 October 1946, Bd. XXV, Nürnberg 1947, S. 433–439, 445 ff.; Domarus, a.a.O. (Anm. 4), S. 868 f.; Peter Hoffmann: Widerstand, Staatsstreich, Attentat. München ²1970, S. 121–125.

11 Hierzu und zum Folgenden: Völkischer Beobachter vom 4.–9. Okt. 1938; Bormann, a.a.O. (Anm. 1); Domarus, a.a.O. (Anm. 4), S. 949–961; NA RG 242-HL ML 941, 942; Wiedemann, a.a.O. (Anm. 3), S. 185–188; vgl. Speer, a.a.O. (Anm. 1), S. 77 ff.

12 Wiedemann, a.a.O. (Anm. 3), S. 187; Schacht in: Der Prozeß gegen die Hauptkriegsverbrecher vor dem Internationalen Militärgerichtshof Nürnberg 14. November 1945–1. Oktober 1946, Bd. XII. Nürnberg 1947, S. 580.

13 Bormann, a.a.O. (Anm. 1); Linge, a.a.O. (Anm. 1), 2. Folge, S. 40; Kempka, a.a.O. (Anm. 2), S. 59 ff.; Baur, a.a.O. (Anm. 3), S. 168; Hoffmann, a.a.O. (Anm. 1), S. 99 f.; NA RG 242-HL ML 941, 942; Domarus, a.a.O. (Anm. 4), S. 1097–1102; BA NS 10/124.

14 Rattenhuber an Brückner, vom 29. Mai 1939, BA NS 10/136; Zoller, a.a.O. (Anm. 5), S. 31 f.

14a Hoffmann, a.a.O. (Anm. 10) S. 628.

15 Akten zur deutschen auswärtigen Politik, Serie D, Band VII, Baden-Baden 1956, S. 253, Nr. 192, 193; Bormann, Rundschreiben Nr. 127 vom 13. Juni 1939, Landeszentrale für politische Bildung, Berlin.

16 Paul Schmidt: Hitler's Interpreter. London 1951, S. 158; KTB FHQ Nr. 1–6 (23. Aug. 1939 – 15. Juli 1942), NA T-77, Rolle 857 u. 858, T-78, Rolle 351; Eisenbahnabteilung des Reichsverkehrsministeriums an Bahnbevollmächtigte [usw.], vom 21. Jan. 1943 (Abschr. im Bes. v. Min. Rat. a. D. Eugen Kreidler).

17 Hierzu und zum Folgenden: Schmundt, Folgende Wageneinteilung.., vom 3. Sept. 1939, BA NS 10/126; NA RG 242-HL ML 941, 942; KTB FHQ Nr. 1–6 (Anm. 16); Andreas Hillgruber: Hitlers Strategie. Politik und Kriegführung 1940–1941. Frankfurt/M. 1965, S. 659–698 (bei Abweichungen folgte der Verf. dem KTB FHQ, das Hillgruber nicht berücksichtigt hat); Rommel, Befehl für Einteilung des F. Q., vom 31. Aug. 1939, NA T-77, Rolle 858; Baur, a.a.O. (Anm. 3), S. 180 f.

18 Brückner, Fahrt des Führers nach Danzig, Korridorgebiet und Ostpreußen, vom 17. Sept. 1939, Schmundt, Zeiteinteilung für den 19. 9. 1939, vom 18. Sept.

1939, BA NS 10/126; KTB FHQ Nr. 1–6 (Anm. 16); NA RG 242–HL ML 941, 942; Domarus, a.a.O. (Anm. 4), S. 1353–1366.

19 Hierzu und zum Folgenden: Rommel, Betr.: Einsatz der Einheiten des Führerhauptquartiers vom 21.–26. 12. 39, vom 20. Dez. 1939, KTB FHQ Nr. 2/Anlagen, NA T–77, Rolle 857; Zoller, a.a.O. (Anm. 5), S. 34 f. (mit dem Datum 10. Mai für die Abreise statt richtig 9. Mai); Bormann, a.a.O. (Anm. 1), bestätigt die Umleitung des Sonderzuges; Hoffmann, a.a.O. (Anm. 1), S. 113 ff.; vgl. Hillgruber, a.a.O. (Anm. 17), S. 669 ff.; Hoffmann a.a.O. (Anm. 10), S. 214 bis 219; Thomas, Befehl zur Bildung von Frontgruppen, vom 21. Mai 1940, KTB FHQ Nr. 3/Anlagen, NA T–77, Rolle 857; »Graue Kolonne« hießen alle Fahrzeuge zusammen, 15 plus 19 plus 14; Rattenhuber, Merkblatt 14. Dez. 1939, BA NS 10/136.

20 Bormann, a.a.O. (Anm. 1); KTB FHQ Nr. 3 (Anm. 19); Hillgruber, a.a.O. (Anm. 17), S. 672, erwähnt Flüge nach Charleville am 24. Mai und nach Bad Godesberg am 31. Mai, die im KTB FHQ nicht vorkommen.

21 KTB FHQ, Nr. 3 (Anm. 19).

22 Heinz Huber – Artur Müller (Hrsg.): Das Dritte Reich. Bd. 2, München/Wien/Basel [1964], S. 476; William L. Shirer: Berlin Diary. New York 1941, S. 414 f., 419; Guide Michelin France 1964. [Paris] 1964, siehe darin: Clairière de l'Armistice; Alistair Horne: To Lose a Battle. London 1969, S. 507 ff.

23 [Franz] Halder: Kriegstagebuch. Stuttgart 1962–1964, Bd. II, S. 22, 24, 28; KTB FHQ Nr. 3 nennt den 23. Juni; Speer, a.a.O. (Anm. 1), S. 186 f., nennt das unrichtige Datum »28. Juni« wie auch Domarus, a.a.O. (Anm. 4), S. 1534; Baur, a.a.O. (Anm. 3), S. 192; Kriegstagebuch des Oberkommandos der Wehrmacht (Wehrmachtführungsstab) 1940–1945 (KTB OKW), Bd. IV, Frankfurt/M. 1961, S. 1869; Bormann, a.a.O. (Anm. 1), gibt den 23. Juni an; ferner Schmundt, Fahrt ins Operationsgebiet am 28. 6. 1940, vom 27. Juni 1940, BA Slg Schumacher 1492; NA RG 242–HL ML 941, 942; Arno Breker: Im Strahlungsfeld der Ereignisse. Preußisch/Oldendorf [1972], S. 151–166.

24 Halder, a.a.O. (Anm. 23), Bd. II, S. 30 ff.

25 NA RG 242–HL ML 941, 942.

26 KTB FHQ Nr. 6, NA T–78, Rolle 351; Bormann, a.a.O. (Anm. 1); Architekt Siegfried Schmelcher, mündl. Mitteilung vom 21. Juli 1971; Hillgruber, a.a.O. (Anm. 17), S. 691–698; Baur, a.a.O. (Anm. 3), S. 206–210. Einzelheiten zur »Wolfschanze« und zu den anderen Anlagen, siehe S. 205–239.

27 Domarus, a.a.O. (Anm. 4), S. 1758–1767, 1771–1781; KTB FHQ Nr. 6 (Anm. 26).

28 KTB FHQ Nr. 6 (Anm. 26); Baur, a.a.O. (Anm. 3), S. 224 f.; Linge, a.a.O. (Anm. 1), 4. Folge, S. 44.

29 Hierzu und zum Folgenden: KTB OKW, Bd. III (Anm. 23), S. 136 f.; Halder, a.a.O. (Anm. 23), Bd. II u. III, passim; Gerhard Engel: Heeresadjutant bei Hitler 1938–1943. Stuttgart 1974, 18. Febr. 1943; Hoffmann, a.a.O. (Anm. 10), S. 330 f.; Baur, a.a.O. (Anm. 3), S. 231; Kempka, a.a.O. (Anm. 2), S. 61 f.; Schulze-Kossens, Brief vom 16. Jan. 1974.

30 Hierzu und zum Folgenden: Hoffmann, a.a.O. (Anm. 10), S. 332 ff.; Luther an Schellenberg, vom 16. Febr. 1943, AA/PA D II 427g; Bormann an Reichsleiter, Gauleiter, Verbändeführer, vom 7. März 1943, Reichsführer-SS Pers. Stab an SS-Sturmbannführer Paul Baumert, vom 8. März 1943, Himmler an Rattenhuber, Fernschreiben vom 10. März 1943, Berger an Hauptämter der

SS und HSSPF, vom 11. März 1943, BA Slg Schumacher O. 487; Telefongespräche des Reichsführer-SS am 6. März 1943, NA T–84, Rolle R 25; Rattenhuber, Betrifft: Sprengstoffattentate durch Versendung von Einschreibepäck-
chen mit Öffnungs- und Zeitzündung, vom 11. März 1943, BA Slg Schumacher O. 487 und in: Verfügungen/Anordnungen/Bekanntgaben, 1. Teil aus
1943, IV. Bd., hrsg. von der Partei-Kanzlei, München [1943], S. 587 f.; Telefongespräche des Reichsführer-SS am 24. März 1943, NA T–84, Rolle R 25;
Joseph Goebbels: Tagebücher aus den Jahren 1942-43. Zürich 1948, S. 469;
Hausinspektion (NSDAP-Verwaltungsbau, München) an Reichsschatzmeister
der NSDAP, vom 30. März 1944, BDC.
31 Hierzu und zum Folgenden: Hermann Teske: Die silbernen Spiegel. Heidel-
berg 1952, S. 172–175; Rittmeister a. D. Gustav Friedrich (damals im Kav. Rgt.
Mitte), Briefe vom 19. Mai und 24. Juni 1971; [Rudolf-Christoph] Frhr. v. Gersdorff: Beitrag zur Geschichte des 20. Juli 1944. Masch., Oberursel 1. Jan. 1946,
Stiftung »Hilfswerk 20. Juli 1944«, Frankfurt/M.; ders., mündl. Mitteilungen
vom 25. Mai 1964; Fabian von Schlabrendorff: Offiziere gegen Hitler. Frank-
furt/M. 1959 (Fischer Bücherei), S. 75–81, 131 f.; Walter Schmidt-Salzmann,
Brief vom 14. Febr. 1966; Boeselager, mündl. Mitteilungen vom 19. Nov. 1964;
Schlabrendorff, Brief vom 22. Okt. 1966; Eberhard von Breitenbuch, mündl.
Mitteilungen vom 8. Sept. 1966. Der Inhalt des Pakets wird einmal als
Cognac, ein anderes Mal als Cointreau bezeichnet: vgl. Hoffmann, a.a.O.
(Anm. 10), S. 762 f., Anm. 93; Schulze-Kossens, Brief vom 16. Jan. 1974;
Photosammlung im Archiv Boeselager (Kreuzberg/Ahr); Otto John: Zweimal
kam ich heim. Düsseldorf/Wien 1969, S. 117. Zu Hitlers Mütze: Fabian von
Schlabrendorff: Revolt against Hitler. London 1948, S. 82 (nicht in der deutschen Ausgabe); Gersdorf, mündl. Mitteilung vom 25. Mai 1964.
32 Baur, Brief vom 10. Jan. 1969.
33 Siehe Erich v. Manstein: Verlorene Siege. Bonn 1955, S. 522.
34 Speer, a.a.O. (Anm. 1), S. 300, 311 f.; Rudolf Semmler: Goebbels – the man
next to Hitler. London 1947, S. 153, 170, 177; Goebbels, a.a.O. (Anm. 30),
S. 469–474; Domarus, a.a.O. (Anm. 4), S. 2160, 2035–2050; Heinz Linge, mündl.
Mitteilungen vom 14. Aug. 1974.
35 Hierzu und zum Folgenden: Konteradmiral Gerhard Wagner, Brief vom
17. Nov. 1964; ders. (Hrsg.): Lagevorträge des Oberbefehlshabers der Kriegs-
marine vor Hitler 1939–1945. München [1972], S. 578; Heinz Linge [Tagebuch
14. Okt. 1944–28. Febr. 1945], NA T–84, Rolle 22; Alfred Jodl [Taschenkalen-
der 1944 mit hs. Eintragungen], NA T–84, Rolle R 149; KTB OKW, Bd. IV
(Anm. 23), S. 1869 f.; Hans Speidel: Invasion 1944. Tübingen ³1950, S. 112–119;
Speer, a.a.O. (Anm. 1), S. 336; vgl. Baur, a.a.O. (Anm. 3), S. 247 f.; David
Irving: Die Tragödie der Deutschen Luftwaffe. Frankfurt/Berlin/Wien 1970,
S. 363; Konteradmiral a. D. Karl Jesko von Puttkamer, mündl. Mitteilungen
vom 17. Aug. 1974.
36 Linge, a.a.O. (Anm. 35), Domarus, a.a.O. (Anm. 4), S. 2211; Kempka, a.a.O.
(Anm. 2), S. 76 f.

X. *Bewachung der Residenzen*

1 Hierzu und zum Folgenden: BA R 43 II/1104; Lammers, Vermerk vom 16. März 1936, Lammers an Sepp Dietrich und Pol. Hptm. Koplien vom 16. Polizei-Revier, vom 18. März 1936, BA R 43 II/1105; Horst Scheibert: Panzer-Grenadier-Division Großdeutschland und ihre Schwesterverbände. Dorheim [1970], S. 10, 12 f. (Posten des Wach-Regiments vor der Reichskanzlei lt. Bildunterschrift 1936, 1937, 1938); Lammers, Dienstanordnung für den Sicherheitsdienst (SD) in der Reichskanzlei, vom 28. März 1936, Lammers an Meißner, Lutze, Sepp Dietrich, Brückner, vom 7. April 1936, Kommando der Schutzpolizei, Berlin, Dienstvorschrift für den Schutz der Reichskanzlei Wilhelmstr. 77/78, vom 23. März 1936, [Polizeipräsidium Berlin], Wachvorschrift für die Bezirkswache der Schutzpolizei Berlin im Brandenburger Tor, vom 20. Okt. 1936, Lammers an Meißner, Lutze, Sepp Dietrich, Koplien, Brückner, SS-Obersturmführer Ebhardt (in der Reichskanzlei), vom 28. März 1936, Deckert, Anordnung für den Sicherheitsdienst der Reichskanzlei, vom 19. April 1936 – sämtlich BA R 43 II/1105; LSSAH, Standartenbefehle vom 10., 17., 18. Aug. und 15. Sept. 1936, NA T–354, Rolle 214.

2 Hierzu und zum Folgenden: Tagesbefehle [usw.] der LSSAH vom 26. Aug. 1938 bis 31. Juli 1939, NA T–354, Rolle 214; LSSAH Wachbuch, Wache Reichskanzlei vom 15. Dez. 1938 bis 4. Mai 1939, NA T–354, Rolle 233; O[stertag] an Sepp Dietrich, vom 21. Juni 1935, Lammers an Brückner, vom 3. Okt. 1935 u. Entwurf vom 22. Juni 1935, BA R 43 II/1100; SS-Unterstumführer Hammersen an I. Batl. LSSAH, vom 5. Juni 1936, SS-Unterstumführer Nothdurft an I. Btl. LSSAH, vom 9. Juni 1936, NA T–354, Rolle 208.

3 Albert Blaesing, Pol. Wachtmeister a. D., Bericht vom 12. Jan. 1937, Deckert an Rattenhuber und Wernicke, vom 13. Jan. 1937, BA R 43 II/1104.

4 Hptm. Deckert an RSD, vom 15. Febr. 1937, Zeitler an Staatssekretär Meißner, vom 17. März 1937, Meißner an Deckert, vom 20. März 1937, RSD, Vormerkung vom 25. Nov. 1937, O[stertag] an Lammers, vom 24. Jan. 1938, Sidow (SD Reichskanzlei), Bericht vom 23. Jan. 1938 – sämtlich BA R 43 II/1104; Kulowski, Hühner [Sicherheits-Kontrolldienst], Bericht vom 9. Dez. 1937, BA R 43 II/11016.

5 Der Balkon wurde also nicht 1933 angebaut, wie Speer (Albert Speer: Erinnerungen. Frankfurt/Berlin 1969) in einer Bildunterschrift zwischen S. 112 und 113 sagt; Akten betr. Dienstgebäude Wilhelmstr. 78/Balkonanbau 16. Mai bis 25. Juli 1935, BA R 43 II/1046.

6 [Martin Bormann], Daten aus alten Notizbüchern, Hoover Institution, NSDAP Hauptarchiv, Rolle 1; Speer, a.a.O. (Anm. 5), S. 116 f., 127 f., 131–134.

7 Rattenhuber, Betrifft: Sicherung der Reichskanzlei, vom 22. Sept. 1939, BA NS 10/136; Speer, a.a.O. (Anm. 5), S. 131 f.; ders., Brief vom 11. Mai 1972.

8 Erich Kordt: Nicht aus den Akten. Die Wilhelmstraße in Frieden und Krieg. Stuttgart 1950, S. 370–376; Erwin Lahousen, Zur Vorgeschichte des Anschlages vom 20. Juli 1944, Institut für Zeitgeschichte, ZS 658; Dr. Hasso von Etzdorf, mündl. Mitteilung vom 2. Sept. 1972; Konsul I. Klasse Susanne Simonis, Brief vom 8. März 1971; Hans-Adolf Jacobsen: Fall Gelb. Wiesbaden 1957, S. 141.

9 Rattenhuber, betr. RSD-Haushalt, Febr. 1935, BA R 43 II/1103, Rattenhuber

an Polizeipräsident Graf von Helldorf, vom 26. Mai 1939, BA NS 10/136; SS-Obersturmführer Wünsche (SS-Adjutant bei Hitler) an LSSAH, vom 18. Jan. 1939, BA NS 10/83; Generalleutnant Ernst Seifert (Wehrmacht-Standort-Kommandant Berlin), Betr.: Standartenparade, vom 16. Febr. 1939, NA T–354, Rolle 205.

10 Wachregiment Berlin an Hausverwaltung der Reichskanzlei, vom 18. Jan. und 25. Mai 1939, BA R 43 II/1104; NA RG 242–HL ML 941, 942; nach Spaeter (Helmut Spaeter: Die Geschichte des Panzerkorps Großdeutschland. Duisburg-Ruhrort 1958), Bd. I, S. 44, waren die Wehrmachtposten schon am 12. Januar da; Schmundt, Betr.: Wachgestellung für das Führerquartier [sic], vom 25. März 1939, BA NS 10/126; Wünsche an LSSAH, vom 18. Jan. 1939, BA NS 10/83 (Wünsche regte die Abfassung neuer Wachvorschriften und die Besichtigung der Neuen Reichskanzlei durch Vertreter der LSSAH an).

11 Wünsche an LSSAH, vom 10. Jan. und 18. Jan. 1939, BA NS 10/83; Albert Speer: Die Neue Reichskanzlei. München [1939]; NA RG 242–HL ML 941, 942; Friedrich Schmidt, Briefe vom 8. Febr. u. 6. Okt. 1966 sowie 4. Okt. 1967; Kriminalsekretär Gregor Karl, Briefe v. 18. Mai 1966 u. 17. Febr. 1968; Hans Baur: Ich flog Mächtige der Erde. Kempten 1956, S. 98 f., 132; Hans Severus Ziegler: Adolf Hitler aus dem Erleben dargestellt. Göttingen [1964], S. 115.

12 LSSAH Wachbuch Wache Reichskanzlei, 15. Dez. 1938 – 4. Mai 1939, NA T–354, Rolle 233.

13 Hierzu und zum Folgenden: Rattenhuber an SS-Sturmbannführer Wernicke (Adjutantur des Führers), vom 13. Jan. 1939, BA NS 10/136; LSSAH Wachbuch, a.a.O. (Anm. 12), 4. u. 6. April 1939; LSSAH IIa an Wernicke, vom 3. Aug. 1939, SS-Oberscharführer Ommen (12. Komp. LSSAH), Meldung vom 14. Juli 1939, Albrecht an LSSAH, vom 8. Aug. 1939, BA NS 10/83.

14 Rattenhuber an Deckert, vom 30. Aug. 1939, Rattenhuber, Betrifft: Ausweise zum Betreten der Wohnung des Führers und der Reichskanzlei, vom 30. Aug. 1939, BA R 43 II/1104.

15 Rattenhuber an Hausinspektion der Reichskanzlei, vom 19. Febr. 1937, Ministerialbürodirektor Ostertag (Reichskanzlei) an Baufirma Erich Schwanz, vom 26. Okt. und 6. Nov. 1937, Erich Schwanz an Hausinspektion der Reichskanzlei, vom 27. Nov. 1937, Deckert, Verfügung vom 3. Dez. 1937, BA R 43 II/1104.

16 Rattenhuber, Rundschreiben vom 9. Nov. 1939, Brückner, vom 15. Nov. 1939, Rattenhuber an Brückner, vom 10. Nov. 1939, BA NS 10/136.

17 Hierzu und zum Folgenden: Korrespondenz betr. Ausweise für 1940 in Akten der Adjutantur des Führers, BA NS 10/138; Rattenhuber, [Zirkular] vom 22. Febr. 1940, Liste »Verschiedene« [März 1940], RSD an Wernicke, vom 7. Febr. 1940, BA NS 10/137.

18 Befehl (von SS-Adjutantur?), vom 21. Sept. 1939, BA NS 10/124; [Rattenhuber], Betrifft: Sicherung der Reichskanzlei, Entwurf vom 22. Sept. 1939, BA NS 10/136; Speer, a.a.O. (Anm. 11), S. 6.

19 Meißner, Dienstanweisung für den Sicherheitsdienst in der Präsidialkanzlei des Führers und Reichskanzlers, vom 16. Nov. 1939, BA R 43 II/1101 b.

20 Wünsche an Ers. Btl. LSSAH, vom 18. Nov. 1939, BA NS 10/83.

21 Wachbataillon Berlin, Anordnungen über das Verhalten der Wache »Führer« bei »Luftgefahr« bzw. »Fliegeralarm« vom 15. Juni 1940, Rattenhuber, Ver-

halten bei Fliegeralarm oder Abwehrschießen der Flakbatterie der Reichskanzlei, vom 17. Juli 1941, BA R 43 II/1104.

22 Rattenhuber, Betrifft: Sicherheit der Reichskanzlei und der Führerwohnung,
vom 5. März 1942, BA R 43 II/1104.

23 Rattenhuber, Betrifft: Sicherheitsdienst in der Wohnung des Führers in Berlin, Wilhelmstraße 77 und auf dem Obersalzberg, vom 31. Dez. 1940, BA NS
10/138; Albrecht (Persönlicher Adjutant bei Hitler), Sicherheitsbestimmung
[sic] betreffend Sendungen für die Führerwohnung, vom 7. Mai 1941, Hoover
Institution Ts Germany R 352 kb.

24 Bormann an Himmler, vom 30. Juli 1944, BDC; [Heinz Linge], Kronzeuge
Linge. In: Revue (München), 1955/56, 4. Folge, S. 46.

25 Rattenhuber, Betrifft: Sicherheit der Reichskanzlei, vom 17. März 1942, BA
R 43 II/1104; vgl. Fritz Wiedemann: Der Mann der Feldherr werden wollte.
Velbert/Kettwig 1964, S. 128; [Lammers], Vermerk vom Jan. 1939, BAR 43
II/967 a.

26 Werner Maser: Adolf Hitler. Legende, Mythos, Wirklichkeit. München/
Esslingen 1971, S. 117, 123, 149–165, 293; ders.: Die Frühgeschichte der
NSDAP. Hitlers Weg bis 1924. Frankfurt/Bonn 1965, S. 132; Fragebogen für
Wohnungsuchende 113683, 13. Sept. 1929, Stadtarchiv München, Zim. 117.

27 Miet-Vertrag zwischen Hugo Schühle und Adolf Hitler, vom 10. Sept. 1929,
Stadtarchiv München, Zim. 117; Max Domarus: Hitler. Reden und Proklamationen 1932–1945. Neustadt a. d. Aisch 1962/1963, zitiert S. 200 den Kataster
für Haidhausen; vgl. Stuttgarter Zeitung vom 8. Febr. 1967.

28 Adreßbuch für München und Umgebung: 1930, S. 715; 1931, S. 736; 1932,
S. 748; Münchner Stadtadreßbuch: 1933, S. 417; 1934, S. 448; 1935, S. 460;
1936, S. 469; 1937, S. 466; 1938, S. 477; 1939, S. 483; 1940, S. 498; 1941, S. 310;
1942, S. 512; 1943, S. 515; BDC, Akten Dietrich und Zaske.

29 Friedrich Hoßbach: Zwischen Wehrmacht und Hitler 1934–1938. Göttingen
²1965, S. 17; Speer, a.a.O. (Anm. 5), S. 52; Henry Picker: Hitlers Tischgespräche im Führerhauptquartier 1941–1942, Stuttgart ²1965, S. 244; Karl (Anm. 11);
Friedrich Schmidt, Briefe (Anm. 11) und mündl. Mitteilungen vom 7. Juni
1973; Rattenhuber an die Leiter der Dienststellen 1, 8 und 9 des Reichssicherheitsdienstes, vom 22. Juli 1940, BA NS 10/137; Hans Knör, mündl.
Mitteilungen vom 6. Sept. 1966.

30 Stuttgarter Zeitung vom 8. Febr. 1967 (dpa).

31 [Adolf Hitler], Hitler's Secret Conversations 1941–1944. New York 1953,
S. 172–180 (nicht in Picker).

32 Ebenda, S. 172–180 (nicht in Picker); nach Josef Geiss: Obersalzberg. Die
Geschichte eines Berges. Berchtesgaden ¹¹1972, S. 65, hätte Hitler das Haus
schon 1927 gemietet; Maria Rhomberg-Schuster: Historische Blitzlichter vom
Obersalzberg. o.O. 1957, S. 5: 1925 (die Schrift enthält viele Irrtümer).

33 Frau Angelika Raubal, Gelis Mutter, führte Hitler den Haushalt von 1928 bis
1935 lt. Maser, Hitler, (Anm. 26), S. 59; ähnlich Rhomberg-Schuster,
a.a.O. (Anm. 32), S. 5; Geiss, a.a.O. (Anm. 32), S. 68; Office of Military
Government for Germany (US), Field Information Agency, Technical DI
350.09–78 (FIAT) EP Report No. 19, Part IV, Intelligence Report No. EF/
Min/4, vom 25. Febr. 1946: Women around Hitler (»based on an exami-
nation of Dr. Karl Brandt conducted by Colonel Pratt of U.S.Forces, European

Theater, at ›Dustbin‹ on 6th August, 1945«); Otto Dietrich: 12 Jahre mit Hitler. München 1955, S. 197, berichtet, Frau Raubal habe Hitler nach 1931 einige Jahre auf dem Obersalzberg den Haushalt geführt; Erich Kempka: Ich habe Adolf Hitler verbrannt. München [1950], S. 25 f.; Heinrich Hoffmann: Hitler wie ich ihn sah. München 1973, S. 123; Oron James Hale: Adolf Hitler: Taxpayer. In: American Historical Review LX (1954/1955), S. 830 bis 842; Alfons Pausch: Hitlers Steuerfreiheit. In: Deutsche Steuerzeitung, 58 (1970), S. 182–185; Finanzamt München-Ost, Verteilungsplan für die Festsetzung der Rechnungsanteile an dem Einkommensteuersoll des Adolf Hitler, Schriftsteller, vom 22. Dez. 1930 mit weiterer Korrespondenz, Stadt München an Finanzamt München-Ost, vom 21. Febr. 1931, Gemeindeverwaltung Salzberg an Finanzamt München-Ost, vom 12. März 1931, Finanzamt München-Ost an Stadtrat München/Stadtsteueramt, vom 12. Mai 1931 – alle Stadtarchiv München, Zim. 115; nach Kempka, S. 26, hat Hitler Haus Wachenfeld 1933 gekauft.

34 Mitteilung von Friedrich Schmidt (Anm. 29).

35 Speer, a.a.O. (Anm. 5), S. 52, 59 ff., 98 f.; Heinrich Hoffmann: Hitler in seinen Bergen. Berlin [1938]; Albert Zoller: Hitler privat. Erlebnisbericht seiner Geheimsekretärin. Düsseldorf 1949, S. 78 f.; Wiedemann, a.a.O. (Anm. 25), S. 69, 82; Dietrich, a.a.O. (Anm. 33), S. 212 f.; Hoffmann, a.a.O. (Anm. 33), S. 160.

36 SS-Hauptsturmführer Keilhaus an Stab LSSAH, vom 4. Febr. 1937, NA T–354, Rolle 208.

37 Hierzu und zum Folgenden: Speer, a.a.O. (Anm. 5), S. 61, 99; Linge, a.a.O. (Anm. 24), 16. Folge, S. 14 und 8. Folge, S. 24; Wiedemann, a.a.O. (Anm. 25), S. 80; Dietrich, a.a.O. (Anm. 33), S. 212 f.; Hoffmann, a.a.O. (Anm. 35).

38 Rattenhuber an Brückner, vom 15. Nov. 1937, und an Brückner und Bormann, vom 13. Dez. 1937, BA NS 10/55; Georg Herrgott (Kriminalassistent, RSD Dienststelle 1 Obersalzberg), Betrifft: Vorfall auf dem Obersalzberg, 12. Juni 1942, mit weiteren Augenzeugenberichten, NA T–175, Rolle 241.

39 Picker, a.a.O. (Anm. 29), S. 306; Dr. Werner Koeppen, Bericht Nr. 28, Führerhauptquartier, vom 7. Sept. 1941, NA T–84, Rolle 387; zu Bavaud siehe oben S. 269, Anm. 20; Himmler an Schwerin von Krosigk, vom 8. März 1937 (unterzeichnet: Heydrich i.V.), BA R 2/12159; Korrespondenz betr. RSD-Dienststelle 9, 1936, StA München LRA 31931.

40 Speer, a.a.O. (Anm. 5), S. 98 f.; Bormann, a.a.O. (Anm. 6); Bormann, Aktenvermerk für Pg. Friedrichs, Pg. Klopfer und Pg. Zeller, vom 28. Okt. 1944, BA NS 6/422; Baedekers Autoführer, Band I: Deutsches Reich. Leipzig 1938, S. 460; Rhomberg-Schuster, a.a.O. (Anm. 32), S. 6 f.; Geiss, a.a.O. (Anm. 32), S. 69–102; Henry Picker – Heinrich Hoffmann: Hitlers Tischgespräche im Bild. Oldenburg/Hamburg 1969, S. 48–59; Linge, a.a.O. (Anm. 24), 1. Folge, S. 34; Koeppen, Bericht Nr. 47 über Tischgespräch vom 19. Okt. 1941 (Anm. 39); Kempka, a.a.O. (Anm. 33), S. 40 f.; Bergheimat, Beilage zum Berchtesgadener Anzeiger, vom 3. Aug. 1963, S. 22.

41 Linge, a.a.O. (Anm. 24), 1. Folge, S. 34 f. und 5. Folge, S. 32 f.; Gesche, mündl. Mitteilungen vom 12. Nov. 1974; Hoffmann, a.a.O. (Anm. 33), S. 119.

42 Präsident des Landesarbeitsamtes Alpenland an Reichsarbeitsministerium, vom 27. Nov. 1941, BA R 41/168; Dietrich, a.a.O. (Anm. 33), S. 212–215, 223;

Picker, a.a.O. (Anm. 29), S. 58 f.; Speer, a.a.O. (Anm. 5), S. 98 f.; Geiss, a.a.O. (Anm. 32), S. 68–99, 205.

43 [Franz] Halder: Kriegstagebuch. Stuttgart 1962–1964, Bd. III, S. 354 f.; Walther v. Guendell, Headquarters Commandant, Army High Command (1941–1945), (Masch.), o.O. 1952, NA Ms No. P–041da, S. 10, 17; Speer, a.a.O. (Anm. 5), S. 230 f., 547, Anm. 4, 7; Willi A. Boelcke (Hrsg.): Deutschlands Rüstung im Zweiten Weltkrieg. Hitlers Konferenzen mit Albert Speer 1942–1945. Frankfurt/M. 1969, S. 72; [Martin und Gerda Bormann], The Bormann Letters: The Private Correspondence between Martin Bormann and His Wife from January 1943 to April 1945. London 1954, S. 103; Geiss, a.a.O. (Anm. 32), S. 164–173 (Geiss' Angaben durch Augenschein auf d. Obersalzberg bestätigt).

44 Geiss, a.a.O. (Anm. 32), S. 164 f.; Präsident des Landesarbeitsamtes (Anm. 42) vom 27. Nov. und 11. Dez. 1941, BA R 41/168.

45 Bormann, a.a.O. (Anm. 6); Rattenhuber, Ergänzung zur Dienstvorschrift für die Dienststelle 1 des Reichssicherheitsdienstes für die Dauer der Verlegung des Führerhauptquartiers auf den Obersalzberg, vom 26. März 1943, Hoover Institution Ts Germany R 352 kb.

46 Rattenhuber, Ergänzung, a.a.O. (Anm. 45); die Liste der Stenographen und Stenotypisten enthielt folgende Namen: Dr. Kurt Peschel, Dr. Kurt Haagen, Dr. Hans Jonuschat, Ludwig Krieger, Heinrich Berger, Dr. Ewald Reynitz, Karl Thöt, Heinz Buchholz, Hans Helling, Adolf Lutz, Erna Braun, Hertha Dittrich, Hedwig Keller, Cresc. Winterheller, Frieda Kress, Gertrud Wernich.

47 Rattenhuber, Dienstvorschrift für die Sonderdienststelle Obersalzberg des Reichssicherheitsdienstes für die Dauer der Verlegung des Führerhauptquartiers auf den Obersalzberg, vom 26. März 1943, Hoover Institution Ts Germany R 352 kb.

48 Ebenda.

49 Vgl. Baur, a.a.O. (Anm. 11), S. 295.

50 Hierzu und zum Folgenden: Peter Hoffmann: Widerstand, Staatsstreich, Attentat. München ²1970, S. 378–392; Eduard Ackermann, mündl. Mitteilungen vom 20. Nov. 1964; Roger Manvell – Heinrich Fraenkel: The Bomb Plot. In: History of the Second World War. London 1966–1969, vol. 5, no. 7, S. 1961–1975.

51 Hoffmann, a.a.O. (Anm. 50), S. 411–452.

52 Wiedemann, a.a.O. (Anm. 25), S. 171.

53 Hierzu und zum Folgenden: Linge, a.a.O. (Anm. 24), 8. Folge, S. 24 und mündl. Mitteilungen vom 14. Aug. 1974; Kempka, a.a.O. (Anm. 33), S. 17; Hoffmann, a.a.O. (Anm. 33), S. 155 f., 159; Dr. Brandt, a.a.O. (Anm. 33).

54 Vgl. unten Anm. 22 zu Kap. XI.

55 SS-Kommando Obersalzberg, Flak-Abteilung »B«, Erfahrungsbericht an SS-Führungshauptamt, Berlin-Wilmersdorf und an Kommandostab RF–SS, Hochwald, vom 30. Juni 1944, NA T–405, Rolle 21; Wesley Frank Craven, James Lea Cate (Hrsg.): The Army Air Forces in World War II. Vol. III, Chicago 1951, S. 638 f.; Assist. Ch. of Staff Maj.-Gen. J. E. Hull an Assist. Secr. of War 14. Nov. 1944, NA RG 165 OPD 000.5 Box 315.

56 Bormann, a.a.O. (Anm. 6); KTB FHQ Nr. 3, NA T–77, Rolle 857; SS-Sturmbannführer Dr. Frank (Kommandeur der Waffen-SS Obersalzberg), Betrifft: Alarmierung der Stoßtrupps zur Fallschirmjägerbekämpfung, vom 2. Juni 1944, NA T–405, Rolle 11.

Kapitel XI...

57 Boelcke, a.a.O. (Anm. 43), S. 308; SS-Sturmbannführer Dr. Frank an 26. Flak-Division in München-Grünwald, vom 20. Juni 1944, NA T–405, Rolle 11.

58 Geiss, a.a.O. (Anm. 32), S. 187–203, auch zum Folgenden; Picker – Hoffmann, a.a.O. (Anm. 40), S. 48 (bestätigt das Datum 25. April).

XI. Die Führerhauptquartiere

1 Hierzu u. zum Folgenden: KTB FHQ Nr. 1–6 (23. August 1939 – 15. Juli 1942), NA T–77, Rolle 857 u. 858, T–78, Rolle 851; Lageskizze Bad Polzin, NA T–78, Rolle 351; Helmuth Spaeter: Die Geschichte des Panzerkorps Großdeutschland. Duisburg-Ruhrort 1958, Bd. I, S. 60–63.

2 [Rommel], Befehl für die Sicherung des Führer-Hauptquartiers [August 1939], NA T–77, Rolle 858 (sagt »Gestapo« statt RSD, meint aber offensichtlich diesen).

3 Rommel, Befehl für die Verladung des F.Q., Karlshorst 14. Sept. 1939, NA T–77, Rolle 858.

4 KTB FHQ Nr. 1, Nr. 4 (Anm. 1), Spaeter, a.a.O. (Anm. 1), Bd. I, S. 60–63, 213, 237; Horst Scheibert: Panzer-Grenadier-Division Großdeutschland und ihre Schwesterverbände. Dorheim [1970], S. 21.

5 KTB FHQ Nr. 1, Nr. 4 (Anm. 1); vgl. oben S. 149; Andreas Hillgruber: Hitlers Strategie. Politik und Kriegführung 1940–1941. Frankfurt/M. 1965, S. 659 ff.; [Martin Bormann], Daten aus alten Notizbüchern, Hoover Institution, NSDAP Hauptarchiv, Rolle 1.

6 KTB FHQ Nr. 2, NA T–77, Rolle 857; Hans-Adolf Jacobsen: Fall Gelb. Der Kampf um den deutschen Operationsplan zur Westoffensive 1940. Wiesbaden 1957, S. 44–49; vgl. [Heinz Linge], Kronzeuge Linge. In: Revue (München), 1955/56, 2. Folge, S. 41 (zu Hitlers Ungeduld, als der Polenfeldzug nach 2 Wochen noch nicht zu Ende war); Friedrich Classen (einer der FHQ-Architekten), mündl. Mitteilungen vom 16. Mai 1973; Siegfried Schmelcher (auch FHQ-Architekt), mündl. Mitteilungen vom 27. Juli 1971; Albert Speer: Erinnerungen. Frankfurt/Berlin 1969, S. 184; Albert Zoller: Hitler privat. Erlebnisbericht seiner Geheimsekretärin. Düsseldorf 1949, S. 139 f.; Hans Baur: Ich flog Mächtige der Erde. Kempten 1956, S. 187 f.; Henry Picker – Heinrich Hoffmann: Hitlers Tischgespräche im Bild. Oldenburg/Hamburg 1969, S. 20.

7 Jacobsen, a.a.O. (Anm. 6), S. 49 ff., 141; Hptm. Spengemann (FBB Stab), Bericht über Aufgabe und Tätigkeit in R, vom 31. März 1940, KTB FHQ Nr. 2/ Anlagen (Anm. 1); Zoller, a.a.O. (Anm. 6), S. 139 f.; NA RG 242–HL ML 941, 942.

8 Rattenhuber, Betrifft: Sicherung des Führer-Hauptquartiers, vom 19. Dez. 1939, BA NS 10/136, auch zum Folgenden, wo nichts anderes vermerkt.

9 Rattenhuber an Brückner, vom 18. Nov. 1939, BA NS 10/136.

10 KTB FHQ Nr. 2, Nr. 3 (Anm. 1); Bormann, a.a.O. (Anm. 5).

11 Thomas, Befehl für die Bekämpfung feindlicher Fallschirmjäger an der Anlage »F«, vom 23. Mai 1940, KTB FHQ Nr. 3, Anlagen (Anm. 1).

12 Rommel an Major Stach/FHQ, vom 18. Okt. 1939, KTB FHQ Nr. 2, Anlagen, Flakgruppe Münstereifel, Gefechtsbericht 25. und 26. Mai 1940, KTB FHQ Nr. 3/Anlagen (Anm. 1).

13 KTB FHQ Nr. 4 (Anm. 1).
14 KTB FHQ Nr. 3 (Anm. 1).
15 Ebenda; Speer, a.a.O. (Anm. 6), S. 185; Zoller, a.a.O. (Anm. 6), S. 140 ff.; Baur,
   a.a.O. (Anm. 6), S. 190; [Adolf Hitler], Hitler's Secret Conversations 1941–
   1944. New York 1953, S. 174 f.
16 Zoller, a.a.O. (Anm. 6), S. 85, 140 f., Puttkamer, Mitteilung vom 17. Aug.
   1974; vgl. Arno Breker: Im Strahlungsfeld der Ereignisse. Preußisch Olden-
   dorf [1972], S. 151–166; Hans-Adolf Jacobsen – Hans Dollinger (Hrsg.): Der
   Zweite Weltkrieg in Bildern und Dokumenten. Bd. I, München/Wien/Basel
   [1963], S. 197.
17 Classen (Anm. 6); Hans Speidel: Invasion 1944. Tübingen ³1950, S. 112–119;
   Speer, a.a.O. (Anm. 6), S. 366.
18 KTB FHQ Nr. 3 (Anm. 1); Puttkamer, Betr.: Verlegung des Führerhauptquartiers, vom 26. Juni 1940, KTB FHQ Nr. 3/Anlagen; Zoller, a.a.O. (Anm. 6),
   S. 142; NA RG 242–HL ML 941, 942; Oberbaudirektor a. D. Fritz Autenrieth
   (Erbauer der Anlage »T«) an den Verf. am 7. Dez. 1974.
19 KTB FHQ Nr. 3–5 (Anm. 1).
20 Baur, a.a.O. (Anm. 6), S. 195 ff.; Spaeter, a.a.O. (Anm. 1), Bd. I, S. 238;
   KTB FHQ Nr. 5 (Anm. 1); Hillgruber, a.a.O. (Anm. 5), S. 688 f.
21 Emil Seidenspinner und Fritz Hölter, mündl. Mitteilungen am 25. Juni 1972;
   Baur, a.a.O. (Anm. 6), S. 206; Kurt Dieckert – Horst Großmann: Der Kampf
   um Ostpreußen. München ²1960, S. 36–40 (mit irrigen Angaben über unterirdische Bunker, ungenaue Skizze auf S. 38 aus Spaeter, a.a.O. [Anm. 1], Bd. II,
   S. 562). Vgl. Luftaufnahmen, Tafeln 49. Zu den Bestattungen: Daten auf den
   noch vorhandenen Grabsteinen.
22 Schmelcher (Anm. 6); KTB FHQ Nr. 6 (Anm. 1); Bormann, a.a.O. (Anm.
   5); NA Mikrofilm R 60.15 Box 6015, S. 4; vgl. Berichte des Nachrichtendienstes Hans Hausamann, mitgeteilt v. Peter Dietz, Schaffhausen; Kurt Emmen-
   egger: Qn wußte Bescheid. Zürich 1965, S. 44–51; Research and Analysis
   Branch Summaries der OSS-Berichte, NA RG 226.
23 Hierzu und zum Folgenden: Walther v. Guendell, Headquarters Commandant, Army High Command (1941–1945), (Masch.), o.O. 1952, NA Ms No.
   P-041da, S. 5 ff.; Spaeter, a.a.O. (Anm. 1), S. 562, berichtet, das äußerste
   Drahthindernis sei 3 m tief gewesen. Peter Hoffmann: Zu dem Attentat im
   Führerhauptquartier »Wolfsschanze« am 20. Juli 1944. In: VfZ, 12 (1964),
   S. 254–265; KTB FHQ Nr. 6 (Anm. 1); Walter Warlimont: Inside Hitler's
   Headquarters 1939–45. London [1964], S. 172 ff.; Hptm. a. D. Hermann Kiefer
   (Sicherheits-Offz. im FFB), mündl. Mitteilung vom 23. April 1975.
24 Diese und die folgenden Beschreibungen beruhen auf Untersuchungen des
   Verf. an Ort und Stelle (1972, 1974); [Karl-Jesko von Puttkamer], Lageplan
   Wolfschanze nach einer im Winter 1945/46 gezeichneten Skizze und mündl.
   Mitteilungen vom 5. März 1964; Skizze der »Wolfsschanze« 1942/44 aus dem
   Besitz von Hptm. a. D. Kiefer; vgl. Hans Walter Hagen: Zwischen Eid und
   Befehl. München ²1959; Kriegstagebuch des Oberkommandos der Wehrmacht
   (Wehrmachtführungsstab) 1940–1945 (KTB OKW). Bd. IV, Frankfurt/M. 1961,
   S. 1752 f.; Zoller, a.a.O. (Anm. 6), S. 145–148; Guendell, a.a.O. (Anm. 23),
   passim; Hoffmann, a.a.O. (Anm. 23), passim.
25 Zoller, a.a.O. (Anm. 6), S. 138 f., 144 f.; Speer, a.a.O. (Anm. 6), S. 245, 400.

26 Baur, a.a.O. (Anm. 6), S. 206, 254; Zoller, a.a.O. (Anm. 6), S. 147 f.

27 Speer, a.a.O. (Anm. 6), S. 391, 547.

28 Hierzu und zum Folgenden: Anm. 24; KTB FHQ Nr. 5 und 6 mit Anlagen (Anm. 1); Heinz Pieper, mündl. Mitteilungen vom 24. Juli 1965 u. Josef Wolf, mündl. Mitteilungen vom 27. Febr. 1965, beide ehem. Offiz. im FHQ.

29 Rattenhuber: Betrifft: Sicherung der Anlage »Wolfschanze« – Sonderdienstvorschrift (:SDV.:) für die Dienststelle 1 d.RSD. –, vom 24. Dez. 1942, Hoover Institution Ts Germany R 352 kb; KTB OKW (Anm. 24), S. 1753; Kiefer (Anm. 23).

30 Werner Vogel, mündl. Mitt. vom 26. Juni 1970; vgl. Skizze »Wolfschanze«.

31 Puttkamer (Anm. 24); Hans-Adolf Jacobsen: 1939–1945. Der 2. Weltkrieg in Chronik und Dokumenten. Darmstadt ⁵1961, S. 643.

32 Hierzu und zum Folgenden: Henry Picker: Hitlers Tischgespräche im Führerhauptquartier 1941–1942. Stuttgart ²1965, S. 46, 505–517; Bormann, a.a.O. (Anm. 5): Führer ißt allein seit 5. Sept.; Stenographen müssen ab 7. Sept. Lagebesprechungen festhalten; 12. u. 14. Sept. zwei Gruppen Stenographen vereidigt; vgl. Linge, a.a.O. (Anm. 6), 4. Folge, S. 44; Baur, a.a.O. (Anm. 6), S. 228; Zoller, a.a.O. (Anm. 6), S. 25, 145; Walter Warlimont: Im Hauptquartier der deutschen Wehrmacht 1939–1945. Grundlagen, Formen, Gestalten. Frankfurt/M. 1962, S. 267 ff.; Günsche, mündl. Mitteilungen vom 6. Nov. 1972; KTB OKW (Anm. 24), S. 1753; Rattenhuber, Sicherung . ., (Anm. 29); vgl. W. F. Flicke: Spionagegruppe Rote Kapelle. Wels 1957, passim.

33 Hierzu und zum Folgenden: Gerhard Engel: Heeresadjutant bei Hitler 1938–1943. Stuttgart 1974, 16. 11. 1942; Linge, mündl. Mitt. v. 14. Aug. 1974; Heinrich Hoffmann: Hitler wie ich ihn sah. München [1974], S. 198 ff.

34 Rattenhuber, Sicherung . ., (Anm. 29).

35 Ferdinand Sauerbruch: Das war mein Leben. Bad Wörishofen [1951], S. 543 bis 549; vgl. Eugen Dollmann: Dolmetscher der Diktatoren. Bayreuth [1953], S. 136 f.; Franz Halder: Kriegstagebuch. Bd. III. Stuttgart 1964, S. 522 für 13. 9. 1942.

36 SS-Untersturmführer Giggenbach an Darges (Pers. Adjutantur des Führers), vom 6. Aug. 1943, Schmundt, Richtlinien (an Verteilerliste), vom 31. Juli 1943, Darges an SA-Hauptsturmführer Vater, vom 3. Aug. 1943, Hoover Institution Ts Germany R 352 kb; vgl. Flicke, a.a.O. (Anm. 32), passim; Peter Hoffmann: Widerstand, Staatsstreich, Attentat. München ²1970, S. 678 f., Anm. 95.

37 Sander an Verteiler, Betrifft: Abänderung der Hauptanschlüsse Rastenburg-Wolfsschanze, vom 27. Jan. 1944, Hoover Institution Ts Germany R 352 kb.

38 Schmundt und A. Bormann an Verteiler, vom 20. Sept. 1943, NA T–84, Rolle 21 (auch BA EAP 105/33); KTB OKW (Anm. 24), S. 1753.

39 Streve, Merkblatt über das Verhalten bei Alarm für die Belegschaft der Sperrkreise und Sonderzüge, vom 14. Okt. 1943, NA T–84, Rolle 21.

40 Streve, Merkblatt über das Verhalten bei Alarm für die Belegschaft der Sperrkreise und Sonderzüge während des Einsatzes in allen FHQu.-Anlagen, vom 5. Mai 1944 u. Alarm-Merkblatt für Wolfschanze, Hoover Institution Ts Germany R 352 kb und NA T–84, Rolle 21; Pieper (Anm. 28); Josef Möller (ehem. in FLNA), mündl. Mitteilungen vom 10. Dez. 1964; Guendell, a.a.O. (Anm. 23), S. 14.

41 Herbert Büchs (damals Gen. St. Offz. im WFSt), mündl. Mitteilungen vom

1. Juli 1964; Baur, a.a.O. (Anm. 6), S. 253; Helmut Heiber (Hrsg.): Hitlers Lagebesprechungen. Stuttgart 1962, S. 661 f., auch zum Folgenden; Himmler, Notizen für Besprechungen mit Hitler, vom 15. Juli 1944, NA T-175, Rolle 94.

42 Streve, Zusatz zum Alarmbefehl für FHQu.-Truppen und Merkblatt über Verhalten bei Alarm für Spkr.- und Sdr.-Zug-Belegschaft, gültig während Belegung »Wolfschanze«, vom 23. Juli 1944, NA T-84, Rolle 21.

43 Zu Stauffenberg siehe Joachim Kramarz: Claus Graf Stauffenberg 15. November 1907 – 20. Juli 1944. Frankfurt/M. 1965; Kurt Finker: Stauffenberg und der 20. Juli 1944. Berlin ⁴1973; Christian Müller: Oberst i. G. Stauffenberg. Düsseldorf [1970]; Hoffmann, a.a.O. (Anm. 36), S. 371–604.

44 Werner Vogel, Betr.: 20. 7. 1944 – eigene Erlebnisse, vom 26. Juni 1970 (gedruckt in Hoffmann, a.a.O. [Anm. 36], S. 911 f.).

45 Spiegelbild einer Verschwörung. Stuttgart 1961, S. 83–86, 112 f.

46 Speer, a.a.O. (Anm. 6), S. 391; [Alfred Jodl], Der 20. Juli im Führerhauptquartier, Masch., o.O. (1946), im Besitz von Frau Jodl; Dollmann, a.a.O. (Anm. 35), S. 40–45; Schulze-Kossens, Briefe vom 20. Nov. 1973 u. 16. Jan. 1974.

47 Werner Bross: Gespräche mit Hermann Göring während des Nürnberger Prozesses. Flensburg/Hamburg [1950], S. 221.

48 Spiegelbild (Anm. 45), S. 113.

49 Baur, a.a.O. (Anm. 6), S. 253; Büchs (Anm. 41); Spaeter, a.a.O. (Anm. 1), Bd. II, S. 588 f.

50 Protokoll von Hitlers Hals-, Nasen- und Ohrenarzt Dr. Erwin Giesing vom 12. 6. 1945 über den 22. 7. 1944, mitgeteilt von Dr. W. Maser; vgl. Erich Kempka: Ich habe Adolf Hitler verbrannt. München [1950], S. 34 f.; das Zelt ist sichtbar in NA RG–242 – HL–7241–3.

51 Max Domarus: Hitler. Reden und Proklamationen 1932–1945. Neustadt a. d. Aisch 1962/1963, S. 2137; Dr. Giesing, mündl. Mitteilung an Dr. W. Maser im Nov. 1971; NA 242–HL 7241–3.

52 Giesing in Hitler as seen by His Doctors, Annexes II, IV, Headquarters United States Forces European Theater Military Intelligence Service Center or Consolidated Interrogation Report (CIR) No. 4, 29. Nov. 1945 und Giesing an Maser; vgl. Zoller, a.a.O. (Anm. 6), S. 25, 122 und Kempka, a.a.O. (Anm. 50), S. 34–38 (Hitler habe Dr. Brandt verdächtigt, daß er ihn vergiften wollte, nachdem Brandt Dr. Morell als Scharlatan bezeichnet hatte).

53 Widmann an Rattenhuber, vom 14. Okt. 1944, NA T-175, Rolle 453.

54 Streve an alle Sperrkreisdienststellen, vom 22. Aug. 1944, Keitel, »Der Führer hat befohlen . .«, vom 1. Sept. 1944, Hoover Institution Ts Germany R 352 kb; Streve an M. Bormann, vom 7. Sept. 1944, NA T-84, Rolle 21.

55 Hierzu und zum Folgenden: Dr. Widmanns Korrespondenz Okt.–Nov. 1944, Widmann an Rattenhuber, 14. Okt. 1944, Hermann Münkner an Rattenhuber, 8. Okt. 1944, SS-Untersturmführer Sachs, Bericht vom 22. Okt. 1944, Widmann an Rattenhuber, 3. Nov. 1944, Widmann an Rattenhuber 10. Nov. 1944, Heinrich und Bernhard Dräger an OT-Oberbauleitung Rastenburg/ Herrn Welker, 28. Nov. 1944, Widmann, Vermerk vom 9. Jan. 1945 – sämtlich NA T-175, Rolle 453. Obstlt. d. G. Schlossmann an Chef der Führungsgruppe/GenStdH Gen.-Lt. Wenck vom 22. Nov. 1944, Oberst i. G. von Bonin (OKH/GenStdH/Op Abt. I a) an Kdt. Festung Lötzen vom 26. Nov. 1944, Wenck an G. Z. 4. Dez. 1944 betr. »Inselsprung«, NA T-78, Rolle 338.

56 Linge, [Tagebuch 14. Okt. 1944–28. Febr. 1945] NA T–84, Rolle 22; Speer, a.a.O. (Anm. 6), S. 426, 446; ähnlich aus anderer Quelle in KTB OKW, Bd. IV, S. 1704 f.

57 Vgl. Picker–Hoffmann, a.a.O. (Anm. 6), S. 68 f.; Zoller, a.a.O. (Anm. 6), S. 29, 148 ff.; Baur, a.a.O. (Anm. 6), S. 257 f., 264 f., 274 ff.; Speer, a.a.O. (Anm. 6), S. 427 f., 437, 467; Gerhard Boldt: Die letzten Tage der Reichskanzlei. Hamburg/Stuttgart 1947, S. 11–15, 23; Kempka, a.a.O. (Anm. 50), S. 56 f., 65–104.

58 Domarus, a.a.O. (Anm. 51), S. 2211 nach Morell; Morell in Hitler as Seen by His Doctors (Anm. 52); Boldt, a.a.O. (Anm. 57), S. 15; BA R 43 II/1060c.

59 Hierzu und zum Folgenden: Baur, a.a.O. (Anm. 6), S. 264 f., 276; Schmelcher (Anm. 6); Affidavit von Major Edmund Tilley, vom 14. Mai 1946, StA Nürnberg PS–3980; Vernehmungen von Dietrich Stahl in Kransberg am 8. Okt. und 1. Nov. 1945, StA Nürnberg PS-3980; Speer, a.a.O. (Anm. 6), S. 437 ff.; Baur, a.a.O. (Anm. 6), S. 275 f.; Boldt, a.a.O. (Anm. 57), S. 67; Karl R. Pawlas: Vierläufige Leuchtpistole. In: Waffen-Revue, Nr. 12 (März 1974), S. 1821, 1830–1833.

60 Speer, a.a.O. (Anm. 6), S. 466 f.; KTB OKW (Anm. 24), S. 1704; Pieper (Anm. 28); Otto Lechler, mündl. Mitteilungen vom 5. Juni 1964 u. Erich Kretz, mündl. Mitteilungen vom 31. Aug. 1966 (beide ehem. im FHQ); Zoller, a.a.O. (Anm. 6), S. 66, 164 f.; François Genoud (Hrsg.): The Testament of Adolf Hitler: The Hitler-Bormann Documents February–April 1945. London 1961, S. 50 ff.

61 Guendell, a.a.O. (Anm. 23), S. 17 f.; Zoller, a.a.O. (Anm. 6), S. 151 f.; Linge [Tagebuch] (Anm. 56).

62 Hierzu und zum Folgenden: Boldt, a.a.O. (Anm. 57), S. 11–15, 38 f.; KTB OKW (Anm. 24), S. 1700–1705; [Xaver Dorsch], Interrogation of Dorsch, chief of Amt-Bau-OT, at Dustbin, 29 July 1945. Interrogated by Mr. Samuel J. Dennis and Lt. Robert Stern, USSBS Interogations, NA RG 243; Kempka, a.a.O. (Anm. 50), S. 65–104; Günsche, mündl. Mitteilungen vom 2. Mai 1975.

63 Günsche, mündl. Mitteilungen vom 12. Nov. 1974; vgl. Hoffmann, a.a.O. (Anm. 33), S. 81.

64 Günsche (Anm. 62); David Irving: Hitler und seine Feldherren. Frankfurt/Berlin/Wien [1975], S. 718–721.

65 H. R. Trevor-Roper: The Last Days of Hitler. New York 1962, S. 260.

XII. Schlußbetrachtungen

1 BA Filmarchiv Film Nr. 3179–1.

2 Albert Zoller: Hitler privat. Erlebnisbericht seiner Geheimsekretärin. Düsseldorf 1949, S. 134 f.

3 Rudolph Binion: Hitler's Concept of Lebensraum: The Psychological Basis. In: History of Childhood Quarterly: The Journal of Psychohistory 1 (1973), S. 202–206; Adolf-Viktor von Koerber: Adolf Hitler. Sein Leben und seine Reden. München [1925], S. 6 f.

4 Adolf Hitler. Mein Kampf. München 1930, S. 70; Max Domarus: Hitler. Reden und Proklamationen 1932–1945. Neustadt a. d. Aisch 1962/63, S. 135, 849.

5 Reginald H. Phelps: Hitlers »grundlegende« Rede über den Antisemitismus.

In: VfZ, 16 (1968), S. 412, 416; Trial of the Major War Criminals before the International Military Tribunal Nuremberg 14 November 1945 – 1 October 1946. Bd. XXVI, Nürnberg 1947, S. 330 (Doc. 789–PS); Akten zur deutschen auswärtigen Politik (ADAP), Serie D, Band VIII. Baden-Baden 1956, Nr. 384.

6 ADAP (Anm. 5), Serie D, Bd. VII, Nr. 192; Henry Picker: Hitlers Tischgespräche im Führerhauptquartier 1941–1942. Stuttgart ²1965, S. 307 f., 387.

7 Picker, a.a.O. (Anm. 6), S. 306; [Adolf Hitler]: Hitler's Secret Conversations. New York 1953, S. 519 (nicht in Picker).

8 Albert Speer: Erinnerungen. Frankfurt/Berlin 1969, S. 173, 229.

9 Speer, a.a.O. (Anm. 8), S. 54, 466 f.; KTB OKW (Anm. 24), S. 1704. Zarin Elisabeth starb am 5. Jan. 1762, ihr Nachfolger Peter III. verließ die Koalition gegen Preußen und schloß Frieden mit Friedrich dem Großen.

10 Speer, a.a.O. (Anm. 8), S. 430, 446.

11 Hans Baur: Ich flog Mächtige der Erde. Kempten 1956, S. 275.

12 Günther Weisenborn: Der lautlose Aufstand. Hamburg 1962, S. 240 (rororo-Taschenbuch); Personalakten der Stiftung »Hilfswerk 20. Juli 1944«; Peter Paret: An Aftermath of the Plot Against Hitler: the Lehrterstrasse Prison in Berlin, 1944–5. In: Bulletin of the Institute of Historical Research, 32 (1959), S. 99, Anm. 6.

Stadtplan von München 1937*

* Qu. Seite 320

TAFEL 6

ISAR

Stadtplan von Berlin Mitte
1944 *

* Qu. Seite 320

TAFEL 7

Obersalzberg
1939–1945 *

1 „Berghof"
1a SS-Begleitkommando, Persönliche
   Adjutanten, Wehrmachtadjutantur
2 Haus Göring
3 Haus Bormann
4 Verwaltung Obersalzberg
5 Hotel „Zum Türken" (RSD)
6 Bechstein-Haus (Gästehaus)
7 Gutshof
8 Modellhaus für architektonische
   Planungen; Kindergarten
9 Gewächshaus
10 Verwaltung Obersalzberg
11 General Bodenschatz
12 Stallungen
13 Speers Studio

14 Gästehaus
15 „Platterhof"-Garage, Unterkünfte
16 SS-Kasernen
17 Garagen
18 Fahrerunterkünfte
19 Post
20 Café „Hintereck"
21 SS-Unterkünfte
22 SS-Unterkünfte
23 Haus Speer
24 SS-Wachhaus
25 Jugendhaus
26 „Kampfhäusel" (Hitlers Versteck 1923)
27 „Platterhof"
28 Post, Laden
29 „Platterhof"

30 Heiz- und Frischluftschacht
31 Maschinengewehrstellungen
32 Verbindung zu Bormanns Bunker
   und zur Verwaltung
33 Hundezwinger
34 Bad, Toiletten für Wachen
35 Wachen
36 Speiseraum
37 Hitlers Unterkunft
38 Dr. Morell
39 Eva Brauns Unterkunft
40 Gästeräume
41 Nachrichtenzentrale
42 Unterirdische Gewehr- und
   Pistolenschießbahn
43 Wasserbecken

0 20 40 60 80 100 m

Unterbrochene Linien:
   Unterirdische Bauten

* Qu. Seite 320

TAFEL 8a

„Berghof" mit näherer Umgebung*

| 0 | | 500 | | 1000 m |

TAFEL 8b

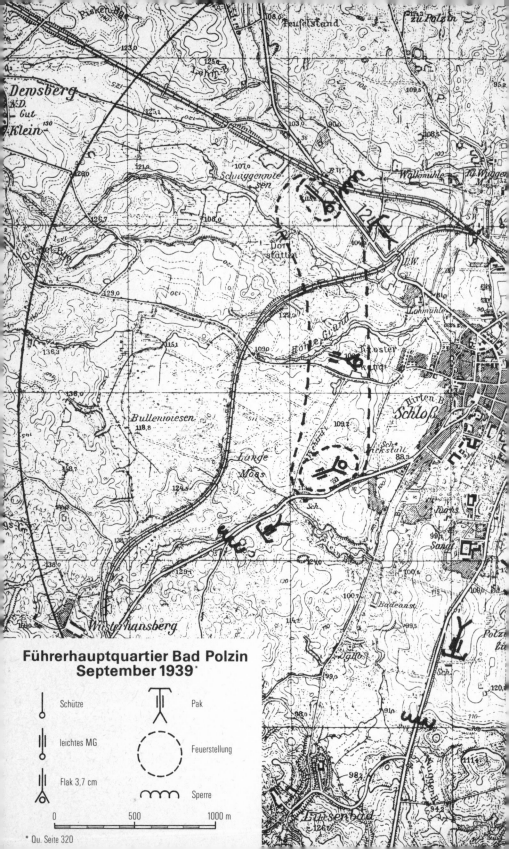

Führerhauptquartier Bad Polzin
September 1939[*]

Schütze		Pak
leichtes MG		Feuerstellung
Flak 3,7 cm		Sperre

0   500   1000 m

[*] Qu. Seite 320

TAFEL 9

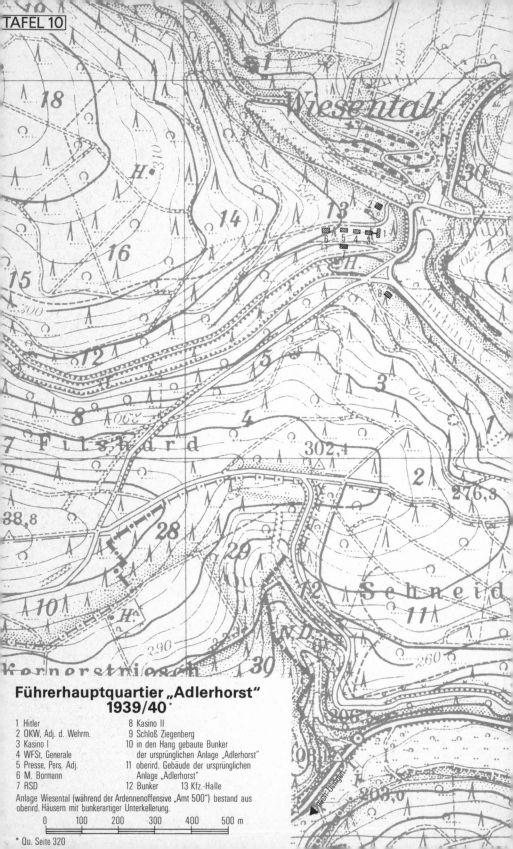

TAFEL 10

Führerhauptquartier „Adlerhorst"
1939/40 *

1 Hitler	8 Kasino II
2 OKW, Adj. d. Wehrm.	9 Schloß Ziegenberg
3 Kasino I	10 in den Hang gebaute Bunker
4 WFSt, Generale	der ursprünglichen Anlage „Adlerhorst"
5 Presse, Pers. Adj.	11 oberird. Gebäude der ursprünglichen
6 M. Bormann	Anlage „Adlerhorst"
7 RSD	12 Bunker 13 Kfz.-Halle

Anlage Wiesental (während der Ardennenoffensive „Amt 500") bestand aus
oberird. Häusern mit bunkerartiger Unterkellerung.

0   100   200   300   400   500 m

* Qu. Seite 320

Führerhauptquartier „Felsennest"
Mai 1940 *

1 Hitler, Linge
2 Keitel, Jodl, Schmundt, Below,
  Engel, Schaub, Fernschreiber
3 Puttkamer, Deyhle, 2 Schreiber,
  Lagezimmer
4 Speiseraum, Küche
5 WC, Duschen

6 Nachrichtenzentrale
7 a) Bormann, Brückner, Dr. Dietrich, Lorenz mit Personal,
     Bodenschatz, Wolff, Hoffmann, Morell, Brandt,
     Adj. Bormanns u. Keitels, Hewel
  b) Warlimont mit kleinem Stab (OpH, OpM, OpL, Schreiber)
  c) RSD, SS-Begleitkommando

0   200   400   600   800   1000 m

* Qu. Seite 320

TAFEL 11

Führerhauptquartier
„Wolfschlucht [I]" Juni 1940 *

1	Führer-Haus	7	Bunker im Bau
2	Hitlers Bunker	8	Kirche
3	Kasino	9	Pfarrhaus
4	WFSt	10	Schulhaus
5	Fieseler-Storch-Landeplatz	11	Gasthaus
6	Lagerkommandant		

0   100   200   300   400   500 m

* Qu. Seite 320

**Führerhauptquartier
„Wolfschlucht [II]" 1940/44***

1 Tunnel (Führersonderzug)
2 OKW-Bunker
3 Führer-Bunker
4 Persönliche Begleitung
5 Kasino

0   100   200   300   400   500 m

* Qu. Seite 320

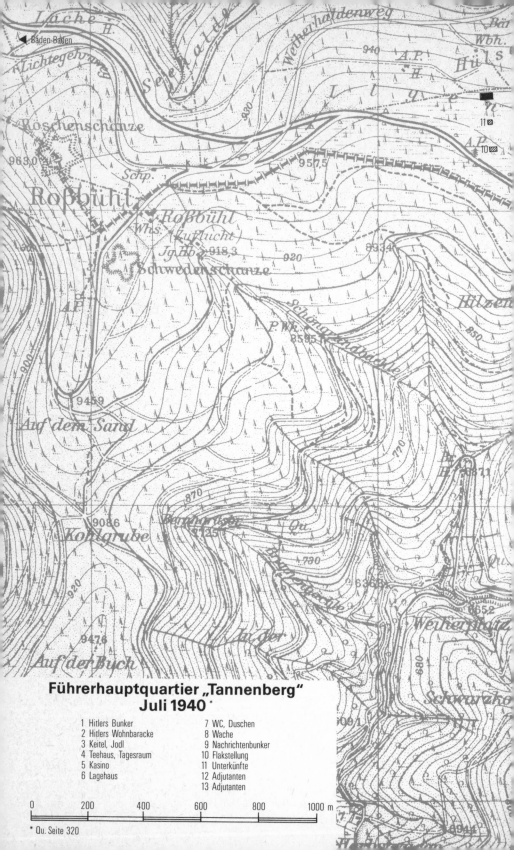

Führerhauptquartier „Tannenberg"
Juli 1940 *

1 Hitlers Bunker
2 Hitlers Wohnbaracke
3 Keitel, Jodl
4 Teehaus, Tagesraum
5 Kasino
6 Lagehaus
7 WC, Duschen
8 Wache
9 Nachrichtenbunker
10 Flakstellung
11 Unterkünfte
12 Adjutanten
13 Adjutanten

0   200   400   600   800   1000 m

* Qu. Seite 320

TAFEL 14

Führerhauptquartier „Frühlingssturm"
April 1941*

0   500   1000 m

* Qu. Seite 320

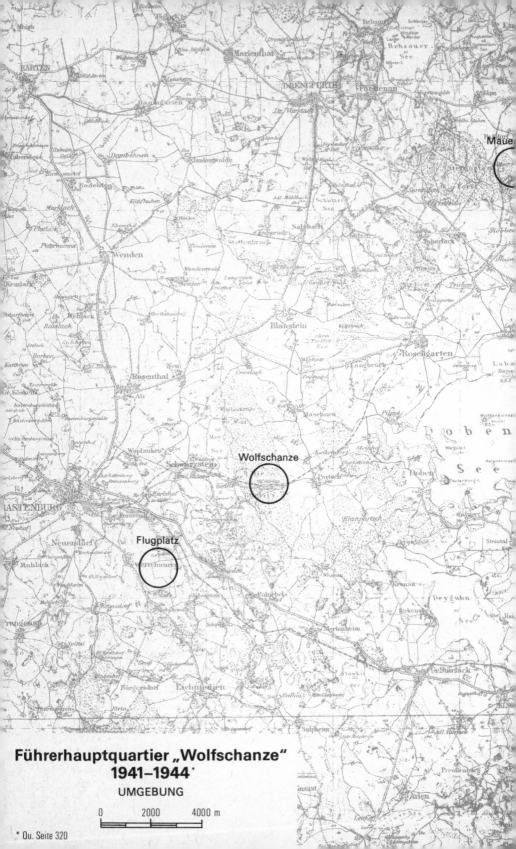

Führerhauptquartier „Wolfschanze"
1941–1944 *

UMGEBUNG

0   2000   4000 m

* Qu. Seite 320

Hochwald

TAFEL 16a

Führerhauptquartier „Wolfschanze"
1941–1944 *
mit FLUGPLATZ

1 Kommandant, Flugleitung, Wetterstation, Platzmeister
2 Führersonderstaffel, OKW-Staffel, Führerkurierstaffel,
Vermittlung, Fernschreibstelle, Küche Kdo
3 Werft- und Abstellhallen
4 Wasserturm
5 Offizierquartiere
6 Casino
7 Bodenpersonal
8 Bodenpersonal
9 Gut Wilhelmsdorf
10 Peiler (mot)
11 Küche, Mannschaftsmesse
12 Wachposten

0   500   1000   2000 m

* Qu. Seite 320

Moy-
See

Err: Bl.

Zgl.

139

ro.

Die
Wolfschanze
Görlitz
Bf. Görlitz
144
Kurhs.
137
Görlitz
Leiser-S.
Gut
Görlitz
Err. Bl.
eonorenheim
157
Gr.
auchel
S.
Queden
Ex. Pl.
Pohiebels
140
Gut

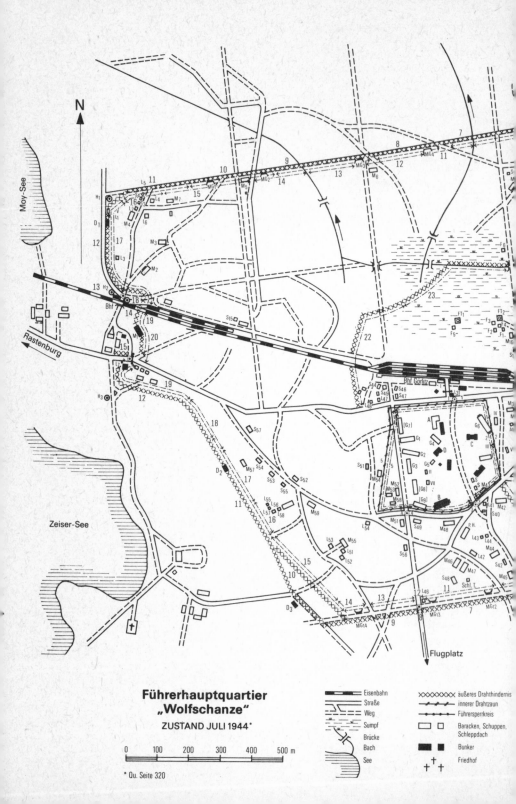

TAFEL 16c

Führerhauptquartier
„Wolfschanze"

ZUSTAND JULI 1944*

	Eisenbahn		äußeres Drahthindernis
Straße			innerer Drahtzaun
Weg			Führersperrkreis
Sumpf			Baracken, Schuppen, Schleppdach
Brücke			
Bach			Bunker
See			Friedhof

0 100 200 300 400 500 m

* Qu. Seite 320

z₁ Unterkünfte
z₂ Allgemeine Bunker
z₃ Verbindungsstab Ob. der Marine
z₄ Verbindungsstab Ob. der Luftwaffe
z₅ Verbindungsstab Ob. der Marine

7 Chef OKW
8 Persönliche Adjutantur des Führers
10 Kasino I und Teehaus
11 Führer
12 M. Bormann
13 Adjutantur der Wehrmacht beim Führer
813 Heerespersonalamt
16 Nachrichtenbunker (Fernschreibvermittlung)

Sperrkreis II und übrige Anlage

G₁ WFSt
G₂ WFSt
G₃ WFSt
G₄ Kommandant FHQ
G₅ Stab FBB
G₆ = [G₉] WFSt

A Kasino WFSt, Kasino FHQ (ehem. Kurhaus)
B Nachrichtenbunker (Fernsprechvermittlung)
C Stab FBB
D Heizbunker, Fernschreibvermittlung

I Ortskommandant
II Haus Kommandant
III Haus General Warlimont
IV Ortskrankenstube
V Krankenrevier
VI Waschbaracke
VII Sauna II

M₁-M₁₀ Unterkünfte FBB
M₁₁ III. Zug 2. Kp. FBB
M₁₂ Wachzug 7. FFA
M₁₃ Scheinwerferstaffel
M₁₄ II. Zug 1. Kp. FBB (Lt. Jansson)
M₁₅ II. Zug 1. Kp. FBB (Lt. Christiansen)
M₁₆, M₁₇ Unterkünfte
M₂₁ 1. Kp.-Trupp. FBB
M₂₂ Nachrichtenzug
M₂₃ I. Zug 1. Kp. FBB
M₂₄ I. Zug 1. Kp. FBB (Lt. Stumpf)
M₂₅ III. Zug 1. Kp. FBB (Oblt. Seldte)
M₂₆-M₃₀ Unterkünfte (M₂₈ früher Wache-Süd)
M₃₁ Fernmeldebaracke
M₃₂ Oberwachtmeister Hildebrand
M₃₃ Mannschaftsbaracke
M₃₄ Wirtschaftsbaracke
M₃₅ Offizierbaracke
M₄₁ Troß 1. Kp. FBB
M₄₂ Sonderkommando „W"
M₄₃ Uffz. Stab Kommandant
M₄₄ Unterkunft
M₄₅ Sonderkommando „W"
M₄₆ Feuerlösch-Kp.
M₄₇ Unterkunft
M₄₈ Mannschaften Stab Kommandant
M₅₁ II. Zug 3. Kp. (Lt. Krieger)
M₅₂, M₅₃ Uffz. und Mannschaften WFSt
M₅₄ III. Zug 3. Kp. (Oblt. Grotesmann)
M₅₅ FBB (Oblt. Pieper)
M₅₆ Geschäftszimmer 3. Kp.
M₅₇ I. Zug 3. Kp. (Oblt. Wegmann)
M₅₈, M₅₉, M₆₁ Unterkünfte

L₁-L₆ Unterkünfte
L₇ Wache West
L₁₃ Wache Ost
L₁₄ Wachunterkunft
L₁₅ Wachunterkunft
L₁₉ Wachunterkunft
L₂₁ Wache I
L₂₂ Oblt. Kessel
L₂₃ Geschäftszimmer 1. Kp.
L₂₄-L₂₉ Unterkünfte
L₃₁ Wache II
L₄₁ Sonderkommando „W" Rechnungsführer
L₄₂ Unterkunft
L₄₃ Sonderkommando „W" Geschäftszimmer
L₄₄ Major Gnass, Wohnung
L₄₆ Wache Süd (früher Wache Südwest)
L₄₇, L₄₈, L₅₁, L₅₂ Unterkünfte
L₅₃ Offiz.-Kasino 3. Kp. FBB
L₅₅-L₅₈ Unterkünfte

Ab Latrinen
D Schartenstände (Bunker)
F Flakstände
FT Flaktürme
H Hochstände (MG-Türme)
Hy Hydrant
MG Maschinengewehrstellungen

a-z, A-D nichtoffizielle Numerierung

Sperrkreis I und unmittelbare Umgebung

a Lagebaracke
b Gästebunker
c Reichspressechef
d Garagen
e RSD, SS-Begleitkommando
f RSD
g SS-Begleitkommando, Persönlicher Dienst
h Stenographen
i RSD (Rattenhuber, Högl), Poststelle
j Verbindungsleute oberster Reichsbehörden (Bodenschatz, Hewel, Voß, SS-Obergruppenführer Wolff, später Fegelein), Dr. Morell, Friseur Wollenhaupt (aus dem Hotel „Kaiserhof", Berlin)
k Kino
l Fahrer
m Heizhaus
n Sauna
o Allgemeiner Bunker
p Kasino II
q Chef WFSt
r Flakbunker
s Löschwasserbecken
t Reichsmarschallhaus
u Görings Bunker
v Altes Teehaus
w SS-Begleitkommando
x Bunker
y Verbindungsstab Reichsaußenminister
z Speer, Gäste

LEGENDE

- - - Patrouillenwege der Posten der Wachzüge des FBB, Tagaufstellung
• Standposten, Tagaufstellung

– – Patrouillenwege der Posten der Wachzüge des FBB, Nachtaufstellung
○ Standposten, Nachtaufstellung

Im Westteil des Sperrkreises I während der Benützung des Sondersperrkreises
– Gebäude a, b, e – leichte Verschiebungen der Wachgestaltung. Im Gelände,
innerhalb und außerhalb der Außenzäune, Telephone, Wasserzapfstellen,
Splittergräben, Unterstände, Munitionsdepots, Minengürtel (Angaben im
einzelnen fehlen, Kfz.-Einstellplätze teilweise aus Gründen der Übersichtlichkeit
weggelassen).

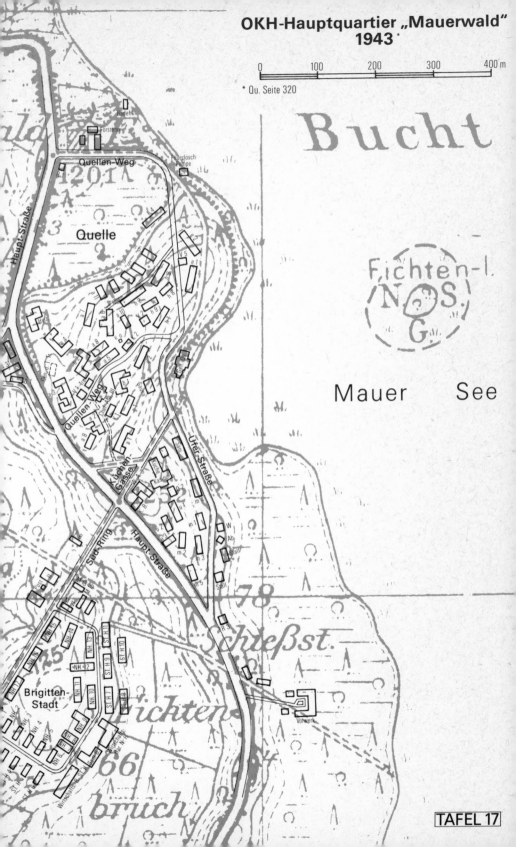

OKH-Hauptquartier „Mauerwald"
1943 *

0   100   200   300   400 m

* Qu. Seite 320

Bucht

Fichten-I.

Mauer   See

TAFEL 17

Strishawka

Kolo-Michaliwka

317

WFSt Kommandant

Winniza

Bondari 28

Führerhauptquartier „Wehrwolf"
1942–1943 *

Außenzaun der Gesamtanlage
×——×——× Zaun des inneren Sperrkreises

0   100   200   300   400   500 m

* Qu. Seite 320

Berditschew

Dessna

TAFEL 18a

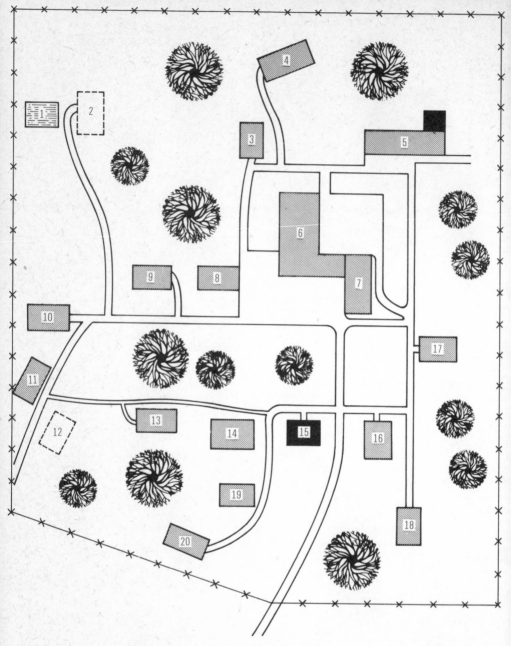

Führerhauptquartier „Wehrwolf"[*]
1942–1943

TAFEL 18b

1 Schwimmbad	11 Presse
2 Kino (im Bau)	12 Neues Gästehaus (im Bau)
3 R. L. Bormann	13 Nachrichtenzentrale
4 Stenographen	14 Badehaus, Sauna, Friseur
5 Führerhaus	15 Allgem. Bunker
6 Kasino	16 Adjutantur d. Wehrmacht
7 Teehaus	17 Chef OKW, Chef WFSt
8 Pers. Adjutantur	18 Chef Heeresstab
9 Generale	19 R. S. D.
10 Alt. Gästehaus, Sekretärinnen	20 Diener, Ordonnanzen

* Qu. Seite 320

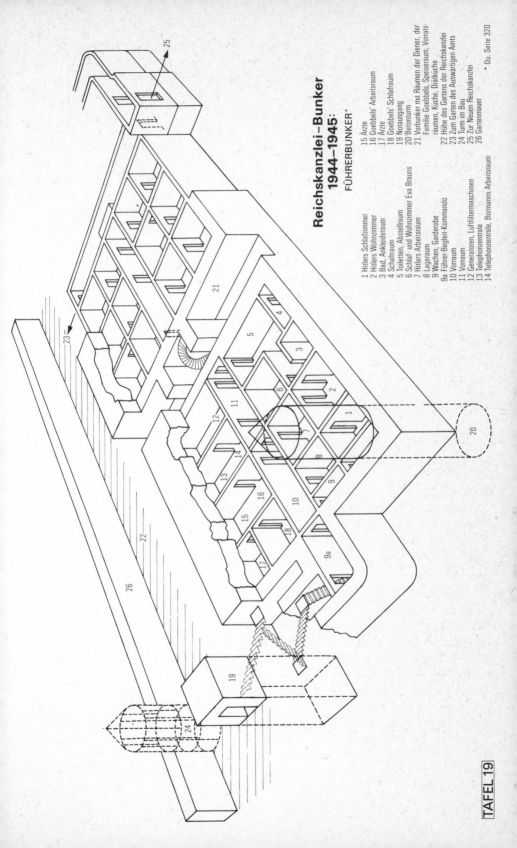

Reichskanzlei–Bunker 1944–1945:
FÜHRERBUNKER*

1 Hitlers Schlafzimmer
2 Hitlers Wohnzimmer
3 Bad, Ankleideraum
4 Schaltraum
5 Toiletten, Abstellraum
6 Schlaf- und Wohnzimmer Eva Brauns
7 Hitlers Arbeitsraum
8 Lageraum
9 Wachen, Garderobe
9a Führer-Begleit-Kommando
10 Vorraum
11 Vorraum
12 Generatoren, Luftfiltermaschinen
13 Telephonzentrale
14 Telephonzentrale, Bormanns Arbeitsraum
15 Ärzte
16 Goebbels' Arbeitsraum
17 Ärzte
18 Goebbels' Schlafraum
19 Notausgang
20 Betonturm
21 Vorbunker mit Räumen der Diener, der Familie Goebbels, Speiseraum, Vorratsräumen, Küche, Diätküche
22 Höhe des Gartens der Reichskanzlei
23 Zum Garten des Auswärtigen Amts
24 Turm im Bau
25 Zur Neuen Reichskanzlei
26 Gartenmauer

* Qu. Seite 320

TAFEL 19

Quellenverzeichnis

Tafel 1: BA Slg. Schumacher O. 434.
Tafel 2a: Kap. VIII Anm. 6.
Tafel 2b: Kap. VIII Anm. 6.
Tafel 2c: Kap. VIII Anm. 6.
Tafel 2d: Kap. VIII Anm. 6.
Tafel 3: Kap. X Anm. 1–25.
Tafel 4: BA NS 10/124.
Tafel 5: BA NS 10/124.
Tafel 6: Ausschnitt aus der Stadtkarte 1:5000 München 1936. Hrsg. Städt. Vermessungsamt.
Tafel 7: Town Plan of Berlin, Geographical Section, General Staff, No. 4480, War Office, [London] 1944.
Tafel 8a: Obersalzberg, Berchtesgaden Recreation Area Engineer Section 1964; Karte des Berghofbunkers, Verlag Therese Partner, Obersalzberg o.J.; Karte des Berghofgeländes, Verlag Therese Partner, Obersalzberg o.J.; Kap. X Anm. 32–42.
Tafel 8b: Topographische Karte 1:25 000 8344 Berchtesgaden Ost, Bayer. Landesvermessungsamt, München 1971; Tafel 8a.
Tafel 9: Topographische Karte 1:25 000 2262 Bad Polzin, Reichsamt für Landesaufnahme, [Berlin] 1937; Kap. XI Anm. 1.
Tafel 10: Topographische Karte 1:25 000 (Meßtischblatt) 5617 Usingen, Hessisches Landesvermessungsamt, Wiesbaden 1973; Skizzen und Mitteilungen von Konteradm. a.D. K. J. v. Puttkamer und Oberregierungsrat a.D. Dipl. Ing. K. Prädel; Kap. XI Anm. 1–5; Feststellungen d. Verf. in Wiesental und Ziegenberg 1974.
Tafel 11: Topographische Karte 1:25 000 5406 Bad Münstereifel, Landesvermessungsamt Nordrhein-Westfalen, [Düsseldorf] 8 1969; Mitteilungen und Skizze von Konteradm. a.D. K. J. v. Puttkamer; Feststellungen d. Verf. am Ort 1974; Kap. XI Anm. 6–12.
Tafel 12: Belgique 1:25 000 Rièzes – Cul-des-Sarts Édition 1–IGMB 1969 M834 Planche 62/3–4, Institut Géographique Militaire, Bruxelles [1969]; Mitteilungen und Skizze von Konteradm. a.D. K. J. v. Puttkamer.
Tafel 13: Carte de France 1/25 000 Soissons Nos. 1–2, 3–4, Institut Géographique National, Paris [1962]; Mitteilungen und Skizze von Konteradm. a.D. K. J. v. Puttkamer.
Tafel 14: Topographische Karte 1:25 000 Oppenau, Landesvermessungsamt Baden-Württemberg, [Stuttgart] 1972; Kap. XI Anm. 18.
Tafel 15: Österreichische Karte 1:50 000 106 Aspang [und] 105 Neunkirchen, Bundesamt für Eich- und Vermessungswesen (Landesaufnahme), Wien 1960; Kap. XI Anm. 20.
Tafel 16a: Karte des Deutschen Reiches 1:100 000 (1-cm-Karte) Großblatt 30a Rastenburg–Lötzen–Arys, Reichsamt für Landesaufnahme, Berlin 1941; Kap. XI Anm. 28.
Tafel 16b: Meßtischblatt 1994 Rastenburg (Stand v. 1. 10. 38), [Berlin] o.J.; Meßtischblatt 640 Groß Stürlack Neue Nr. 1995 (Stand v. 1. 10. 38), [Berlin] o.J.; Skizze von Oberstudienrat Max Müller; Hoffmann, Widerstand, S. 809 Anm. 3.
Tafel 16c: Wie Tafel 16b; Kap. XI Anm. 21–24.
Tafel 16d: Kap. XI Anm. 23–24; Feststellungen d. Verf. am Ort 1972 und 1974.
Tafel 17: Plan Lager Fritz u. Quelle M 1:2 500, [OKH] 1943, mitgeteilt von Min.Rat a.D. Eugen Kreidler.
Tafel 18a: Deutsche Heereskarte Rußland 1:50 000 Winniza M–35–105–B und Mal. Kruschlinzy M–35–106–A, OKH GenStdH Chef des Kriegskarten- und Vermessungswesens, 1943; Papiere von Maj. a.D. Josef Wolf (ehem. Kdt. FNA); Skizze und Mitteilungen von Konteradm. a.D. K. J. v. Puttkamer und Krim.Dir. a.D. F. Schmidt.
Tafel 18b: Wie Tafel 18a.
Tafel 19: Erich Kempka, Ich habe Adolf Hitler verbrannt, Kyburg Verlag, München [1950], S. 65–104; Henry Picker / Heinrich Hoffmann, Hitlers Tischgespräche im Bild, Gerhard Stalling Verlag, Oldenburg und Hamburg 1969, S. 68–69; H. R. Trevor-Roper, The Last Days of Adolf Hitler, Collier Books, New York 1962, S. 171; Mitteilungen von Erich Kempka und Otto Günsche.

Oben: Hitler mit Leibwache (SS-Begleitkommando) am »Haus Wachenfeld« bei
Berchtesgaden, Frühjahr 1932; von links: Kurt Gildisch, Erich Kempka, Hitler,
Bruno Gesche (Foto Erich Kempka). TAFEL 20
Unten: Im Führerhauptquartier »Wolfschlucht [I]«, Juni 1940, von links: Heinz TAFEL 21
Lorenz, Major d. G. Deyhle, Adjutant Albert Bormann, RSD-Kommandeur Hans
Rattenhuber, General der Flieger Karl Bodenschatz, Hitler (NA RG 242-HL-
5107-28).

Links: RSD-Beamte in Prag, 16. März 1939; von links: Driesle, Feuerlein, Rattenhuber, Zenker (NA RG 242-HL-3812-15).

Rechts: Mercedes-Benz 770 G 4 W 31, Pistolentasche (Foto Daimler-Benz AG).

Mercedes-Benz 770 G 4 W 31
(Foto Daimler-Benz AG).

Mercedes-Benz 770 K W 150 II (Foto Daimler-Benz AG). Hitlers Paradewagen. TAFEL 25
Herstellung: 1942. Leergewicht: 4780 kg.

1. 400-PS-Motor, 2. Reifen mit 20 Zellen, 3. Scheiben aus 40 mm Panzerglas,
4. Hitlers um 13 cm erhöhter Sitz, 5. Hitlers um 13 cm erhöhte Fußbank, 6. Aluminiumkotflügel, 7. als Schutzschild dienende Ersatzräder, 8. elektromagnetischer Türverschluß, 9. manganbehandelte Panzerplatte, 10. Benzintank: 300 l,
11. Kühler aus Weißkupfer, 12. Hitlers Standarte, 13. allgemeine Panzerung:
18 mm.

Mercedes-Benz »Großer Mercedes« 7,7 Liter W 150 (Foto Daimler-Benz AG). TAFEL 26

TAFEL 27   Oben: Focke-Wulf FW 200 »Condor« V 3, Führermaschine »Immelmann III«,
            Baujahr 1937 (Foto Karl R. Pawlas, Publizistisches Archiv).

TAFEL 28   Unten: Hitler mit seiner Junkers »Ju 52« bei der Ankunft zu einem Frontbesuch
            in Polen, 10. September 1939; rechts, mit Ausrüstung beladen, Heinz Linge (NA
            RG 242-HL-4543-2).

TAFEL 29 a   Focke-Wulf FW 200 »Condor« C-4/U-1, Führermaschine, 11 Sitze, Baujahr 1942
             (Foto Karl R. Pawlas, Publizistisches Archiv).

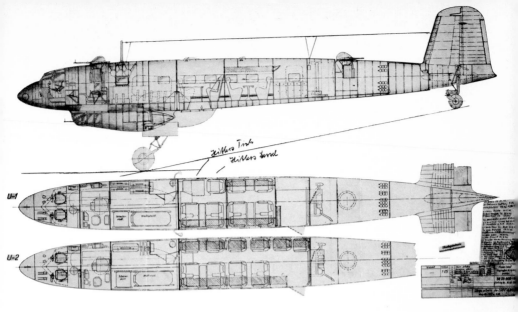

Oben: Schematische Darstellung der FW 200 »Condor« C-4/U-1 (Führermaschine)   TAFEL 29 b
und der Begleit-»Condor« C-4/U-2 (Karl R. Pawlas, Publizistisches Archiv).

Links unten: Hitlers Sessel in der Führermaschine, mit eingebautem Fallschirm   TAFEL 30
(Foto Karl R. Pawlas, Publizistisches Archiv).

Rechts unten: Haftmine »clam« (Foto Field Engineering and Mine Warfare   TAFEL 31
Pamphlet No. 7: Booby Traps, War Office, London 1952, S. 26).

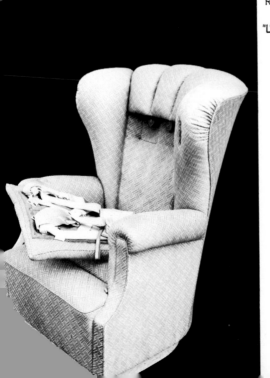

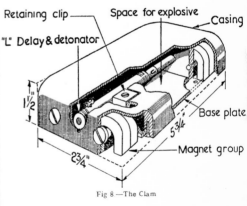

Fig 8 —The Clam

TAFEL 32   Oben: »Wahlkampf« März/April 1938; in Hitlers Wagen von links: Kapitän z. S. Karl Jesko von Puttkamer, Rudolf Heß, N. N., Hitler, Karl Krause (NA RG 242-HL-(MP)-2).

TAFEL 33   Unten: »Wahlkampf« 1. April 1938, Hitler mit Führer-Begleit-Kommando auf der Königstraße in Stuttgart (NA RG 242-HL-(MP)-2).

Oben: Hitler im Mercedes-Benz 770 K W 150 II, Unter den Linden, 1. Mai 1939;
mit ihm im Auto von links: Dr. Joseph Goebbels, Linge, Dr. Robert Ley, Erich
Kempka (NA RG 242-HL-3974-7). **TAFEL 34 a**

Unten: Dasselbe, auf der Höhe der sowjetischen Botschaft (NA RG 242-HL-3974-23). **TAFEL 34 b**

Oben: Hitler auf Frontfahrt in Polen 10./12. September 1939 (NA RG 242-HL-4543-23). TAFEL 37a

Unten: Dasselbe (NA RG 242-HL-[MP]-2). TAFEL 37b

TAFEL 38   Oben: Hitler auf Frontfahrt in Polen, hier beim Übergang deutscher Truppen über den San; im Vordergrund Franz Schädle vom SS-Begleitkommando (NA RG 242-HL-4556-7).

TAFEL 39   Unten: Hitler in Warschau am 5. Oktober 1939 (NA RG 242-HL-4618-16).

Oben: RSD-Beamte des Führer-Begleit-Kommandos während einer Frontfahrt Hitlers in Belgien 1./2. Juni 1940; von links: Lecziewski, Karl Weckerlein, Hans Küffner, Josef Jörg, Peter Högl, Josef Hausner, Grill (NA RG 242-HL-5035-13).   TAFEL 40

Unten links: Hitler im Zug »Amerika« auf der Fahrt nach München, bei Wassertrüdingen, 17./18. Juni 1940 (NA RG 242-HL-5059-27).   TAFEL 41

Unten rechts: »Berghof«, Wachhaus im Vordergrund, 1939 (LC 55420/1).   TAFEL 42

TAFEL 43   Oben: Hitler im Lazarett Carlshof, 3 km westlich »Wolfschanze«, kurz nach dem 20. Juli 1944; im Auto von links: Hitler, Martin Bormann, Dr. Karl Brandt, Julius Schaub, Kempka (NA RG 242-HL-7241-3).

TAFEL 44a   Unten: FHQ »Frühlingssturm«: Zug »Amerika«, April 1941 (NA RG 242-HL-46581-5).

Oben: V. l.: A. Bormann, Schaub, Hitler, Hewel (NA RG 242-HL-5120-20).   TAFEL 44b
Unten links: Führerhauptquartier »Tannenberg« auf dem Kniebis, Sicherungs-   TAFEL 45
gürtel, Juli 1940 (NA RG 242-HL-5096-14).
Unten rechts: Führerhauptquartier »Wolfschanze«: Wachen vor Hitlers Bunker   TAFEL 46
während des Besuchs von Graf Ciano, 25. Okt. 1941 (NA RG 242-HL-5181-10).

TAFEL 47 Oben: Führerhauptquartier »Anlage Süd« mit künstlichem Tunnel und Mussolinis Sonderzug bei dessen Ankunft im August 1941 (NA RG 242-HL-5164-19).

TAFEL 48 Unten: Hitler in der »Wolfschanze« kurz nach dem Attentat des 20. Juli 1944;
von links: SS-Adjutant Otto Günsche, Keitel, Göring, Hitler, Chef der Reichskanzlei Dr. Lammers, Martin Bormann (Foto Otto Günsche).

Oben/Unten:
Führerhauptquartier »Wolfschanze«,
Tarnung, 1942
(Zeitgeschichtliches Bildarchiv
Heinrich Hoffmann).

TAFEL 49 a

TAFEL 49 b

TAFEL 50 a Oben/Unten: Führerhauptquartier »Wolfschanze« nach dem Krieg: Hitlers Bunker von Norden (Photo d. Verf.).

TAFEL 50 b Unten: Führerhauptquartier »Wolfschanze« nach dem Krieg: Hitlers Bunker: Deckenschichten (Photo d. Verf.).

Namenverzeichnis

Der Name Adolf Hitler wurde nicht aufgenommen. In den Anmerkungen vorkommende Namen wurden nur aufgenommen, soweit sie nicht Verfasser oder Teil von Titeln der zitierten Veröffentlichungen oder ungedruckten Quellen sind.

Peter Hoffmann

Widerstand - Staatsstreich - Attentat

Der Kampf der Opposition gegen Hitler. 2., verbesserte und erweiterte
Aufl., 8. Tsd. 1970. 998 Seiten mit Karten, Skizzen und 8 Fotos. Leinen

»Dieses Buch ist kein Buch mehr, sondern ein Werk, erarbeitet,
straff gegliedert und gut lesbar gestaltet. Es ist ein Werk, das in den
kommenden Jahrzehnte von niemanden übergangen werden
kann, der über den Widerstand gegen Hitler etwas aussagen oder gar
arbeiten will. Das Buch vermittelt neue Erkenntnisse.«

Kölner Stadtanzeiger

»Hoffmanns Studie ist wohl die gründlichste, die es über den
Leidensweg der oppositionellen Kräfte bisher gibt. Das bereits
reichlich vorhandene Material wird mit großer Gründlichkeit
ausgewertet und durch eigene Forschungsergebnisse ergänzt.«

Stuttgarter Zeitung

»Ein Werk, auf das jeder Historiker stolz sein darf; es verdient aller-
höchstes Lob ... eine hervorragend gegliederte, erstklassig ge-
schriebene, oft fesselnde Darstellung ... Es wird das wichtigste,
bestimmt endgültige Standardwerk bleiben.«

Times Literary Supplement

Ernst Nolte

Deutschland und der Kalte Krieg

1974. 755 Seiten. Leinen

»Dieses Buch beschränkt sich nicht darauf die Geschichte des
Kalten Krieges nachzuerzählen. Es versucht vielmehr, ihn als ein Stück
Weltgeschichte ebensowohl in machtpolitischer wie in ideologischer
Hinsicht zu begreifen. In seinem Kern ist es eine Auseinandersetzung
mit den Beweggründen und Folgen linker Weltveränderung.«

Frankfurter Allgemeine Zeitung

Der Faschismus in seine Epoche

Die Action française – Der italienische Faschismus – Der National-
sozialismus. 4. Aufl., 11. Tsd. 1971. 635 Seiten. Leinen

»Ernst Nolte hat die anschaulichste, die tiefgründigste, die kenntnis-
reichste und doch kritische Geschichte des Faschismus in einer
europäischen Bewegung geschrieben, die wir bisher haben und
wahrscheinlich haben werden.«

Chicago Tribune

Die Krise des liberalen Systems und die faschistischen Bewegungen

1968. 475 Seiten. Leinen

»Ernst Noltes bedeutende Arbeiten zur Phänomenologie des
Faschismus haben die Grundlagen geschaffen, auf denen eine
systematisch vergleichende Spezialforschung aufbauen kann.«

Die Zeit